VICKI BAUM · DIE GOLDENEN SCHUHE

VICKI BAUM

Die goldenen Schuhe

ROMAN

EINER PRIMABALLERINA

1960

IM BERTELSMANN LESERING

Lizenzausgabe für den Bertelsmann Lesering
mit Genehmigung der Autorin
© 1958 by Vicki Baum
Einband G. Ulrich · Schrift Petit Cornelia Linotype
Gesamtherstellung Mohn & Co GmbH, Gütersloh
Printed in Germany · Buch-Nr. 0314

ERSTER TEIL

In der Minute vor ihrem Erwachen irrte Katja noch durch die Stadt, die nur in einem stets wiederkehrenden Traum existierte und in der sie trotzdem jede Straße genau kannte: das krumme Gäßchen mit den nassen Kopfsteinen, den riesigen offenen Platz, über den immer die eisigen Winde fegten, die Brücke, die sie in ihrem Kleinmädchennachthemd und auf bloßen, schmerzenden Kinderfüßen überqueren mußte. Und zuletzt die Fliederbüsche in der grellen Parksonne. „Sieh doch, das ist *persischer* Flieder", sagte Grischa, denn auch Grischa war in dem Traum, Grischa noch am Leben. Im Traum erschien er nicht als der kalte, gehässige Fremde der letzten paar Monate vor der Katastrophe. Nicht der schwierige, nervenzermürbte Partner, der sie auf so unwiderrufliche Weise verlassen hatte, sondern der Grischa aus den guten erfolgreichen Zeiten. Grischa, der Knabe, der Bruder, der Freund: Grigory Kuprin, den die Plakate und die Zeitungen der ganzen Welt den „bedeutendsten Tänzer seit Nijinsky" nannten.

„*Alors* — vielleicht *seit* Nijinsky", sagte Olycheff, ein Schatten in den Kulissen; „... aber niemals wie Nijinsky. *Ah non, mon cher,* keiner wird je wie Nijinsky tanzen. Keiner!"

Im Traum waren sie allein auf der Bühne, in einer großen Leere. Katja konnte Grischa nicht sehen, aber sie spürte den sicheren Druck seiner Hände unterhalb ihrer Rippen, und ihre Muskeln spannten sich, als er zum Hochheben ansetzte. „*Allez-hop!*" kommandierte er leise, dann stießen ihre Zehen sie vom Boden ab, hoch und leicht, immer noch höher und leichter, von seinen Armen getragen: großer Gott, Grischas *enlevé*, diese Sicherheit, diese Vollendung, er ließ sie gewichtlos und ohne Anstrengung durch die Luft schweben, traumleicht, traumglücklich, traumschön ...

„Telefon für Madame", sagte Louisa.

Madame, die berühmte Katja Milenkaja, antwortete mit dem Jammerlaut eines Kätzchens, während sie sich schlafschwer aus ihrem Traumglück in die rauhe Wirklichkeit des Morgens tastete.

Der Schein der Nachttischlampe war fast ganz von Louisas massigem Körper verdeckt. Katja schloß die Augen nach einem flüchtigen Blick auf die kalte, weiße, weite Bettlandschaft. „Wie die Schweizer Alpen", murrte sie. Und während Madame diese Schweizer Alpen überquerte, verwandelte sich das enorme alte Mahagonibett in ein anderes Bett aus ihrer Vergangenheit. Wo war es nur gewesen? In Avignon? Lima, Peru? Oder mit Francesco in Genua? Auf dem bemalten Betthimmel tummelten sich dreiste Putten, die sich mit einem äußerst nackten und schamlosen Liebespaar neckten — einem zu muskulösen Mann, einer viel zu üppigen Dame. Madame schwebte leicht hinauf, um sich dem Amorettenreigen anzuschließen, das blühende Rokoko-Fleisch zu berühren ...

„Madame darf nicht wieder einschlafen", sagte Louisa. Auf diesen zweiten Alarm hin öffnete Katja die Augen, setzte sich kerzengerade

7

im Bett auf und war im Moment hellwach. „Genua? Sei nicht so albern", sagte sie, „wir sind selbstverständlich in New York."
„Selbstverständlich", lachte Louisa.

Von der Straße herauf drangen die unverkennbaren Geräusche Manhattans. Ungeduldige Hupen, das Schnaufen der Autobusluftbremsen, die Sirene eines vorbeirasenden Polizeiwagens, ein eisiger Windstoß vom Central Park her, der an den Fensterscheiben rüttelte. Es kam häufig vor, daß Madame beim Erwachen nicht ganz genau wußte, wo sie sich eigentlich befand. „Kein Wunder, mein Lieber", mochte sie zu ihrem Freund Walth Dirksen sagen, dem weitgereisten Autor von Büchern voll epischer Breite und empfindsamen Essays über Tanz und Tänzer, „all diese Eisenbahnkupees, Schiffe, Flugzeuge, Hotelzimmer — sie sehen alle gleich aus. Und die Menschen auch!"

„Ja, wahrhaftig, so ist es", seufzte Dirksen, eben von Nairobi zurückgekehrt. „Was bedeuten heute noch Kontinente? Sie alle haben ihr Gesicht verloren."

Hingegen waren Gesicht und Charakter des vollgeräumten Schlafgemachs in dem grandiosen alten Stadtpalais der Familie Latham im vormals feinsten Teil New Yorks unverkennbar. Der Kamin gähnte marmorschwarz, und die veralteten Heizkörper bliesen nur hin und wieder einen schwachen Hauch lauer Luft durch das große Zimmer mit der hohen Decke. Unlustig betrachtete Katja die einstmalige Pracht großer Flügeltüren, schwerer Plüschvorhänge und getäfelter Fußböden; das Parkett ächzte unter Louisas absurdem Zentnergewicht.

„Wir hätten gestern abend doch noch den letzten Zug nehmen sollen, Louisa, *coûte-que-coûte*."

„Ja, warum taten wir's denn nicht?"

„Zu anstrengend. Ich war nach der Vorstellung einfach erledigt — viel zu müde, um mich noch bis Princeton zu schleppen." Seufzend starrte sie auf den entgegengehaltenen Telefonhörer. Sieht wie eine gereizte Kobra aus, dachte sie voll Widerwillen. „Wer ist denn dran?"

„Miß Beauchamp — wer sonst? Und am Siedepunkt, wie üblich", sagte Louisa, die plötzlich ihre französischen Zofenmanieren abgelegt hatte und die wirkliche Louisa wurde: klug, humorvoll, mit tiefer Kenntnis des Theaters und Katja blindlings ergeben.

„Wo brennt's denn schon wieder?" murrte Katja, brachte es jedoch fertig, ins Telefon zu lächeln.

„Guten Morgen, *mon vieux* – ja, natürlich hast du mich aufgeweckt. Nein, nein, macht fast gar nichts... ich weiß, *du* stehst jeden Tag um sechs auf, Süße, aber dafür hast du auch gestern abend nicht die Giselle getanzt... Nein, ich war nicht mit mir zufrieden... Fünf Vorhänge? Nach meiner Zählung waren's sechs... Ach wo, ich gebe Axel nicht die Schuld an den versauten Pirouetten. Er ist eben noch jung und unerfahren, aber es kann was aus ihm werden... Ja, Olivia, du hast recht, wie immer. Es geht eben aufs Ende der Saison hin, und ich bin einfach hundemüde."

8

Plötzlich unterbrach sie sich. So etwas erwähnte man einfach nicht. Beim Ballett war es selbstverständlich, daß man arbeitete, übte, probte, tanzte — immer dicht am Rand der Erschöpfung. Als Tänzerin war man derartig an Muskelkater und Überanstrengung gewöhnt, daß diese gesunden Schmerzen eigentlich zu einer Art stärkender Genugtuung wurden. „Lieber Gott im Himmel, laß es bloß nicht dazu kommen, daß ich mir je selbst leid tue, Amen", war Katjas stummes Gebet, während Olivia Beauchamps atemlose Stimme aus dem Telefon auf sie eindrang. Olivia Beauchamp mußte artig und mit Geduld angehört werden, denn schließlich war sie die Gründerin, das Haupt, das nie ruhende Triebrad des Manhattan Ballett. Katja, von Natur aus eine höchst ungeduldige Frau, zwang sich zuzuhören, bis sie zuletzt explodierte.

„Sonntag abend? Schade, *mon petit,* aber da kann ich unmöglich zu deiner Party kommen ..., also es geht einfach nicht ... Auf mich zählen? Natürlich kannst du auf mich zählen, wenn's was Wichtiges ist. Wie Joyce sich damals den Knöchel verstauchte, zum Beispiel, bin ich da nicht ohne jede Probe eingesprungen? Aber ich lass' mir nicht mein freies Weekend wegen einer Partie ruinieren ... Wie? Zu Ehren von Big Ben? ... Von wem? Ach so — Ben Bender aus Hollywood! *Tiens,* wenn der mich unbedingt sehen will, dann laß ihn doch am Montag zur ‚Carnaval'-Probe kommen ..."

Plötzlich riß ihr die Geduld. „Nein, nein, nein!" rief sie ins Telefon. „Ich habe schließlich auch noch einen Mann, er hat mich seit drei Wochen nicht zu Haus gehabt ... Und unser Kleiner, der braucht mich auch" — und als sie an den geliebten kleinen Enkel dachte, den ihr ein tragischer Sturmwind drei Jahre zuvor ins Haus geweht hatte, wurde sie wütend. „Also wirklich, Liebste, warum lädst du denn nicht die Joyce für Herrn Bender ein? Die ist hübsch und jung und spricht die primitive Sprache, die Filmproduzenten gut verstehen ... Oh, du hast sie ohnedies eingeladen? Na, dann also ..." Plötzlich hörte sie ihre eigene Stimme: laut, schrill, bissig, vulgär — was eine Primaballerina nie, niemals sein durfte. „Na, dann ist ja alles in bester Ordnung, und deine Gesellschaft wird ein *succèss fou* ..., aber jetzt mußt du mich entschuldigen, ich muß mich für die Stunde anziehen. *A bientôt — au revoir,* Liebe ..."

Katja und Olivia waren daran gewöhnt, französische Brocken aus ihren längst vergangenen Pariser Tagen in ihre Gespräche zu mischen; sie merkten gar nicht, wie veraltet das klang. Ein erneuter Windstoß rüttelte an den hohen Fenstern und blies einen eisigen Luftzug durch das Zimmer. Louisa hatte inzwischen die Bettdecke zurückgeschlagen und ihre großen Polsterhände in eine Dose mit Hautcreme getaucht, um Katjas schlanken, straffen Körper zu massieren. Es begann, nach bitteren Mandeln zu riechen. Katjas Fuß zuckte unter den massierenden Händen zurück, und Louisa machte: „Tz, tz, tz", während sie ihn eingehend betrachtete. Der Fuß einer Ballerina: mager, funktionell, ein sparsames Werkzeug ohne irgend etwas Überflüssiges. Nur Knochen, Sehnen, Muskeln, Nerven unter

9

der gespannten Haut; und dazu die gewölbte Sohle, die übertriebene Kurve des Spanns, die breitgetanzte große Zehe, die armen wunden Knöchel. Gestern abend war die Lammwolle in Katjas Ballettschuhen blutgetränkt gewesen; sooft das passierte, war sie wütend auf sich selbst.

Als Kind, als kleine Ballettelevin in der Wiener Oper, und getrieben von dem Ehrgeiz, mit Grischa Schritt zu halten, hatte sie viel zu früh versucht, auf Spitzen zu tanzen — was streng verboten war. Jetzt, fünfunddreißig Jahre später, bezahlte sie dafür mit Schmerzen und blutigen Zehen. So war's eben beim Ballett. Wenn man lange genug dabeiblieb, erwarb man sich eine Sammlung von Narben und Verletzungen wie ein alter Frontsoldat. Oder wie ein überzüchtetes, übertrainiertes Rennpferd. Es gab kaum eine Probe, zu der nicht ein paar Mädels mit Knie oder Knöchel in elastischen Binden erschienen.

„Vorsicht!" zischte sie, als Louisas massierende Finger sich der am schlimmsten verletzten Stelle näherten, dort, wo der gebrochene Schenkelknochen nach dem Unfall angeblich so fabelhaft verheilt war — einem Unfall, der so viel mehr in ihr zerbrochen hatte als bloß ihre Hüfte ...

Jeden Tag sagte sie „Vorsicht!", und jeden Tag antwortete Louisa: „Ach, ich *bin* ja vorsichtig, Kätzchen. So, sooo — hat das nun weh getan?"

„Nein", sagte Madame. Nicht einmal sich selbst wollte sie zugeben, daß es immer noch schmerzte und aller Wahrscheinlichkeit nach bis ans Ende ihrer Tage schmerzen würde.

„Was wollte die Alte von dir?" fragte Louisa.

„Ach, nichts. Große Cocktail-Party für Herrn Bender aus Hollywood. Der Teufel soll mich holen, wenn ich mein Weekend wegen einer von Olivias Intrigen aufgebe!"

„Die läßt sich nicht in die Karten gucken", sagte Louisa stirnrunzelnd. Auch Katjas Stirn verfinsterte sich; drei senkrechte Konzentrationsfalten erschienen oberhalb der Nasenwurzel, nur ihr selbst bei kritischstem Spiegelstudium sichtbar. Olivia inszeniert für niemanden eine solche Gesellschaft, ohne daß etwas dabei herausschaut, überlegte sie. Irgendwas im Zusammenhang mit Herrn Bender. Ein Vertrag nach Hollywood vielleicht? Für die ganze Truppe? Na, ein zweites Mal lasse ich mich nicht an den Film verkaufen, nein, danke schön ... Einmal im Leben ist genug! Ihr Spiegelbild umwölkte sich noch mehr. Es liegt was in der Luft, dachte sie, Wetterumschlag, Pläenewechsel. Irgendein Kuddelmuddel. Eine Krise? Hoffentlich nicht. Aber die Welt des Balletts bestand eben aus einer Krise nach der andern. Vielleicht eine Karriere für Joyce in Hollywood? Riesengage, Riesenreklame? *Bon* — meinen Segen hat sie. Eigentlich wäre es großartig, sie loszuwerden, dachte Katjas schlechteres Ich. Sie schloß die Augen, unzufrieden mit ihren Gedanken. Häßliche Gedanken produzieren häßliche Bewegungen, hatte der Maestro immer gewarnt.

Joyce Lyman war die große Hoffnung des Manhattan Ballett. Jung, bildhübsch und voll amerikanischer Vitamin-Vitalität; brillant und ehrgeizig, wie sie war, verkörperte sie die Zukunft, bereit, Katjas Tänzergeneration zu verdrängen, so wie die junge Katja vor Jahren die Stars von damals verdrängt hatte.

„Was ist los, Kätzchen?" fragte Louisa.

„Wie ich heute aussehe, *das* ist los", sagte sie, mißvergnügt ihr kleines Herzgesicht im Spiegel musternd. Längliche dunkelgraue Augen, rundgeschwungene Nasenflügel, breiter Mund und die lang-gestreckten, scharf umrissenen Linien von Hals und Kinn.

Milenkaja war eine schöne Frau, zart und doch stark, von merk-würdigem Reiz. „Sie ist schön wie eine Giraffe", hatte ihr Freund, der berühmte Maler Philipp Daniels, von ihr gesagt. Sie war eine Freude für jeden, der sie ansah oder kannte. Sie selbst jedoch, nar-zißtisch wie alle großen Darsteller, grämte sich ständig um ihr Aus-sehen: als hätte man sie in ein schlecht geschnittenes, unvorteilhaftes Kostüm gezwängt. Sie löste die Nadeln aus ihrem langen Haar und ließ es auf ihre Schultern rollen. Sie hegte und pflegte ihr Haar als ein wichtiges Requisit der echten Primaballerina. Keines von euren blondgefärbten Krausköpfchen wird's bis zur Ballerina bringen; nicht, was Olycheff eine Primaballerina genannt hätte — dachte Katja ver-ächtlich.

Joyce war blond, aber weder gebleicht noch dauergewellt. Zuge-geben, Joyce war hübsch und talentiert und sicher auf den Fuß-spitzen. Sie hatte sogar eine Art Persönlichkeit, und ihre Technik war wirklich fast perfekt. Aber Technik hatten sie ja alle, dieser neue Typ von Mädels, Technik war selbstverständlich. Schön — also Joyce macht's gut, sie ist eine gute Tänzerin, was kann man Besseres über jemand sagen? stritt Katja mit sich selbst. Aber eine Primaballerina wird sie nie werden. Oder doch? Wenn sie erst so alt ist wie ich? dachte Katja, und da waren die drei Stirnfalten wieder.

Sie strich sie mit den Fingern glatt. Es dauert ja so lange, bis man alles lernt, bis man sich findet, bis man versteht. Wirklich *versteht*. Katja stieß einen kleinen Seufzer aus. Das war das Arge im Ballett: Bis man endlich ganz oben ankam, war's vorbei mit der zarten er-sten Jugendblüte. Es dauerte so viele Jahre — es verlangte so viel Arbeit und Erfahrung. Erfahrungen — ja, und manche davon waren nicht so leicht zu verwinden.

Sie lachte sich selbst im Spiegel aus, als sie sich in dieser Pose er-tappte. Gabrilowa hätte gesagt: „Duschka, um reife Künstlerin zu werden, muß man zuerst viel leiden." Weiß Gott, so ist's, Madame, dachte Katja — und dàvon kriegt man Falten im Gesicht!

Gabrilowa war die letzte berühmte russische *Primaballerina assoluta* außerhalb der Sowjetunion. Katja verehrte sie sehr, und Gabrilowa war ihre Freundin geworden — soweit Freundschaft zwischen zwei berühmten Ballerinen eben möglich ist.

Während sie ihren Körper einer Sechzehnjährigen unter der Dusche

11

abseifte, vergaß Katja ihre Runzeln, ihre Jahre und alle anderen Probleme. Sie frottierte sich trocken, tat ein paar nette *grand pliés,* gab eine *glissade* hinzu und endete mit einer lustigen *cabriole* mitten im Zimmer; sie fühlte sich jetzt viel besser und sehr hungrig. Sie nahm Louisas Handgelenk und drehte es sich zu, so daß sie das Zifferblatt ihrer Armbanduhr lesen konnte; dies war zu einer ständigen Geste geworden, da Katja nie eine Uhr trug. Zehn Minuten nach acht. Inzwischen hatte Louisa hinter einer spanischen Wand das Frühstück auf der elektrischen Kochplatte bereitet. Sie setzte das Tablett nebst Zigaretten und dem Telefon auf den Tisch, stellte die Verbindung mit Princeton her und zog sich zurück, um Madame ungestört dem täglichen Morgengespräch mit ihrem Mann zu überlassen.

„Hallo, hier bei Dr. Marshall", meldete sich Miß McKennas tugendhafte Stimme.

„Morgen, Mac, wie geht's?"

„Danke, Frau Doktor, nicht zu gut, denn leider ist doch gestern abend meine Allergie wieder schlimmer geworden, also ich konnte doch einfach kaum mehr atmen, meine arme Nase ganz verstopft bis oben 'rauf, und Dr. Williamson sagt, wenn's nicht bald besser wird, dann muß er mir wohl doch Einspritzungen machen, sagt er, und Frau Doktor wissen doch, wie das damals mit den Penicillinspritzen gegangen ist, die mir doch damals Herr Dr. Greenbaum mit Gewalt gegeben hat, und ich sage doch immer, Herr Doktor, sage ich ..."

Katja aß ihr Rührei und steckte sich die dritte Zigarette an der zweiten an, während die Litanei von Fräulein McKennas Leiden ihren unaufhaltsamen Ablauf nahm. Wenn man darauf angewiesen war, McKenna als Stütze der Hausfrau beizubehalten — und alles in allem war McKenna eine Perle und unentbehrlich —, dann mußte man sich eben mit ihren diversen Allergien abfinden, mit ihrer sauren Miene und ihrem mißvergnügten Naserümpfen darüber, daß Herrn Dr. Marshalls Gattin beim Theater war; und auch mit ihrer eifersüchtigen, besitzerischen Ergebenheit für Katjas Mann und ihren Enkel, den kleinen Guy.

„Wie heißt er? Gieh?" hatte sie naserümpfend gefragt, als der Kleine ihr zum erstenmal vorgestellt wurde.

„Ja, so heißt er eben — Guy — wie Maupassant, wissen Sie? Sein Vater war nämlich Franzose, der kleine Guy wurde in Lyon geboren", versuchte Katja zu erklären, aber McKenna starrte den Buben derartig entgeistert an, daß Katja sich irgendwie an der ausländischen Herkunft des Kleinen mitschuldig fühlte.

Ihre Zehen trommelten einen ungeduldigen Rhythmus aufs Parkett, während McKenna von ihrem kompletten Gesundheitsbulletin zum Wetter überging; Glatteis auf der Einfahrt und dem Bürgersteig. (Wie wär's, wenn Preston Asche oder Sägemehl oder sonst was streuen würde, schlug Katja vor) — dann kamen die Haushaltssorgen: die Waschmaschine ist schon wieder kaputt, und was soll da nun mit der Wäsche geschehen, Frau Doktor? (Bringen Sie das Zeug zur

Wäscherei oder bitten Sie Prestons Mutter, diese Woche für uns zu waschen, sagte Katja) — und dann die kulinarischen Probleme: „Soll ich für Sonntag Rinderbraten oder Hammelkeule bestellen?" (Das ist mir völlig Wurscht, brummte Katja und trommelte auf den Tisch.) Ihre Ungeduld hatte den Siedepunkt erreicht; eine heiße Wallung trieb ihr das Blut ins Gesicht, zuckte in ihren Halsadern. „Kann ich jetzt endlich mit meinem Mann sprechen", unterbrach sie unhöflich.

„Geht leider nicht, Frau Doktor. Herr Doktor hat mir einen Zettel hingelegt, ich soll ihn *unbedingt* schlafen lassen. Vielleicht später . . ." „Später hab' ich Stunde, das weiß er", schrie Katja. Das Blut pochte heiß in ihren Schläfen, in der Kehle. Fast sechsundvierzig Jahre alt. Ich brauche wieder eine Hormonspritze, dachte sie, wütend auf die biologischen Rücksichtslosigkeiten der Natur. Angewidert hiervon schob sie das klappernde Frühstückstablett beiseite.

„Der arme Herr Doktor! Fast jede Nacht arbeitet er doch bis drei Uhr morgens. Ich kann selber nie einschlafen, außer bis ich weiß, Herr Doktor ist gemütlich in seinem Bett eingemummelt. Wir dürfen Herrn Doktor wirklich nicht wecken", predigte das Telefon in den salbungsvollen Tönen einer Krankenschwester im Altersheim.

Wir? Wer ist das: wir? dachte Katja gereizt und knallte den Hörer auf die Gabel. Jede Null spricht im *plural majestatis:* Wir. Olivia — Louisa — Joyce — sogar dieses schlampige kleine Luder Gwendolyn. *Wir* Tänzer sollten. *Wir* vom Manhattan Ballett. *Wir,* die Truppe. Und erst die Kritiker. „*Wir* fanden Milenkajas Odette nicht so eindrucksvoll, so beseelt, wie wir uns ihrer aus früheren Vorstellungen erinnern — —" Und jetzt auch noch dieses Biest, diese unerträgliche Perle von einer Haushälterin: *Wir* dürfen; *wir* dürfen nicht. Wer seid ihr alle eigentlich, daß ihr es wagt, mich in euer *Wir* einzuschließen? dachte sie mit dem hochfliegenden Stolz, der ihr in den Knochen saß, den man ihr ins Hirn getrommelt hatte, der die Auserlesenheit der Primaballerina bedeutete. Ich — das bin *ich,* dachte sie. Die Milenkaja. Ich selbst.

Die heiße Wallung verebbte, der plötzliche Ärger war abgeklungen. Sie saß noch eine Minute ganz still und dachte an das Haus in Princeton und an Ted. Heute abend bin ich daheim, sagte sie sich. Im Geist konnte sie das weiße Haus mit den grünen Fensterläden vor sich sehen; knisternde Holzscheite im Kamin, sonnenbeschienene Fenster. Wahrscheinlich war es dort genauso windig und vernebelt wie in New York, aber wann immer sie an das Haus dachte, schien die Sonne. Sie kostete den frohen Vorgeschmack ihrer Heimkehr, an den winterlich vermummten Rosenbüschen vorbei, die wie reuige Sünder den Gartenpfad entlangmarschierten. Das verblichene früh-amerikanische Rot des Teppichs vor dem Kamin und das noch zartere Rot in Philipp Daniels' Gemälde an der Schlafzimmerwand, ein Nest schlafender Füchse, eine Komposition konzentrischer Kreise, beinahe ein Ballett.

Auch Ted schlief, sie konnte ihn sehen; er lag ausgestreckt auf dem

Rücken — lang, mager, gotisch. „Laßt uns tote Kreuzfahrer spielen", pflegte Katja ihn zu necken, wenn sie sich an seiner Seite hinstreckte, mit gekreuzten Fußknöcheln, dem Zeichen der Kreuzritter auf uralten Sarkophagen. Ted sah so drollig aus, wenn er schlief, so würdevoll, so lieb.

Noch immer, nach so vielen Ehejahren, konnte sie ihren Gatten mit unvermindertem Vergnügen ansehen, wie er ging, saß, sich herabbeugte; Holzscheite für den Kamin brachte; mit dem kleinen Guy spielte. Sie streichelte gern seine helle Haut, zauste sein blondes Haar, das zu ergrauen begann. Am meisten liebte sie seine Hände, die Geschicklichkeit seiner langen Finger, die es gewohnt waren, mit Gott weiß was für empfindlichen Stoffen, Nerven, Geweben seiner biochemischen Forschungen umzugehen. Wenn er sich von ihr beobachtet fühlte, mochte Dr. Marshall eine nicht ganz gelungene Parodie auf die Russen versuchen. „Du liebst nurr meines wunderschönes Körrper, aber nicht meines wundervolles Seele, Katinka."

„Ihre Seele, mein lieber Dr. Marshall, verbleibt in Formadehyd konserviert im Labor der F.S. Chemikaliengesellschaft, und nur der Körper kommt zu mir heim", neckte sie ihn, aber es war eine Spur von Ernst in dem Scherz. „Du bist in Wirklichkeit gar nicht mit mir, sondern mit deinen Enzymen verheiratet — oder an was für Zeug du jetzt gerade sein magst."

„Und du? Du gehörst ganz dem Manhattan Ballett, Körper *und* Seele. Ein bezaubernder Körper, aber ..."

„Beschwerst du dich, mein Liebes?"

„Es ist bloß, daß du nie da bist. Von Zeit zu Zeit haben wir eine reizende Wochenendliebschaft — wann immer Miß Beauchamp die Güte hat, dir einen Abend freizugeben ..."

Katja kehrte in das frostige Lathamsche Schlafgemach zurück, seufzte ein wenig, lächelte ein wenig, drückte ihre Zigarette aus und rief noch einmal in Princeton an.

„Hier bei Doktor Marshall."

„Hören Sie, Mac, erinnern Sie meinen Mann, daß er und der kleine Guy um drei beim Zahnarzt in New York sein müssen. Und sagen Sie ihm, er soll mich hier um Mittag abholen. Irgendwie werde ich mich frei machen und mit ihnen essen gehen", sagte sie und hängte schnell an, ehe McKenna unangenehm werden konnte.

Es war Zeit für ihre tägliche Arbeit in der Morgenklasse.

Das größenwahnsinnige und veraltete Stück Architektur am Park gehörte Mrs. Henry Elkan, geborene Olivia Beauchamp; das Manhattan Ballett, mehr oder weniger, gleichfalls. Das Haus war ein Teil der Lathamschen Erbschaft, die Olivia unter gänzlich unvorhergesehenen Umständen zugefallen war. Sie hatte die Ballettgruppe und die damit verbundene Schule mit Hilfe des geerbten Vermögens gegründet und hielt beide mit ihrer unbegrenzten Energie, ihrem Enthusiasmus, Ehrgeiz und Eifer über Wasser.

Die Idee, daß Olivia Millionen in den Schoß gefallen waren, schien

Katja immer noch unwiderstehlich komisch. Vor fünfundzwanzig Jahren hatte sie Olivia gekannt, arm wie eine Kirchenmaus, ein unansehnliches, ungepflegtes, schäbiges und geducktes Anhängsel der Bohème. Was Katja am meisten amüsierte, war die Tatsache, daß Olivia zugleich mit den Lathamschen Millionen auch die Lathamschen Chromosomen ererbt zu haben schien: ein plötzliches Verständnis für Geld, einen scharfen Sinn für gute finanzielle Transaktionen, das Talent zum Geldauftreiben, Geldverdienen, Geldsparen, Geldanlegen und – gottlob – zum umsichtigen Geldausgeben zugunsten des Manhattan Balletts. Die Schenkung des Lathamschen venezianisch-maurisch-französisch-barocken Palais an die Truppe und Schule, zum Beispiel, war lediglich eines ihrer vielen geschickten Manöver, um ihre Steuern herabzudrücken, verbunden mit der Tätigkeit, die sie vollkommen glücklich machte: eine Tanzgruppe zu leiten, zu begeistern, zu beherrschen.

Sie konnte großzügig sein, wenn es darum ging, einer anderen Truppe einen berühmten Tänzer wegzuschnappen oder ein neues Ballett zu inszenieren. Unter dem bescheidenen Titel einer Verwaltungsdirektorin arbeitete sie wie ein Karrengaul; sie warf ihre ganze große Energie in das Unternehmen, nützte unermüdlich ihre Verbindungen mit der eleganten Welt aus, versammelte einen freigebigen Aufsichtsrat und hielt ihn bei der Stange; und sie machte die Saison des Manhattan Balletts zu einem Ereignis, das man nicht versäumen durfte. Sie war ein Genie im Auftreiben der großen Summen, die nötig waren, um die besten Maler, Choreographen, Komponisten zu engagieren, die aufregendsten Inszenierungen, die prachtvollsten Kostüme zu produzieren.

Aber so verschwenderisch Olivia in der Vorbereitung der Ballette war, so sparsam zeigte sie sich in Dingen, die sie für unwichtig hielt. Das Lathamsche Palais wurde mit jeder Woche schäbiger. Die Mädels im Corps — die beste Auswahl junger Tänzerinnen, die zu finden war — bekamen nicht einen Cent mehr als die vorgeschriebenen Mindestlöhne der Tänzergenossenschaft; gab es doch Hunderte genauso talentierte und tanzbesessene Geschöpfe, die ihr die Türen einrannten. Olivia verstand es, sogar die Gagen der Stars herunterzudrücken; durch subtile Schmeichelei oder die Aussicht auf eine begehrte Rolle; indem sie ihre Eifersucht und ihren Ehrgeiz kitzelte, ihr Selbstgefühl verhätschelte; und, endlich, durch die unbestreitbare Tatsache, daß der Rang einer Solotänzerin im Manhattan Ballett beinahe eine Garantie auf eine große Karriere bedeutete. Außerdem war ein solcher Schwung in Olivias atemloser Überredungskraft, daß die schweißüberströmte, vor Erschöpfung keuchende Tänzerin, die sie berechnenderweise bei einem Bühnenabgang abfing, lieber klein beigab, als um Gagenerhöhung zu streiten. So zumindest hatte Katja nachgegeben und sich in dieses schlechtgeheizte unwohnliche Schlafzimmer stecken lassen, anstatt besser bezahlt zu werden und in irgendeinem netten, unpersönlichen Hotel zu wohnen.

15

„Schau, du brauchst ja doch ein *pied-à-terre* in der Stadt, und es kostet dich keinen Heller, *pas un sou, chérie*. Außerdem ersparst du ein Vermögen an Taxi, und ich kann dich immer zwischen den Proben erreichen ..."

Das ist ja gerade das Malheur, dachte Katja, aber sie war erschöpft, und so hatte sie nur gesagt: „Was für ein Despot du doch geworden bist, Olly ..."

Deshalb der ungeheizte Kamin, die klappernden Türen und Fenster, die nicht repariert wurden, keine neuen Überzüge für die zerrissenen, klaffenden Brokatpolster, während Olivia Mrs. Elkan in dem erstklassigen Komfort einer luxuriösen Mietsetage wohnte, nur zwei Häuserblocks von der Schule entfernt.

„Du stinkst, mein Schatz", mochte Katja sagen. „Du bist so geizig, daß es zum Himmel stinkt. Dieser Treppenläufer! So zerlöchert, daß sich Axel gestern beinahe das Bein gebrochen hat — und wer würde dann den Albrecht in ,Gselle' getanzt haben?" — „Vielleicht hätte ich uns den Rubikofsky ausborgen können", antwortete Olivia mit einem Aufleuchten, das andeutete, daß sie drauf und dran war, der konkurrierenden Truppe den *premier danseur* wegzustehlen.

„Glaubst du, die würden ihn dir leihen?"

„Ich könnte sie dazu kriegen", sagte Olivia ingrimmig, und Katja erhaschte lachend einen flüchtigen Blick in Olivias dunkle, tiefe und meisterhafte Ballettintrigen.

„Und wie ist das mit den versprochenen Duschen? Die Mädels beschweren sich. Du willst doch nicht, daß sie sich erkälten, wenn sie so verschwitzt aus der Stunde kommen?"

„Was heißt das? Die Mädels beschweren sich? Die Mädels sollen sich abhärten. Die müssen ihr ganzes Leben schwitzen, sollen sich lieber dran gewöhnen. Du weißt ja, wie's auf Tournee ist — zugige Bühnen, ungeheizte Garderoben, Schneestürme, Hitzewellen — hat die *Metropolitan* Duschen fürs Ballett? Hatte die Wiener Oper welche, als du dort angefangen hast? Haben wir in Numero 27 je von Duschräumen geträumt?"

Numero 27, rue Vert-Vert in Paris, war ein Keller, in dem ehemals Champignons gezüchtet wurden. Der feucht-erdige Pilzgeruch hing noch an den Wänden, als man die Keller schon zum Übungssaal des Ballett Continental gemacht hatte, einer zweitklassigen und kurzlebigen Truppe, die aus schwachen Überresten des ehemaligen Diaghileff Balletts bestand. Katja war eines der Mädel vom Continental, und Olivia war ein hoffnungsloser Fall in der Ballettschule, die sich als *La Grande Académie Russe de la Danse* zu etablieren versuchte.

Es existiert kaum eine Ballettschule, in der es nicht ein paar solch hoffnungslose und begeisterte Fanatiker gibt, wie Olivia es war, als Katja sie vor fünfundzwanzig Jahren kennenlernte. Hopfenstangen, Schwergewichtler, bemitleidenswerte Kreaturen ohne jedes Talent, doch mit der Glut der Besessenheit im Herzen.

Olivia war falsch gebaut, derart kompakt, daß ihre unteren Rippen

16

an die Hüftknochen stießen, ohne Raum für eine Taille zu lassen. Sie kam nicht vom Boden hoch, und mit ihrem linken Ohr war irgend etwas los, das ihr vehemente Schwindelanfälle verursachte, so daß sie keine drei Drehungen ohne heftige Übelkeit zustande brachte. Grün im Gesicht, bebend und würgend, schaffte sie es gerade noch, vor die Tür zu stürzen, um der Katastrophe ihren Lauf zu lassen. Und doch, eine so unglückselige und lächerliche Figur Olivia Beauchamp für die andern war, so brannte auch in ihr der leidenschaftliche Trieb der geborenen Tänzerin.

Obwohl die anderen über sie lachten, fanden sie ihre verbohrten Anstrengungen auch ein wenig rührend. Wenn sie während einer Ruhepause in Degas-Posen herumsaßen oder auf dem Boden lagen, unterhielt Olivia sie mit einer absurden Art von persönlichem Märchen. Sie spotteten und lachten darüber, glaubten kein Wort davon, nannten sie verrückt und *gaga*, aber wollten es trotzdem wieder und wieder hören. „Erzähl doch, Ollyushka: Eines Tages wirst du reich sein, wirklich *steinreich* — komm, erzähl's doch!"

„Ecoutez, mes enfants – also eines schönen Tages werde ich reich sein, wirklich *steinreich!* Ich werde so reich sein, daß ich mir alles kaufen kann, was ich will — Silberfüchse, Toiletten der *haute couture,* einen Rolls-Royce, Smaragde — aber ist es das, was ich haben will? *Ah non,* Kinderchen. Wenn ich reich bin, dann werde ich meine eigene Balletttruppe haben. So wird das. Das werde ich eines Tages haben, so wahr ich hier stehe." Sie schaute um sich und fand nichts als Unglauben, Ironie, Spott in allen Gesichtern. Plötzlich hatte sie das viereckige Marmorkinn der zukünftigen Miß Beauchamp: „Ich werde meine eigene Truppe haben, und ihr könnt sicher sein, daß ich genau weiß, wen ich drin tanzen lasse und wer auch nicht die geringste Chance hat, hineinzukommen", sagte sie grimmig.

Eines Tages zeigte sie Katja unter dem Siegel tiefster Verschwiegenheit eine Liste der Tänzer für die Traumgruppe, die sie gründen wollte, wenn sie erst reich — *steinreich!* — geworden war. Als Primaballerina an der Spitze entdeckte Katja ihren eigenen Namen. Damals war sie lediglich eins der Mädel im schäbigen Corps des Ballett Continental, und ob sie wollte oder nicht, das schmeichelhafte Zutrauen und die Verheißung in Olivias törichtem Dokument rührte sie. „Bist ja ein guter Kerl, aber doch eine Träumerin, Ollyushka", sagte Katja, die selbst von Träumen lebte.

„Ihr alle haltet mich für eine Närrin, eine Lügnerin. Aber vielleicht hast du schon mal den Namen Latham gehört, ja? Latham-Seife? Latham-Rasiercreme? *Eh bien* – das ist Onkel Latham . . ." – „Willst du etwa behaupten, daß du eine amerikanische Erbin bist?" sagte Katja verblüfft.

„Na, er ist schließlich neunzig — er hat all die Lathams überlebt, und wenn auch die Beauchamps nur eine Seitenlinie sind, so ist er immerhin doch ein Vetter der zweiten Frau meines Urgroßvaters – und obwohl da mal ein Familienzwist war . . ."

Je mehr Olivia in den entfernten Zweigen des Lathamschen Stammbaums herumkletterte, um so nebelhafter und verrückter klang es. Und doch passierten ihr die unwahrscheinlichsten Dinge. Zum Beispiel, daß sie Henry Elkan heiratete.

Sie hatte Henry Elkan in einem dunklen, muffigen kleinen Laden kennengelernt, als sie ihre alte Kamera zum Versetzen oder Verkaufen dorthin brachte. Elkan war ein Deutscher im Exil, ein kleiner unauffälliger Mensch mit großen Ohren und runden Eulenaugen hinter dicken Gläsern. Ein leiser, schüchterner Mensch, mit gelegentlichen Blitzen eines feingeschliffenen Geistes, aber zerschlagen und verprügelt durch die brutalen Geschehnisse in Deutschland zu Beginn der dreißiger Jahre. „Ein Schachspieler", sagte Grischa, als er ihn kennenlernte.

Möglicherweise entdeckten Elkans große melancholische Augen in der ärmlichen, wenig anziehenden unjungen Olivia irgendeine Schönheit oder Kraft, die andere nicht verstanden. Eine stille Kameradschaft entwickelte sich, daraus wurde eine unwahrscheinliche Liebe und zuletzt sogar eine voreilige Künstlerehe, die vergänglich schien wie ein Spinnengewebe und sich als so dauerhaft erwiesen hatte wie ein stählernes Kabel.

Neun Uhr morgens. Das Haus beginnt zu erwachen. Rosa Resznick, die Telefonistin, ist eben angelangt und zupft ihr Haar vor dem Spiegel zurecht. Die Bänke im Vorplatz des Mezzanins, zu anderen Stunden stets besetzt von Tänzern und solchen, die es werden wollen, sind noch leer. Von den Wänden lächeln die Fotografien anderer Tänzer in ihren besten Posen auf die benachbarten Programme verflossener Tourneen und Saisons. Durch das Oberlicht im vierten Stockwerk sickert das graue Licht des Morgens in das Treppenhaus hinunter, bis zu der runden Halle, wo das alte Lathamsche Faktotum, Herr Sichel, an seinen Besen gelehnt, mit bitterem Vorwurf die schwarz-weiß gewürfelte Marmordiele anstarrt, die es ablehnt, sich selbst zu schrubben.

Miß Rowland, ein schattenhaftes Geschöpf in altem Regenmantel, patscht auf großen Füßen in die Halle, wo sie die nassen Abdrücke ihrer Füße zurückläßt. „Tun Se Ihre Galoschen 'runter, Frollein", murrt Sichel. „Sie woll'n mir doch wohl nicht mein Haus verdrecken." Rowland flüstert ihr Bedauern. Im Manhattan Ballett ist sie ungefähr, was Olivia im Ballett Continental gewesen war, und Olivia hatte sie geschickt vom Tanzen weggelotst, um sie als Sekretärin und Blitzableiter zu benutzen. Vom Übungssaal jenseits des Hofes ist ein bescheidenes Donnern zu hören, dort hämmert der junge Begleiter Chuck Boyle Oktavenläufe aus dem alten Flügel.

Oben angelangt, untersuchte Miß Rowland ihr Gesicht im Spiegel, machte sich an ihrem Teint zu schaffen. „Nicht ausquetschen, Herzchen, das gibt doch bloß noch mehr Pickel", mahnte Rosa. Darauf verfiel Rowland, die einen Augenblick zuvor sicher gewesen war, daß ihr Hautausschlag beinah verschwunden sei, in völlige Hoffnungslosigkeit; sie war bereit, sich umzubringen – oder, besser noch,

18

diese Rosa. „Ich wäre Ihnen dankbar, wenn Sie sich um Ihre eigene Haut kümmern würden und meine in Ruhe ließen", schnappte sie mit ungewohnter Schärfe, jedoch, erschrocken über ihre eigene Courage, verkroch sie sich schnell in ihren kleinen Verschlag. „Das hat der Mensch davon, wenn man wem helfen will", murrte Rosa und wendete sich achselzuckend wieder den Neuigkeiten der Theaterzeitschrift *Variety* zu.

Gleich darauf trabte Louisa mit Madames frischgewaschenen Übungstrikots vorbei, mit Handtüchern und einer Garnitur verschiedener Ballettschuhe. Ganz nebenbei ließ sie einen schlechten Witz aus ihrer eigenen Varietévergangenheit fallen, den Rosa mit vergnügtem Wiehern begrüßte, denn Rosa war noch sehr jung. Rundlich, eifrig, rotwangig und frisch aus der Schule, betrachtete sie ihren Posten in Miß Beauchamps Vorzimmer als ein feines Sprungbrett für eine Karriere, die ihr vage als etwas Glänzendes, Buntes und völlig Müheloses vorschwebte.

Jetzt wurde die Haustür unten mit einem Knall zugeschlagen, was immer die Ankunft Manny Bernheimers ankündigte; er war der jugendliche Reklamechef der Truppe und Rosas erklärter Favorit. Sie tat, als bemerke sie es nicht, als er sich hinterrücks an sie heranpirschte und sich gegen sie lehnte, wie es die zudringlichen Kerle in der Untergrundbahn immer taten. „Oho, Mister Bernheimer, was haben Sie eigentlich vor?" fragte sie munter. „Na, raten Sie mal, Miß Resznick", erwiderte Manny witzig, ließ sie aber sogleich los, um sich ernst und geschäftsmäßig der Theaterzeitschrift zuzuwenden.

Vom Hof her kündigten Gelächter und Schritte die Ankunft einiger Tänzer für die Morgenklasse an. Dann wehte ein Windstoß unsern Mirko Bagoryan in die Halle. Er lachte, stampfte, schüttelte die Nässe von sich wie ein Jagdhund nach einem Abenteuer im Ententeich. Unser großer Choreograph sah im Leben noch besser aus als auf seinen wirkungsvollen, aber etwas zu retuschierten Reklamefotos. Sein Gesicht war scharf gezeichnet, charaktervoll, die gebräunte Haut dunkler als sein graues Haar; oder möglicherweise war die Silbersträhne über seiner Stirn bloß eine geschickte künstliche Nuance. Er bewegte sich leicht, geschmeidig, geräuschlos wie ein Raubtier im Dschungel: wie ein Tänzer. Er schien sein eigenes erwärmendes Element mit sich zu bringen, angenehm, entspannt und von entwaffnender Zutraulichkeit – „... wie das Ägäische Meer, wie die lachende Griecheninsel Rhodos, wo er aufwuchs, ein junger Apollo, Gespiele der Delphine, unter der goldenen Sonne, auf dem Silbersand und in den blauen Gewässern der Mittelmeerküsten ...", hatte Dirksen über ihn geschrieben.

„*Merde alors!* Ich bin in einem verstunkenen, dunklen Loch aufgewachsen, hab' auf dem Lehmboden gehockt und Tabakblätter für eine türkische Zigarettenfabrik sortiert. Goldene Sonne, Quatsch! Ich habe einfach keine Verdrängungen, keine Nervenzustände, keine Freudschen Komplexe – das tanze ich alles aus mir heraus. Aber

19

das kann sich ein chronisch verstopfter armer Teufel wie mein Freund Dirksen eben nicht vorstellen", war Mirkos Kommentar.

Bagoryan summte ein Melodiefetzchen aus dem Mozartschen Klavierkonzert in A-Dur, als er die Treppe hinaufrannte, immer zwei Stufen auf einmal, ein junger Mann Mitte der Fünfzig, mit seinen hübschen Muskeln unter dem schwarzen Rollkragensweater. Rosa griff schnell nach ihrem Lippenstift, und, angezogen von dem Duft seiner ägyptischen Zigarette, erschien Rowland wie ein Geist in ihrer Tür. Rowland war verliebt in den großen Choreographen, es war eine ungesunde, hoffnungslose „Nimm-mich-hin-ich-bin-deine-Sklavin"-Anbetung. Rosa verfolgte solidere Pläne. Sie hatte eine Idee, daß man vielleicht Mr. Bagoryans Aufmerksamkeit auf sich lenken und ihn sogar heiraten könnte. Baggy war zwar nicht mehr der Jüngste, aber Herrgott noch mal, er war schließlich *Jemand!* Und es konnte nicht so schrecklich schwer sein, seine Frau zu werden: Es hatte deren bisher schon mehrere gegeben, und gerade jetzt befand er sich wieder in einem gattinnenlosen Interregnum.

„Guten Morgen, Kleine, wie geht's? Was macht die Erkältung, Rowly? Sag, Rosalia, ist die Höchstkommandierende schon da?"

„Noch nicht, wird aber gleich angebraust kommen", sagte Rosa.

„Ich erwarte Miß Beauchamp nicht vor halb zehn", flüsterte Rowland in den gepflegten Tönen ihrer höheren Erziehung.

„Wenn ich inzwischen etwas für Sie tun kann . . ."

„Danke nein", sagte er vor dem Schwarzen Brett. „Wie ging denn ‚Giselle' gestern abend?"

„Ganz groß. Ausverkauft. Mindestens ein Dutzend Vorhänge. Die Milenkaja – einfach phantastisch, nicht wahr, Rowly?" sprudelte Rosa. (Eine begeisterungsfähige Persönlichkeit ist der Schlüssel zu allen Herzen, riet *Readers Digest* den Leserinnen.)

„Vielleicht bin ich zu anspruchsvoll, Miß Resznick, aber ich fand die ganze Vorstellung etwas verblaßt. Gewissermaßen ermüdet. Oder wäre ‚anämisch' der richtige Ausdruck?" bemerkte Rowland kritisch.

„Wahrhaftig?" sagte Bagoryan zerstreut. Seine Gedanken waren bei dem ungelösten Problem von gewissen vierzehn widerspenstigen Takten in seinem neuen Ballett „Die Bienen".

„Der richtige Ausdruck ist: Die Vorstellung hat zum Himmel gestunken", sagte Manny. Bagoryan legte ihm den Arm auf die Schulter und sagte lachend: „Solche Bemerkungen darfst du nicht machen. Nicht über Madame Milenkaja. Und nicht in meiner Gegenwart."

„Ich sage ja nicht, daß Madame dran schuld ist. Aber dieser Besenstiel, dieser Johansson, verdirbt eben alles. Nicht einmal die Pawlowa hätte mit einem derartigen Partner die Vorstellung retten können."

„Also, ich war ein Jahr lang Pawlowas Partner, und ich kann dir versichern, daß ich nicht halb so gut war wie Axel Johansson. Niemand kann die Leistung einer wahrhaft großen Ballerina verderben", sagte Bagoryan. Er gab Mannys Achsel einen freundlichen kleinen Druck und wandte sich dann der Treppe zu, die Katja soeben auf dem Weg zum Morgentraining herabkam.

„Servus, Schatz, schon auf? Viel zu früh. Du weißt doch, daß du nach ‚Giselle' bis Mittag im Bett bleiben solltest", sagte er. Katja war sichtlich erfreut, ihn zu sehen. „Servus, Mirko", sagte sie, in seine Augen lächelnd. (Servus war der alte österreichische Gruß, den sie von ihrer gemeinsamen Zeit in Wien her beibehalten hatten.) „Du kennst mich ja: Ohne meine Übungen am Morgen bin ich nicht zu gebrauchen."

Er neigte sich vor, um ihr die Hand oder eigentlich die Innenseite des Gelenks zu küssen. Auch dies war eine alte Gewohnheit, eine mechanische kleine Zärtlichkeit.

„Wieso bist du noch nicht in der Oper, bei deiner Probe?" fragte sie. „Ich war bis vier Uhr früh dort, Beleuchtungsprobe nach ‚Giselle'. Die üblichen Schwierigkeiten. Olivia wird zerspringen: So viele Überstunden mit den Beleuchtern – was das kostet!"

„Nach ‚Giselle'? Warst du in der Vorstellung?"

„Leider nicht. Wir hatten doch gleichzeitig Abendprobe im Ballettsaal."

„Aha. Und darf man fragen, wann *du* eigentlich schläfst?" erkundigte Katja sich lächelnd.

„Eine Woche vor der Premiere? Wer will denn da schlafen?" lachte Bagoryan.

Sie kannte nur zu gut das wachsende Fieber, den steigenden Hochdruck der Arbeit, die tolle, bebende Anspannung der letzten Tage vor der Geburt eines neuen Balletts. Gott sei Dank, diesmal geht's mich nichts an, dachte sie, heute abend bin ich zu Hause, bei meinem Mann, und nach dem Abendbrot erzähl' ich dem Kleinen eine Geschichte und bring' ihn zu Bett, und nachher kann ich mich vor dem Kaminfeuer ausstrecken, lege den Kopf in Teds Schoß, ich kann mich ausruhen, entspannen; und später in der Nacht – ach, wie gut alles sein wird. – Sie drehte Rosas Handgelenk zu sich, um nach der Uhr zu sehen. Bagoryan, der es beobachtet hatte, lachte in sich hinein. Er selbst hatte einst der damals sechzehnjährigen Katja klargemacht, daß man Schwäne, Feen und Prinzessinnen nicht mit solch störendem Zeug am Arm tanzen durfte.

„Höchste Zeit für die Stunde; du weißt ja, was für ein Teufel der Maestro in bezug auf Pünktlichkeit ist", sagte sie. „Also – *servus*, Mirko."

In der Vorhalle angekommen, machte Katja einen kurzen Halt in Sichels Besenkammer, wo sie die Blumenspenden vom gestrigen Abend in einem Eimer untergebracht hatte. Während der Morgenlektion mußte der Maestro immer einen Blumenstrauß neben sich stehen haben. Der Anblick der welkenden Rosen stimmte Katja für einen Augenblick traurig, aber ein paar Nelken trugen noch ihre Köpfchen hoch. Madame war zwar an großartigere Blumentribute gewöhnt – aber die kriegt man bloß bei Premieren, sagte

21

sie sich. In dieser Saison gab es nur eine einzige Premiere: „Die Bienen", Ballett und Choreographie von Mirko Bagoryan, Musik von Sandor Lazar. Und keine Rolle für sie, die Primaballerina.

Die Gabrilowa tanzte die Bienenkönigin, und Joyce Lyman die kurze, aber wichtige und brillante Partie der Honigsucherin. Ich mach' mir nichts aus der Königinnenrolle, sie liegt mir ja auch gar nicht, sagte Katja sich zum hundertstenmal; oder vielleicht doch? Irgendwie hatte Olivia sie davon überzeugt, daß sie die Rolle freiwillig abgegeben hatte, aus generöser Freundschaft für die alte *Assoluta*. Aber nach und nach dämmerte es ihr, daß Olivia sie mit großer Geschicklichkeit um eine vielversprechende Rolle betrogen hatte. Es war einer der Gründe, weshalb ihr so viel daran lag, nach Hause zu kommen, weg vom Theater. Sie fürchtete den Abend der Premiere, wenn sie im Parkett sitzen, lächeln und begeistert applaudieren mußte, anstatt droben auf der Bühne als der bewunderte Mittelpunkt des neuen Balletts zu stehen. Vielleicht kann ich mich am Freitag krank melden und in Princeton bleiben, überlegte sie. Und doch war sie der berühmten alten Tänzerin von Herzen zugetan und gern bereit, ihr alle Ehren und Komplimente der Saison zu überlassen – Gabrilowas unwiderruflich letzter Saison. Und höchste Zeit, daß sie Schluß macht, flüsterte Katjas schlechteres Ich, die Primaballerina in ihr, die häufig mit der verträumten Sechzehnjährigen im Kampf lag, dem romantischen Mädchenkind, das tief und insgeheim noch in ihr lebte – und an guten Abenden auch in ihrem Tanz . . .

Sie zog die Strickjacke enger um ihre Schultern und rannte in den eisigen Morgen hinaus, quer über den Hof, nach den früheren Stallungen, die Miß Beauchamp zu Übungsräumen ausgebaut hatte.

Auf dem Weg durch den geräumigen Probesaal steckte Katja die Nelken in eine Vase, die auf dem kleinen Tischchen neben dem Küchenstuhl des alten Maestro bereitstand. Maestro Enrico Mattoni war ihr Lehrer und Ballettmeister gewesen, der angebetete und gefürchtete Gegenstand ihrer ersten kindlichen Schwärmerei, damals, als die kleine Elevin in der Ballettschule der Wiener Oper anfing.

Am Klavier war Chuck bis zu den Ohren in ein Dickicht von Dissonanzen verstrickt. Chuck hatte Talent, vielleicht sogar Genie; ein widerborstiger junger Flegel mit rebellischem rotem Haar und dem gebrochenen Nasenbein des Amateurboxers und geborenen Raufbolds. Noch nicht zwanzig Jahre alt, steckte er schon tief in seiner Dritten Symphonie.

„Das ist gut – es gefällt mir – kannst du's noch mal für mich spielen?" sagte Katja, Kontakt mit seiner Jugend suchend. Chuck haute einen protestierenden C-Dur-Dreiklang auf die Tasten und knallte den Deckel zu. „Wetten, daß Sie's scheußlich finden? Übrigens mach' ich mir einen Dreck draus, ob's wem gefällt oder nicht", knurrte er.

„Doch; es hat was Besonderes . . .", sagte Katja; sie hörte es wie ein Echo. Sie hatte dasselbe gesagt vor langer Zeit, als der junge

Lazar ihr seine erste Komposition brachte. Sie fühlte, daß Chuck eines Tages Lazar überholen würde, ebenso wie Lazar Poulenc und Auriac überholt hatte.

Am andern Ende des Saales übte Axel Johansson verbissen seine *battements* an der Stange. Im Vorbeigehen warf Katja ihm eine Ballettkußhand zu. Auch in dem engen Gang, der zu den Garderoben führte, waren die Wände mit Fotografien bedeckt; vor einer davon – Katja Milenkaja im anmutigen, weißen geflügelten Kostüm aus „Les Sylphides", London 1938 – standen zwei schwätzende lachende Jungen, die einander höchst amüsant zu finden schienen; Solotänzer, Anfänger, die noch einen langen Weg vor sich hatten.

Cecil Blaine sah sehr gut aus, wenn auch etwas verwaschen, ein wenig zu preziös; sein Freund Larry Klotzky (vorläufig experimentierte er noch mit allerhand wohltönenderen Bühnennamen, die alle ein wenig zu phantasievoll klangen) war etwas kleiner, aber gut gebaut und muskulös; er hatte polnische dunkle Kirschenaugen, und sein breites, viereckiges Gesicht trug den unverlöschbaren Stempel der Slums und Docks seiner Kindheit. Doch da er ein geborener Tänzer war, von Natur mit fabelhaften Springmuskeln begabt, von einem unersättlichen Drang getrieben, zu springen, zu kreiseln, zu rennen, zu tanzen, war er auf unerklärliche und unwiderrufliche Weise in den magischen Kreis des Balletts geraten. Die beiden Freunde wohnten in einer Art Dachboden über einer Garage, umgeben von ein paar selbstgezimmerten, schwarzgestrichenen Möbeln, Matratzen und Kissen in schwarzen Überzügen, merkwürdigen Lampen und chinesischen Räucherstangen. Sie hatten Launen und machten Szenen, sie kicherten und flüsterten einander Bosheiten zu, sie neigten zu allerlei Streichen und Unfug, und sie waren das unbestrittene Zentrum für Ballettklatsch und Gerüchte.

Ihr Geschwätz und Gelächter verstummte wie abgeschnitten, als sie Katja bemerkten, und dann begannen sie ein lautes Gespräch über irgendeine einfach himmlische neue Schallplatte.

Sie haben über mich getratscht, dachte Katja, über diese versauten Pirouetten. Tausendmal kann man gute Leistungen hinlegen, darüber wird nicht geredet, das wird als was Selbstverständliches hingenommen; aber gibt's einmal einen schlechten Abend, hat man die ganze Welt gegen sich.

Es kam ihr gar nicht in den Sinn, daß die ganze Welt wichtigere Sorgen haben mochte als ihre Pirouetten.

Nach einer schwachen Vorstellung war sie überempfindlich, wie ein Sonnenbrand in ihrem Innern war das. Ach was, hör auf zu jammern, befahl sie sich. Jetzt eine Stunde Schwitzen und gute Arbeit und dann unter die Brause und zehn Minuten Ausruhen und dann etwas Hübsches anziehen – oh, ich möchte mich recht schön machen für meinen Ted. Zahnarzt um drei, und dann geht's heim, Mrs. Marshall, wo sich kein Teufel drum kümmert, wie gut oder schlecht meine Pirouetten ausfallen...

Die sogenannten Ankleideräume waren in den früheren Pferdestall gezwängt worden, die Mädels in die Boxen, die Burschen in die Sattelkammer. An den Bretterwänden hing noch immer ein ganz schwacher Geruch von Pferdemist, nicht völlig überdeckt von Kölnisch Wasser und Frottieralkohol, gar nicht unangenehm. Katja hatte eines der unbequem engen Abteile für sich allein. „Ich kann mich nicht drin umdrehen", hatte sie sich bei Olivia beklagt. „Aber, *mon amour*, wenn's groß genug für ein Roß war, kann's nicht zu klein für eine Ballerina sein", hatte Olivia erwidert.

Ein kalter Luftzug streifte Katjas nackten Oberkörper, gerade als sie dabei war, ihre dicken Wolltrikots zu verankern, bevor sie in ihren Übungskittel schlüpfte. „Joyce, Liebling, könntest du vielleicht die Türe schließen?" rief sie aus. Joyce teilte die benachbarte Box mit Gwendolyn, die meistens zu spät kam. *„Oh what a terri-bul moorning – oh what a terri-bul daay . . .",* sang Joyce, den Anfang der Operette „Oklahoma" parodierend. „Verdammt, da ist mir wieder einmal mein Kleenex ausgegangen", hörte Katja sie murmeln.

„Hier, nimm meines", sagte sie und reichte die Schachtel über die niedrige Holzwand.

„Besten Dank, Madame, ich glaube, ich krieg' einen Riesenschnupfen."

Daß sie Katja als „Madame" anredete, war eine der feineren Nuancen des Umgangs im Ballett; die versteckte Absicht war, Joyce jünger erscheinen zu lassen als zweiundzwanzig und Katja älter als fast sechsundvierzig. Doch in diesem Augenblick fühlte Katja sich nicht im geringsten ältlich. Sie fühlte sich feingliedriger, leichter, jugendlicher als Joyce, die sich mit der ungenierten Selbstverständlichkeit der Tänzerin bis auf die Haut ausgezogen hatte. Joyces Körper war frisch, hübsch und kräftig, mit den breiten Hüften einer Frau dazu geschaffen, ein halbes Dutzend Kinder zu gebären. Katja wurde vergnügt. Müde? Nicht im geringsten. Das Trikot, das straff ihre Schenkel umschloß, das Bandeau, das ihr Haar zusammenhielt, vor allem aber die tägliche Anforderung des Morgentrainings rief alles in ihr auf, Gefühl, Muskeln, Nerven, das innerste Zentrum ihres Seins.

Joyce war dabei, in ihren schwarzen Leotard zu schlüpfen. „Sagen Sie, Madame, was zieht man für die Cocktail-Party am Sonntag an?" fragte sie. „Natürlich möchte ich nicht zu aufgedonnert daherkommen, aber Mr. Bender ist doch an all diese Hollywood-Stars gewöhnt – ich meine, man will doch nicht wie ein armes Waisenkind aussehn."

„Wenn ich hinginge, dann würde ich wie gewöhnlich meinen alten schwarzen Chiffonfetzen nehmen. Aber ich komme ja nicht."

Joyce staunte mit offenem Mund. „Sie gehen *nicht?* Wieso denn? Sie werden nicht auf der Gesellschaft sein? Das ist aber zu schade – erzählte sie Ihnen denn nicht, daß es sich um Ben Bender handelt? Sie scheint ja irgendeine große Sache auszukochen. Herrgott, wenn wir beim Film ankämen, das wär' was! Bei der Party wird's

24

ja sicher hoch hergehen. Für mich gibt's nichts Schöneres als so eine große Gesellschaft! Für Sie nicht?"

„Ich geb' mir selber eine viel nettere Gesellschaft. Mit meiner eigenen Familie, weißt du? Zu Hause", sagte Katja. Sie gab Joyce einen freundlichen Klaps, griff nach Handtuch und Ballettschuhen und lief davon.

„Hat der Mensch Worte ...", sagte Joyce verblüfft. Sie konnte es nicht verstehen, wie man einen Abend im Schoß der Familie einer wichtigen großartigen Cocktail-Party für einen wichtigen Hollywoodproduzenten vorziehen konnte. Für sie war ein Abend zu Hause eine saure, stumpfsinnige und äußerst unangenehme Angelegenheit.

Immer der endlose Streit, wer zum Geschirrwaschen an der Reihe wäre, bittere Debatten um Geld, das niemals reichte; Gasgeruch überall in der kleinen, schlecht gelüfteten Wohnung; und als Kontrapunkt zu dem gereizten Familiengerede das gedämpfte Geschwätz aus dem Fernsehapparat, wo Lena einer anderen Familie zuschaute, die ebenso kleinliche Probleme und Streitigkeiten zum besten gab.

Lenas Rheumatismus; eine Girlande von tropfenden Strümpfen und Büstenhaltern, zum Trocknen im Badezimmer aufgehängt; in der Eßecke rumpelt direkt neben dem Tisch die Waschmaschine, in der Joyces täglich gewechselte Frottiertücher und Trainingssachen rotieren. Und dazu Mutters nervöse Hände, ihre langen tiefen Seufzer, das scharfe Auflachen, die zusammengepreßten Lippen, ihr ganzes ruheloses, vorwurfsvolles, angespanntes und dennoch schlaffes Wesen. Die arme Mutter, sie meint's ja gut, aber, wirklich, manchmal könnte man sie umbringen.

Mutter war eins von Joyces zwei schweren Problemen. Das andere war Bagoryan: Wie das eigentlich mit ihm weitergehen sollte. Und, natürlich, die ewigen Geldsorgen. Na, nun kann's ja nicht mehr lange dauern, bis ich das hinter mir habe. Nicht mehr für einen Bettellohn tanzen müssen, danke bestens, keine Minimumgage mehr für Joyce Lyman. Wenn ich's gut mache als Honigbienchen – und das werde ich ganz bestimmt! –, dann wird eine anständige Gage verlangt. Und wenn die Alte Geschichten macht, dann kann sie mir den Buckel 'runterrutschen. Hach, aber wenn Mr. Bender mich nach Hollywood nähme! Oder nach Italien oder Afrika! Oho, dann gäb's aber wirklich Geld. Und warum sollte er mich eigentlich nicht engagieren? Baggy deutete ja an, daß es so gut wie sicher sei. Schön, bleibt immer noch die Sache mit Bagoryan; aber das wird sich schon irgendwie einrichten lassen. Ist überhaupt nicht so wichtig, du lieber Gott, nein. Nur eines ist wichtig: gut tanzen und vorwärtskommen. Und hauptsächlich: weg von Mutter.

Mutter war zur Märtyrerin und zum Opferlamm geboren, eine tränenreiche und sympathische Rolle, in der sie sich herzlich wohl fühlte. Wahrscheinlich hatte sie sich so lange und verdienstreich für Joyces Vater aufgeopfert, bis er es nicht mehr aushielt und ihr durchbrannte. Verließ einfach Frau und Kind ohne vorherige Warnung und ward nie mehr gesehen. Das fügte einen zweiten Heiligenschein zu demjenigen, mit dem Mrs. Lyman auf die Welt gekommen zu sein schien.

Vor ihrer Heirat war sie Telefonistin in einem Hotel in der Industriestadt Scranton in Pennsylvanien gewesen, und nach der Katastrophe ging sie zurück ans Telefon. Sie parkte die kleine Joyce bei Lena, einer ältlichen unverheirateten Kusine, später zogen die zwei Frauen zusammen und verhätschelten und verwöhnten das Baby um die Wette. Erst seit kurzem hatte Joyce angefangen zu begreifen, daß sie seit ihrem dritten Geburtstag mit all den unerfüllten Hoffnungen und sauergewordenen Gefühlen der beiden Frauen belastet worden war.

Sie küßten und knutschten sie und putzten sie heraus wie ein Püppchen, es war ein ungesunder Wettbewerb. All das Waschen und Plätten, das Aufputzen und Löckchendrehen, das Kleidernähen mit all den Stickereien und Rüschchen, die rosa Söckchen und kleinen Lackschuhe und Haarbänder, an die Mutter ihre Kraft verausgabte: es war wie eine innere Verletzung, aus der ihr dünnes Blut unaufhörlich wegsickerte. Mutter gehörte zu der Gattung Frauen, die sich bis aufs Blut abquälen, die besten Jahre ihres Lebens darangeben und zu jedem Opfer bereit sind, solange man es bemerkt, voll anerkennt, laut und endlos betont und lobt, und zuletzt gründlich dafür bezahlt. Was Joyce anlangte, so bestand die erwartete Bezahlung in der Verpflichtung, berühmt und reich zu werden – „Sollst es besser haben als deine arme Mutter" – und die arme Mutter auf den glorreichen kleinen Thron zu setzen, der aufopferungsvollen Müttern von Berühmtheiten zukommt.

Seit ihren Kindergartentagen waren Joyces schüchterne Talentknospen mit finsterer Entschiedenheit zur Blüte getrieben worden. Mutter und Lena jagten sie um die Wette vorwärts: Bis tief in die Nacht hinein schneiderte Mutter immer neue Kleider und Kostüme, wohingegen Lena ihre künstlerische Entwicklung überwachte; mit kalten dilettantischen Spinnenfingern gab sie ihr Klavierstunden, kaufte sie ihr Krems und Schönheitsmittel und roten Nagellack, sparte am eigenen Essen, um Nährwerte und Vitamine in das Kind zu stopfen. Worauf sie es dann, in panischem Schrecken über das Babyfett der Zwölfjährigen, einer von Filmstars empfohlenen Hungerdiät unterzog.

Mit Hängen und Würgen brachten die zwei Frauen es zuwege, ihr alle möglichen Arten von Unterricht zuteil werden zu lassen. Stepptanz, Kunsteislaufen (vielleicht kannst du bei der Eisschau ankommen) – Schwimmen und Kunstspringen – (wird bei Schönheitskonkurrenzen verlangt) – klassische, moderne und Volkstänze: „Unterrichtsstunden von weltberühmten Meistern des russischen Balletts" versprach die Schule und hätte damit beinahe Joyces Füße, Beine und Haltung für immer ruiniert. Nachher kamen die zweifelhaften kleinen Agenten, die ersten Jobs: ein Nachtklub in Omaha,

Vortanzen in Chikago und Florida, und schließlich New York. Mutter mochte sich inzwischen als Kellnerin unterbringen, als Aushilfe bei Woolworth oder während der Weihnachtsverkäufe im Kaufhaus Geschenke verpacken. Und Joyce, zwischen Jobs in drittklassigen Nachtklubs und hoffnungslos überfüllten Bewerbungen um einen Platz im Ballett erstklassiger Operetten, nahm einfach alles an, was sich ihr bot: Kassiererin im Vorstadtkino, eine stumme Halbminutenrolle in einer Fernsehsendung, sechs Wochen als Schwimmlehrerin in einem Sommerkamp.

„Ein wahres Wunder, daß du das alles überlebt hast", sagte Bagoryan, ärgerlich lachend. „Ein wahres Wunder, daß sie nicht imstande waren, dein Talent ganz totzukriegen. Es war sowieso in den letzten Zügen, als ich es vom Trottoir der Zweiundfünfzigsten Straße aufflas." Fifty-Second Street – das hieß grelles Neonlicht, Fetzen von Jazzmusik, lange Reihen zweitklassiger Vergnügungslokale.

Er hatte sie in einem Nachtklub entdeckt, der hauptsächlich der Unterhaltung von Provinzonkeln, zu Besuch in der großen Stadt, diente. Es gab da zwei überreife Komiker, die zweideutige Witze zum besten gaben, eine dito Sängerin mit ausdrucksvollem Popo und eine Tanzgruppe von acht Mädels – eines davon Joyce –, deren Kontrakt es zwar nicht geradezu verlangte, von denen aber dennoch erwartet wurde, daß sie sich in den Pausen mit den einsamen Herren aus der Provinz abgeben würden.

Zuweilen betrachtete Mirko sie lange, stumm, lächelnd und kopfschüttelnd. „Ein Wunder", wiederholte er, ein „wahres Wunder".

„Was für ein Wunder denn?" fragte Joyce.

Für den erfahrenen, abgebrühten Bagoryan war es ein Wunder, wie einfach, sauber und gesund dieses Mädel geblieben war, dieses sprudelnde Stückchen Jugend, das er eines Tages zu einer guten, vielleicht sogar einer großen Tänzerin geformt haben würde.

„Du bist ja noch ein Baby, ein dummes kleines Schulmädel. Aber sehr erfrischend; sehr . . .", hatte er zu ihr gesagt. „So ein echtes, richtiges amerikanisches Kind."

Hast du 'ne Ahnung! – dachte Joyce dazu. Tjawoll, wenn er damit meint, daß man als Kind entsetzlich verwöhnt und verdorben wird, und später schmeißen sie dich ins Wasser, wie du bist, und du mußt schwimmen oder versaufen – ja, dann bin ich ein amerikanisches Kind, hundertprozentig. Deshalb brechen wohl so viele von uns zusammen. Wenn man nicht zerbrechen will, muß man schleunigst lernen, hart zu werden.

Joyce war härter geworden, als sie wollte. Sie wünschte, sie könnte Mutter gern haben – sie wußte, daß sie ihr das schuldete –, aber wenn sie nur an Mutter dachte, mußte sie die Zähne vor Verdruß zusammenbeißen.

Glücklicherweise waren Miß Beauchamp und Bagoryan sich völlig darüber einig, daß sämtliche Ballettmütter strengstens von den Klassen, Proben, Garderoben, mit einem Wort vom ganzen Betrieb ferngehalten und, soweit wie möglich, auch an der Einmischung in die Arbeit und Karriere der Tänzerinnen verhindert werden mußten. „Mütter sind lebensgefährlich", pflegte Olivia mit großer Entschiedenheit zu erklären. „Schick deine Mutter nur zu mir, Kind. Ich werde ihr ordentlich die Meinung sagen."

Ach du großer Gott, ein Abend im Schoß der Familie! Joyce wandte sich mit Abscheu davon ab und vergnüglicheren Visionen zu. Sie sah sich auf der Party, sah sich schon in Hollywood, sie war über Nacht berühmt geworden, nicht nur im Ballett, sondern im Film, auf der ganzen Welt – und so wie Millionen junger Mädchen, wenn auch mit etwas mehr Berechtigung, tanzte sie schon mit Aschenbrödels gläsernen Schuhen in eine Zukunft, die eitel Glanz und Herrlichkeit war.

Im Gang draußen traf sie zufällig auf Axel Johansson, den jungen ersten Tänzer. „Sag mal, Axel", fragte sie ihn, „gehst du auch zu der Gesellschaft am Sonntag?"

„Ja; warum?" fragte Axel.

„Dann laß uns doch zusammen hingehen, *okay?* Ich muß doch ein Taxi nehmen, wenn ich groß angezogen bin, da kann ich dich unterwegs abholen. Weißt du, ich brauche dich als moralischen Halt. Es ist zu dumm, auf der Bühne weiß ich doch einfach nicht was Lampenfieber heißt, aber wenn ich so privat auf eine Party komme, ganz allein, da fühl' ich mich so arm und klein, einfach zum Krepieren fühl' ich mich da. Ich weiß gar nicht, was das ist – vielleicht Platzangst oder ein Minderwertigkeitskomplex..."

„Warum fragst du keinen Psychoanalytiker?" erkundigte sich Axel, der absolut keinen Sinn für Humor hatte und alles und jedes wörtlich nahm. Niemand wußte so recht, wie Axel, ein Bauernsohn aus einem kleinen Dorf im entlegensten Norden, eigentlich ins Ballett geraten war. Cecil Blaine gab vor, daß er der illegitime Sohn eines illegitimen Sohns einer Ballerina vom Königlich Dänischen Ballett sei. Worauf Axel, nach längerer Überlegung, ernsthaft erklärt hatte, dem sei nicht so. Sein Vater sowohl wie sein Großvater seien redliche, ehrlich verheiratete Männer.

„Weißt du das Neuste? Milenkaja kommt nicht zu der Party. Sie selbst sagte mir's: Sie kommt nicht. Ich kann das gar nicht verstehen. Du vielleicht?"

„O ja. Sie ist wohl nicht eingeladen", sagte Axel. Und nachdem er so den gordischen Knoten durchhauen hatte, überließ er Joyce einem ganz neuen und erfreulichen Gedankengang.

Und auf die geheimnisvolle Weise, in der Ballettgerüchte sich verbreiten, war die ganze Truppe noch vor Beendigung der Morgenklasse überzeugt, daß Milenkaja, das arme alte Ding, keine Einladung zu der großen Sache für Ben Bender aus Hollywood gekriegt hatte.

Wenn man seit vielen Jahren beim Ballett ist, dann sehen alle Ballettsäle gleich aus. Immer die *barre* – die Stange – entlang den

28

drei Wänden, die großen Spiegel an der vierten. Immer der Dunst von schweißfeuchten Wolltrikots, Seife, heißen Füßen und den geleimten Sohlen der Tanzschuhe, von erhitzten Körpern und hitzigen, herzbrechend schwierigen *exercises*. In einer Ecke steht das flache Kistchen mit Kolophonium für die Schuhsohlen, schweißdurchtränkte Frottiertücher baumeln von der Stange, und am Fußboden warten die rosa Atlasschuhe mit den langen, nie ganz sauberen Bändern auf den Spitzentanz.

Katja erschien es ganz selbstverständlich, daß jetzt, nach so vielen Jahren, ihr erster Meister, Maestro Enrico Mattoni, wiederum und noch immer ihre *exercises* beaufsichtigte. Im Ballett gibt es immer solche Zusammenhänge, die das Jetzt mit dem Einst verbinden. Das Ballett ist ein so kleiner Planet, für immer um sich selbst rotierend, es gibt so wenige wirklich große Tänzer, Choreographen und Lehrer, daß man unweigerlich denselben wieder und wieder begegnet. Als Katja das vertraute kleine nervöse Räuspern im Vorraum draußen vernahm, drückte sie schnell ihre Zigarette aus und straffte sich unbewußt. Ihr Hals und Nacken streckten sich, sie hob ihr Kinn, und als der Maestro eintrat, war sie um zwei Zoll gewachsen. *„Ah, piccolina mia, 'sta bene?"* rief er aus, täglich mit der gleichen Mimik der Überraschung über das Teilnehmen der Primaballerina an den Morgenübungen. Katja knickste eine höfliche *révérence*, und der Maestro placierte einen leisen Schmetterlingskuß auf ihr Haar. Auch dies war ein Teil des täglichen Rituals. Sein Atem war warm und angenehm, mit dem zarten Veilchenparfüm der kleinen Pastillen, die er sich von Nizza kommen ließ. Katjas ganze Kindheit lebte in diesem Parfüm.

Der Maestro war ein sehr alter Mann geworden, eingeschrumpft, rundschultrig, doch mit feurigen blauen Augen unter buschigen weißen Augenbrauen. Sein Gewicht war rosig, wenn er zufrieden war, färbte sich violett, wenn er lachte, wurde blau unter seinen Ausbrüchen olympischen Zornes und konnte elfenbeinbleich sein, wenn eine Leistung ihn rührte oder erregte. Er war ein verehrungswürdiges Monument aus vergangenen Zeiten, personifizierte Tradition, das letzte Glied in der Kette, die die großen klassischen französisch-italienischen Schulen des Tanzes mit dem Heute verband.

Nach und nach schlenderten die Tänzer herein und reihten sich an der *barre* auf. Sie lockerten ihre Glieder, versuchten eine Drehung, flüsterten, warfen verstohlene Blicke nach Katja. Joyce nahm ihren Platz ganz vorn an der *barre* ein, sie schien munter und voll Eifer trotz ihrer Erkältung. Katja führte an der entgegengesetzten Stange, und der Maestro näherte sich seinem harten Küchenstuhl, auf den er sich niemals setzte, ohne erst ein Bein in einem hohen, unvergleichlichen Bogen über die Rücklehne zu schwingen. Er nahm sein schwarzes Malakkastöckchen zur Hand – eine Reliquie seines eigenen Meisters, des großen Chechetti –, klopfte damit auf das Tischchen, kommandierte: *„Eh bien, mes enfants – Und eins – Und* zwei…"; und Chuck schlug das immer gleiche Schubertsche „Moment musical" für die *petits pliés* an. Kein anderes Kommando war nötig, denn die täglichen Lockerungsübungen waren so unveränderlich wie die Teile einer Messe.

Im letzten Augenblick kam die Gabrilowa hereingelaufen. Das war ungewöhnlich, denn sie versäumte nie die Klasse, war niemals unpünktlich. Katja vermutete, daß Olivia sie mit ihren üblichen Überredungskünsten dazu gedrängt hatte, an den Übungen teilzunehmen. „Denk doch bloß, was für Beispiel du dem jungen Gesindel gibst, was für Inspiration! Und es ist eine gute Reklame für dich, außerdem." Gabrilowa, die im täglichen Leben ebenso einfach und sachlich sein konnte, wie sie auf der Bühne theatralisch im großen, altmodischen russischen Stil war, sagte nur: „Reklame? *Merde!* Einfach hab' ich nicht mehr genug Energie, mich selbst jeden Tag mit Peitsche zu dressieren. Aber wenn geb' ich mir nach – in meine Alter? Eine Woche keine Klasse, und kann ich mein Bein nicht so hoch heben wie mein Hündchen Rigolette bei Laternenpfahl. *Non,* Duschka, wenn du merkst, Gabrilowa fehlt in Schule, kannst du Begräbnis bestellen."

Nicht, solange du noch meine Giselle mit deiner Königin der Wilis so schlagen kannst wie gestern, dachte Katja verbittert. Die beiden Primaballerinen alternierten in diesen Rollen, und gestern abend war Gabrilowa in der kleineren Partie so großartig gewesen, daß der Maestro sich bei ihrem Eintritt von seinem Küchenstuhl erhob und applaudierte, worauf alle die Stange losließen und in den Applaus einstimmten. Lächelnd und sich verbeugend, empfing Gabrilowa die kleine Ovation; und dann, in einer anmutigen, gutgespielten Demonstration von Bescheidenheit, stellte sie sich nicht wie sonst vorne an die *barre,* wo die Jungens übten. Die kleine Zeremonie war vorbei. Wieder schwang der Maestro das Bein über die Stuhllehne, Chuck wiederholte die ersten Takte, und die Klasse wippte prompt ihre *petits pliés,* mit Knien so elastisch wie feinste Uhrfedern.

Ein- oder zweimal hörte Katja die Gabrilowa da hinten husten, es klang übel, rauh wie eine grobe Feile. Katja warf einen Blick auf die alte Ballerina; die Gabrilowa war schlecht zurechtgemacht, sie hatte zuviel Rouge aufgelegt und die unteren Augenränder weiß geschminkt, die oberen dunkelblau, wie für die Bühne. Wie die Ballerina in Petruschka. Niemand richtete sich für die Stunde her, man schwitzte zu sehr, und es kümmerte sich doch keine Seele drum, wie man aussah. Aber die Gabrilowa sah an diesem Morgen sehr schlecht aus. Zweimal mußte sie aussetzen, und dann hing sie über der Stange und hustete ihren häßlichen Husten. Als Katja wieder hinschaute, hatte sie sich ihr Handtuch um die Schultern gewickelt, als ob sie fröre.

Zwölf Minuten später brach der Maestro in einen Wutanfall erster Ordnung aus. Sein Kopf färbte sich rot, purpurn und blau, ein Phänomen, das die Klasse stets in tiefen Schrecken versetzte, denn es sah aus, als könnte ihn jeden Augenblick der Schlag treffen. Das Gerücht besagte, daß er bereits zwei Herzanfälle erlitten habe, und, meine Liebe, man weiß ja, daß beim dritten der Vorhang fällt.

Und wieder einmal war Gwendolyn, schön, schlampig und unpünktlich wie immer, die Ursache des Ausbruchs. Mit einem Gehaben von aufreizender Unschuld kam das Mädchen hereingewandert, machte einen flüchtigen Ballettknicks, lächelte den Maestro an, murmelte etwas über „... Verkehrsstörung an der 34. Straße..." und reihte sich an der Stange ein. Der Maestro spuckte einen Strom von italienischen, französischen und russischen Flüchen aus und stürzte auf sie zu, um wütend an ihren Armen und Beinen zu zerren. Das schwarze Malakkastöckchen begann einen wilden Tanz, zwang ihre Hüften zur Unbeweglichkeit, hämmerte gegen ihre undisziplinierten Kniekehlen.

Unter all diesen dem Tanz geweihten vestalischen Jungfrauen, mit ihren sparsamen, unkörperlichen Körpern, war Gwendolyn ein störendes Stück Weiblichkeit: zu weich, zu biegsam, zu herausfordernd. Sie war stolz darauf, wie hoch sie die Beine schmeißen konnte, und in „Gaité Parisienne" tanzte sie den besten Can-Can. „Sie hat keinen Stil, kein Niveau und meistens keine Idee, was sie eigentlich tanzt", schrie Bagoryan. „Schon recht, aber sie hat was Gewisses", sagte Olivia. „Jawohl. Nackten, groben Sex-Appeal", bemerkte ihr Mann mit Widerwillen. Elkan war einer der nicht so seltenen Menschen, die vor allem Geschlechtlichen zurückscheuen, als wäre es eine Art Kannibalismus. Möglicherweise war es gerade dieser kühle und subtile Abstand, der ihn zu einem außergewöhnlichen, vielgesuchten Fotografen von Schönheiten, insbesondere Tänzerinnen, gemacht hatte.

„Sie demoralisiert mir die Truppe, sie setzt den Mädels Flöhe ins Ohr. Bei uns brechen sie sich die Knochen für die Minimumgage, und dieses odiöse kleine Weibsbild reibt ihnen ständig ihren Platin-Nerz und ihre Dior-Toiletten unter die Nasen", schimpfte Bagoryan abschließend.

Trotzdem wurde Gwendolyn in der Truppe behalten und sogar in ein paar Solorollen herausgestellt. Irrigerweise nahm die Truppe an, daß Gwendolyn ein Verhältnis mit Bagoryan habe; wahrscheinlich auch mit Mr. Bramble, dem Schatzmeister des Aufsichtsrates und Hauptträger des unvermeidlichen Defizits. Cecil Blaine meinte, sie gehe offenbar auch mit Miß Beauchamp ins Bett. „Der arme Junge, er kann schlechthin nicht verstehen, daß sogar zwei Leute verschiedenen Geschlechts einander körperlich anziehen könnten", meinte Chuck, der sich gelegentlich selber mit Gwendolyn vergnügte.

In dem Sturm über Gwendolyns verspätetes Erscheinen war Gabrilowas Husten untergegangen. Doch während der kurzen Ruhepause, die der Maestro ihnen zwischen den Übungen an der Stange und den Adagio gestattete, hörte Katja es wieder. Es klang noch rauher und übler als zuvor.

„Gabri, Liebe, glaubst du nicht, daß du heute die Stunde lieber

31

auslassen solltest? Das ist ja ein scheußlicher Husten, den du dir da zugelegt hast – und du hast doch noch die letzten Proben und die Premiere von den ‚Bienen‘ vor dir ..."

„Ah bah, ist nix. Kleine Erkältung, hat jetzt jeder. Joyce hat auch Schnupfen. *No, no, no – exercises* ist beste Medizin. Schwitz' ich alles aus", sagte Gabri, aber sie fröstelte, und ihre Haut sah dabei heiß und trocken aus, verstaubt.

„Los, aufstellen: *Und* eins – *und* ...", befahl der Maestro. Sein Stöckchen begann, den Takt für die nächsten Übungen zu schlagen.

„Aber du siehst aus, als wenn du Fieber hättest", flüsterte Katja. „Nein, ich versichere, ist gar nix!" antwortete die Gabrilowa heiser, irritiert durch Katjas Besorgnis. Ein neuer Hustenanfall brachte sie fast aus dem Gleichgewicht. Katja streckte die Hand aus, um sie zu stützen, und der Maestro warf einen scharfen Blick nach seinen zwei Primaballerinen. *„Qu'est-ce qu'il-y-a?* Ich bitte sich zu konzentrieren, *Mesdames"*, sagte er streng. Ach ja, man hörte nie auf, Maestros Schülerin zu sein. Katja konzentrierte sich gehorsam auf ihre Übungen, und Gabrilowa stellte sich schnell wieder in die Reihe.

Aber eine Viertelstunde später, als sie ihre Tanzschuhe gegen die Spitzenschuhe aus rosa Atlas vertauschten, ließ Gabrilowa plötzlich die Bänder sinken und legte die Stirn auf ihre Knie, so wie es die Anfänger im frühen Training lernen, um Ohnmacht zu vermeiden. Ihre Zähne klapperten, und ein heftiger Schüttelfrost schüttelte an ihren mageren Schultern. „Bitte um Vergebung, Maestro – ich glaube – ich muß bitten, mich zu entschuldigen", sagte sie, und gehüllt in einen Rest von Grazie und Stolz, schwankte sie zu ihrer Garderobe.

Die Stunde ging in voller Konzentration weiter, bis der Maestro sein Stöckchen hinlegte und sein tägliches *„Assez, mes enfants, basta* und *mille grazie"* ausrief. Die Klasse applaudierte, und wieder mußte ein bestimmtes Ritual eingehalten werden. Sie alle mußten mit einem Knicks oder einer Verbeugung an dem alten Mann vorbeidefilieren, ihm für die Lektion danken und ein Lächeln, ein Nicken, einen freundlichen Klaps in Empfang nehmen. Nur Katja wurde aufs höflichste ersucht, gütigst dazubleiben, wenn es ihr nichts ausmache.

Es machte ihr sehr viel aus, aber es blieb ihr nichts übrig, als zu gehorchen. Sie zündete sich eine Zigarette an und übte weiter, um nicht kalt und steif zu werden, während der Saal sich langsam leerte.

„Was ist eigentlich mit der Gabrilowa los?" fragte Joyce im Vorbeigehen. „Übel geworden oder sonst was?"

„Eine böse Erkältung. Sie hätte gestern nicht auftreten sollen."

„Na, man kennt sie ja, die würde eher draufgehen als absagen", erklärte Joyce ingrimmig. Wenn die Gabrilowa abgesagt hätte, wäre sie an der Reihe gewesen, die Königin der Wilis zu tanzen.

„Da hast du mal was Wahres gesagt. Aber das alte Paradepferd gibt ja keinem Menschen eine Chance", bemerkte Gwendolyn. Aus einem von Miß Beauchamps geheimnisvollen Gründen war ihr die Rolle der Bienenkönigin in zweiter Besetzung zugeteilt worden. Eifrig schwätzend verließen die Mädels den Saal, und Katja steifte sich für die Auseinandersetzung mit dem Maestro.

„Ah, hier bist du ja, *mignonne*", sagte er freundlich. Jetzt wollen wir also wie gute Freunde darüber reden, was gestern abend mit dir los war, nicht wahr?"

Wenn immer der Maestro sich höflich und gütig gebärdete, fühlte Katja sich der Vernichtung preisgegeben. Er verschwendete keinen Atemzug an die Mittelmäßigen, und die vollkommen Hoffnungslosen wurden mit besonderer Zartheit behandelt und sodann hinausgeworfen. Nur für die Allerbesten sparte der alte Tyrann die härtesten Schläge auf.

„Maestro, Sie wissen so gut wie ich, was los war", sagte sie, sich ärgerlich verteidigend. „Dieser Axel: Er geht verloren – er ist nie dort, wo er sein soll, wenn ich ihn brauche. Er ist ein guter Junge, und ich hab' ihn gern, aber – schaun Sie, Maestro, er weiß, daß ich mehr Stütze auf der linken Seite nötig habe. Ich hab's ihm gesagt, Sie haben's ihm gesagt, Mirko hat's ihm gesagt, und noch immer ruiniert er meine Pirouetten – jawohl, das tut er. Jedesmal. Sogar der kleine Larry wäre ein besserer Partner."

„Tatsächlich?" fragte der Maestro, und Katja hielt inne, biß sich auf die Lippen.

„Ich spreche nie darüber, aber schließlich . . .", sagte sie und hielt die wütenden schmerzhaften Tränen zurück, die hinter ihren Augäpfeln brannten. „Schließlich", sagte sie sehr leise, „da ist doch mein zusammengeflicktes Bein. Ich hab' mir's nicht gewünscht – aber da ist es eben. Ich muß einfach mehr Gewicht nach rechts verlegen – ist es eigentlich zuviel von einem Partner verlangt, diese Kleinigkeit nicht zu vergessen?"

Darauf verfiel der Maestro in längeres heftiges Kopfschütteln. „Schau her, *mignonne*", sagte er zuletzt, „du kannst nicht ewig deine Partner für alles verantwortlich machen. Es ist nun schon gut und gern fünfzehn Jahre her, daß Grischa tot ist – möge Gott sich seiner Seele erbarmen; du mußt dich endlich mit der Tatsache befreunden, daß du niemals einen anderen Kuprin finden wirst, niemals. Aber wir reden ja nicht über ein paar verpatzte Pirouetten oder ein paar verwackelte Drehungen. Wir reden jetzt einmal über dich. Über Milenkaja. Siehst du, ich bin ein sehr alter Mann, und du warst meine Schülerin. Eine von den ganz wenigen Schülerinnen, auf die ich stolz bin. Ich frage die Leute: Habt ihr Milenkaja gesehen? Und wenn sie mir erzählen, wie bewundernswert, wie einzigartig, wie großartig du bist, dann blase ich mich auf und tanze eine richtige Pavane, ich dreh' mich um mich selber und schlage große schillernde Räder", sagte er, und schon verwandelte er sich durch eine drollige kleine Pantomime in einen Pfau, um Katja lächeln zu machen. „Und nun mußt du wirklich deinem alten Lehrer gestatten, dich nochmals zu fragen: Was ist eigentlich mit dir los?"

„Ich weiß es nicht – vielleicht bin ich ein bißchen übermüdet, Maestro!"

„Soso. Also müde bist du. Und vor langer Zeit einmal hast du dir ein Bein gebrochen. *Tiens* – jeder Tänzer kriegt gelegentlich ein paar kleine Knochenbrüche ab. *No, no*, ich will dir sagen, was gestern abend los war, und die Abende vorher auch: Du bist leergelaufen. Kein Strom in der Leitung. Sicherungen ausgebrannt. Wenn der Geist dahin ist, dann rinnen die Sägespäne aus der Puppe Petruschka. Armer Petruschka – er steckt in uns allen! Die Gefahr für jeden Tänzer: eine Marionette zu werden. Wenn man alles Technische erst völlig beherrscht, dann kommt eine Zeit der großen Gefahr: zu glatt zu werden, zu geleckt, sich einfach abrutschen zu lassen, mit nichts als Technik und einem guten Gedächtnis. Jetzt wirst du mir antworten: Was fällt dem alten Mattoni ein? Fünfzig Jahre lang war er fanatisch mit seiner Technik, hat Technik gelehrt, Technik gepredigt, nichts als die reine, strenge, klassische Technik – was weiß denn der alte Narr von den Bränden da innen? Ha, er weiß eine ganze Menge, Madame Milenkaja. Viel mehr als so manche von euren jungen Narren mit all ihrem modernen Firlefanz und ihren unappetitlichen Darbietungen, alles Selbstbespiegelung und Selbstzerstörung . . ."

„Schön, vielleicht ist es wahr, vielleicht bin ich ausgebrannt. Was soll ich denn anfangen? Das Tanzen aufgeben? Dazu bin ich nicht alt genug – oder doch? Ich bin doch nicht alt, Maestro?"

„Davon verstehe ich nichts. Ich bin kein Sachverständiger in bezug auf Alter, *mignonne*. Ich bin ziemlich jung – mit einundachtzig. Und du bist zur Zeit etwas ältlich mit deinen fünfundvierzig."

„Einundvierzig", unterbrach Katja hurtig. Der Maestro lachte in sich hinein, seine Augenbrauen zuckten. „*Eh bien* – sollen wir jetzt die ganze Giselle durchgehen?"

Mit der höfischen Artigkeit des Tänzers bot er ihr seine Hand, um sie in die Mitte des Saales zu leiten, und sie riß sich zusammen, vibrierend, in zitternder Erregung.

Plötzlich fielen ihr Ted und der Kleine ein. Während der Stunde hatte sie die beiden ganz vergessen. Sie warf einen hastigen Blick auf die Wanduhr. Zehn Uhr dreiundvierzig. Um zwölf kommen sie, mir bleibt nicht viel Zeit, dachte sie, und zugleich: Da müssen sie eben ein bißchen warten.

Es war fast Mittag, als der Maestro sagte: „*Basta*. Genug – vorläufig. Ich denke, ich kann dich jetzt laufen lassen."

Katja war ausgepumpt, außer Atem, ihr Mund war trocken, ihre Füße wund, die Atlasschuhe kaputt, zertanzt, ihre Kehle wie Sand. Aber sie fühlte sich besser, oh, viel, viel besser als seit langem. Sie watete durch schwarze und senffarbene Kreise der Erschöpfung und machte eine tiefe *révérence*.

„Gestern abend hat deine Vorstellung zum Himmel gestunken; ich hoffe das nächstemal wird's nicht ganz so arg sein", sagte der Maestro, als er sie mit einem Kuß auf die Stirn entließ.

„Danke schön, Maestro", sagte sie demütig und küßte seine Hand.

„ ... du mußt ihm nach jeder Stunde die Hand küssen, und wenn er dir weh getan hat – und er wird dir oft schrecklich weh tun –, mußt du sagen: Danke schön – versprich mir, daß du es nie, niemals vergessen wirst", hatte Grischa sie an dem Tag gewarnt, da er sie dem Ballettmeister vorstellte.

Damals war der Maestro ein hochgewachsener, schlanker, eleganter Mann auf der Höhe seiner Laufbahn; aber der kleinen Kati kam er trotzdem alt vor, sehr alt, doch wunderschön und überwältigend. Wie der liebe Gott im Himmel; bloß mehr wie Jupiter, dachte sie. Das war eine sonderbare Idee für ein kleines Mädel, aber sie hatte Jupiter auf einem Kupferstich gesehen, und solcherart sind die Wege, die die Phantasie eines Tanzkindes einschlagen mag.

„Eh bien – wen haben wir denn da?" hatte der Maestro gelächelt.

„Das ist Kati Milenz, Maestro. Ich erbat Ihre Erlaubnis, sie Ihnen vorzustellen, Maestro, sie ist die Kleine, die absolut eine Ballerina werden will", erklärte Grischa.

„Sapristi – sonst nichts? Ist sie vielleicht deine kleine Braut?" fragte er auf französisch. „Nein? Dein Schwesterchen? Kusine?"

„Nein. Bloß ein Mädel, das ich kenne", meldete Grischa mit Kälte.

„Wir sind Freunde", korrigierte Kati aufgebracht. „Sehr gute Freunde, nicht wahr, Grischa?"

„Wir wohnen zufällig im selben Haus", erklärte Grischa mit aufreizendem und unverständlichem Hochmut. Kati ballte ihre Fäuste gegen die Zurückweisung. Der Maestro räusperte sich, unterdrückte ein Lächeln und begann, in kleinen Kreisen um sie herumzuwandern. Seine Augen waren auf sie eingestellt wie Brenngläser, und unter diesem durchdringenden Blick fielen ihr Grischas strenge Ermahnungen alle auf einmal ein. „Kinn hoch, Hals lockern, geradehalten und wackel nicht so mit den Hüften. Schultern zurück, zieh den Bauch ein. – O du heilige Mutter von Kasan – steck deinen fetten Hintern nicht so heraus und, verdammt noch mal, Kati, streck die Knie und dreh die Beine auswärts – mehr – von den Hüften aus – noch mehr ... "

Verzweifelt suchte sie den stummen Befehlen zu folgen, die sie sich selber gab, und endete in einem traurigen Fiasko. Eine feste Hand stützte ihren Rücken, ein scharfer kleiner Schlag des schwarzen Malakkastöckchens straffte ihre Knie, ein leichter Finger korrigierte die verkrampften Schultern.

„Wie alt ist diese zufällige Bekannte?" fragte der Maestro. Seine Augenbrauen zuckten wie der Schwanz einer lauernden Katze.

„Zehn, ungefähr", sagte Grischa verachtungsvoll von der schwindligen Höhe seiner dreizehn Jahre herab.

„Neun Jahre, fünf Monate und zwei Tage", stellte Kati richtig.

„Hm. Gesund? Kräftig? Und die Hauptsache: geduldig?"

Grischa nickte, aber Kati, die nicht auf falsche Vorspiegelungen hin angenommen werden wollte, setzte hinzu: „Ich bin gar nicht geduldig, in der Schule und zu Hause auch, aber wenn ich tanzen darf, dann will ich nichts als tanzen und tanzen und tanzen. Ich will gar nie aufhören – das ist doch wahr, Grischa, nicht? Und – und in der Ballettschule werde ich niemals ungeduldig sein, Ehrenwort." Der Maestro schwang sein Bein in einem vorbildlichen Bogen, in der Stuhllehne, setzte sich und stellte Katja zwischen seine Knie. Seine Finger sondierten ihren Kleinmädchenkörper, die feinen Knochen, Gelenke, Sehnen, ihre Elastizität, Proportionen, Möglichkeiten.

Ob sie schon früher Tanzstunden gehabt habe? erkundigte er sich bei Grischa. „Nein", sagte Grischa. „O doch", sagte Kati. „Quatsch", sagte Grischa, „sie hat sich bloß gedreht und ist herumgesprungen wie alle kleinen Mädels."

„*Alors,* weshalb nimmst du dann meine Zeit in Anspruch? Weshalb bittest du mich, sie vor den andern hier in meinem Privatstudio zu sehen? Du weißt, daß mehr als zweihundert kleine Mädels sich um den Eintritt in die Opernballettschule beworben haben und daß nur zehn angenommen werden können."

Grischa, immer schon ein blasser Junge, erbleichte vollends. Er selbst war zu den Privatstunden des allmächtigen Ballettmeisters nur ausnahmsweise zugelassen worden, es war ein Zeichen, daß der Maestro an ihn glaubte. „Weil sie mich so sekkiert hat", murmelte er, und nun war es an Kati zu erbleichen, ihre Lippen zu beißen und, aufs tiefste verletzt, Funken zu sprühen.

„Das ist nicht wahr", schrie sie, „er ist derjenige, der immerfort – er redete ja die ganze Zeit von nichts anderem, als daß er besser sein wird als Nijinsky, und ich werde so gut werden wie die Pawlowa, und dann tanzen wir zusammen in der ganzen Welt – in Dresden und Graz – und Brasilien – und – und . . ."

Sowie sie derart ihren tiefinnersten Traum und Grischas heiligstes Geheimnis preisgegeben hatte, wußte sie, daß Grischa sie dafür durchprügeln würde, und es geschah ihr ganz recht. Sie faltete die Hände in einer verzweifelten Bittstellergebärde. Der Maestro hatte die wunderlich eindrucksvolle Bewegung mit großer Aufmerksamkeit beobachtet.

„Also antworte du mir, *mignonne*", sagte er, „hast du schon Ballettstunden gehabt?"

„Ja", sagte Kati. „Nein", sagte Grischa mit einem drohenden Blick auf sie.

„Also, was stimmt nun? Wie heißt dein Lehrer?"

„Kuprin", sagte Kati.

„Wer ist das? Nie von ihm gehört."

„Grigory Kuprin. Der da", sagte Kati und deutete mit dem Kinn nach dem wütenden Grischa.

Der Maestro schaute die zwei Kinder an und verbiß sich das Lachen, aber Kati bemerkte das flüchtige Zucken seiner Augenbrauen und antwortete mit einem schüchternen Lächeln. Ein liebes Lächeln, ein kleines Regenbogenlächeln, dachte er, und was für einen hübschen hohen Spann sie hat für so ein untrainiertes kleines Ding.

„Also gut, zeig mal, was Maestro Kuprin dir beigebracht hat", sagte er und setzte sich erwartungsvoll nieder.

„Es ist eine – eine Art von – es ist sozusagen eine Masurka", kündigte sie an; plötzlich raubte ihr eine ganz neue Erregung, aus Angst und Seligkeit gemischt, den Atem. Sieh doch bloß den Parkettboden, soviel Platz zum Laufen und Springen und Tanzen! Das rief nach ihr, das zog sie, das zerrte süß in ihren Adern, ließ ihr Herz hart gegen die kleinen Rippen trommeln.

„Alors – los!" befahl der Maestro. Etwas in seinem Gesicht und seinem sich spannenden Körper ließ Kati fühlen, daß er bisher nur mit ihnen gespielt und gescherzt hatte, daß aber von nun an alles Tanzen in erschreckendem und unentrinnbarem Ernst vor sich ging.

Es war in jenem Augenblick (aber dies wurde ihr erst viele Jahre später klar), daß sie aufhörte, ein Kind zu sein und zu einem verantwortungsvollen, schwer arbeitenden, neunjährigen erwachsenen Menschen wurde: einer Berufstänzerin.

Madame Kuprin, Grischas schöne Mutter, war für Kati eine romantische Gestalt, eine jener weißrussischen Emigrantinnen, die die Revolution in die Hauptstädte Europas gespült hatte. Die Kuprins lebten in einer eleganten Wohnung, im gleichen Gebäude, wo Katis Familie im Hinterhaus zwei Zimmer mit Küche innehatte, durch drei Höfe und weite Klassenunterschiede von dem Glanz der Straßenfront getrennt.

Madame Kuprin hatte Kati in einem kleinen Park aufgelesen, wo das Kind in der frühen Winterdämmerung verloren umherwanderte. Sie konnte nicht in die Wohnung, bis Tante Mali nach Hause kam, gab Kati an. Tante Mali war eine Hausschneiderin, und ihr Mann – „mein Franzl" – rumpelte mit seinem heruntergekommenen Taxi durch die gleichfalls heruntergekommenen Straßen Wiens. Nein, sie hatte keine Angst vor der Dunkelheit. Danke, aber wirklich, es machte ihr nichts aus, allein im Park zu warten. Was Kati bei sich behielt, war die verheimlichte Freude, die es ihr bereitete, im Park zu tanzen, geschützt durch die Dunkelheit weich über das taunasse Rasenrondeau zu fliegen, wo bei Tag die Tafeln drohend warnten: „Betreten des Rasens strengstens verboten." Ihr Tanzen bestand meistens darin, daß sie sich drehte und drehte wie ein Kreisel, bis sie umfiel, schwindlig und wie betrunken. Madame Kuprin, die gefühlsreiche, übersprudelnde und gastfreundliche Russin, nahm das Kind mit sich, zog ihm die nassen Schuhe und Söckchen aus, frottierte seine Füße, bis sie warm wurden, und füllte es bis zum Rand mit Tee, Piroggen und Marmelade an.

Beim feinen Klirren der Teegläser öffnete sich die Tür, und ein Junge kam herein, der wie keiner der Jungen aus Katis Bekanntschaft aussah. Er sieht nicht *wirklich* aus, dachte sie; mehr wie gemalt. Er machte seiner Mutter eine tiefe Verbeugung, küßte ihr die Hand, dann grinste er Kati lausbübisch an. „Mein Sohn Grischa, mein einziges Kind", stellte Madame Kuprin vor, „und das ist unsere kleine Nachbarin, Kati Milenz."

„Ich hab' dich schon gesehen. Im Hinterhof. Du hast die Katze sekkiert", sagte Grischa.

„Hab' ich nicht. Minnie hat mit mir geredet."

„Ha! Was hat sie gesagt?"

„Das möchtest du gern wissen, was?" erwiderte Kati unternehmend, um nicht zu zeigen, wie beeindruckt sie von Grischa war. Sein Gesicht war geschminkt, entdeckte sie nun: Deshalb sieht er so unwirklich aus. Dunkelblaue Augenlider, kalkweiße Wangen, ein riesiger Scharlachmund mit dem verschlagenen Grinsen draufgemalt.

„*Mon Dieu*, Grischa, experimentierst du schon wieder mit deinem Schminkkasten?" fragte Madame Kuprin. „Er verbringt Stunden vor dem Spiegel und versucht alle Arten von *maquillage;* er ist nämlich beim Theater."

„Ich werde nämlich ein Tänzer; wie Nijinsky, weißt du? Du hast von Nijinsky gehört, nicht wahr?"

Das war nun keineswegs der Fall, aber Kati nickte dazu, knickste aus irgendeinem Grund vor dem Jungen und sagte würdevoll: „Es freut mich sehr, dich kennenzulernen, Grischa."

Madame Kuprin behauptete, Opernsängerin gewesen zu sein. Sie konnte wunderschön Klavier spielen, allein oder *à quatre mains* mit Grischa, und sie erbot sich, auch Kati zu unterrichten – unentgeltlich. Das heißt, wenn Tante Mali sich revanchieren wollte, dann könnte sie ihr ja gelegentlich kleine Änderungen an ihren Toiletten machen.

In dem beständigen Wirbelstrom der Gäste, die seine Mutter besuchten, den Ausbrüchen von russischen Tränen und Gelächter, pflegte Grischa still in einer Ecke zu hocken, wunderlich abgesondert und allein. „Mein Junge, mein Edelsteinchen", pflegte seine Mutter ihn in ihrem überströmenden Russisch zu nennen. „Mein kleiner Solitär – aber hart ist er, Katuschka, hart wie ein schwarzer Diamant . . ."

Als ob Kati das nicht wüßte. Als ob es leicht gewesen wäre, Grischa als Freund zu haben. Als ob sie nicht ihren ganzen Trotz gebraucht hätte, um sich gegen seine Tyrannei, seine Launen und Stimmungen anzustemmen. Manchmal ging es ganz hoch hinauf mit ihm, wie auf den Riesenschaukeln im Prater, und dann ganz hinunter und wieder hinauf, es war eine schwindlige Angelegenheit. Zuweilen waren sie sich so nahe wie die zwei Hälften einer Walnuß in ihrer Schale. Es gab lange, ruhige, glückliche Wochen, da Grischa nichts anderes wollte, als mit ihr beisammen sein, sich aussprechen, lehren, zeigen, erklären, mit ihr lachen und spielen, neue Tänze versuchen. Für ein neunjähriges Mädchen ist es keine Kleinigkeit, in das Leben eines dreizehnjährigen Burschen aufgenommen zu werden, und noch dazu eines richtigen Tänzers an der Wiener Oper. Doch gerade wenn Kati sich sicher und tiefgeborgen in Grischas Innerem fühlte, wie ein Wurm in einem süßen Apfel, mochte er sie plötzlich und ohne Erklärung fallenlassen, sich gegen sie wenden, als hätte er sie nie gekannt, sie einem schmerzlichen Alleinsein auszuliefern. Einsamkeit war etwas, über das man unmöglich reden konnte. Die kleine Kati kannte nicht einmal das Wort dafür, nur das Gefühl.

„Ich weiß nicht, wie ich's sagen soll, ich meine, da bin ich – ich selber –, und dort drüben sind alle die anderen", klagte sie Grischa auf der tastenden Suche nach ihrem eigenen kleinen Selbst.

„Du, du selber? Das will ich hoffen", sagte Grischa mit Strenge, „und du weißt auch, warum das so ist, oder nicht? Du bist eben anders."

„Meinst du? Anders? Ist das gut oder schlecht?"

„Selbstverständlich ist das gut – es ist –, du willst doch zum Beispiel eine Solotänzerin werden, du willst die Primaballerina sein, bestimmt willst du nicht im Ballettcorps steckenbleiben mit all den anderen. Von denen gibt's eben Tausende auf der Welt, eine Million. Aber du? Du bist einzig, du selbst, allein. Glaubst du denn, die Pawlowa ist nicht anders oder Nijinsky war's nicht? Ha!"

Kati absorbierte kopfnickend dieses erleuchtende Stück Weisheit. Grischa konnte eben alles erklären; fast alles. Es war ein wenig Resignation in diesem Kopfnicken, als sie sagte: „Ja, ich weiß, was du meinst. Bloß – die anderen – ich glaube, die haben's leichter."

Die anderen, die waren frei und konnten im Park spielen, während Kati Ballettstunden hatte – oder Klavierstunden. Oder französische Lektionen bei Madame Kuprin. Die anderen hatten Spaß mit ihren Puppen, wenn sie und Grischa schwierige Ballettschritte übten, wo immer es ging, in der Küche oder zwischen den Mülleimern im zweiten Hinterhof, am nassen Rasenrondeau im Park, in der dunstigen Waschküche im Kellergeschoß. Grischa war ein gestrenger und anspruchsvoller Drillmeister. Er schleppte sie in alle möglichen Kirchen, nicht um zu beten, sondern um die verzückten Gebärden der Barockheiligen zu studieren; ins Museum, wo sie respektvoll die Werke der großen Maler anstarrten. Sie mußte versuchen, aus dem Gedächtnis zu zeichnen, was sie gesehen hatte, und die Bücher lesen, die er ihr brachte, alles durcheinander, Grimmsche Märchen, griechische Mythologie, Hamlet, die Brüder Karamasoff – und dazu noch die kindischen französischen Bändchen der *Bibliothèque Rose*.

Von solchen Dingen wußten die anderen freilich nichts. Da ist, zum Beispiel, der kleine Bretzelmann am Bühneneingang, er leidet an einem Tick, der ihn zappeln macht wie ein Hampelmännchen. Die andern lachen darüber, aber Kati ist es zum Weinen, es ist solch ein jammervoller Anblick. Aber doch auch ein höchst interessanter Anblick, den sie mit gerunzelter Stirn in sich aufnimmt und vorläufig wegpackt, zusammen mit den Posen griechischer Göttinnen, dem Kostüm einer Renaissancedame und der Art, wie sie die Hände über ihrem Leib gefaltet hält, und den tanzenden, schlittschuhlaufenden Bauern der berühmten Wiener Breughels. Überall gibt es Bewegungen, die man sich aufheben muß. Ein Zweig, der sich im Winde biegt, das Flattern eines erschreckten Vogels, der aufgestellte Buckel von Minnie, der Hinterhofkatze, und Tante Malis müde hängende Schultern nach einem langen Tag an der Nähmaschine.

Noch etwas gibt es, das sie von den anderen absondert. Die anderen haben Familien. Schwestern und Brüder, Eltern und Großeltern oder zumindest doch eine Mutter. Am ersten Tag kommt jedes Kind in Begleitung einer Mutter in die Oper. Die Mütter zischen wie eine erzürnte Gänseherde, sie lächeln, als hätten sie Stecknadeln im Mund und glitzernde Messerchen in den Augen. Ein besonders hübsches Kind in kleinen rosafarbenen Studierhöschen nimmt sich Katis an. „Du bist eine von den Neuen, gelt? Wie heißt du? Kati Milenz? Ich bin die Mitzi – Mitzi Keller. Ich bin schon das zweite Jahr beim Ballett. Komm her, ich zeig dir, wie man die Studierhosen anzieht", sagt sie gönnerhaft.

„Wo ist deine Mutter? Du bist doch nicht allein gekommen?"

„Ja", sagt Kati, „allein."

„Warum denn?"

„Ich hab' keine Mutter. Und die Tante hat keine Zeit. Sie ist nämlich nicht wirklich meine Tante ..."

„Oje! Du armes Hascherl!" Mitzi rümpfte ihr kurzes Näschen, ihr Lächeln ist schlau, vielsagend, aber sehr anziehend. „Da bist du also der Tant' ihr kleines Malheur? Macht nix, Unfälle kommen in den besten Familien vor, sagt man!" und damit pirouettiert Mitzi davon, um die Alten über die Neue zu informieren.

Obwohl Kati nicht verstanden hatte, was Mitzi meinte, war da ein unangenehmer Nachgeschmack, und sie wandte sich an Grischa um nähere Erklärungen. „Malheur – was fällt der frechen Person ein? Wenn sie glaubt, sie kann mich beleidigen, weil sie zwei Jahre älter und natürlich viel hübscher ist als ich – gar kein Malheur ist passiert, wie die Tante Mali und ihr Franzl mich adoptiert haben! Sie hätten sich leicht ein anderes Baby aussuchen können, aber Tante Mali wollte nur mich haben; es war Liebe auf den ersten Blick, sagt sie immer. Und noch dazu hat sie fünftausend Kronen gekriegt, um mich gut aufzuziehen." Sie forschte in Grischas Augen nach dem Eindruck, den eine derartige Großzügigkeit machen mußte, aber sein Blick verbarg sich hinter den viel zu langen, viel zu dichten Wimpern – lächerliche Wimpern für einen Buben. Russische Wimpern vielleicht?

„Aber das ganze Geld ist beim Teufel, die ganzen fünftausend! Erst der Krieg – und dann die schreckliche Inflation, weißt du ...", sagte sie, ein bekümmertes Echo von Tante Malis besorgten Wehklagen.

„Natürlich. Wir haben auch alles verloren. Ist dein Vater in der Revolution umgebracht worden?"

„Das weiß ich nicht. Warum?"

„Meiner schon."

„Oh", sagte Kati unberührt. „Wie schade." Sie waren echte Kinder ihrer Zeit, ihnen waren Krieg, Revolution, Hungersnot und Elend selbstverständlich, sie konnten sich gar keine anderen Zeiten vorstellen.

„Bist du traurig, daß du keine Eltern hast?" erkundigte sich Grischa mit sachlicher Neugier, aber ganz ohne Mitleid.

„Nein. Weshalb soll ich da traurig sein? Es ist doch viel besser so."

„Wieso besser?"

„Eben – so. Wenn man Eltern hat, kann man sie nie mehr loswerden. Wer weiß, vielleicht kann man sie nicht ausstehen. Vielleicht sind es gräßliche Leute. So kann ich mir Eltern ausdenken, wie ich will. Im Kopf ..."

„Kannst du das? Kannst du dir alles ausdenken und vorstellen, was du willst?"

„Natürlich. Du nicht?"

„Ich? Selbstverständlich. Wenn ich ein so großer Tänzer wie Nijinsky werden will, muß ich doch Phantasie haben, verstehst du."

Kati seufzte ein wenig. Seit ihrem Eintritt in die Ballettschule fing sie an zu begreifen, was für ein langer, schwieriger Weg vor ihr lag, ehe sie so gut tanzen konnte wie die Pawlowa. Doch wenn sie mit Grischa zusammenbleiben wollte – und schon nach den kurzen sechs Monaten dieser merkwürdigen, tiefen und sturmzerzausten Freundschaft schien ihr ein Leben ohne Grischa unvorstellbar –, dann mußte eben eine andere Pawlowa aus ihr werden.

„Los, laß uns in den Park gehen und an deiner *arabesque* arbeiten", schlug er vor.

„Immer dein Drängeln und Zerren. Ich mag jetzt nicht arbeiten. Ich bin müde."

Grischa betrachtete sie mit unnachgiebiger Strenge. „Soso. Müde bist du. Du willst dir's leicht machen – wie die anderen. Also, ich will dir etwas sagen: Das ist nichts für unsereinen. Wir können's nicht ändern, daß wir anders sind, also müssen wir eben etwas stärker sein als die anderen. Bißchen stolz darauf ebenfalls."

„Stolz? Ja – ich weiß schon, was du meinst ...", sagte Kati zögernd. Sie sieht sich selbst, sie steht auf einer Meeresklippe, hoch und steil über den schäumenden, gebäumten Brandungswogen einer sturmgepeitschten Küste. Sie ist ganz allein, ihr weißes Gewand weht hinter ihr auf wie ein volles Segel.

Sie hatte noch nie eine Meeresklippe gesehen oder eine Brandung oder ein Segel. Vielleicht hatte Grischa ihr einmal ein Bild der Nike von Samothrake gezeigt.

„Weißt du was? Ich bin auch ganz anders als die anderen", sagte Grischa in ihre Gedanken.

„Das kommt davon, daß du aus Rußland bist."

„Nein. Das hat nichts damit zu tun. Ich bin einfach anders. Gar nicht so wie andere Jungens."

„Nein. Gar nicht", sagte Kati mit Überzeugung.

„Siehst du, so ist es nun einmal. Dagegen läßt sich nichts tun", sagte er noch. Es klang so wunderlich traurig, daß Kati gern nach seiner Hand gegriffen oder ihn gestreichelt hätte; aber sie wußte, daß man Grischa nicht anrühren durfte.

Außer beim Tanzen natürlich.

Die Ballettklassen einer großen Opernbühne sind der ungeeignetste Ort, die Eigenart eines Kindes zu bewahren. Alles und jedes ist Vorschrift, strenge Routine, und sie werden im Gleichschritt gedrillt wie kleine Soldaten; der Ballettsaal ihr Paradegrund, die Garderoben ihre Kasernen. Bald war Kati im Strom dieser Einförmigkeit untergegangen, während ihr eigenstes Wesen in Schlummer lag. Bald redete, atmete, lebte sie nichts als Ballett.

Da sind die *exercises*, täglich die gleichen *exercises*. „Ich rate euch, diese *exercises* so gut zu lernen, wie ihr könnt, denn ihr werdet sie jeden geschlagenen Tag eures Lebens üben", predigt die Lehrerin, ein pedantisches, altjüngferliches Fräulein Normann. Madame Kuprin stürzt sich überschwenglich auf Kati: „Wie glücklich du sein mußt, Katuschka, daß du jetzt nach Herzenslust tanzen kannst!" Doch Kati antwortet ernsthaft: „Im Ballett wird nicht getanzt, Madame, im Ballett wird gearbeitet." Madame Kuprin schüttelt sich vor Lachen. „Hörst du das, Serge? Was für ein *aperçu*, wie?" Serge Baliyeff küßt lachend Katis verlegene Kleinmädchenhand. Er ist einer der verschiedenen eleganten Herren, die Grischa höflich und mit eiskalter Zurückhaltung Onkel nennt. „Zu umständlich, sich die Namen zu merken. Die kommen und gehen. Meine Mutter wechselt ihre Freunde beinahe so oft wie ihre Nachthemden."

„Warum bist du so zornig? Kannst du die Freunde deiner Mutter nicht leiden?"

„Aber sicher. Ich bin einfach entzückt, wenn das Schlafzimmer von Maman als Durchhaus benutzt wird."

Aha, das ist es also, dachte Kati. Grischa ist eifersüchtig. Über Eifersucht gab's nichts zu lachen. Es war wie Zahnweh mitten im Herzen, und in den Ballettklassen gedieh Eifersucht wie in einem Treibhaus, Eifersucht und Neid und eine besondere, fiebrige und schmerzende Sorte von Ehrgeiz. (Erst viele Jahre später verstand Katja, daß die Eifersucht, die der Knabe Grischa um seine leichtsinnige Mutter gelitten hatte, das frühe Leitmotiv für sein ganzes Leben anschlug.)

„Denk dir, Grischa", sagte Kati, um ihn von all diesen Onkels abzulenken, „gestern nacht hab' ich wieder meinen Traum gehabt."

„Von den Stufen?"

„Ja. Es geht 'rauf und 'rauf, eine endlose Treppe. Ich meine, ich kann das Ende davon nie sehen, es verliert sich irgendwo ganz oben. Im Nebel oder in Wolken oder irgendwo. Und ich klettere

42

und klettere und klettere und komme nie hin. Und dann fall' ich, ich rutsche hinunter, schneller, immer schneller. Das ist der gräßliche Teil im Traum. Und dann wach' ich schreiend auf. Tante Mali sagt, ich hab' Alpdrücken, weil ich so verfressen bin."

„Tja, so ist das Ballett. Eine Treppe ohne Ende. O du heilige Mutter von Kasan! Wie lang das dauert, bevor sie einem was Ordentliches zu tanzen geben", sagte Grischa, mit ungeduldigen Fäusten auf seine Knie hämmernd.

„Dabei habt ihr Buben es leicht, ihr seid ja bloß ein paar. Aber wie soll jemals etwas aus uns Mädels werden? So eine Herde – und Zäune ringsherum . . ."

Für drei Jahre ist man eine Null zwischen Nullen, eine *élève*.

Man wird durch das ehrwürdige Alphabet und die Anfangsgründe des strengen *Ballet d'école* geschleift, durch die täglichen *exercises* an der Stange, durch *pliés, battements, arabesques, attitudes,* durch *piqués, bourrées, chaînées, fouettées, jetés, entrechats, pirouettes, tours en l'air.* Wie am laufenden Band lernt man Variationen und Allegros, Adagios, Charaktertänze und Mimik.

Kati wird weniger gelobt und mehr ausgezankt als die anderen. „Kati, die Schultern lockern – den Hals nicht verkrampfen – keine Grimassen schneiden – du tanzt schon wieder aus der Reihe – du zerfetzt alles – du übertanzt alles. Entspannt, heiter – verflucht noch einmal, schau heiter drein! Wenn du dich nicht klar und heiter fühlst, dann kannst du nicht klar und heiter ausschaun – graziös – elegant – man darf die Anstrengung nicht merken."

Immerfort wird das verlangt: Grazie, Eleganz, spielerische klare Heiterkeit. Keine leicht zu erfüllende Forderung für ein überarbeitetes, unterernährtes Kind. Tag für Tag predigen die Lehrer Schönheit, Grazie, Zurückhaltung, die stolze Haltung, die harmonischen Bewegungen, die heitere Eleganz des Balletts; man wird in Tarlatan und Flitter gekleidet, man lernt sich zu schminken, die Haut, das Haar, die Hände, die Zehen zu pflegen. Man wird in königliche Kostüme aus Atlas und Samt und Brokat gesteckt und darf als Page oder Prinzessin im Opernfinale quer über die Bühne schreiten. Kati legt ihre ganze Seele in solche Momente, doch Grischa spottet: „Ah bah – Opernstatisterie: Petersilie zur Garnierung am Braten."

Im zweiten Jahr wird man gruppenweise in Balletten hinausgestellt. Man darf mit sechzehn anderen Kindern als Schwan, Nymphe, Fee und Elfe im Hintergrund knien, als Vögelchen oder Schmetterling an Drähten vom Schnürboden hängen oder als Kätzchen, mit Schellen am Schwanz, im Takt hüpfen. Und man lernt das brustzersprengende, die Kehle würgende Warten in der Kulisse kennen, bis zu dem fiebernden, erregenden, betrunkenen Augenblick, da man auf die Bühne geschoben wird: und da sind die Musik und die Rampenlichter und der Atem des dunklen Zuschauerraums. Das große, immer gleiche Erlebnis, ob man nun ein Ballettkind ist oder eine berühmte Primaballerina.

Und dann, wenn die Vorstellung vorbei ist, wird man nach Hause geschickt, wo man nicht mehr hingehört. Nach Hause, wo es nicht einen Quadratmeter Raum gibt, um allein zu sein, zu üben, zu träumen, sich im Spiegel zu beobachten, zu springen, zu weinen. Nach Hause, wo sie nichts von alledem verstehen und man ebensogut Chinesisch zu ihnen sprechen könnte.

„Als ob man aus zwei verschiedenen Menschen bestünde", sagte sie einmal zu Grischa, „als ob ich doppelt wäre, und die eine lebt auf dem Mond und die andere hier herunten, mit Tante Mali und ihrem Franzl und – na, du weißt ja, wie es zu Hause ausschaut." Sie kaute verfinstert das Ende ihres Zopfes, es war eine sehr schlechte, sehr kindische Gewohnheit; Grischa klapste sie scharf auf die Hand, und sie lachte ärgerlich und setzte hinzu: „Zu schade, daß es keine Elektrische zwischen hier und dem Mond gibt."

Sie schaute Grischa an, als erwartete sie von ihm – der ihr allerhand Wunder versprochen hatte, von denen einige sogar eingetroffen waren –, ihr auch diese Elektrische zu versprechen. Aber er sagte recht ernsthaft: „Nein, Duschka, keine Elektrische. Ich glaube, es ist besser, diese Sachen nicht durcheinanderzumischen. Dein Mond, der ist doch nur ein Symbol, nicht wahr? Bühne, Tanz, Kunst, Phantasie – gegen was? – gegen das stumpfsinnige, flache, tägliche Leben. Nein, nein, man muß die beiden schön auseinanderhalten, keine Kompromisse versuchen, und . . ."

Kati wurde ungeduldig. Grischas häufige theoretische Vorlesungen machten ihre Haut prickelnd. Sie hatte keinen Sinn für wohlüberdachte abstrakte Begriffe. „Symbole – ha! Hör nur einmal dem Blödsinn zu Hause zu, immer über Geld, und was soll man gegen die Küchenschaben tun, und wo ist die übriggebliebene Salami von gestern? Und das Klosett ist auch wieder hin – man riecht's in der ganzen Wohnung – Symbole, ach du lieber Gott! Das ist alles so – so – wirklich."

„Das meine ich ja – die Wirklichkeit. Das Leben ist eben wirklich."

„Das Ballett auch!"

„Nein, o nein, Katuschka. Ballett ist Kunst, und Kunst ist *wahr*. Das mußt du auseinanderhalten: Wahrheit und Wirklichkeit sind zwei ganz verschiedene Welten. Die vertragen sich nicht. Da muß man sich entscheiden, zu welcher man gehört."

Es ließ Kati unbefriedigt. Sie wollte beides, das Wahre *und* das Wirkliche.

Sie wußte noch nicht, daß dies der innerste Kern all ihrer Kämpfe und Probleme und Erfahrungen werden sollte. Daß sie niemals aufhören würde, zu suchen und beides für sich zu verlangen: die warme, einfache Wirklichkeit des Alltäglichen und die mühevolle, abseitige, kühle Mondenschönheit des Wahren. Beides zusammen, wie in einem vollen runden Gefäß, als ihren einzigartigen, ureigensten Besitz.

Aber dies blieb ein Wunsch, den ihr das Leben nie und nimmer erfüllte.

Grischa ... e seinen fünfzehnten Geburtstag erreicht, kein leichtes
Alter für ... en Jungen, besonders schwer für einen Tänzer. Ein
Tänzer mu... hön sein oder zumindest Schönheit vorspiegeln können. Aber n... einmal Kati dachte mehr, daß er wie ein Königs-
sohn aussähe. ... hatte die üblichen Pubertätsschwierigkeiten, mit
seiner Stimme, ...em Teint, dem Körper, den Nächten, den Träumen, dem unge... ...eten Drängen seiner halbreifen Jugend. Seine
Kräfte konnten m... ...einem Ehrgeiz nicht Schritt halten. Er wuchs
zu schnell, nicht im ...nzen, sondern portionsweise. Einmal war die
Nase zu lang, und in ...ächsten Monat streckten sich große, knochige
Männerhände aus pl... ...lich viel zu kurzen Ärmeln, während seine
kurzen viereckigen F... ...e noch die eines Kindes waren, trotz all
ihrer federnden Stärk... ...n manchen Tagen waren seine Augen trübe
und wie verstaubt, u... die Arme hingen wie knotige Seile von
müden Schultern – b... er sich zusammenriß und seinen Rücken
daran erinnerte, sich ... ...lz und gerade zu halten. Zuweilen erschreckte er Kati seh... ...venn er gegen sich tobte, wegen eines
kleinen Gedächtnisfehle... eines versäumten Schrittes, mit den Fäusten auf seine Schläfe... ...inhämmerte. Er strafte seinen ungehor-
samen Körper, prügelt... ...e Springmuskeln seiner Schenkel, wenn
sie ihn nicht schwebend ...e einen Ballon in der Luft halten wollten. „Nijinsky hat's ge... ...at – warum nicht ich?" schrie er wohl
mit überschlagender Kna... ...stimme.
„Ach du, immer mit dein... Nijinsky! Hat Nijinsky auf den Wellen
schreiten können?"
Grischa starrte sie an und ... rach in Lachen aus. Er legte den Arm
in alter Kameradschaft um ihre Schulter, der Sturm hatte aus-
gewütet. Grischa war sanft wie Schlagsahne. „Komm, Duschka, wir
wollen in den Park gehen, Flieder stehlen. Einen Riesenbuschen
persischen Flieder; weißt du, daß in jedem winzigsten Blütchen
tief drinnen ein Tropfen Honig ist? Ich zeig' dir, wie man den
heraussaugt. Und runzle nicht deine dumme Stirn, du bist ohnedies
häßlich genug."
„Na, du bist auch nicht gerade schön", gab Kati ihm zurück, aber
das tat sie nur, um ihre Selbstachtung zu bewahren und ihre hilf-
lose Ergebenheit für diesen ungebärdigen Burschen zu verstecken.
Inzwischen war es nicht mehr zu übersehen, daß Grischa aus gewissen Kinderrollen in Opern herausgewachsen war, wie zum Beispiel
dem kleinen Mohren im „Rosenkavalier". Das war bitter; und das
schlimmste daran war, daß Kati unerklärlicherweise die Rolle bekam.
Sie wußte nicht, daß sie dem Maestro bei seinen gelegentlichen
Inspektionen der Anfängerklassen aufgefallen war. Die Auszeichnung, der unaussprechliche Glanz, für eine wahrhaftige, wichtige
Rolle auserwählt zu sein, traf und blendete Kati wie ein Blitz.
Aber darauf folgte ein Unwetter, das an den Wurzeln ihrer Freundschaft mit Grischa rüttelte und sie fast zerstört hätte. Grischa gebärdete sich wie ein Irrsinniger über die Neuigkeit. Er tobte gegen

Kati, gegen den Maestro, vor allem gegen die Natur, die grausam genug war, liebenswerte anziehende kleine Buben in unappetitliche abstoßende Halbwüchsige zu verwandeln und sie in das wüste Niemandsland der Pubertät zu verstoßen. Er, der niemals seine russische Vergangenheit erwähnte, spie in einem verzweifelten Ausbruch all das Schreckliche aus sich heraus, das er als Kind durchlebt hatte. Wutgeschüttelt, brüllend, verfluchte er seine Feinde: die Männer, die seinen Vater getötet hatten; Lenin, Trotzky, die Bolschewisten; einen gewissen Porfyry, der ihre Möbel verbrannt hatte; die Liebhaber seiner Mutter, insbesondere Serge Balyeff. Und mit all seinen Feinden schmiß er Kati auf einen Haufen, die falsche Bestie, die schamlose Laus, die ihn betrogen hatte, seine Rolle gestohlen, gegen ihn intrigiert. Seine Freundin Kati – und sein ärgster gemeinster Feind. „...einen Dreck mach' ich mir aus der beschissenen Rolle, aber daß *du* – daß *du* mir das antun kannst – gerade *du...!*" schrie er, und dann vergrub er den Kopf zwischen seinen Knien und brach in Tränen aus.

Das war entsetzlich. Kati stand da, bleich, gefroren, kalt wie Eis von den Haarwurzeln bis zu den Zehenspitzen. Für ein paar Sekunden hatte ein bodenloser Abgrund sich aufgetan, voll der furchtbaren Gespenster aus Grischas früher Kindheit. Blut und Brände, Hunger und Entbehrungen, Flucht und Verfolgung, ein Schlangennest von namenlosen Ängsten, Mißtrauen, Neid, Zerstörung. Das Kind Grischa hatte einen Blick in die tiefste Hölle getan, und was es gesehen hatte, würde der Mann Grischa für immer mit sich schleppen.

In der plötzlichen wissenden Erleuchtung, die Kindern manchmal gegeben ist, verstand Kati, daß alles Böse, das Grischa je sagen oder tun mochte, in diesem schwarzen Chaos wurzelte und vergeben werden mußte.

Deshalb also sind ihm seine Sprünge nie hoch genug, dachte sie verwirrt. Was er braucht sind Flügel – armer Grischa! Sie streckte eine schüchterne Hand aus, um ihn zu beruhigen, zu trösten, zu helfen. Aber seine Faust schnellte vor und schlug sie mitten ins Gesicht. Es tat nicht weh; da waren nur der metallene Geschmack von Blut, die gespaltene Lippe, das anschwellende Zahnfleisch.

„Wenn du mir einen Vorderzahn gebrochen hast, bring' ich dich um", sagte sie, ihre Stimme war nicht laut, wie verdorrt.

„Ja, tu das nur, bring mich um, ich wollte, ich wär' tot", schluchzte er, „geh weg, steh nicht so da und glotz mich an, ich will dich nicht sehen – nie mehr..."

Es war die erste der großen Krisen, die wie Kilometersteine Katis Lebensweg begleiteten.

Seltsamerweise geschah es aber, daß Kati unter dem Druck der nächsten Wochen, der Einsamkeit, der neidischen Sticheleien der anderen, dem Kummer über Grischas Feindseligkeit, arbeitete und tanzte, als ginge sie auf Wolken; sie wanderte inmitten von Regenbogen, sie war ein winziges Lichtsternchen im sanften Schimmer der Milchstraße: Sie hatte eine Rolle. Aus ihrem Ich zu schlüpfen und sich in einen drolligen kleinen Mohren zu verwandeln, war eine köstliche Flucht vor der häßlichen Wirklichkeit.

Jetzt hab' ich doch meine Elektrische nach dem Mond erwischt, sagte sie sich.

Erst manche Jahre später und nach vielen Wiederholungen lernte Kati, daß sie am besten tanzte, wenn sie an einem schweren Kummer litt; daß Leiden ihr stärkstes Anregungsmittel war und Verzweiflung die Droge, die sie zu den höchsten Leistungen trieb.

Zum erstenmal lernte Kati die Hochspannungsleitung kennen, an die sie ihr ganzes Leben angeschlossen blieb. Das Lernen, Studieren, Memorieren, die Proben, die endlosen Wiederholungen; die Nächte ohne Schlaf, der Schlaf ohne Ruhe, die Schüttelfröste und Ängste des Lampenfiebers – und zuletzt die Vorstellung mit ihrer ersten Rolle. Das Anwärmen und Auflockern der Glieder, das endlose Geschäft des Schminkens und Ankleidens, schwindlig im grellen Licht der Garderobe. Und dann das Warten.

Die Kehle ist vertrocknet, das Herz rast, sie wartet. Auf den Ruf an der Garderobentür, dann in der Kulisse, sie wartet auf das Stichwort für ihren Auftritt, aber da ist ein solches Sausen in ihren Adern, ihren Ohren, daß sie die Musik nicht hören kann. Dann taucht der junge Korrepetitor mit Taschenlampe und Klavierauszug neben ihr auf. „Achtung – noch sieben Takte – sechs ..."

„O Gott, ich glaube – ich – jetzt muß ich mich übergeben" – Maria 'nd Joseph ..."

„Unsinn ... vier – drei – zwei – und *'raus!*"

Zum erstenmal geschieht ihr die unbegreifliche Verzauberung, der magische Wechsel ihres realen Selbst in die höhere Wahrheit einer Bühnengestalt. Sie ist nicht mehr Kati Milenz, sondern ein kleiner Neger, der mit rollenden weißen Augäpfeln im schwarzen Gesicht und klingelnden kleinen Schellen am enormen Turban seiner Herrin und ihrem jungen Liebhaber das Frühstück serviert. Irgendwo jenseits der blendenden Rampenlichter liegt der atmende Zuschauerraum und tief unten das Orchester, von wo die Musik sie trägt, so wie ein vertrauensvoller Schwimmer von den Wassern eines tiefen Sees getragen wird. Da ist die unbeschreibliche Steigerung aller Fähigkeiten, die Hingerissenheit des Darstellens, die nur der wirkliche Darsteller kennt. Ein seltsamer Zustand der Wachheit für jedes kleinste, gutgeprobte Detail und zugleich eine beseeligende Freiheit des Bewußtseins. Sie ist gewichtslos wie ein entfliehender Ballon, ein geflügeltes Samenkörnchen im warmen Wind.

Auf ihrem Platz in der Kindergarderobe fand sie nachher ein müdes Sträußchen Flieder – persischen Flieder, im Park gestohlen. Verwelkend füllte es den Raum mit seinem flüchtigen Duft: Grischa! Ei kindlicher dünner Silberring mit einem schadhaften kleinen Amet war daran befestigt. Ein Schatz, den Grischa von seinem gezogen hatte, um ihn ihr zu schenken, seinen eigenen T' n. Wenn jemand Kati zu jener Zeit erzählt hätte, d' Grischa liebte und ihn ihr ganzes Leben lang lieben würde, trotz all der Schmerzen, die er ihr zufügte, und selbst über seinen Tod hinaus, sie würde gelacht haben. Fühlt man denn Liebe für die Luft oder das Wetter? Bloß, daß es einen überall umgibt, innen und außen und immer.

Grischa – nun, das war eben Grischa. Es ist wahr, niemand konnte so aufreizend sein wie er, so grausam, feindselig, wetterwendisch und abscheulich. *„J'étais méchant“*, sagte er einfach, wenn sich der Sturm gelegt hatte, und dann gab es niemanden so gut und lieb und zärtlich und verständnisvoll wie Grischa. In seinen guten Zeiten konnte man lachen oder weinen mit Grischa, man konnte übermütig oder betrübt sein, kindisch und laut oder gedankenvoll und schweigsam – Grischa verstand es. Die Jahre gingen hin, und sie taten alles gemeinsam. Sie stritten und rauften, sie tollten in heißen Ringkämpfen auf der Erde; sie versöhnten sich, erbaten und erhielten Verzeihung, sie bemitleideten einander, wenn etwas schiefging, arbeiteten immer neue schwierige *enchaînés* aus. An Kati versuchte Grischa seine ersten Hebungen, er hielt sie hoch mit seinen dünnen Bubenarmen, die vor Anstrengung zitterten, und ließ sie zur Erde plumpsen wie einen Sack Kartoffeln. Es war Grischa, der die Tränen von ihren Wangen küßte, wenn sie sich ihre Wut und ihre Ballettschultragödien von der Seele weinte. Und dann wieder mochte er sie durchprügeln und kein Wort mit ihr sprechen, wenn ihn einer seiner rätselhaften Tobsuchtsanfälle überkam.

Doch ob gütig oder niederträchtig, Grischa war der Mittelpunkt ihrer Welt. Sie trug ihn mit sich herum in all ihren Gedanken, Hoffnungen, Träumen. „Du bist so – eingewachsen in mich“, sagte sie. Er lachte und strich ihr das Haar aus der feuchten Stirn. „Wie ein krummer Fußnagel? Nicht sehr schmeichelhaft – aber immerhin, besten Dank.“

Nach ihrem Auftreten im „Rosenkavalier“ hatte es ein kleines Erdbeben gegeben. Sie wurde in Maestro Mattonis Kanzlei zitiert, und obwohl ihre Knie etwas unsicher waren, als sie vor Jupiter mit dem Donnerkeil stand, lächelte sie zu ihm auf, in der Erwartung eines Lobspruchs, einer Belohnung; vielleicht ein kleiner Schubs nach aufwärts auf der Leiter, die kein Ende hatte ...? Statt dessen wurde sie in drei oder vier verschiedenen Sprachen gründlich ausgezankt und verflucht. Der Opernregisseur hatte sich beim Ballettmeister offiziell über sie beschwert. Und das mit Recht. Sie hatte ihre stumme kleine Rolle anders gespielt, als es ihr einstudiert worden war, sie hatte keine Disziplin, keine Einordnung ins Ganze, was dachte sie eigentlich, wer sie war, mit derartigen Primadonna-Allüren, ein Floh wie sie und ungehorsam gegen die Vorschriften? Sie verdiente zerquetscht zu werden, das kleine Ungeziefer, aus der Ballettschule 'rausgeschmissen.

„... für Mädels, die nicht gehorchen können, ist kein Platz im Ballett“, schrie der Meister sie an.

„Aber Maestro, was hab' ich denn getan?“ stammelte sie vernichtet.

„Was du getan hast? Man hat dir – dem kleinen Mohren – die ungeheure Verantwortung anvertraut, die Spannung im letzten Aktschluß festzuhalten bis der Vorhang fällt." Er schlug mit dem schwarzen Malakkastöckchen auf den aufgeschlagenen Klavierauszug, der vor ihm lag. „Hier haben wir's: Die Sänger sind abgegangen – die Bühne bleibt einen Augenblick leer – dann tritt der kleine Mohr auf, um einen verlorenen Gegenstand zu suchen: ein Taschentuch. Er hebt es auf – winkt damit ins Publikum – Vorhang. Und was hast du getan?"

„Ich – ich weiß es nicht. Ich . . ."

„Du hast deine Rolle aufgebauscht, hast dich wichtig gemacht, hast die große Mimikerin gespielt und die einzige Sache vergessen, die man dir beigebracht hat: Du hast nicht mit dem Taschentuch gewinkt. Und warum nicht? Kannst du mir das sagen – warum nicht?"

Plötzlich verwandelte sich Katis Angst in puren eigensinnigen Stolz; sogar ihre Beine wurden stählern, und sie wuchs einige Zentimeter. „Jawohl! Weil ich nicht konnte. Weil ich plötzlich spürte, daß es zu albern wäre. Ich weiß, daß meine Herrin traurig ist; sie hat ihren jungen Liebhaber an das junge Mädchen verloren. Ich blicke auf das Taschentuch, es ist feucht von ihren heimlichen Tränen. Und da soll ich grinsen und zum Publikum winken, wie wenn ein Eisenbahnzug abfährt? Kann ich das? Nein, es tut mir schrecklich leid, Maestro, aber ich konnte einfach nicht. Könnten Sie denn?"

„Aber verflucht noch einmal, du kleiner Idiot, es *ist* ja gar nicht das Taschentuch deiner Herrin! Es gehört doch der jungen Sophie, hier steht's: Sie läßt das Taschentuch fallen, ohne es zu merken. Der ganze Zimt, den du dir da zurechtgemacht hast, stimmt ja gar nicht."

„Dann hat der ganze Aktschluß keinen Sinn. Dann hat's Richard Strauß eben falsch gemacht", erwiderte Kati mit unwiderruflicher Überzeugung.

Der Maestro versuchte heftig, sich das Lachen zu verbeißen. „*Va bene* – wenn du nicht gehorchen kannst, mußt du die Strafe auf dich nehmen. Fünfzehn Schilling Strafgeld für Disziplinlosigkeit, und die Rolle geht an Mitzi Keller. *Basta.*"

„Danke schön, Maestro", sagte sie, küßte ihm die Hand, machte ihre kleine *révérence* und marschierte zur Tür. Sie mußte eine Sturmflut von Tränen zurückhalten, aber sie brachte es zustande, den Kopf hoch und den Nacken steifzuhalten. Der Maestro sah es mit Wohlgefallen. „Übrigens, du kleiner Garibaldi", sagte er leichthin, „du kannst Grischa sagen, er soll dich zu seiner nächsten Privatlektion mitbringen. Es ist Zeit, dem jungen Flegel ein bißchen Höflichkeit fürs *pas de deux* beizubringen, und dazu brauche ich ein Mädel. A *revederci . . .*"

Der fünfzehnjährige Grischa war häßlich wie ein mausernder Adler gewesen; als er siebzehn wurde, entdeckte Kati mit einem seltsamen kleinen Schock der Überraschung, daß er schön geworden war.

Hohe Backenknochen, ein großer wilder Mund, wissende mongolische Augen, die dunkel unter der elfenbeinernen Stirne glühten. Wo hatte sie diese lange Kinnlinie gesehen, die geraden breiten Schultern, das Dreieck des Torso – auf einer griechischen Vase? Irgendeinem Basrelief im Museum? „Weißt du, wie du aussiehst? Wie ein Ägypter", sagte sie.

„Wie denn sonst, wenn ich das Solo des Sklaven in Aïda tanze, Kasperl? Und weißt du, wie du aussiehst?"

„Ich? Wie denn?" fragte Kati, in der unwahrscheinlichen Erwartung auf ein Kompliment.

„So – bißchen komisch", sagte er.

„Ich weiß", sagte sie schnell, um die kleine Enttäuschung zu verdecken. „Wie ein Vogel. *Herodias alba.*"

„Wie was? Wer? So einen Vogel gibt's ja gar nicht. *Herodias alba.* Den hast du dir erfunden."

„Doch, den gibt's. Hab' ihn selbst im Zoo in Schönbrunn gesehen. Eine Art Reiher", sagte Kati, „er hat einen langen Hals, den biegt er so" – und sie stellte sich auf die Fußspitzen und wurde ein Edelreiher, der undurchdringlich hochmütig und unbeweglich auf einem Bein stand. „Er schaut arrogant drein und steht stundenlang so da, ganz ohne zu wackeln..."

„Ha – stundenlang! Wetten, daß du nicht eine Minute so stehen kannst, ohne zu wackeln – um eine Tafel Schokolade?"

Das war eine der wenigen Wetten, die Kati gewann, und Grischa war eifersüchtig und unzugänglich, bis auch er auf einer Fußspitze stehen konnte wie ein Edelreiher.

Während all der Studienjahre kam es zu gelegentlichen Unruhen, Rebellionen und Revolutionen gegen des Maestro tyrannisches Bestehen auf Stil und Perfektion. Besonders Kati mochte mitten in einem Stückchen klassischer Pantomime ausrufen, daß sie es einfach so nicht tun konnte und wollte. „Und warum nicht, wenn man fragen darf?" verlangte der strenge Meister.

„Weil es – es ist eben blödsinnig. So albern, so affektiert! Ich glaube es nicht, es ist zu verlogen, und ich kann nicht lügen, weder mit meinem Gesicht noch mit meinen Armen. *Basta!"*

„Wahrhaftig? Eine Kunst, die in dreihundert Jahren ausgebaut wurde, ist nicht gut genug für Fräulein Milenz? Fräulein Milenz weiß alles besser als die Taglioni, die Grisi? Die große Legnani?"

Und in Sturm und Donner beschwor der Maestro die großen Ahnen des Balletts. Doch gelegentlich fand die Rebellin den Ballettmeister zur Güte und Weisheit gestimmt.

„Ich mag das nicht, dieses Aufheben nur bis zu seiner Brust. Es ist häßlich. Und es ist unnatürlich", remonstrierte sie zum Beispiel.

„Unnatürlich! Selbstverständlich ist es unnatürlich! Es ist Ballett, und Ballett ist Kunst, und Kunst ist das direkte Gegenteil von Natur. Merk dir, daß Ballett sich niemals auch nur für einen einzigen Moment gestatten kann, natürlich zu sein. Geht mir weg, ihr Grünzeug, mit eurem Realismus und Naturalismus – ich beschwöre euch, meine Kinder, bleibt beim reinen Stil der schönen Linie. Haltet fest an der Schönheit, der Grazie, der Noblesse des Balletts in einer Welt, die täglich häßlicher wird – gewöhnlicher, brutaler, mehr *mécanique*. Ich flehe euch an, nicht zu vergessen, daß im Ballett keine einzige private Geste Platz hat, versteht ihr? So, und jetzt fangen wir das ganze *Adagio* noch einmal von vorne an. *Andiamo!* Du bist nicht müde, nicht wahr, Garibaldi?" – „Nein – danke schön, Maestro, gar nicht müde", keuchte Kati, ihr Herz erstickend in der Kehle und ihr linkes Knie in einer Bandage. „Los, Grischa, versuchen wir's noch einmal!"

So war es, wie man zur Tänzerin wurde. Sie bogen dich und schmiedeten dich und hämmerten dich hart; sie versuchten, dich einzureiten, wie junge Soldaten und junge Pferde eingeritten werden. Denn wenn du nicht aushalten konntest, was dir im Anfang zugemutet wurde, dann warst du bestimmt nicht fähig, auszuhalten, was später kam – wenn du erst eine berühmte Primadonna geworden warst.

Es war achtzehn Minuten nach zwölf, als Katja wieder das große Schlafgemach erreichte.

„Na also – da bist du ja", sagte Dr. Marshall. „Endlich."

Er stand beim Tisch mit dem Telefonhörer in der Hand und lächelte ihr zu. Kati blieb wie festgenagelt auf der Schwelle. Sie war atemlos, das Haar hing ihr wirr um die beschmutzten schweißnassen Wangen, ihre Handflächen waren grau vom klebrigen Staub des Fußbodens im Ballettsaal, und sie hatte keine Zeit gehabt, sich aus dem Wolltrikot herauszuschälen.

„O Gott – und ich wollte mich so besonders schön machen für dich...", sagte sie unglücklich.

„Mach dir nichts draus. Jetzt bist du ja da. Hallo, Katze."

„Hallo, Ted", sagte sie und tat einen Schritt ins Zimmer. Immer muß man Schwellen überschreiten, dachte sie; immer die Reise von einem Erdteil zum andern, zu einem ganz andern. Keine Elektrische nach dem Mond und zurück... „Tut mir so leid, Ted. Ich konnte mich einfach nicht losmachen. Du weißt ja, wie's geht."

„Gewiß. Ich weiß, wie's geht", sagte Ted.

Vorwurfsvoll. Erwartet Entschuldigungen, dachte Katja ungerechterweise. In seinem Ton hatte kein Vorwurf gelegen, eher amüsierte Nachsicht. Und was gibt's da für ihn, nachsichtig zu sein? Glaubt er denn, meine Arbeit ist ein Vergnügen, und nur was *er* tut, ist wichtig?

„Du wolltest telefonieren? Laß dich bitte nicht stören", sagte sie mit steifer Höflichkeit.

„Schon gut. Ich reservierte einen Tisch für unseren Lunch und wollte dort nur wissen lassen, daß wir etwas verspätet sind, aber jetzt bist du ja da... Warte doch, Kate, wohin gehst du denn?"

„Muß mich schnell waschen. Bin so verdreckt..."

Sie schaute ihn an, das ganze große Zimmer lag zwischen ihnen.

Aber das ist doch Ted. Mein Ted, mein Mann. Meiner – dachte sie, angerührt von einer feinen ersten Freude und Wärme. Er bewegte die Schultern unter ihrem Blick. „Was ist los? Irgend etwas nicht richtig an mir?" fragte er unbehaglich.

„Deine Krawatte. Scheußlich mit dem braunen Anzug."

„Oh. Ich dachte, du magst sie. Du hast sie mir selbst geschenkt", sagte er, das wirre Orientmuster von chartreuse und pfauenblauem Foulard befühlend. Dr. Marshall hatte nie gelernt, seine Krawatte ordentlich zu binden. Heute hatte er allerhand Zeit, Nachdenken und Bemühung daran gewendet, sich für Katja hübsch anzuziehen. Aber das Auswählen und Verwerfen, die Eitelkeit und hoffnungsvolle Werbung, die ein Mann in das kleine Stückchen Farbe um seinen Hals legt, bleibt ein maskulines, nicht zu verratendes Geheimnis. Erst jetzt trat Katja auf ihn zu, und mit der tausendmal wiederholten kleinen Gebärde der Ehefrau zupfte sie das Ding zurecht.

„Nein – rühr mich nicht an. Ich bin dreckig. Verschwitzt", verwies sie ihn, als er nach ihr greifen wollte. „Weshalb trägst du nicht deine Sportjacke? Gefällt mir besser als dieser Anzug."

Der braune Anzug war drei Jahre alt, unmodern, abgenützt. Dr. Marshall sah darin eher wie ein Steuereinnehmer aus denn wie ein geachteter Wissenschaftler, ein Forscher auf einem wichtigen Gebiet der Biochemie. Leider ist das Einkommen eines Wissenschaftlers jedoch ziemlich bescheiden, und Dr. Marshall war deshalb in seinen persönlichen Auslagen sehr sparsam.

„Die Sportjacke? Würde das nicht zu nachlässig aussehen für New York? Außerdem hat McKenna sie zum Putzen gegeben, ich kriegte paar Flecken drauf."

„Ja? Zum Putzen? Werden sie sie wegkriegen – die Flecken?" sagte sie geistesabwesend, und dann kam sie näher zu ihm, preßte ihre beschmutzten Handflächen gegen seine Brust. „O Ted", murmelte sie, „o Ted, warum ist immer so viel Schutt dazwischen, wenn man verheiratet ist?"

„Schutt?" fragte er; eine furchtbare Vision huschte an seinen Augen vorbei, zerbombte Städte, Ruinen, Tod und Zerstörung, die er im Krieg gesehen hatte. Schutt.

„Ja, Schutt. Abfälle, Mist, dummes Zeug, das in den Mülleimer gehört. Der Haushalt und McKenna und meine Rechnungen und deine Rechnungen, und hat der Installateur endlich die Toilette repariert und . . ."

„Nein, der Installateur hat nicht. Man weiß ja, wie Installateure sind, und der alte Everett ist auch keine Ausnahme. – O mein Kleines, ich war so lange ohne dich."

„Wo ist das Kind? Bei Louisa?"

„Keine Sorge. Ich ließ es bei Margreth."

„Bei Margreth? Ted, wie konntest du nur?"

„Du weißt doch, wie gern meine Schwester den Jungen hat; sie ist inzwischen mit ihm losgegangen, Spielzeug zu kaufen. Um ihm den

Besuch beim Zahnarzt zu verzuckern – du hast doch nichts dagegen?"

„Nichts dagegen? Ich nenne das Bestechung – sie will mich bei dem Kind verdrängen! Und ich warte und warte und zähle die Minuten, bis ich ihn sehen kann – aber, natürlich, du hast dich ja stets von deiner Schwester beherrschen lassen."

Drei Minuten später steckten sie tief in einer der nichtssagenden Meinungsverschiedenheiten, die sich in der Durchschnittsehe ansammeln wie unbrauchbares Zeug in einer Rumpelkammer.

„Du weißt, daß ich deine Schwester gut leiden kann, aber . . .", sagte Katja. „Lächerlich, du hast gar keine Minuten gezählt. Du hast getanzt, du hast jede Minute im Ballettsaal unten genossen, wahrscheinlich hattest du überhaupt vergessen, daß du mit uns essen wolltest", entgegnete Dr. Marshall. Er zerrte an seiner Krawatte, die schon wieder schief saß, und Katja, eine erzürnte Degas-Studie, riß sich das Trikot herunter. „Genossen hab' ich's? Das ist ja noch schöner! Erst macht der Maestro Hackfleisch aus mir, und dann fängt Olivia mich ein und zwingt mich, ein Interview zu geben, und dann kommst du noch daher und . . ."

„Und du willst davon reden, wer sich beherrschen läßt? Natürlich, wenn du dieser Person erlaubst, mit dir zu tun, was sie will!"

„Ach, misch dich nicht in Dinge, die du nicht verstehst, den *esprit de corps* im Ballett zum Beispiel. Du hast's einfach, dich läßt man allein mit deinen weißen Ratten und Experimenten und Enzymen oder was du gerade tust. Aber ich kann meine Truppe nicht im Stich lassen, schließlich bin ich die Primaballerina, und die Gabrilowa mußte heimgehen, hat eine böse Erkältung, der arme Kerl, und sie hatten doch dieses Interview verabredet, konnten's nicht mehr absagen, der Reporter ist da, mit der Presse darf man sich's nicht verderben, und so mußte ich eben einspringen. Ich tat es für die Truppe, nicht für Olivia. Im Gegenteil, ich war so wütend auf sie, ich hätte sie erwürgen können. Ruft mich in ihr Büro, diesen gräßlichen modernistischen Glaskasten, taghell beleuchtet, und da steh' ich, exponiert, verschwitzt, verstunken, verdreckt, nicht einmal gepudert – und Olivia, honigsüß: Darf ich dir Mr. Balch vorstellen, von *Today*, die Redaktion hat mir einen illustrierten Artikel über uns versprochen – tritt mir auf den Fuß, um mich zu erinnern, wie gefährlich *Today* sein kann, wenn man nicht vor ihnen katzbuckelt. Herrgott, wenn ich so mißtrauisch wäre wie die russischen Tänzerinnen, ich würde denken, sie will mir einen *tort* antun. Du weißt ja, wie ich aussehe, wenn ich abgearbeitet bin – als wenn ich hundert Jahre alt wäre –, und das nennst du ,genießen'!"

Mit Zerren und Reißen hatte sie sich aus ihrem Trikot geschält und stand nun vor ihm, so blendend in ihrer unbedenklichen Nacktheit, daß er die Augen abwendete.

„Ich kann mir nicht recht vorstellen, daß du diesem Balch die Stiefel geleckt hast – zum Besten deiner Truppe . . ."

„Hab' ich auch nicht. Ich war so wütend, und er war so ein Esel, ich hab' mich einfach über ihn lustig gemacht. Die idiotischen Fragen: ‚War das Wiener Ballett sehr verschieden von unserem?' – ‚Ja, sehen Sie, Mr. Balch, in Wien gab's zum Beispiel viel mehr Heterosexualität unter den Tänzern', sage ich sorgenvoll. ‚Tatsächlich?' sagt Balch, ich kann dem Schafskopf ansehen, daß er zu Hause unter ‚Geschlechtliche Verirrungen' im Lexikon nachschauen wird. ‚Noch eine Frage, Madame: Könnten Sie unsern Lesern Ihre Ansichten über die Liebe geben? . . .' – Ha, ich, Katja Milenkaja, die große Liebeskünstlerin! ‚Liebe, Mr. Balch? Heutzutage beginnt eine große Liebe mit etwas zuviel Alkohol und endet als eine vergessene Telefonnummer. Großer Abgang, kein Applaus.'"

Katja hat die kleine Szene im besten Mattoni-Stil gemimt und mit einer witzigen *commedia-del'arte*-Verbeugung abgerundet. Aber da ihr Mann eher ungeduldig als amüsiert schien, warf sie ihm eine Bühnenkußhand zu und pfiff ein Signal, das Louise prompt zur Stelle brachte. „Ja, Schätzchen?"

„Sag doch, was soll ich denn anziehen?"

„Das graue Trotteur, denke ich."

„Nein. Nicht fein genug. Wir speisen mit Mrs. Bradley, verstehst du."

„Ach so. Das heißt wohl das neue Schwarze und den Zobelkragen und den kleinen Hut, den wir in Rom kauften . . ."

Marshall hörte die beiden Frauen da rückwärts bei der Tür des Badezimmers debattieren und flüstern, als ob weder Margreth noch Kind, Lunch und Zahnarzt auf sie warteten. „Los, los, Kate, sieh zu, daß du endlich vom Fleck kommst", sagte er reizbar. Was ihn nervös machte, war die völlige Ungeniertheit, mit der Katja in Louisas Gegenwart nackt vor ihm herumspazierte. Er konnte sich nicht an die unbedenkliche Freiheit gewöhnen, mit der die Tänzer ihre Körper behandelten und zur Schau stellten. Um seine Verlegenheit zu maskieren, nahm er wieder das Telefon auf, und es gelang ihm nach einigen Schwierigkeiten, seine Schwester zu erreichen. Louisa hatte indessen Katjas Kleider herausgelegt und war taktvoll verschwunden.

„Jetzt eine heiße Dusche, und ich bin wie neugeboren", verkündete Katja vergnügt; sie näherte sich auf Zehenspitzen, um ihn von rückwärts zu umarmen, blieb aber stehen, als sie ihn im Gespräch mit seiner Schwester fand. „Nein, Meg-Liebling, leider zu spät, um dich abzuholen . . . wir treffen uns besser im Restaurant . . . laß dir Madame Milenkajas Tisch zeigen . . . ja, natürlich habe ich in ihrem Namen reserviert, mich kennt doch kein Oberkellner in New York . . . ach, Unsinn, Bubbles . . . ja, sie hatte bis jetzt zu tun, leider . . ."

Katja war einer Explosion nahe. Heiße Wallungen. Der Teufel soll Dr. Williamson holen, mitsamt seinen wirkungslosen Hormonen und alle Schwägerinnen dazu! „Ich bedaure unendlich, Margreth warten zu lassen", erklärte sie mit angestrengter Höflichkeit. „Aber es ist eigentlich deine Schuld, Ted. Ich sehe wirklich nicht ein, warum wir Margreth dabei haben müssen, wenn ich dich und das Kind endlich einmal für mich allein haben will."

„Mach mir jetzt keine Szene, bitte, bitte, Kate, laß es sein – wo ist dein Bademantel? – Du wirst dich erkälten ..."

„Spielzeug kaufen! Sich bei ihm einschmeicheln! Ich will nicht, daß sie den Buben verwöhnt. Aber sie ist eben schrecklich berechnend – wie alle Skorpiongeborenen."

Wann immer Katja so zornig wurde, daß sie sich in übersinnliche und unsinnige Nebenstraßen verlief, brachte es Marshall zum Lachen. Er nahm sie bei den Schultern, spürte ihre Zartheit unter seinen Händen, schüttelte sie behutsam, lachte. „Kate, Kleines, sag nicht, daß jetzt auch noch Astrologie zu deinem übrigen Aberglauben dazugekommen ist! Los, geh und wasch dich, du dumme Katze."

„Ich bin nicht im geringsten abergläubisch, nicht im geringsten", versicherte Katja mit Würde, und dabei pochte sie schnell auf die Tischkante. Marshall lachte laut heraus.

Er war ein wenig verletzt, weil sie nicht den wahren Grund geahnt hatte, weshalb er das Enkelkind bei seiner Schwester ließ.

Wenn sie nur ein Körnchen Mitempfinden besäße, murrte er innerlich, dann wüßte sie, wie nötig es ist, daß ich sie erst allein sehe, versuche, mich zu ihr zurückzufinden – aber da ist nichts als ihre unheilbare Besessenheit mit dem Tanz. Tanzen, während unser Leben im Sand versickert.

„Wenn du so ungeduldig warst, das Kind zu sehen, warum bist du gestern nacht nicht nach Hause gekommen? Du versprachst es mir. Ich erwartete dich. Ich hab' auf dich gewartet, großer Gott, wie hab' ich auf dich gewartet!"

„Und ich auf dich. Ich dachte bestimmt, daß du zu dieser Vorstellung hereinkommen würdest. Als kleine Überraschung. Als du nicht kamst, war ich so verstimmt, daß ich miserabel getanzt habe." Sie stopfte ihr Haar unter die weiße Bademütze. „Ich hoffte, daß du mit dem Wagen kämst, mich heimzufahren. Ich war so entsetzlich müde, Ted. Ich glaube, ich bin in meinem Leben nicht so müde gewesen."

„Tut mir leid, wenn ich dir die Vorstellung verdorben habe. Aber ich kann's einfach nicht aushalten, dich tanzen zu sehen, wenn ich weiß, daß du vor Erschöpfung umfallen möchtest. Als ob ein despotisches Ungeheuer dich mit der Knute antriebe."

„Das bin ich selber", lachte Katja, „dieses Scheusal von einem Ungeheuer."

Er war ihr ins Badezimmer gefolgt und drehte die Brause für sie an. Er wußte, wie sie ihr Bad mochte, am Morgen heiß, nach dem Tanzen kühl, und eine lange Sitzung im lauen Wasser vor dem Schlafengehen. Er wußte, daß sie weder Zucker noch Sahne in ihren Kaffee tat, jedoch zwei Würfel und Zitrone in den Tee – wie die Russen. Er kannte ihre Haarbürste mit den harten Borsten, ihre Zahnbürste, alle ihre kleinen Toilettemittel. In einem Notizbüchlein – wo andere Männer die Telefonnummern leicht zugänglicher junger weiblicher Wesen verzeichnen mochten – hatte er eine Liste von Katjas Schuh- und Handschuhgrößen, den Namen ihrer Lieblingsseife, den Laden, wo man die *petits beurres* kaufte, die sie zuweilen naschte. Er kannte jede Linie dieses zarten und starken Körpers unter der Brause, jede Schattierung ihrer tiefen, stets etwas rauchverschleierten Stimme, er kannte sie in der vollen Vertrautheit des Liebhabers und Gatten. Aber er kannte sie nicht wirklich, denn er hatte nie verstanden, was der Tanz ihr bedeutete.

„Ich bin kein solcher Exhibitionist, daß es mir Vergnügen machen würde, meine Frau öffentlich auszustellen", hatte er seinem besten Freund, Dr. Williamson, erklärt. „Diese Ballettnarren – zum Kotzen! Du solltest mal deren Gewäsch in den Zwischenpausen hören – als ob meine Frau ihnen gehörte. Und dieser Stumpfsinn der ganzen Angelegenheit, all diese verdammten *pas de deux, pas de trois.* Immer dasselbe, immer das gleiche Gehüpfe und Gewirbel – wie kann Kate das bloß aushalten, jahraus, jahrein, ohne daß es ihr zu dumm wird? Und, Will, mir auch."

„Worüber beklagst du dich? Du wußtest ja, daß du eine Tänzerin heiratetest."

„Das stimmt nicht. Als wir heirateten, war sie fertig mit dem Tanzen. Wir waren überzeugt, daß sie nach ihrem Unfall niemals wieder tanzen könnte und wollte. Du erinnerst dich, in was für einem jämmerlichen Zustand sie damals war? Zerbrochene, mühsam zusammengeflickte Knochen und ein zerrüttetes Nervensystem. Als wir heirateten, wollte sie nichts als Ruhe."

„Ruhe – und dich, mein Junge."

„Möglich. Ja, ich glaube, damals brauchte sie einen so langweiligen Kerl wie mich. Aber jetzt . . .?"

Williamson, das resignierte Lächeln seines Freundes abschätzend, überlegte: Und jetzt, wo sie stark, gesund und erfolgreich ist, kann sie dich nicht mehr brauchen? Ich glaube das Gegenteil – aber wer kennt sich da aus?

„Ballett. Tanzen. Eine Besessenheit, eine Sucht. Unheilbar – wie Morphinismus. Ich weiß nicht, aber vielleicht" – Marshall nahm sich Zeit, seine Pfeife zu finden, zu stopfen, anzuzünden –, „vielleicht hätte sie das Tanzen aufgegeben, wenn unser Kindchen nicht gestorben wäre . . ."

Dr. Marshall sprach fast nie von ihrem Söhnchen, Christopher, das kurz vor seinem dritten Geburtstag an Kinderlähmung starb. Insgeheim trauerte er noch immer um den kleinen verlorenen Sohn, und es hatte ihn erschreckt, daß Katja einmal sagte, sie hätte nie die junge Hexe in „Salem" tanzen können, ohne die sieben Höllen jener Wochen durchlebt zu haben.

„Laß sie tun, was sie will, sie weiß am besten, was ihr helfen kann", hatte Williamson ihm damals geraten. „Für sie gibt's jetzt nur Tanzen – oder einen völligen Zusammenbruch."

Aber obwohl die altmodischen Ballette Dr. Marshall langweilig waren bis zur Unerträglichkeit, so ängstigte es ihn sehr, wie tief Katja sich in die dramatischen Rollen der neuen, freieren Tanzschöpfungen verbohrte. In „Salem", in „Fall River Legend", in dem anspruchsvollen Durchfall der vorigen Saison „Das Narrenhaus". Er wunderte sich, er begann darüber nachzugrübeln: Von welchen Dämonen war sie verfolgt, diese seltsame Kreatur da oben auf der Bühne? Wer war sie, was dachte, fühlte, wußte sie? Wie geschah es, daß sie, seine Frau, seine Kate, sein Kleines, sich in die vom Teufel besessene Salemer Hexe umformen konnte? In die versteinte, herzbrechend einsame Mörderin in der „Fall River Legend"? Oder in die nymphomanisch-getriebene Irre im Garten des „Narrenhauses", wo Gott im weißen Mantel des Chefpsychiaters zwischen den Irren herumwandelte? Aus welchen Abgründen kamen ihr diese Gebärden, dieser Ausdruck, diese Symptome von Leiden, die sie doch nie beobachtet hatte?

Dr. Marshall selbst war sehr vertraut mit solchen Symptomen, denn seine letzten Forschungen beschäftigten sich mit gewissen biochemischen Grundlagen gewisser Geisteskrankheiten. „Ich sorge mich um Kate", vertraute er Williamson an. „Woher nimmt sie diese Kenntnis abseitiger Dinge?"

„Aus ihrem Unterbewußtsein – wo alle Kunst herkommt", mochte Williamson antworten. „Sogar ein verdammter Materialist wie du bezieht ja seine verrückten Träume von dort." Und damit waren die beiden Freunde wieder einmal bei ihrer fortgesetzten Debatte angelangt: Über die Wurzeln von Geistesgestörtheit und Verschiebungen des Denkens. Psychiatrie gegen Chemie. Das Freudsche Trauma gegen einen rein organischen Mangel, ein Zuviel oder Zuwenig einer bisher noch unbekannten chemischen Substanz – ein X –, als dessen zukünftigen Entdecker Dr. Marshall sich in seinen kühnsten und geheimsten Träumen zuweilen sah.

Als Katja aus dem Badezimmer hervorkam, war ihr Mann wieder beim Telefonieren. „Schon wieder deine Schwester?" fragte sie spitzig. Marshall wies sie kopfschüttelnd ab, während er fortfuhr, in den chemischen Formeln des Laboratoriums zu reden, die genauso unverständlich für Katja waren wie die Fachausdrücke des Balletts für ihren Mann. Sie setzte sich vor den Spiegel, um den Klassenstaub aus ihrem Haar zu bürsten, bis Dr. Marshall seinen Anruf beendigte.

„Wer war's denn? Gracie?"

„Ja...", sagte er, wollte etwas hinzufügen, aber ließ es sein.

„Wir müssen uns um ein nettes Geburtstagsgeschenk für sie umsehen", sagte Katja.

„Hat Gracie denn Geburtstag?"

Die Frage klang so überrascht, daß Katja lachen mußte. „Allerdings, und sehr bald. Am achtzehnten April. Aber du hast recht, man denkt nicht daran, daß ein Mädel wie Gracie auch Geburtstag hat. Sie ist so – so unfestlich, nicht?"

„Aber ausgezeichnet in der Arbeit." – „Ja. Das ist es eben."

Gracie war Dr. Williamsons Tochter, und seit dem vorigen Jahr arbeitete sie als Laborantin unter Dr. Marshall. Schon in der Schule

57

war sie ein ernsthaftes und beflissenes junges Mädchen gewesen, ein stilles Wesen, das niemals störte und sich gern nützlich machte. Zum Beispiel konnte man immer auf Gracie zählen, wenn weder McKenna noch Prestons Mutter verfügbar waren, um Guy ins Bett zu bringen und einen späten Imbiß für Dr. Marshall herzurichten. Obwohl Gracie mit ihren breiten Hüften und dem runden Sommersprossengesicht keine große Schönheit war, dachte Katja, daß sich mit flotter geschnittenen Kleidern und ein bißchen kosmetischer Nachhilfe recht was Hübsches aus ihr machen ließe. „Wenn ich bloß wüßte, was ich ihr schenken soll; sie ist so – unpersönlich", seufzte Katja, mit ihrem eignen Gesicht beschäftigt.

„Ich kann sie ja fragen, was sie sich wünscht", sagte Ted ungeduldig.

„Nun komm schon, Katze, hör auf, dich herzurichten wie für die Bühne; du trittst nicht in einer Galavorstellung auf, du ißt nur mit der Familie zu Mittag."

„Weißt du, Ted, am Achtzehnten habe ich eine Vorstellung ‚Sylphides'. Wir werden Gracies Geburtstag an einem anderen Tag feiern müssen."

„Warum lassen wir die Festivitäten nicht ganz sein? Williamson kommt ohnedies nicht vor Ende April zurück, er ist zu diesem internationalen medizinischen Kongreß gereist, und Gracie muß ihren Geburtstag nicht unbedingt mit Kuchen und Kerzen feiern. Sie ist schließlich ein erwachsener Mensch."

„Das vergesse ich immer. Weil sie sich immer gleichbleibt."

„Komisch, Gracie sagt das gleiche von dir. ‚Tante Kate ändert sich nicht; für die gibt's kein Älterwerden', sagt sie."

„Ein zweifelhaftes Kompliment, nicht? Da fühle ich mich gleich wie eine Mumie. Aber Gracie war eigentlich nie ein echtes Kind, immer ein bißchen altväterisch und steifleinen."

„Vermutlich weil sie genug erwachsen sein wollte, um ihrem Vater eine gute Kameradin zu sein. Ihm ihre Mutter zu ersetzen, sozusagen . . ."

Dr. Williamsons Frau war mit einem ihrer verschiedenen Liebhaber durchgebrannt; es gab einen lauten Skandal im Golfklub, dem allerhand Scheidungen, Wiederverheiratungen und finanzielle Übereinkommen folgten. Zuletzt war Gracie ihrem Vater zugesprochen worden, während ihre Mutter, unheilbar trunksüchtig und moralisch mehr und mehr verkommend, von einem Sanatorium ins andere wanderte.

„Das Beste, was unserem guten Will passieren konnte", hatte Dr. Marshall dazu bemerkt. „Seine Ehe war eine absolute Hölle, aber nun hat er Ruhe. Und er ist ganz verrückt mit dem Kind."

„Und das Kind ist ganz verrückt mit dir", sagte Katja.

„Die kleine Gracie? Unsinn. Es kommt mir vor wie gestern, daß ich sie trockenlegte oder aufs Töpfchen setzte", widersprach Ted etwas zu heftig. Katja lächelte bloß.

„Sie nennt mich Tante, aber dich nennt sie nie Onkel. Was gibt's da zu lachen?"

„Du bist ein komisches Geschöpf, Katze. Du vergißt die wichtigsten Dinge im Leben, und dabei kannst du dich an die dümmsten Nichtigkeiten erinnern. Gracies Geburtstag. Am achtzehnten April. So was ist komisch."

Sie blickte ihn mit einem halb suchenden, halb abwesenden Ausdruck an, der ihn unruhig machte. „Nicht so sehr komisch, Ted", sagte sie leise. „Es war an Gracies Geburtstag, als damals das Telegramm ankam. Wegen Valerie..."

Sie erinnerte sich an den warmen Wachsduft der Geburtstagskerzen, der noch das Zimmer erfüllte, als Williamson und seine Tochter an jenem Tag schon heimgegangen waren. Es war still und behaglich im Haus, Ted blätterte in der Abendzeitung, und Katja hatte sich's mit einem Restchen des Geburtstagskuchens auf dem Teppich vor dem Kaminfeuer bequem gemacht.

Dann klingelte es an der Haustüre, und bei dem Näherkommen von McKennas schweren Fußtritten richtete sie sich auf. „Telegramm für Frau Doktor", meldete McKenna und machte sich allerhand im Zimmer zu schaffen. Ihre Neugierde war stärker als ihr Taktgefühl.

Katja las das Telegramm, legte es in ihren Schoß, dann las sie es nochmals; zuletzt schaute sie mit dem bewußtlosen Lächeln eines ausgeknockten Boxers um sich. „Es ist französisch – ich kann das gar nicht verstehen...", sagte sie unsinnigerweise. Ihr Französisch war besser als ihr Englisch.

„Und Preston fragt, ob er sein bißchen Geld kriegen kann. Weil er doch nämlich die Schubladen von meiner Kommode gerichtet hat; die gingen doch so schlecht auf, und wo ich doch den Rheumatismus im Arm habe..."

„Später, Mac. Nicht jetzt", sagte Katja. Ein gepreßtes vorläufiges Schweigen entstand, bis Ted sagte: „Danke, Mac. Das wäre vorläufig alles." McKenna drehte ihm einen beleidigten Rücken zu und nahm zögernd ihren Abgang. „Was gibt's, Kleines? Schlechte Neuigkeiten?" fragte Ted.

„Sie sind tot. Alle beide", sagte sie mit verdorrter Stimme. „Valerie. Ihr Mann auch. Monsieur Georges Latouche. Ich konnte mich nicht gleich auf den Namen besinnen. Drum hab' ich's nicht verstanden. Madame et Monsieur Georges Latouche – unter den Passagieren, die beim Absturz des DC-4 umkamen, Air France. Ich wußte gar nicht, daß ein Luftschiff abgestürzt ist..."

„Doch, es war gestern in der Zeitung. Natürlich dachte ich mir nichts dabei. Warte, ich werde es gleich finden – das Abendblatt treibt sich gewiß noch auf meinem Schreibtisch herum", sagte Ted hilflos. „O meine Kate, mein armes Kleines, es tut mir so leid."

Was für Unsinn quatsche ich da, dachte er; er wußte nicht, was er sagen oder tun sollte. Er griff nach ihren Händen; sie waren kalt, und er zog sie unter seinen Sweater und ließ sie auf seinem Herzen ruhen. Es war eine alte Liebkosung, sie stammte noch aus den Anfängen ihrer Liebe, da er als junger Volontärarzt in dem

Krankenhaus arbeitete, wo Katja nach ihrem Unfall für lange Wochen festlag. Seine Wärme, sein ruhiger Herzschlag halfen ihr meistens ein wenig, wenn sie Schmerzen hatte, Angst, wenn etwas sie quälte, wenn sie nicht schlafen konnte. Auch jetzt schien es ein wenig zu helfen. „Danke, Ted", flüsterte sie. „Es geht gleich vorbei. Ich werde gleich wieder in Ordnung sein. Es ist bloß der Schock. Merkwürdig", setzte sie hinzu, „im Grunde spüre ich gar nichts."

Ich kann mir nichts vormachen oder mich anlügen, dachte sie. Die Bühne ist mein Beruf, ich weiß zu gut, wie man aus Trauer und Schmerz ein großes Theater hermacht, eine ergreifende Pantomime, einen Tanz. Das gehört auf die Bretter. Im wirklichen Leben ist es ganz anders. Sie lehnte den Kopf an Teds Schulter und schloß die Augen. „Madame Valerie Latouche – meine Tochter. Aber, Ted, ich kannte sie ja kaum. Sie war jung – eine ganz junge Frau – und sie ist in einem brennenden Luftschiff umgekommen; das ist entsetzlich, und es ist alles, was ich von ihr weiß. Mein Gott, ich hätte auf der Straße an ihr vorbeigehen können, ohne sie zu erkennen."

„Aber du besuchtest sie doch, als du zum letztenmal in Paris warst?"

„Ja, aber das war kein Erfolg, Ted. Ich benützte meinen einzigen freien Tag dazu, flog nach Lyon, es war eine schreckliche Hetzjagd. Ich hatte meine Migräne, und Valerie war kopflos und überbeschäftigt, sie war erst kurz verheiratet und fürchtete sich offenbar, daß ich einen schlechten Eindruck auf Monsieur machen würde. Nun, du kennst ja diese wichtigtuerischen eitlen französischen Kleinbürger mit ihrem engstirnigen Katholizismus – er tat, als wäre ich eine Art vagabundierende Zigeunerin und eine große Sünderin außerdem – in aller Höflichkeit, versteht sich. Alles *trés aimable,* aber Valerie und ich hatten einander nichts zu sagen, wir waren einander gänzlich fremd, und es war klar, daß mein Besuch ihr gar nicht willkommen war. Ich glaube, sie haßte mich oder schämte sich für mich."

„Bildest du dir das nicht bloß ein, Kleines? Warum sollte sie das? Aber wenn du lieber nicht davon reden möchtest..."

„O nein, sie hatte allen Grund dazu. Ich hatte sie nicht gesehen seit vor dem Weltkrieg. Sie war in Europa, und ich war auf einer Tournee in Amerika, als er ausbrach; und dann kam mein Unfall und – ein Kind kann das alles nicht verstehen."

„Aber als sie noch klein war?"

„Nein, selbst als sie klein war, hab' ich mich nicht gut gegen sie benommen. Ich tanzte, ich war immer auf Tour mit Grischa, ich mußte doch Geld verdienen. Ich tat mein Bestes – aber das war eben nicht gut genug. Solange sie ein Baby war, gab ich sie Maman Kuprin in Obhut, und nachdem Maman starb, kam sie in ein gutes Kinderheim. Sogar während des Krieges brachte ich's zustande, durch das Rote Kreuz Geld für sie zu schicken, aber..."

„Also, hast du dir doch nichts vorzuwerfen."

„Sie war nie ein niedliches Baby, mager, unfreundlich, und sie mochte mich von Anfang an nicht leiden. Jenes letzte Mal, da ich sie vor dem Krieg besuchte – laß sehen, das muß im Frühjahr 1938 gewesen sein – ja, das ist richtig, ich war auf einem Gastspiel in Prag, ich tanzte in ‚Copélia', und grade vor meinem Auftritt bekam ich ein Telegramm, sie wäre sehr krank, Diphtheritis. Da flog ich also in panischer Eile hin; aber als ich ankam, war sie schon außer Gefahr, sie drehte sich zur Wand und wollte mich nicht sehen; die Krankenschwestern sagten, ich dürfe sie nicht aufregen, und schickten mich weg. Wahrscheinlich taten sie recht. Es war besser für sie und für mich auch. Bloß . . ."

„Ja? Bloß – was, mein Liebstes?" fragte Ted nach einer langen Stille, in der er überlegte: Frühjahr 1938, in Prag. Das war, als Hitler dort einmarschierte. Die vielen Menschen, die damals eingesperrt wurden oder umgebracht oder die sich selbst umbrachten. Es war der bittere Prolog zum Weltkrieg, aber sie erinnert sich an nichts als an die Rolle, in der sie gastierte. Ach ja – so sieht's eben im Köpfchen einer Primaballerina aus. „Kate, bloß – was?" fragte er.

„Ach, nichts. Bloß – manchmal dachte ich mir: Ich will's gutmachen, alles, was ich versäumt hab' – später, wenn ich nicht mehr beim Ballett bin. Und jetzt . . ."

Sie ließ die Hände in den Schoß fallen, verschränkte ihre Finger mit einem starken Ausdruck des Abschließens. Es war etwas Endgültiges, als hätte sie eine Tür hinter sich zugesperrt. „Und jetzt mußt du mich entschuldigen. Ich glaube, ich brauche ein langes heißes Bad. Mich fröstelt's ein bißchen."

Während der Nacht, halb schlafend nach dem Pulver, das Dr. Marshall in einem Glas warmer Milch eingeschmuggelt hatte, murmelte sie einmal: „Es tut mir leid, Ted, aber einer von uns muß nach Lyon fliegen und sich um das Baby kümmern. Es ist ein Bub. Guy Latouche. Sie schickten mir eine gedruckte Geburtsanzeige."

„Gut, gut. Versuche jetzt zu schlafen, Kleines. Ich werde schon nach allem sehen", sagte Ted. Katja öffnete nochmals die Augen, sie sah erstaunt aus.

„Das ist mein Enkelkind, Ted, Ted – ich bin eine Großmutter . . ." hatte sie geflüstert.

Die Aufgabe, nach Lyon zu fliegen, blieb an Dr. Marshall hängen, denn Katja steckte tief in den Proben für die monumentale Hollywood-Produktion eines Operettenfilms und konnte weder ihren Kontrakt brechen noch ihre Truppe im Stich lassen.

In Lyon gab es nur noch einen älteren Bruder Latouche, der selbst vier Kinder hatte und froh war, das mittellose Waisenbübchen loszuwerden. So kehrte Ted mit dem dreijährigen kleinen Mann zurück, dessen drollig-altkluges Wesen ihn bezauberte und von dem Katja sogleich mit hungriger Leidenschaft Besitz ergriff. Wenn Dr. Marshall jedoch insgeheim gehofft hatte, daß Katja das Tanzen aufgeben würde, nun, da sie wieder ein Kind im Haus hatten, so wurde er darin enttäuscht.

„Glücklicherweise sind wir noch nicht zu alt für den Kleinen. Tatsächlich könnte er leicht unser eigenes Kind sein", hatte Ted gesagt, als er ihr das Bübchen übergab. „Allerdings, mein Kleines, werden wir auch nicht jünger. Du solltest wirklich versuchen, mehr daheim zu sein, du versäumst die besten Jahre."

„Warte noch ein kleines bißchen, und du wirst mich so viel zu Hause haben, daß du versuchen wirst, mich loszuwerden. Ich gebe das Tanzen auf, bald. Bald. Nur noch diese Spielzeit – ich kann doch nicht in der Mitte der Saison aufhören, nicht wahr?"

Es stand wohl so, daß für die geborene Tänzerin der richtige Moment zum Aufhören nie zu kommen schien. „Wer Glück hat, stirbt, wenn's Zeit ist, abzugehen", hatte Katja während einer langen Nachtsitzung mit ihren Freunden bemerkt. „Denkt bloß an Pawlowa – an Isadora Duncan ..."

„Grigory Kuprin", warf Lazar ein, rücksichtslos den bleichen Geist heraufbeschwörend.

„Unsinn. Grischa war viel zu jung, um auszulöschen wie eine Kerze", sagte der Maler Daniels, der seine eigene wilde Hölle mit Grischa durchlebt hatte.

„Jung – aber *fini*. Mission beendet", beschloß Dirksen.

Wie sehr sie doch versuchen, sich kaltherzig zu stellen, dachte Katja und sprang auf. „Los, ihr Faulenzer, es gibt viel zu tun!"

Nein, man konnte nicht nach einem enormen Erfolg wie „Salem" aufgeben. Noch weniger konnte man es nach dem fulminanten Durchfall vom „Narrenhaus". Selbstverständlich konnte man da nicht Schluß machen. Man mußte den Fehlschlag ausmerzen, den Erfolg übertrumpfen.

„Wie ein Spieler", hatte Dr. Marshall dazu bemerkt. „Kann nicht aufhören, wenn er gewinnt, kann nicht aufhören, wenn er verliert. Kann überhaupt nicht aufhören. Punktum."

Und nun, in der verblichenen Pracht des Latham-Schlafzimmers, stieß Dr. Marshall einen tiefen Seufzer aus, als er zusah, wie Katja mit den Schnürsenkeln ihrer Straßenschuhe nicht zurechtkam. Sie sah müde aus, eines von Degas' müden Ballettmädchen. Er selbst war, aus bestimmten Gründen, neuerdings nicht recht fähig gewesen, sich zu konzentrieren, und war in seiner Arbeit wie in seinem Privatleben wie von einer hohen Gefängnismauer eingeschlossen.

„Höchste Zeit, daß du mir nach Hause kommst", sagte er; sie forschte in seinem Gesicht. Es hatte nicht wunschvoll geklungen oder zärtlich, eher trocken, fast unfreundlich.

„Eil dich ein wenig, kannst du nicht?" verlangte er, mit einem nervösen Blick auf die Armbanduhr, und Katja schlüpfte gehorsam in ihren Rock. „Ach, du großer Gott!" sagte sie, denn bei der hastigen Bewegung war das Achselband ihres Büstenhalters gerissen.

„Was ist jetzt wieder los?"

„Das passiert jedesmal, wenn ich große Eile habe", sagte sie und

begann, ihre Bluse auszuziehen. Marshall war mit seiner hartgeprüf-
ten Geduld am Ende. „Verdammt noch mal, steck das Zeug zusammen, damit wir endlich weiterkommen", sagte er und hielt ihr
eine Sicherheitsnadel unter die Nase. Es war lächerlich, wie lange
eine Milenkaja brauchte, um sich für die Straße anzuziehen, wenn
man bedachte, daß sie hinter der Szene ihre Kostüme mit der Ge-
schwindigkeit eines Verwandlungskünstlers wechselte, wenn's nötig
war. Ihr Gatte nadelte sie notdürftig zusammen und stopfte sie in
ihr gutes schwarzes Trotteur, ohne die feine Haut unter seinen Fingern zu beachten.
Katja überlegte, weshalb jedesmal eine Kleinigkeit schiefging, sooft
sie sich für die Straße ankleidete. Ein Saum war heruntergetreten,
ein Strumpfband riß, vorn löste ein Knopf sich los, ein Wagen be-
spritzte sie mit Kot. „Sicherheitsnadeln geben mir einen Minderwertigkeitskomplex. Sicherlich würde man nie eine Nadel an deiner
Schwester finden", sagte sie anklagend. Marshall schob sie mit zu-
sammengebissenen Zähnen zur Türe hinaus.
Wie gewöhnlich summt das Treppenhaus wie ein Bienenstock mit
dem Hin und Her von Tänzern und Tänzerinnen der Truppe, und
da sind auch die Anfänger, Jungen und Mädels, und die Ballett-
kinder und die Schüler der Laienkurse. Sie sind überall, sie hocken
auf den Stufen oder mit gekreuzten Beinen auf dem Fußboden, sie
lehnen auf den Bänken im Vestibül des Mezzanins herum, versuchen
Pirouetten vor Spiegeln, nähen Bänder an ihre Schuhe oder sti-
cheln Verstärkungen in die abgetanzten Spitzen. Sie beißen in Stullen und trinken Kaffee oder Milch aus Pappbechern, und immer ist
jemand unterwegs nach dem kleinen Laden um die Ecke, um neue
Besorgungen zu machen.
Sie rauchen unzählige Zigaretten und konversieren in leisen, artigen Stimmen, oder sie lesen Zeitschriften, studieren Klavierauszüge,
oder sie ruhen sich aus, stumm und mit geschlossenen Augen. Sie
sind immer da, sie verbringen sozusagen ihre Jugend im Latham-
Haus. Weil es ihnen dort, wo sie herstammen, nicht mehr gefällt,
wußte Katja.
Ted war vorausgegangen, er stand ungeduldig wartend unten in
der großen marmornen Vorhalle. „So. Hier bin ich, ganz zu deiner
Verfügung", sagte sie munter, aber ihrem Lächeln widersprachen
die drei nachdenklichen Runzeln auf ihrer Stirn.
„Was gibt's?" fragte er.
„Nichts. Nicht das geringste."
Es hatte zu regnen aufgehört. Ted winkte ein Taxi heran und schob
sie ohne Zeremonie hinein. „Margreth wird Nervenanfälle haben,
wenn sie so lange im Bistro auf uns warten muß", knurrte er.
Daraufhin erstarrte Katja, wurde zu einer Statue des Mißvergnü-
gens. „Du willst doch nicht sagen, daß wir sie im Bistro treffen sollen, um Himmels willen?" fragte sie.
„Ich sagte dir ja, daß ich uns einen Tisch reserviert habe. Was ist
jetzt wieder los? Margreth meinte, es sei dein Lieblingslokal. Sie

hat's in der Zeitung gelesen", erwiderte er gekränkt. „Da haben
wir's. Die gleiche Geschichte wie mit der Krawatte. Nichts als Miß-
verständnisse. Zum Teufel damit."
„Ich dachte, du ißt gern im Bistro", sagte er.
„Aber doch nicht mit einem Kind, um Himmels willen", sagte Katja.

Wie gewöhnlich ist das Bistro laut, zu warm, zu voll. Man sitzt eng
gedrängt, Rufe, Theaterwitze, Theatergerüchte fliegen von Tisch zu
Tisch, hier kennt sich jedermann; dies ist der Ort, wo man seine
geschiedene Frau, seine verflossene Geliebte oder den Liebhaber der
jetzigen antrifft und, je nachdem, entweder ignoriert oder mit Freu-
denschreien umarmt. Hier sitzt man Schulter an Schulter mit beliebten Kollegen und unbeliebten Rivalinnen, begrüßt man den verhaßten Freund, den sympathischen Feind. Die Berühmtheiten, trotz
all ihrer Verlogenheit und Posen, Schauspielerei und Tricks, sind
naiv, die Kellner hartgesotten und blasiert. Das Bistro um die Mit-
tagsstunde ist ein Elektrizitätswerk auf Hochstrom gestellt, ein ge-
mütliches Schlachtfeld, über dem der Geruch gebratenen Fleisches sich
mit den gelben Giftgasen der Theaterwelt mischt.
Ein Kind im Bistro ist ein so ungewöhnlicher Anblick, daß der
kleine Guy bei seinem Eintritt ein geflüstertes Aufrauschen verursacht. Zwar haben die meisten der Gäste selber Kinder zu Hause,
die sie lieben und erziehen, wie es sich für gute Eltern gehört. Aber
das war zu Hause; ein Kind im Bistro ist etwas ganz anderes als
ein Kind daheim. Sogleich wird angenommen, daß dieser kleine
Junge sozusagen ein kleiner Junge von Beruf sei: ein Theaterkind,
also eine ekelhafte Kröte, ein natürlicher Feind, der sich immer in
den Vordergrund spielt und einem mit seinem Niedlichtun und Ge-
sichterschneiden die besten Szenen wegschnappt. Die instinktive
Feindseligkeit wird schnell maskiert mit männlich-herzhafter Be-
grüßung von seiten der Herren, mit gerührtem Lächeln von den
Damen. Nur die sechzehnjährige Sensation der laufenden Spielzeit,
die selbst einen kleinen Bruder hat und infolgedessen kleine Buben
nicht leiden kann, rief unwillkürlich aus: „Mein Gott, wer ist das
gräßliche Gör mit den schiefen Zähnen?"
Katja, der wieder einmal das heiße Blut zu Kopf stieg, dachte un-
willig: Aber das ist ja nicht wahr, du kleine Klapperschlange, seine
Zähne sind doch nicht schief! Unter gesenkten Wimpern betrachtete sie ihr Kind und unterlag aufs neue der Bezauberung einer
Liebe, die sie Mühe hatte, ihm nicht zu sehr zu zeigen. Sie fand es
entzückend, wie seine kurze Oberlippe wie in stetigem Staunen
über diesen zwei großen neuen Vorderzähnen offenstand. Ich
weiß, ich weiß, kein Mensch, den man liebt, hat je schiefe Zähne,
sagte sie sich voll abgeklärter Weisheit. Aber seht doch, wie unbefan-
gen und unberührbar das Kind da sitzt, mitten zwischen den schnap-
penden Krokodilen! Es hat schon ein richtiges Gesicht; und helle Gedanken hinter seiner runden Stirn, in die ein eigensinniger Lockenkringel hineinwuchs; Pepitos Lockenkringel. Katja mußte sich erst

64

darauf besinnen, daß Pepito – der nach der kurzen Glorie seiner Stierkämpferlaufbahn in anonymer Vergessenheit versunken war – nicht Guys Vater, sondern sein Großvater wäre. Nun, wenn er wirklich schiefe Zähne kriegen sollte, dann kommen sie bestimmt von der Latouche-Seite, beschloß Katja mit großmütterlich-blinder Entschiedenheit.

Margreth, etwas zu massiv für ihr flottes Jackenkleid, doch frisiert und angezogen mit der Tadellosigkeit einer Frau, die nichts anderes zu tun hat, genoß sichtlich die Aufmerksamkeit, die ihr Einzug erregte; Katja hingegen, seit dem frühen Morgen gehetzt, gepeitscht und abgearbeitet, fühlte sich unscheinbar, ausgepumpt, einem öffentlichen Erscheinen nicht gewachsen. Man erkannte sie, begrüßte sie von allen Seiten, starrte das unerklärliche Phänomen eines Kindes in ihrer Begleitung an – Milenkajas Kind? Ein neues Wunderkind für ein Fernsehprogramm? Eine von Miß Beauchamps Entdeckungen? Katja war es, als könnten alle Leute die Sicherheitsnadel sehen, die wie ein Brandmal unter ihrer Bluse glühte.

Kaum hatten sie sich hingesetzt, als Guy zwei riesige Pistolen aus zwei bestickten Halftern zog und sie rechts und links von seinem Teller auf den reservierten Tisch bumste. „O Gott, bitte nicht", flehte Katja. „Das kommt von den Dingen, die den Kindern im Film und am Fernseher gezeigt werden", bemerkte Margreth, die geschieden, gut versorgt und kinderlos war.

„Vielleicht hättest du ihm ein etwas friedlicheres Spielzeug kaufen können", gab Katja zurück.

„Also, was wollt ihr Mädchen trinken? Zwei Scotch Whisky für uns, und einen Champagner Cocktail für Madame", bestellte Dr. Marshall, auf die besänftigende Wirkung alkoholischer Getränke hoffend. „Und Orangensaft für den Kleinen." Guy flüsterte seine Wünsche laut in Katjas Ohr: „Marinierter Hering und Reispudding, aber ohne Rosinen drin, ja? Bitte, bitte, Minou." Minou war sein selbsterfundener Kosename für sie.

„Der verwöhnte kleine Franzose", bemerkte Margreth, und mit einem Blick auf Katjas Glas: „Wie kann man Champagner mitten am Tag trinken, Liebste? Ich würde entsetzliches Kopfweh davon kriegen."

„Aber Rosinen sehn wie Käfer aus, und wenn man draufbeißt, krachen sie wie Käfer", quasselte Guy dazwischen.

„Mir geht's gerade umgekehrt. Wenn ich Kopfweh habe, ist Sekt das einzige, das mir hilft. Ich muß mich dafür entschuldigen, aber ...", sie fühlte sich tatsächlich etwas schuldbewußt, weil sie es nie erlernt hatte, sich mit den *hard drinks*, den starken Getränken Amerikas, zu befreunden. Arme Katja, armer kleiner Guy, dachte sie, wir sind zwei Außenseiter, Fremde, immer und überall. „Prosit", sagte Marshall mit schwachem Optimismus.

„Ich höre, daß jetzt sogar die Franzosen sich sehr dem Whiskytrinken ergeben haben", erklärte Margreth. „Hast du nicht bemerkt, Katja, daß Cecile auf jeder Seite Whisky trinkt?"

„Pardon, wer tut das?"

„Die Heldin. In Bonjour Tristesse."

O Gott, dachte Katja, jetzt sind wir also bei der Kultur. „Hab'
ich nicht gelesen", sagte sie.

„Aber das mußt du! Es gibt einen erstaunlichen Einblick in die
Seelenverfassung der jungen Mädchen von heute."

„Besten Dank. In unsern Garderoben kriege ich tiefere Einblicke,
als ich mir wünsche."

„Lieber Himmel, ja, das kann ich mir vorstellen. Sag doch, euer
neues Ballett – wie heißt es noch? ‚Bienenstich'? Komischer Titel.
Man möchte sich kratzen – oder ist der Kuchen damit gemeint, so
eine süße, klebrige Sache aus der Konditorei? Wovon handelt es
denn? Oder hat es überhaupt keine Handlung? Ich bin, persönlich
gesprochen, sehr für abstrakten Tanz; abstrakte Kunst überhaupt.
Erst letzten Freitag sagte Hotchkiss in der Malklasse: ‚Was bedeutet Malerei? Es bedeutet nicht einen Apfelbaum oder einen alten
Bettler oder überhaupt irgend etwas. Malerei ist Farbe', sagte er,
‚Farbe plus erlebten Raumgefühls.' Wirklich, meine Liebe, du solltest auch zu malen versuchen als Steckenpferd. Ich bin sicher, Hotchkiss wird dir gefallen, er ist so – so direkt, wir haben so viel Spaß in
seiner Klasse, es ist eine solche Entspannung, und das braucht un-
sereiner – du gewiß auch, meine Gute . . ."

Pladder, pladder, pladder. Wie wenn eine Kuh pißt, dachte Katja,
gereizt bis zur Gemeinheit. Die Idioten-Mentalität des Publikums,
der ewige Abgrund zwischen dem gedankenlosen, leichtfertigen Dilettanten und dem qualvollen Schweiß des Berufs, der Berufenen.
O ihr verständnislosen Dummköpfe, um deren Applaus wir uns
das Herz aus der Brust reißen, ihr geliebten Schwachsinnigen im
Zuschauerraum, die wir hassen und verachten und denen wir unser
Bestes verkaufen – wie nötig seid ihr uns doch, Dummköpfe, denn
nur durch euch können wir leben, atmen, existieren.

Marshall wurde es langsam klar, daß sein so sorgfältig vorbereiteter
Lunch kein großer Erfolg war. Ihm tat seine Schwester leid; sie
versuchte, so viele interessante Themen anzuschlagen, ohne daß
Katja darauf einging. Margreth ist so vielseitig, nicht so verbohrt
wie ich in meine Biochemie – sie versucht alles, jetzt malt sie auch
noch.

Im vergangenen Jahr war's Keramik gewesen, und vorher waren es
Klavierlektionen – „Jazz selbstverständlich, geht mir weg mit euren
langweiligen Klassikern", und ein paar Monate lang war sie sogar
in eine Laienklasse in Miß Beauchamps Schule eingetreten; aber
selbst die milden Kallistheniks, die Tanja Stepanowna dort lehrte,
waren zuviel für Margreth. „Nichts für mich", erklärte sie. „Ich
brauche Ausdruck. Was sonst ist Tanz, wenn nicht Selbstbefreiung?"

„Wie wahr!" stimmte Katja mit grimmigem Humor ihr bei. Marshall
beobachtete inzwischen den Kleinen; seine Händchen umklammerten
die Riesenpistolen, und er blickte mit drohend-entschlossenem Gesicht um sich. „Sag mal, Freundchen, wir brauchen ein bißchen

Platz fürs Essen, wär's nicht besser, wenn das nette Fräulein, das auf unsere Mäntel achtgibt, auch deine Pistolen bewachen würde?"

„Nein, die brauch' ich. Gegen die Banditen."

Katja warf einen hurtigen Blick nach dem Buben. Ob er wohl die Atmosphäre von allgemeiner Verlogenheit im Bistro witterte?

„Unsinn, Baby. Es gibt keine Banditen. Das kommt nur in Büchern vor", mischte Margreth sich ein.

„Doch, die gibt's. Hab's doch selber in der Zeitung gelesen. ‚Banditen erschießen Unternehmer in Flatbush'", zitierte Guy, der alles Gedruckte wahllos verschlang. Er mochte Tante Margreth, weil sie ihm Geschenke kaufte, aber er konnte sie nicht leiden, wenn sie ihn „Baby" nannte und ihn abküssen wollte. „Weiber bleiben so an einem kleben", hatte er seinem Freund Preston, dem riesigen schwarzen Hausburschen, anvertraut.

„Na und ob!" hatte Preston bekräftigt.

Minou hingegen, seine Minou, war ganz was andres. „Minou ist gar nicht wie die andern Weiber", informierte er Preston.

„Haste recht; Mrs. Marshall ist 'ne *Dame*", sagte Preston.

„Das kommt dir nur so vor", sagte Guy herablassend und wanderte pfeifend zwischen den Asternbeeten seines Weges.

An einem unvergeßlichen Nachmittag, zwei Jahre zuvor, hatte Ted ihn zu einer Matinee geführt, „Der Nußknacker", in der seine Minou als Fee erschien. Mit der Hellsichtigkeit seiner vier Jahre begriff Guy das Märchenwunder und die Wahrheit dieser Erscheinung und daß Minous Doppeldasein ein Geheimnis war, über das nicht gesprochen werden durfte. Er hielt es tief im Herzen in all seiner heißen Süßigkeit: Seine Minou und die schimmernde, tanzende Fee waren ein und dieselbe. Minou, die ihn badete und zu Bett brachte und ihm den Mantel zuknöpfte, wenn's kalt war, und darauf sah, daß er seine Milch trank – die Minou in Haus und Küche und Kinderzimmer – war gleichzeitig eine Fee, über die Maßen lieblich, wie es in Märchenbüchern hieß. Sie gehörte in die „Es-war-einmal"-Welt; von dort kam sie her, blieb eine Weile, und dann kehrte sie zurück ins Feenland.

Er wußte nicht genau, was geschehen würde, wenn er dieses Geheimnis verriet. Vielleicht käme sie nie mehr wieder, oder ein böser Zauberer verwandelte ihn in einen Frosch oder in eine Schildkröte oder sonst was Häßliches. Er wußte nur, daß es verboten war, darüber zu reden, und daß man nicht weinen durfte, wenn sie ihn verließ. Das war sein Geheimnis und ihres. Wenn sie zurückkam, fragte er nie, wo sie gewesen sei; und sie fragte keine albernen Erwachsenenfragen, wie: Warst du auch ein braver kleiner Junge? Hast du McKenna schön gehorcht? Sie fragte nicht: Hab' ich dir arg gefehlt? Sie wußte es ja. Sie war eine Fee, und so wußte sie, daß sie ihm schrecklich gefehlt hatte und daß alle Dinge anders ausschauten, wenn sie da war. Glänzender, grüner, roter, wunderbarer.

Wenn Minou ihm geboten hätte, seine Pistolen loszulassen, er hätte es getan, obwohl er genau fühlte, daß er sie brauchte, wenn es in dieser Banditenhöhle zu einer Schießerei kam; und Minou wußte es auch. Feen wußten alles.

Auch von Katjas Seite gab es allerhand Heimliches, Verschwiegenes; sie wußte vieles, ohne zu fragen. „Vielleicht, weil ich eine Tänzerin bin", sagte sie einmal zu Ted, „vielleicht, weil ich nie den Zusammenhang mit der Kindheit verlieren darf. Manchmal denke ich, der Kleine hat die Synthese gefunden, ohne sich drum zu quälen."

„Was für eine Synthese, Katze?"

„Die Synthese – wo's mir immer schiefging. Den Zwiespalt überbrücken – beides zusammenzubringen: das Wahre und das Wirkliche. Das tägliche Leben und mein Tanzen . . ."

„Klingt wie ein Artikel von deinem kostbaren Freund Dirksen. Nächstens wird er dich so weit haben, daß du Kierkegaard liest."

„Na, da kommt endlich das Essen", sagte Marshall nun nach einem nervösen Blick auf seine Uhr. „Räum deine Waffen aus dem Weg, Freundchen, und spiel nicht so herum."

Guy starrte unglücklich auf die Rosinenkäfer in seinem wäßrigen Reispudding. Niemand schien bemerkt zu haben, wie vorzüglich er sich benahm, besonders wenn man in Betracht zog, daß ihm noch die Folterung beim Zahnarzt bevorstand. Tante Margreth stocherte mit der Gabel in ihrem Abmagerungssalat, und Guy sprang in plötzlicher Erregung auf. „Nicht! Nicht essen, Tante!" rief er so laut, daß viele Köpfe sich ihnen zuwandten und der Maître d'Hôtel sein Stehpult verließ, um zu sehen, um was es sich handelte.

„Wir haben nicht gebetet. Man darf nie zu essen anfangen, bis man das Tischgebet gesagt hat, weißt du das nicht, Tante Margreth?"

„Nicht hier, Freundchen; man betet nicht im Restaurant", sagte Ted, aber Guy war überzeugt, daß ein Gebet in diesem lärmenden Restaurant voll von falschen Leuten ganz besonders not tat, noch dazu, wenn ein Junge gleich nachher dem Zahnarzt und seiner Drillmaschine standhalten sollte.

Wenn Guy einer Sache sicher war, dann besaß kein Erwachsener die Kraft, Geduld und Ausdauer, ihn umzustimmen. Und so geschah es nach einigen Minuten erfolglosen Flüsterns und Plädierens, daß die berühmte Primaballerina Katja Milenkaja und ihre Gäste, angesichts des ganzen Bistro, mit gefalteten Händen und fromm über die Teller geneigten Häuptern im Chor, geführt von Guy, aufsagten:

> Komm, lieber Herr, sei unser Gast
> Und segne, was du uns bescheret hast. Amen.

„. . . und bitte, mach, daß Dr. Klein kein neues Loch im Zahn findet", endete Guy mit voller Stimme, denn er war noch nicht zu dem Vertrauen der Erwachsenen in stummes Gebet fortgeschritten. Und warum? Darum, weil der liebe Gott so weit weg ist; wenn du nicht schreist, kann er dich nicht hören, darum. „Mac sagt, ich darf nie, nie das Tischgebet vergessen, sonst passiert was", erklärte er befriedigt, „und weißt du was? Die zweimal, wo sie nicht da war und ich hab's vergessen, bums!, hab' ich Bauchweh gekriegt, es war schrecklich, ich wollt' mich gern übergeben, und es ging doch einfach nicht, weil der liebe Gott so böse auf mich war..."

„Du mußt dir die McKenna ein bißchen vornehmen, Ted. Ich kann nicht zulassen, daß sie ihre Altjungfern-Neurosen dem unschuldigen Gemüt einpflanzt", sagte Katja aufgebracht. Ihr Sinn für Komik hatte sie bei der lächerlichen Situation, in die sie geraten war, im Stich gelassen. Solche Dinge passieren auch nur mir, sagte sie sich zornig. Einer Joyce würde das nie passieren, bestimmt nicht. Die läßt sich nicht von einem Gefühl erpressen, von einem „Zulieb-Haben", die wäre nicht so sentimental über ein Kind, nicht so ängstlich, einen kleinen Jungen zu verletzen. Aber die würde ja auch kein so sensibles Kind haben. Derartige Gefühlsschwächen läßt die junge Generation gar nicht aufkommen. Ja, aber deshalb eben wird aus Joyce Lyman keine wirkliche Primaballerina werden... „Was sagst du Ted?" fragte sie, widerstrebend zu der Familienmahlzeit zurückkehrend.

Unter dem Tisch suchte Guys Hand, klein und kalt, insgeheim nach der ihren. Dieses wortlose Zueinandergehören, sein stummes Vertrauen, die unausgesprochene Bitte um ihren Schutz, gab ihr ein ganz besonderes Glücksgefühl, erfüllte sie mit tief-süßer Rührung. Sie drückte die Kinderhand, die sich in dem sicheren Nest ihrer Finger zu erwärmen schien. „Kommst du mit zum Zahnarzt?" fragte Guy mit gespielter Gleichgültigkeit.

„Gewiß; das weißt du ja."

Guy nickte zwischen Heroismus und Angst. „Bestimmt, Minou?"

„Ganz bestimmt. Ich verspreche dir's."

Katja ließ ihre Serviette fallen, eine Ausrede für ein kurzes Rendezvous mit Guy unterm Tisch.

„Wird er mir sehr weh tun, Minou?"

„Nein, nur ein bißchen. Du mußt dich nicht fürchten."

„Mac sagt, es tut gar nicht weh, ich werd's überhaupt nicht spüren."

„Mac ist eine dumme Gans", entfuhr es Katja unpädagogisch, „besser, du machst dich auf ein bißchen Wehtun gefaßt. Aber fürchten darf man sich nicht. Wenn du dich fürchtest, tut's viel mehr weh, verstehst du das? Du mußt dir vornehmen, keine großen Faxen zu machen, dann ist's gleich vorbei. Weißt du, Kasperl, man kann Sachen, die weh tun, nicht immer vermeiden, aber man kann sich immer dabei zusammennehmen, nicht wahr?"

„Ja. Tue ich doch. Wenn du dabei bist, mach' ich überhaupt keine Faxen, Minou."

Als Katja unter dem Tisch hervorkam, begegnete sie zunächst den spöttischen Augen ihres Freundes Sandor Lazar. Er stand hinter Margreths Stuhl und sah ironisch ihrem Aufstieg aus der Unterwelt zu. Katja beeilte sich, Lazar ihrer Schwägerin vorzustellen. Margreth, nie in Verlegenheit um konventionelle Banalitäten, reagierte prompt: „Lazar? Der Komponist? Nein, wie ich mich freue, Sie kennenzulernen! Ich kann gar nicht sagen, wie großartig mir ihre Musik zum ‚Narrenhaus‘ gefiel. Allerdings kann ich nicht behaupten, daß ich Zwölftonmusik durchaus verstehe, aber das heutige Leben ist ja so angespannt, daß es nur durch Dissonanzen ausgedrückt werden kann, nicht wahr? Was mir in Ihrer Musik den größten Eindruck macht, das ist eben . . .“

„Und dies ist Guy“, unterbrach Katja hastig; sie kannte den Ausdruck teuflischen Humors hinter Lazars Brillengläsern. „Guy“, sie sprach es französisch aus, „Guy – Latouche . . .“

„Enchanté“, sagte Lazar, den Jungen achtlos übergehend, „ich muß sagen, du bist auf den Hund gekommen, Katuschka. Diese rührende kleine Szene zuvor . . . Also, wenn du denkst, daß ein Gebet in aller Öffentlichkeit gute Reklame ist, da muß ich dir sagen, so was stinkt zum Himmel. Ich hoffe, Sie nehmen mir's nicht übel, Dr. Marshall, aber jemand muß ja Katja die Wahrheit sagen, und ich bin schließlich ihr bester und ältester Freund. Und wer hat noch dazu ein Kind in diese Nummer hineinkomponiert? Dieser Esel Manny? Dem werde ich aber gründlich die Meinung sagen.“

„Nein. Ich selbst hab' mir den Buben von der Bühnengenossenschaft gemietet“, erwiderte Katja in aufschießender Wut. „Du weißt doch, so wie die Bettlerinnen in deinem Budapest verkrüppelte Kinder mieten, um bejammernswerter auszusehen. Jesus, Maria und Josef, sei kein solcher Esel, Sandy! Du weißt, daß ich einen Enkel habe, das ist kein Geheimnis, ich hab' dir von ihm erzählt. Du – mein bester und ältester Freund, jawohl! Ist schon gut, Guy, du brauchst nicht auf ihn zu schießen, er ist kein böser Mann, er hat nur Spaß gemacht.“

„Wollen Sie sich nicht setzen? Was kann ich für Sie bestellen?“ lud Marshall ihn nicht sehr begeistert ein, doch Lazar sagte eilig: „Danke, ein andermal, muß laufen, muß eine Rakete unterm Hintern vom Kopisten loslassen, sonst kriegen wir die Noten nicht, muß zur Probe, diese verfluchten Proben Tag und Nacht, die sind ja alle irre beim Ballett, man wird selbst ganz verrückt. War mir ein Vergnügen, Mrs. – eh – Broily, auf Wiedersehen bei der Zwangsarbeit, Katuschka –“ und wirbelte davon.

„Ich muß schon sagen . . .“, bemerkte Margreth verdutzt, „komisches Benehmen. Jaja, die Berühmtheiten! Aber ein origineller Mensch, nicht? Er hat eine Art von ungezähmtem Scharm, findest du nicht?“

„Kann ich nicht beurteilen. Ich kenne ihn schon so lange, ich seh' ihn gar nicht mehr – wie die Nase in meinem eigenen Gesicht. Auf jeden Fall ist es großartig, mit ihm zu arbeiten, niemand versteht so viel vom Ballett wie Sandy. – Nun, Manny, was gibt's?“ wandte sich Katja dem rotwangigen jungen Reklamechef zu, der sich eifrig wie ein junger Foxterrier dem Tisch genähert hatte.

„Das nenne ich einmal Glück gehabt, daß ich Sie hier finde, Miß Katja, nein, das ist einfach zu gut, um wahr zu sein, im Büro hieß es, Madame habe die Stadt verlassen, und ich wußte mir nicht zu helfen mit dem großen Mann, der absolut unsre einzige Milenkaja kennenlernen will. Jawohl, Sie erraten, wen ich hier im Schlepptau habe? Mr. Bender, den großen Bender, Big Ben persönlich! Dort drüben sitzt er – also, das trifft sich wunderbar, da darf ich doch den alten Lämmergeier hier anschleppen. – Herrgott, das ist einfach großartig, und wie erst Miß Beauchamp sich freuen wird! Im Vertrauen, Befehl von der Höchstkommandierenden, den großen B. B. nicht aus den Augen zu lassen, da geht was vor, wir geben ihm den Ia, prima prima Empfang, Sie wissen ja, was das bedeutet – oho, da kommt er schon angedampft: Madame Milenkaja, darf ich mir gestatten, Ihnen Mr. Bender vorzustellen? Obwohl in diesem Fall jede Vorstellung überflüssig ist. Haha – beide Namen sind nicht geradezu unbekannt – Hahaha . . ."

Bender war ein hochgewachsener Mann mittleren Alters, der keineswegs dem Bild entsprach, das sich das Publikum von einem Hollywood-Produzenten macht. Er sah aus wie ein konservativer Bankier, ein erfolgreicher Rechtsanwalt. Ein sorgfältig gekleideter Herr mit einer leisen Stimme, etwas zu ehrlichen blauen Augen hinter einer Hornbrille, höflichen, gewissermaßen um Entschuldigung bittenden Manieren. Aus irgendeinem Grund erinnerte er Katja an einen wohltroussierten gebratenen Truthahn. Vielleicht weil er den Brustkasten vorstreckte und das beginnende Bäuchlein einzog und die kalifornische Sonne seine Gesichtshaut zu einem appetitlichen Goldbraun geröstet hatte.

Er war mit einem gewissen Schwung auf den Tisch zugeeilt, doch je näher er kam, desto mehr verlangsamte er sich. Sobald er angelangt und den Vorstellungen und dem allgemeinen Händeschütteln Genüge getan war, konnte Katja sich selbst sehen, so wie sie in seinen Augen aussah; und das Bild war keineswegs schmeichelhaft.

„Was für eine frohe Überraschung, Madame Milenkaja schon heute zu treffen! Ich war tief enttäuscht, als Olivia Beauchamp mir mitteilte, daß ich nicht vor der Probe am Montag das Vergnügen haben würde – ich bin ein recht ungeduldiger Bursche, und ich fürchte, ich habe meinen Leuten dort drüben – und diesem netten jungen Mann – das Leben sauer gemacht. Aber nun . . ."

Trotz seiner glatten Höflichkeiten und den Versicherungen seiner Bewunderung wußte Katja, was er sich dachte, von dem Moment an, da seine erfahrenen Augen ein Inventar ihres Gesichts, der Hände, der Gestalt aufgenommen hatten – und was er sich dachte, war fast beleidigend.

Von Kindheit an war Katja ein Geschöpf der Nacht gewesen. Man hatte sie dazu herangebildet, sie dazu erzogen, am Abend aufzuwachen, zu glänzen, zu vibrieren, zu einer Stunde, da andere Kinder gähnend zu Bett gingen. Nur am Abend, unter den Scheinwerfern, auf der Bühne, erwachte sie ganz; nur da erlebte sie die Befreiung, die tiefe Verzückung, den hohen Flug. Abends, auf der

Bühne, in Kostüm und Maske, fühlte sie, daß sie schön war, brillant, vollkommen. Dafür sparte sie sich während des Tages auf. Am Tag war sie nur ein Schatten ihrer selbst, und das kümmerte sie nicht. Es war ganz unwichtig, wie sie im Privatleben aussah – die wenig beachtete Gattin eines Wissenschaftlers. Es war völlig unwichtig – solange sie nicht vor dem Publikum stand.

Aber Mr. Bender war ein Publikum. Mehr als das: ein Mann, dessen Geschäft der Handel mit Schönheit war, ein Sachverständiger auf dem Gebiet sexueller Reize, ein Mann mit verwöhntem, verdorbenem Appetit. Herren mittleren Alters, mit verhohlenem Bauchansatz, können unerhört grausam sein gegen nicht mehr ganz junge Frauen, das wußte Katja. Das bedrängte Fleisch solcher Männer, in der Panik ihres abkühlenden Blutes, verlangt, jagt mit rücksichtslosem biologischem Hunger nach der seidigen Haut, nach dem weichen jungen Leib, der ein kurzes Aufflackern der Erregung verschaffen mag. Armes, bedauernswertes, widerliches Wesen: Mann in den Irrwegen seines Klimakteriums.

Nicht wie Ted, dachte sie mit einem hastigen Blick auf ihren Mann. Ted wird immer jung bleiben. Schlank, weltfremd, ganz ausgefüllt mit seiner Arbeit, mir ganz ergeben – und drei Jahre jünger als ich. Mann, mein Mann. Mein Hafen, mein Asyl, mein ruhender Pol. „Du bist meine *querencia*", hatte sie ihm einmal gesagt.

Querencia heißt der Punkt in der Arena, den der Stier auswählt, wenn sein dumpfes Gehirn zuerst die Gefahr ahnt, und wohin die erschöpfte wunde Kreatur sich immer wieder flüchtet, solange der Kampf um das Leben währt.

Katja studierte Mr. Bender, der höflich fortfuhr, Konversation zu machen; er saß da, wie die Konfektionseinkäufer in Paris bei den Vorführungen der neuen Modeschöpfungen sitzen. Er schien zu sagen: Danke, nicht dieses da. Das war ein gutes Modell – vor zehn Jahren. Zeigen Sie mir etwas Schnittigeres, bitte.

„Ich werde nie das erste Mal vergessen, da ich die Milenkaja tanzen sah. In Paris – war es mit dem Olycheff Ballett? Nicht? Vor dem Krieg, wenn ich nicht irre. Sie haben einen Verehrer des Balletts aus mir gemacht, Madame; seit damals träumte ich davon, einen Ballettfilm zu machen. Himmel, wenn ich mich an Ihre Giselle erinnere – an Ihre Leda..."

Jawohl, das war vor zwanzig Jahren – und da sitze ich jetzt, ich, mit meinen fünf Runzeln und meinem nackten Gesicht und der Sicherheitsnadel – wie eine Vogelscheuche seh' ich aus. Weshalb passieren gerade mir solche Dinge, wie kann dieser idiotische Manny mir das antun, wer hat sich gegen mich verschworen, im Himmel oder in der Hölle – oder vielleicht in Olivias Büro? Weshalb muß Ted mich in diese Kaschemme verschleppen und der Junge mich vor aller Welt zu einer lächerlichen Figur machen, ich wette, der Lippenstift ist abgegangen, und meine Nase glänzt, und: „... nett von Ihnen, Mr. Bender, sich zu erinnern..."

Bender küßte seine Fingerspitzen wie ein Franzose. „Sie waren ein Traum, Madame, ein sublimer Traum . . ."

„Aber das gehört zur Vergangenheit. Jetzt haben Sie andre Träume, höre ich. Oder darf darüber nicht gesprochen werden?"

„Mein Gott, Sie wissen ja, Madame, wie schwierig es ist, eine Produktion auf die Beine zu bringen. Besonders, wenn man etwas Neues schaffen will, etwas ganz anderes als so den üblichen Zimt. Wenn's zustande kommt, dann wird's nicht die übliche Operette sein, ich möchte es aber auch nicht als Ballett bezeichnen, obwohl sehr große, wichtige Tanzszenen drin vorkommen. Es ist ein Versuch, den Tanz aus der Handlung herauswachsen zu lassen; sicherlich verstehen Sie, was ich meine, Madame. Wir machen die meisten Aufnahmen in Venedig — die ganze Sache irisierend, wie die Gläser von Murano — eine Vision — eine Phantasie. Hilfreich ist ein großartiger Regisseur, wie Sie wissen; wir haben schon eine Menge Hintergrundszenen gedreht, und ich habe ein paar wundervolle italienische Stimmen unter Kontrakt. Aber es gibt keine großen Tänzer in Italien! Tänzerinnen, ich brauche Tänzerinnen, Tänzerinnen! Deshalb bin ich expreß herübergeflogen. Aufregende junge Tänzerinnen, ‚born under a dancing star‘, wie Shakespeare es nennt, stimmt das, Mr. Milenko?"

Dr. Marshall räusperte sich verlegen, und Katja sagte mit königlicher Höflichkeit: „Oh, ich bin sicher, daß Sie finden werden, was Sie suchen, Mr. Bender. Olivia hat immer ein paar talentierte Mädels auf Vorrat. Also alles, alles Gute für Ihre Visionen und Träume. Bestimmt wird es ein großer Erfolg."

Und so, mit Grazie entlassen, blieb Bender nichts übrig, als sich nochmals zu benehmen wie ein Franzose und Katjas Hand zu küssen, bevor er sich an seinen Tisch in der Ecke zurückzog, wo seine Leute ihn in beflissener Ergebenheit erwarteten.

„Eine Katastrophe", sagte Katja, ihre kaum begonnene Zigarette in dem schon gefüllten Aschbecher zerdrückend. Tad legte seine Hand beruhigend auf die ihre. „Was denn, was für eine Katastrophe, Kleines?"

„Ich fand ihn sehr nett; außer daß er Ted Mr. Milenko nannte", bemerkte Margreth. Guy murkste an seiner Portion Vanille-Eis herum. Katja schob heftig ihren Teller fort. „Was für eine Katastrophe? Er hat mich abgelehnt. Er kam nach New York, um mir die Rolle in seinem Film anzubieten, und nach dem ersten Blick auf mich — besten Dank! Abgelehnt! Der große Bender, der eine gute Nase hat und weiß, worauf's ankommt, lehnt mich ab!"

„Aber, Liebchen — liebes Herz —, ich weiß ganz bestimmt, daß du nicht in seinem Film tanzen wolltest", meinte Ted verblüfft. „Du hast doch immer wieder erklärt, daß dich nichts und niemand dazu bringen könnte, nochmals nach Hollywood zu gehen. Wenn er dich gebeten hätte — ich wette, um was du willst, du hättest nein gesagt. Wie kannst du bloß behaupten, daß er dich ablehnt? Außerdem . . .", endete er so unlogisch, wie es sonst nur Katja war, „außerdem ist um diese Jahreszeit sehr schlechtes Wetter in Venedig."

„Selbstverständlich hätte ich nein gesagt, wenn er mich gefragt hätte! Aber er hat mich nicht gefragt. Kannst du das nicht begreifen? Es ist eine Beleidigung – es ist wie eine Ohrfeige –, um Himmels willen, Guy, hör auf, deine Nachspeise so herumzuschmieren, du bist kein Baby mehr. Wenn du dich zu voll gefressen hast, leg deinen Löffel hin und benimm dich gefälligst."

Guy gehorchte erschreckt. Er schluckte, zerkaute den bitteren Geschmack dieses abrupten ungerechten Angriffs. Er hatte nicht herumgeschmiert. Minou mußte wissen, wie schauderhaft weh ihm das kalte Eis in dem kleinen Loch im Zahn tat. Er hatte sich sehr fein benommen, er hatte sich nicht beklagt, er hatte nicht einmal Gesichter geschnitten, obwohl es verdammt weh tat. *Verdammt* weh tat es! Und nun zahlt Ted schon, und der Zahnarzt wird ihm noch viel, viel ärger weh tun, und dabei verlangt Minou, daß man keine Geschichten macht, und plötzlich hatte er es satt, ein großer Junge zu sein, er wollte wieder ein Baby werden und heulen, wenn ihm danach war und ...

„Und nimm diese verdammten Pistolen vom Tisch", sagte Katja mit Schärfe.

„Verdammt ist ein ganz schlechtes Wort! Mac sagt, wenn du fluchst, fallen dir alle Zähne aus, jawohl, da tätest du aber schön aussehen, ganz ohne Zähne! Und der Zahnarzt wird bohren und bohren und bohren und ..."

„Jetzt aber Schluß, mein Lieber", begann Ted, doch die näselnde Stimme des Lautsprechers unterbrach ihn: „Miß Milenkaja? Miß Milenkaja wird am Telefon gewünscht!"

„Ach du lieber Gott, auch das noch", stöhnte Katja.

„Soll ich ...?" erbot sich Ted, und Margreth kicherte: „Laß mich! Ich melde mich als deine Sekretärin, ich kann mich gut verstellen ..."

„Danke bestens", sagte Katja, warf ihre Serviette auf den Tisch und machte ihren Weg quer durch das Stimmengewirr, die gedrängten Gäste, das Kreuzfeuer boshafter Blicke und falschen Lächelns – so zumindest erschienen sie ihr. Sie ging sehr gerade, in steiler Haltung, mit dem Stolz der Einsamen und Unbesiegten. *N'importe,* dachte sie. Es zählt nicht.

In den kurzen, wilden, trunkenen Monaten mit Pepito hatte sie den Wert und die Qualität der Arroganz gelernt; es war eine ganz andere, eine spanische Arroganz; die kostbare, einzigartige *arrogancia* des Matadors. Den Stier, die Bestie, die brutale Gefahr an einem Punkt der Arena festzunageln, ihm den Rücken zu kehren und wegzuschreiten, schmal und gerade und steilnackig, in einer Haltung, die zu sagen schien: Ich kehre Gefahr und Tod den Rücken. Die Bestie könnte mich jetzt leicht von hinten angreifen und mich töten – aber das wird nicht geschehen. Es geschieht nicht, solange meine *quites* perfekt sind und meine *arrogancia* ungebrochen.

Das Telefon stand am Pult des Maître d'Hôtel. Scheußliche Kaschemme, dieses Bistro. Nicht einmal das Telefon brachten sie einem

an den Tisch, und das nannte sich Stimmung! „Hier spricht Milenkaja."

„Gott sei Dank, daß wir Sie gefunden haben", kam Rosas tremo-
lierende Stimme. „Eine Sekunde, bitte ... jawohl, Miß Beauchamp,
ich hab' sie am Telefon ..."

„Katja, *mon ange,* du mußt kommen, so schnell du kannst ... Was?
Nein, nicht bloß dringend ... eine Sache auf Leben und Tod ...
höre ..."

Mit federnden Schritten und einem fieberhaften Glanz in den Augen kehrte Katja an ihren Tisch zurück. „Was gibt's jetzt wieder?"
erkundigte sich Ted mißtrauisch; er kannte diese Symptome nur zu
gut. Katja hatte schon Tasche und Handschuhe an sich genommen.
„Ich muß sofort zurück, Kellner, bitte sagen Sie dem Portier, er
soll mir ein Taxi verschaffen. Schade, Margreth, Ted, etwas Unvermeidliches ..."

Guy hatte die Pistolen in die Gürteltaschen gesteckt, und nun hatte
er das Gefühl, er könnte nicht schnell genug zielen, besonders wenn
etwas Unvermeidliches passierte. Mit einemmal erfaßte er die Lage:
Minou kommt nicht mit zum Zahnarzt, sie läßt ihn ohne Schutz
und Trost, sie ist schon am Weggehen. Er rennt ihr nach, schreiend:
„Minou, Minou!" Er läßt eine Meute grinsender Feinde hinter sich,
aber Minou bleibt stehen; ihr Lächeln ist ebenso falsch wie das der
andern, der Banditen. „Was denn, was denn?" sagt sie ungeduldig.
„Du gehst weg – du gehst nicht zum Zahnarzt mit mir – aber
Minou, du hast mir's doch versprochen, Minou. Versprochen ...",
stammelt er. Es ist ein großer Zusammenbruch, ein Glaube zerschmettert, ein Idol gestürzt; Feenflügel fallen zerfetzt und beschmutzt in die Asche. Es geschieht ihm zum allerersten Mal, daß
Minou ein Versprechen nicht hält. Du weißt, daß ich immer halte,
was ich verspreche, hat sie ihm millionenmal versichert. (Alles, was
Guy nicht an seinen Fingern abzählen kann, ist eine Million.)
„Tut mir leid, Kasperl, aber ich kann's nicht ändern. Ich bliebe viel
lieber bei dir, aber ..."

Guy weiß, daß sie lügt – aber lügen denn gute Feen genauso wie
böse Feen? Plötzlich sind da unerträgliche Schmerzen im Zahn, es
pocht, brennt, der ganze Junge schmerzt von Kopf bis Fuß, etwas
zerspringt und bricht in Scherben, und dazu murmelt Katja Erwach-
senenunsinn: „Tante Margreth geht ja mit dir und Ted auch, und
du hast mir versprochen, keine Geschichten zu machen." – Ha, und
wer hält hier sein Versprechen nicht? Und bei diesem letzten Absturz von dem hohen Sockel, auf den er seine Minou gestellt hatte,
ging Guys letzter Rest von Haltung in Stücke. Es war ein Dammbruch, eine Flut von Heulen und Schluchzen, eine Überschwemmung von Tränen, die Katjas Rock durchtränkten, dort, wo eine
kleine nasse Nase sich gegen ihren Leib preßte.

Für Katja waren Szenen und Tränen in der Öffentlichkeit eine der
Todsünden; sie wurde eiskalt auf diesen Ausbruch des Kleinen hin.
Ted kam herbeigeeilt, um ihr das Kind abzunehmen. Sie beugte

75

sich über Guy, es verlangte sie sehr, ihn in die Arme zu schließen, zu trösten, sein nasses Gesichtchen zu trocknen. Aber er wendete sich ab (so wie Valerie sich abgewendet hatte, ihr eigenes Kind, erinnerte Katja sich in einer sinkenden Sekunde) und „Das Taxi für Madame wartet", meldete der Portier. „Was geschieht jetzt? Kommst du nicht mit uns nach Hause?" fragte Ted.

„Selbstverständlich komme ich. Holt mich ab, wenn ihr mit dem Zahnarzt durch seid. Oder, warte – klingle mich an, wenn ihr dort weggeht, damit ich mich fertigmache. Tut mir so leid, Ted, aber so was kommt eben manchmal vor . . ."

In den ersten Minuten im Taxi lag ihr noch das haltlose Schluchzen des Kleinen in den Ohren, aber dann vergaß sie alles andre über der Frage, welches Ballett sie an Stelle der „Bienen" geben würden – falls die arme Gabrilowa wirklich sterben sollte. Oder nie mehr tanzen konnte – was auf eins herauskam.

Als Katja in Olivias Sanktum gesegelt kam, hatte sie jenen anderen Planeten, wo Ted und Guy wohnten, weit hinter sich gelassen.

Olivias Privatbüro war, im Gegensatz zu all der verschimmelten Latham-Pracht, von aggressiver Modernität; dieses Glas- und Stahlskelett eines Zimmers war voll von Menschen, Zigarettenrauch, Kaffeetassen und dem Duft guten Kaffees, Cognac in Gläsern und Flaschen. Da war Zigarettenasche in Untertassen und auf dem Teppich, zu viele gestikulierende Hände schnitten durch die Luft, zu viele Stimmen argumentierten gleichzeitig: ein behagliches Chaos, in dem alle sich ganz zu Hause fühlten.

„Das reinste Kaffeehaus", sagte Katja zu Bagoryan, der sie umarmte, auf die Wangen küßte, sie aufhob und sachkundig quer durchs Zimmer trug, um sie dort drüben neben sich auf dem Fußboden zu deponieren. „Gott sei gelobt, daß du hier bist, Süße. Ohne dich hätten wir Massenselbstmord begehen müssen."

Rosa reichte ihr eine Tasse Kaffee. Sie hatte ihre Wimperntusche auf ihren dicken Wangen abgeweint und genoß die Katastrophe aus vollem Herzen. Merkwürdigerweise schien auch Olivia geweint zu haben, verwickelt wie sie war in die Schnüre der drei Telefone auf ihrem Schreibtisch. Henry Elkan, der Gatte, rührte irgendein Beruhigungsmittel in ein Glas Wasser, das er an ihre Lippen hielt, während sie die Verbindung wechselte. Sandor Lazar lümmelte mit geschlossenen Augen in einem niedrigen, hängemattenartigen Lehnstuhl; mit der ruhelosen Nervosität des erfolglos psychoanalysierten Neurotikers zupfte er an seinen Augenbrauen, zerwühlte er sein dünnes Haar, kratzte er sich am Hals, bohrte er in seinen großen Ohrmuscheln. Noch mehr Leute waren anwesend: Rowland, verwischt und grau wie ein viel benütztes Löschblatt; Lila Alouette, die eminente Schöpferin von Ballettkostümen; Wassja Masuroff, dunkel und sehr männlich, der als Gabrilowas spezieller Partner in die „Bienen" gelockt worden war; und die kleine Iris McGuire, Bagoryans Assistentin, die zwar keine gute Tänzerin war, aber ein unfehlbares Gedächtnis besaß, in dem jeder geringfügigste Schritt verschollener Ballette aufbewahrt lag wie in einem unbezahlbaren Archiv.

Da war Heulen und Zähneknirschen, nicht so sehr wegen der lebensgefährlichen Lungenentzündung der armen Gabrilowa als wegen des Problems, wie das neue Ballett ohne sie aufzuführen sei.

„Weshalb geben wir nicht ‚Drive-in' statt dessen, das zieht immer", schlug McGuire vor; die zweite Kellnerin in „Drive-in" war ihre größte Rolle.

Lazar stieß einen kurzen Schrei aus und hämmerte auf seine Schläfen wie ein verzweifelter Mann, der zusehen muß, wie sein Haus niederbrennt.

„Oder ‚Salem'", bot Katja an. „Schau, Olly, letztes Jahr haben wir ‚Salem' nicht in New York aufgeführt. Mit ein paar Proben könnten wir's bis Freitag hinkriegen – was meinst du, Mirko?"

Olivia warf einen vernichtenden Blick kummervoller Verachtung auf sie. „Wenn ich noch einmal hören muß, was wir ‚anstatt' der Premiere geben können, kriege ich einen Schreikrampf", flüsterte sie alle Vorschläge nieder. Schweiß hing in winzigsten Tropfen an den Flaumhärchen ihrer Wangen. „Ich erkläre zum allerletztenmal, daß ich die ‚Bienen' nicht absetzen kann noch will. Es ist unsere einzige Premiere, wir müssen sie aufführen, und wenn wir dabei draufgehen, verstanden? Was jetzt not tut, ist etwas methodisches Nachdenken über das Wie."

„Bravo, bravo!" applaudierte Masuroff, der für die große Rolle der ersten Drohne verpflichtet war. Lazar setzte sich auf; wimmernd wie ein krankes Kind, die Ellenbogen auf die Knie und den Kopf in die Hände gestützt, unterwarf er sich den Qualen methodischen Denkens.

„Auf jeden Fall müssen wir die Premiere mindestens eine Woche verschieben, und bis dahin mag Gabri schon wieder auf dem Damm sein", unterbreitete McGuire verständig, und nun brach Olivia tatsächlich in Geschrei aus. „Halt's Maul, Iris, halt's Maul, mach mich nicht verrückt", schrie sie, und hastig ins Telefon: „Nein, nein, entschuldigen Sie, Dr. Peel, ich redete nicht mit Ihnen ... Rowly, hör auf, hier wie eine hysterische Gans herumzuflattern, versuche nochmals Gwendolyn zu erreichen, was ist ihre Nummer? Und du, Iris, wir werden nicht verschieben, hörst du, was ich sage? *Wir – verschieben – nicht!* Die Premiere bleibt wie vorgesehen."

„Ich meinte bloß, daß Tanja möglicherweise Gabris Lungenentzündung zu tragisch nimmt. Wir kennen doch Tanja. Sie macht ein großes Theater aus allem. Heutzutage ist eine Lungenentzündung keine große Angelegenheit – ein paar Injektionen, und man hat's los. Ich selbst habe zwei Lungenentzündungen hinter mir – hab's nicht einmal erwähnt", murrte Iris rebellisch, während Rowly beleidigt den Rücken kehrte und Rosa schluchzend das Büro verließ.

„Aber Dr. Peel macht kein Theater her, und er findet Gabris Zustand sehr ernst", beschloß Olivia, und damit stürzte sie sich von neuem in die telefonische Suche nach Gwendolyn.

Gwendolyn hatte Gabrilowas Rolle mitstudiert, und obschon es sonnenklar war, daß man sie unmöglich die Partie der Primaballerina in der Premiere tanzen lassen konnte, brauchte man sie doch dringend, um in der heutigen und morgigen Probe auszuhelfen. Aber in dieser Notlage war Gwendolyn einfach nicht zu finden. Das Telefon in ihrer Wohnung antwortete nicht, und keines der Mädchen, die schon im Opernhaus für die Drei-Uhr-Probe versammelt waren, hatte eine Ahnung, wo sie stecken mochte.

Erschöpft legte Olivia die drei Telefonhörer nieder, holte einen Zerstäuber aus der Schreibtischlade und fügte der dicken Kaffeehausluft noch einen synthetischen Tannenwald hinzu. Inzwischen tastete Katja sich durch die aufgeregte Wirrnis zur anempfohlenen Klarheit methodischen Denkens. „Ist Gabri ins Krankenhaus gebracht worden?" fragte sie Bagoryan.

Nein, in ihrem Fieber und jammervollen Zustand hatte Gabri sich mit einem so verschwenderischen und gefährlichen Aufwand an Energie dagegen gewehrt, daß der Arzt nachgegeben und sie in ihrer Wohnung, wenn auch unter einem Sauerstoffzelt, belassen hatte. „Unsere große Königin des Balletts ist eben im Grunde noch immer eine primitive russische Bäuerin", war Elkans Kommentar. Vorläufig hatte Tanja die Krankenpflege übernommen. Tanja Stepanowa, ein Überbleibsel aus der zaristischen Zeit des Marijinsky Balletts, stand zur Gabrilowa etwa in einem ähnlichen Verhältnis wie Louise zu Katja (und vielleicht auch in einer subtil-lesbischen Alten-Damen-Weise noch anders und näher).

„Aber wer hält Tanjas Kinderklassen? Und wieso bist du noch hier, Mirko, anstatt bei deiner Probe in der Oper?" fragte Katja. Es war sechs Minuten nach drei.

„Befehl der Höchstkommandierenden. Es scheint, daß ich hier nötig bin, bis alles geregelt ist, meine Süße", erwiderte Bagoryan mit ein wenig Verdrossenheit hinter der liebenswürdigen Fassade.

„Ja. Gewiß. Aber *ich* bin hier ganz überflüssig", sagte Katja ungeduldig. Es war ihr plötzlich, als hörte sie den kleinen Guy unter dem Bohrer des Zahnarztes wimmern. „Ich sehe wirklich nicht ein, wozu ihr mich hierhergehetzt habt . . .", begann sie; ich habe wichtigere Dinge zu tun, wollte sie noch sagen, doch ein unerwarteter Sturm von Schnellfeuer-Französisch seitens Alouettes unterbrach sie.

Alouette hatte auch keine Zeit, hier herumzusitzen, *mon Dieu,* ihr Atelier arbeitete Tag und Nacht, vierundzwanzig Stunden in Schichten, um die Kostüme für die Generalprobe fertigzukriegen (als ob Ballettkostüme schon jemals zur Zeit fertig gewesen wären!), und wozu ließ man sie hier warten, wo sie doch so absolut und unbedingt im Atelier gebraucht wurde? Hier handelte es sich doch nur um *eines:* Sollte sie Madame Milenkaja Maß nehmen für die Kostüme der Bienenkönigin?

Nachdem sie so die Katze aus dem Sack gelassen hatte, war es plötzlich totenstill im Zimmer, und in diesen Sekunden der betroffenen Stille kam das rhythmische Klaviergeklimper der Kinderklasse dünn über den Hof getrippelt.

„Geben Sie mir bitte noch ein paar Minuten, Alouette, ich bin noch gar nicht dazugekommen, diese Sache mit Madame durchzusprechen", hauchte Olivia in tiefer Verlegenheit, ein Zustand, in dem sie sich nur äußerst selten befand. Jetzt aber, in diesem kritischen Augenblick, entwand Lazar sich seinen Qualen. „Jawohl, Katinka, so steht die Sache: Du mußt die Bienenkönigin übernehmen", forderte er mit überraschender Festigkeit.

Seit dem dringenden Anruf im Bistro hatte Katja gewußt, daß es dazu kommen würde, und sie hatte im vorhinein den Triumph gekostet, der darin lag, eine Rolle abzulehnen, für die sie Jahre ihres Lebens gegeben haben würde, hätte man sie ihr von Anfang an zugeteilt. Doch nun rann ein Schauer zwischen ihren Schulterblättern hinab, und sie erbleichte.

„Was für ein Unsinn", sagte sie, es klang schwächlich, „du weißt, daß ich diese Rolle nicht in einer Woche lernen kann."

Auf einmal hatte Masuroff sich über Olivias Schreibtisch geschwungen und war vor Katja hingekniet. „Niemand als Sie, Madame, niemand als Milenkaja kann es tun", rief er aus. Er fing ihre beiden Hände ein und küßte sie mit seinen vollen, heißen, feuchten Lippen, und dazu murmelte er in seinem slawisch-weichen Französisch, daß sie *magnifique* sein würde, *ravissante!* Katja schaute erstaunt auf ihn herab, auf das Dschungel seiner glänzenden schwarzen Haare, den starken Nacken, die schöne Kraft seiner Schultern.

Masuroff war der einzige ausgesprochen männliche Tänzer weit und breit, der die Rolle des Siegers im Wettkampf um die Bienenkönigin auszufüllen vermochte. Er war ganz Mann und ein ausgezeichneter Tänzer in der russischen Tradition, ausgezeichnet, wenn auch keiner von den ganz großen. „Hat Feuer, aber kein Herz", sagte der Maestro von ihm. „Nicht wie Grischa Kuprin, aber, helàs, einen zweiten Kuprin wird es nie geben." („... niemand wird je so sein wie Nijinsky", hatte Olycheff zu Grischa gesagt, „niemand, mein Freund, niemand ...")

Wie ein Meteor war Masuroff von den größeren Konstellationen des russischen Balletts abgesplittert und war nun unabhängig, frei, zu tanzen, wo und was er wollte. So war es Olivia gelungen, ihn als Gabrilowas Partner für die „Bienen" einzufangen. Vor langer Zeit, noch unter Diaghileff, war er ihr Partner gewesen, und damals hatte die Liebesaffäre dieser beiden großes Aufsehen gemacht, die *grande passion* der erfahrenen schönen Frau für den naiven schönen Jungen.

Doch jetzt, während die arme Gabrilowa unter ihrem Sauerstoffzelt um jeden Atemzug kämpfte, warb Masuroff mit allen Mitteln um Katja, ließ seine hitzige Männlichkeit auf sie ausstrahlen, seine Kraft, seine Intensität. Sie zu verführen, überwältigen, sie zwingen zu tun, was er von ihr wollte: Die Bienenkönigin auf ihrem Hochzeitsflug zu tanzen, mit ihm als dem auserwählten Sieger.

Ganz unerwartet reagierten Katjas Nerven mit einem wunderlichen Vibrieren, dem süßen Drängen, das sonst nur von dem weiten Raum einer Bühne, geleert für ihr Solo, auf sie überfloß, oder von der atmenden Dunkelheit eines gefüllten Theaters. Es war die Tänzerin in Katja, die reagierte, nicht die Frau – obwohl sie im Moment zu verwirrt war, um ihre Empfindungen zu analysieren. Sie wußte nur, daß sie mit Masuroff tanzen wollte. Sie hatte noch nie mit ihm getanzt, hatte nicht einmal versucht, herauszufinden, welch dunkle russische Intrigen ihn davon abhielten, ihr Partner zu sein. Aber jetzt wollte sie mit ihm, gegen ihn tanzen; es war eine Herausforderung, eine ungewöhnliche Aufgabe, eine *tour de force*. Eine neue Rolle, ein neuer Partner, vielleicht sogar eine neue Entdeckung ihres Ich ...?

Jetzt war da ein Chor, ein wahrer Wasserfall von Stimmen, bittend, überredend, sie bedrängend, und dazu dieser Hochofen von einem Mann, der noch immer zu ihren Füßen kniete. Sie hatte ein wenig zu zittern begonnen, aber sie sagte noch immer: „Nein, nein, wirklich nicht, ich will nicht, ich kann das nicht, es ist unmöglich!" Während die andern darauf bestanden: „Doch, doch, doch, du kannst es, du bist die einzige, die es tun kann. Sie müssen ja sagen, Madame ... Du darfst uns nicht im Stich lassen, Kati, Katuschka, Katinka, Liebling, Schatz, meine Süße, *mon ange* ..."

„Warum versucht ihr's nicht mit Joyce? Die kennt zumindest das Ballett, sie war auf allen Proben. Ich bin sicher, sie würde sich die Beine ausreißen für die Rolle."

„Unmöglich. Joyce kommt gar nicht in Frage. Sie wird ein gutes Honigbienchen tanzen, aber sie würde eine Karikatur aus der Königin machen", protestierte Bagoryan. Und Lazar warf ein: „Sie ist einfach nicht der richtige Typ – viel zu jung für die Rolle."

Das irritierte Katja, und Masuroff machte alles noch schlimmer. „Für Sie, Madame, es wird leicht sein, ich schwöre, ich arbeite große *pas de deux* mit Ihnen, fast gleiches *pas de deux* wie in ‚Metamorphosen'. Sie tanzen es so oft; *malheureusement* ich hatte nie die Ehre und das Vergnügen, es mit Milenkaja zu tanzen, aber ..."

Mit einem Tritt auf seine Zehen, einem Ellbogen in seine Rippen und einem vollen Glas Cognac verhinderte Lazar den Tänzer, alles zu verderben. Katjas Gesicht war in ein leeres Lächeln gefroren: Das große *pas de deux* in „Metamorphosen" war ihr letzter Tanz mit Grischa gewesen. Der tragische Unfall war am Ende jenes Tanzes geschehen und verfolgte sie noch immer in ungezählten Alpträumen. Nie wieder, in all den Jahren seither, hatte sie dieses *pas de deux* getanzt, das Grischa getötet und ihr eigenes Leben zerbrochen hatte.

„Bedaure ...", sagte sie mit plötzlich vertrockneter Kehle, „ich kann es nicht auf mich nehmen. Also Schluß damit."

Das Zimmer hielt den Atem an. Katja griff nach ihrer Handtasche und wandte sich zum Gehen, aber sie spürte dunkel, daß es ein schwacher Abgang war, auf den kein Applaus folgen würde. Bagoryan war aufgesprungen, aber Olivia hielt ihn mit einer Hand zurück, während sie mit der andern schon den Telefonhörer aufnahm. „Gut. Wenn du Angst vor der Rolle hast, dann will ich dir nicht zureden, meine Liebe", sagte sie mit einer Kälte, von der nur Elkan wußte, wieviel napoleonische Beherrschung und Berechnung darin lag. „Wir können uns nicht noch so einen Durchfall leisten wie mit dem ‚Narrenhaus'. Bagoryan, Sie müssen eben die Rolle ein wenig auf Joyce Lyman zuschneiden und sofort mit ihr daran zu arbeiten anfangen. Du hast ganz recht, Katja: Joyce wird es ausgezeichnet machen. Sie ist zu jung, Lazar? Wann war Jugend je ein Fehler bei einer Ballerina?"

Dann hörte man wieder das Klavier aus der Kinderklasse in einen Moment der Verblüffung hineinklimpern; und dann legten Katja ihr Handtasche und Olivia den Telefonhörer nieder: Der Kampf war ritterlich erledigt.

Zehn Minuten später befand sich Bagoryan auf dem Weg zu seiner Probe in der Metropolitan, wo Gwendolyn indessen, wenn auch verspätet, eingetroffen war, und Lazar hatte sich zur Arbeit mit Katja in den Musiksalon im zweiten Stock zurückgezogen. Dies war ein eindrucksvoller Raum, dessen Täfelung und Möbel der verstorbene Latham komplett aus einem französischen Château des 17. Jahrhunderts importiert hatte; ein würdiger Hintergrund für Komiteesitzungen und Empfänge, ebenso wie für die unvermeidlichen Darbietungen der Kinderklassen am Schluß des Schuljahres. Die Beleuchtung war sanft, die Stimmung angenehm, der Salon geräumig. Katja streckte sich auf dem dünnen Aubusson-Teppich aus, und mit dem Stirnrunzeln äußerster Konzentration begann sie, Bagoryans Regiebuch zu studieren.

Die Fassade des Bienenstocks, wie sie. Ins Phantastische stilisiert, so daß sie einem der sterilen modernen Bürohäuser ähnelt. Die vorherrschenden Farben: Schattierungen vom lichten, transparenten Gelb von Bienenwachs bis zum tiefen Gold des Honigs. Dieser Vorhang oder Schleier, zusammen mit dem Summen und Schwirren der Musik, bestimmen den satirisch-phantastischen Stil des Balletts . . .

Am Klavier summte und schwirrte Lazar die Einleitung, und Katja las ungeduldig die nächste Seite.

Am Flugloch sammeln sich die zur Arbeit kommenden Bienen (corps de ballet) in Kreisen, dichten Gruppen, kontrapunktischen Bewegungen, als eine Arbeitsschicht die andere ablöst . . .

„Hm", machte Katja. Das Corps des Manhattan Balletts bestand aus sechzehn Mädchen und acht Burschen, und wie diese paar Leutchen es zustande bringen sollten, kontrapunktisch-dichte Scharen vorzutäuschen, war fraglich. Manchmal, wenn Katja die dünnen, unpräzisen Reihen amerikanischer Ballettgruppen betrachtete, hatte sie Heimweh nach den verschwenderischen Corpsmassen, den vier Quadrillen, der militärischen Exaktheit der großen europäischen Opernballette.

„Wo fehlt's?" fragte Lazar, dessen Rückenwirbel es spüren konnten, wenn Katja unzufrieden war. Ach, du lieber Himmel, so stand es eben mit ihm. Zu viele Jahre hatte er nur für sie komponiert und arrangiert, sein Talent nach ihrem Geschmack zugestutzt, sich nach ihrer Kritik gerichtet, hatte sie zur Quelle seiner Rhythmen, Inspirationen und Einfälle gemacht. Seine Nerven waren auf die ihren eingestimmt: „Wo fehlt's?"

„Nein, nichts, es ist gut, spiel nur weiter."

„Jetzt ein Tschinellenschlag, Vorhang auf, und wir sind im Bienenstock. Geht's dir ein?"

Katja nickte; es ging ihr ein. Es war witzig und ein bißchen traurig, wie es sich für ein Ballett gehört. All diese fleißigen Arbeitsbienen in ihren amüsanten, aber völlig unterschiedslosen Kostümen. „Sag doch, wie kann man andeuten, daß Arbeitsbienen geschlechtslos sind?" fragte sie.

„Nicht nötig. Ballettmädels sind von Natur aus asexuell", bemerkte Lazar leichthin; seine Finger holten allerhand Brillantes aus den Tasten; Telefone schrillten, die endlosen Papierschlangen der Börsenberichte entrollten sich zu der orientalischen Flötenmelodie eines Schlangenbeschwörers, unsichtbare Rechenmaschinen klapperten auf Xylophonen, und hinter den durchsichtigen Wänden strömte unaufhörlich das honigsüße Gold. „Warte nur, bis du die Dekorationen siehst! Daniel hat sich selbst übertroffen", verhieß Lazar.

„Wie macht er's denn? Mit der Beleuchtung? Projektionen?"

„Du wirst schon sehen. Hör zu – hier öffnen sich die Wände, und wir sind in der Kinderstube der Bienen – hörst du zu? Ich glaube, das ist mir gelungen. Ein Wiegenlied. Ganz lyrisch."

„Aber wann kommt denn die Königin?" Katja wurde ungeduldig. „Ist es nicht höchste Zeit für ihren Auftritt?"

„Aber nein. Das heben wir uns für einen enormen Höhepunkt auf – mach dir keine Sorgen, mein Herz, du kriegst noch so viel zu tanzen, daß dir die Zunge bis auf die Zehen hängen wird."

„Los, los, überspring doch das Zeug bis zu meinem Auftritt!"

„Kommt ja gleich! Aber zuerst muß ich doch die Drohnen auf die Bühne bringen, die Bienenmänner. Das sind große, breite Kerle, sehen aus wie ein Football-Team. Nichts interessiert sie als Essen, Saufen, Schlafen und, natürlich, Sex – personifiziert in der Gestalt der Königin. Jetzt paß auf: Fanfaren, Trompeten, Posaunen, der letzte goldene Vorhang öffnet sich: und da bist *du*. Die Bienenkönigin. Das Weib per se. Die einzige Frau zwischen all den emsigen, beschäftigten, frigiden, geschlechtslosen Arbeitsbienen."

Katja richtete sich auf, plötzlich vollwach, zitternd lebendig. Sie schloß die Augen, um sich selbst als Königin zu sehen, vage zuerst und dann in immer klareren Umrissen. Das Regiebuch, wie üblich mit leeren weißen Seiten durchschossen, kam der Vision zu Hilfe. Sie ist ganz Weib, Verführung, inkarnierter Sex, las sie. Eine reife, beinahe überreife Frau; reiche Brüste, schwellende Schenkel, schwingende Hüften, der lockende Gang einer Hure. Vulgär und unwiderstehlich, eine Parodie auf die abscheulichen altmodischen Salomes und Dalilas der Bühne. Vier Hofdamen schmücken sie mit all den weiblichen Attributen für ihren Hochzeitsflug; Federn und Pleureusen, Pelze, Juwelen, Parfüms. Daneben hatte Bagoryan seine Ideen für das Kostüm der Königin skizziert, und Katja lachte leise, als sie Philipp Daniels' dazugekritzelte kühne Verbesserungen und Vorschläge für Stoffe und Farben erkannte. Sie hatte Daniels' Handschrift gekannt, wie seine Buchstaben noch einen stürmischen Schwung nach oben hatten; jetzt aber sackten sie müde ab, beladen mit den Depressionen des Gewohnheitssäufers. Armer Daniels, lieber bedauernswerter alter Freund, du großes, verzetteltes Talent, du . . .

Im übrigen war die Seite mit Bagoryans Tanzschrift vollgekritzelt: Kreise, Spiralen, winzige Angelhaken für die Schritte. Saubere, persönliche Hieroglyphen, die Katja zu lesen verstand, denn Mirko hatte ihr einst seine ersten Experimente mit dieser Schrift gezeigt. Ein junger, ehrgeiziger, enthusiastischer Bagoryan, voll der feurigen Hoffnung, große Dinge für den Tanz zu tun, große, völlig neue, unerhörte Dinge – Katja schüttelte die Erinnerung ab. Das ist es eben, dachte sie dunkel, wir alle kennen einander zu lange und zu genau. Zwischen uns gibt es keine Überraschungen mehr. Ich wollte, es würde einmal etwas Neues passieren, etwas ganz anderes.

Zum Beispiel?

Zum Beispiel: Katja Milenkaja, die schwebende, die edle, die lyrisch-romantische Tänzerin, in dieser komischen, unmöglichen, verhurten Rolle.

Sie begann auf und ab zu rennen, in der Diagonale von einer Ecke zur andern. Lazar spielte weiter, griente verstohlen auf die Tasten nieder. Sie hat angebissen, dachte er. In seinen sensitiven Rückenwirbeln spürte er, wie sie sich bewegte, den aufreizenden Gang der Königin versuchte, still stand und die Hüften kreisen ließ, ein Bein mit gestrecktem Knie in die Luft stieß, so hoch sie konnte, genauso, wie die verführerischen Tänzerinnen auf drei- und viertausend Jahre alten ägyptischen Fresken es taten. Die Musik hielt sie fest in dem magischen Zirkel, und Katja gab sich ihr hin, Katja tanzte . . .

„Telefon für Madame", sagte Louisa, die glückliche Improvisation unterbrechend. Lazar hörte mit einem ungarischen Fluch zu spielen auf, und Katja schrie: „Schau, daß du 'rauskommst. Siehst du nicht, daß ich arbeite? Wirst du nie lernen, was . . ."

„Es ist Ihr Mann, er will Sie sprechen."

„Also, ich kann nicht – nicht jetzt. Warte – sag ihm – sag ihm, er soll herkommen."

„Gut, Schätzchen. Mit dem Wagen?"

„Ja, ja doch, mit dem Wagen! Jetzt schau, daß du 'rauskommst, mach mich nicht verrückt . . .!"

„*Okay, okay*", sagte Louisa, sich hastig zurückziehend. Madame bei der Arbeit war ein völlig anderer Mensch als das gütige, freundliche, oft kindliche Geschöpf, das sie sonst kannte. Louisa seufzte ein wenig. Freilich, ich weiß ja, wie das ist. Sie erinnerte sich ihrer eigenen Vergangenheit in Varietés und Nachtklubs. Als ob ich meinen Lou nicht angeschrien hätte, wenn wir an einer neuen Nummer arbeiteten.

Katja indessen riß sich scharf zusammen, aufgestört durch einen abrupten Wechsel der Musik. „Was soll das sein? Ich muß doch wohl nicht *rock'n'roll* tanzen? Pfui Teufel!"

„Immer sachte, mein Liebchen. Dieser Tanz geht dich nichts an. Das ist Lymans Solo – das Honigbienchen."

Etwas außer Atem, wandte Katja sich wieder dem Regiebuch zu. „Das Geheimnis der Bienen" hatte Bagoryan neben einem Zeitungsausschnitt notiert, der in die nächste Seite geklebt war.

„In jeder Bienengemeinde gibt es einige Suchbienen, die in der Umgebung nach Blumen suchen, die besonders viel Nektar enthalten. Die Suchbiene kehrt zum Bienenstock zurück und berichtet die gute Neuigkeit ... in Form eines stilisierten Tanzes. ... Sie trippelt mit schnellen Schritten in engen Kreisen, nach rechts und links, und bringt die Arbeitsbienen in helle Aufregung ... Sie sammeln sich um die Tänzerin, berühren sie mit ihren Antennen ... erfahren so, welchem Duft sie zu folgen haben ... Jede Bewegung des Tanzes hat seine Bedeutung ... wenn die Sucherin am gleichen Fleck tanzt, erst nach rechts, dann nach links wirbelnd, erzählt sie den andern Bienen, daß die Honigquelle nahe beim Bienenstock ist ... um weitere Entfernungen anzugeben, tanzt sie einen anderen Tanz ... Sie schwänzelt und tänzelt vor und zurück, wiegt ihren Leib, dreht sich herum ... Je schneller das Tänzeln und Schwänzeln und Drehen und Wiegen wird, desto ..." *

Und hier war der Ausschnitt zu Ende, und eine choreographische Skizze des Tanzes begann.

Viel deutlicher, als Katja sich selbst als Bienenkönigin sehen konnte, war die Vorstellung, wie die junge Joyce Lyman mit diesem funkelnden Stückchen Übermut die schwelgerischen Vorbereitungen zum Hochzeitsflug ad absurdum führte. Joyce würde sehr gut sein in dieser Rolle, mehr als das: außergewöhnlich gut, hinreißend. So gut, daß sie ihren Tanz wiederholen mußte. Katja konnte schon den Applaus, die Bravo- und *Bis-Bis*-Rufe hören. So geschickt und effektvoll war Joyces Tanz placiert, daß er unbedingt eine solche Beifallsdemonstration einlud. Eine Nummer wie diese war es, die eine junge Balletteuse über Nacht zum großen Star machen konnte, und Joyce würde unvergleichlich darin sein. Schön, meinen Segen hat sie, ich bin die letzte, ihr diese Chance zu mißgönnen. Also, Katja, sei nicht so scheinheilig, sei einmal ganz ehrlich. Ganz ehrlich, Hand aufs Herz, ich wünsche Joyce so viel Erfolg wie möglich, sie ist ein nettes fleißiges Mädel, und sie ist durch eine harte Schule gegangen, bevor sie's so weit brachte. Sicher – aber ich auch; wir

* Siehe: *Das Leben der Bienen*, von Professor Karl von Frisch · Reihe Verständliche Wissenschaft, Springer-Verlag, Berlin · Göttingen · Heidelberg.

alle haben's nicht leicht gehabt. Es ist bloß – bloß, daß ich beide Rollen tanzen möchte; das ist doch ganz natürlich, oder nicht? Also laß mal sehen – sagte sich Katja, vertieft in Mirkos Hieroglyphen; hier haben wir's: das unabhängige moderne Mädel, jung, unsentimental, ein bißchen scharf, unruhig, nervös, ehrgeizig. Und dagegen die Königin, die unsterbliche Maîtresse, das lässige, verwöhnte Weibchen, ihrer Reize so verdammt sicher – wie ich es niemals war. Ach was, vergiß dein Privatleben. Hier ist eine große Rolle. Kannst du sie tanzen? Kannst du eine Mae West auf Zehenspitzen hinstellen? Joyce den Donner stehlen? Wer sagt, daß sie unvergleichlich sein wird? Wenn ich sie in dieser Szene nicht schlagen kann, bin ich kein altes verlatschtes Paar Ballettschuhe wert.

„Und jetzt der Hochzeitsmarsch", sagt Lazar am Klavier. Katja rennt von Ecke zu Ecke, sie geht nicht, sie rennt. Gut. Sie hat angebissen, denkt Lazar; er kennt Katja in den Konvulsionen der Empfängnis. Und ebenso die Leiden ihrer Schwangerschaften und Geburtswehen, bis ein neuer Tanz, eine neue Rolle auf die Welt gebracht wird. Diesmal wird sie verflucht wenig Zeit zum Austragen haben, denkt er vergnügt und läßt seine Finger in das Crescendo donnern, das die Tore für die Königin und ihre schwärmenden Männchen öffnen wird.

„Von hier an gehört die Bühne dir, Katinka. Ein Ensemble mit allen Burschen, dann ein *pas de quatre*, wenn du einen nach dem andern ausprobierst, bis sie es aufgeben, erschöpft hinsinken, besiegt davonkriechen. Jetzt ein Trommelwirbel: Auftritt des Mannes, des Stärksten, des Auserwählten. Dein großes *pas de deux* mit Masuroff. Seine Kraft trägt euch höher und höher, bis er in der letzten Umarmung, dem Höhepunkt, mitten im Geschlechtsakt, sozusagen, getötet wird. Von dir, mein Liebchen."

Lazar wendet sich ihr zu; er hat keine Augen, nur die zwei hellen Reflexe in seiner Hornbrille. Seine großen Affenhände – Pianistenhände – hängen schlaff zwischen seinen Knien. „Und wie haben Ihre Majestät sich entschieden?"

„All right. – Ich – ich will's versuchen. Es ist fast unmöglich, die Rolle so schnell zu erlernen, aber . . ."

Was Katja endgültig bestimmte, das Wagnis auf sich zu nehmen, war die Szene, in der sie Joyce Lyman schlagen wollte. Ihr Leben lang war dies die treibende Kraft gewesen: die höchste Hürde zu nehmen. Die schärfsten Bedingungen in ihrem Duell mit dem Leben zu akzeptieren, keine Herausforderung unbeantwortet zu lassen.

„Ich muß mit Mirko sprechen; er wird ein paar Änderungen machen müssen, ich bin . . . es ist ein hirnverbranntes Risiko – aber –: Jawohl, ich will's versuchen."

„Gut, los. Wenn wir uns eilen, treffen wir ihn noch beim Probieren."

„Du, geh voraus, sag Mirko, ich komme zur Met, sobald ich kann."

„Warum nicht sofort? Von jetzt an zählt jede Minute."

„Ich weiß. Aber Ted kommt hierher. Ich muß auf ihn warten, muß es ihm schonend beibringen."

„Wer ist denn das wieder?"

„Aber Liebling! Ted! Mein Mann!"

„Mein Gott, natürlich. Verzeih – ich vergesse immer, daß du verheiratet bist. Eine meiner wichtigsten Verdrängungen", sagt Lazar, nach seinem Mantelärmel angelnd. „Warum gibst du Louise nicht ein paar Zeilen für ihn? Kannst ihm bei Nacht telefonieren und die Sache erklären."

Das ist eine Versuchung, gegen die Katja schon einige Minuten kämpft. Ihm ein Wort schreiben. Der einfachste Ausweg. „Nein", entscheidet sie, „er wird mir's ohnedies sehr übelnehmen."

„Schön. Aber mach's kurz." Lazar stopft seine Noten in seine große Aktentasche. Ein elegantes und teures Geschenk, als Katja sie für ihn kaufte, aber nun ermüdet im Dienst vieler Jahre, immer überfüllt mit Klavierauszügen, Büchern, Orangen, Hemden zum Wechseln während verschwitzter Proben. „Sandy – es ist eine aufregende Musik", sagt Katja, als er schon bei der Tür ist. „Ich glaube, es ist das Beste, was du je geschrieben hast."

„Wahrhaftig? Wieso kann ein dummer kleiner Heuschreck wie du das beurteilen?" sagt er, und dann kommt er nochmals zu ihr zurück, ein magnetischer, magerer Mensch mit einem großen dunklen Gesicht, großen Händen, knotigen Gelenken, zerbissenen Nägeln. „Du hättest doch lieber mich heiraten sollen, Katinka", sagt er. „Alles wäre viel einfacher. Wir hätten den gleichen Stundenplan und brauchten einander nichts schonend beizubringen. Jetzt würden wir, zum Beispiel, in einem Taxi miteinander zur Oper fahren, anstatt für ein zweites extra zahlen zu müssen. Wirklich, du hättest mich heiraten sollen anstatt deinen Mann."

Katja lächelte ihn an. Diese galanten kleinen Lüftchen, lang nachdem die großen Stürme vorbei sind. „Nein, Sandy. Ich glaube nicht. Es wäre nicht einfach gewesen mit uns."

„Nun – vielleicht nicht", sagt Lazar. „Also auf bald, ja?" und verschwindet.

„Komm, komm, mach nicht so ein Theater her", sagte Katja zu Ted, der sie zum Opernhaus fuhr. Ihre Haut prickelte vor Ungeduld, der Fünf-Uhr-Verkehr verstopfte alle Straßen, Ted war ein schlechter Stadtfahrer, und Katja wollte die Sache nicht noch schlimmer machen, indem sie sich selbst ans Steuer setzte.

„Ich mache gar kein Theater. Ich sage bloß, daß du dich unfair benimmst gegen mich und auch gegen den Kleinen."

Katja erhaschte durch den Spiegel einen Blick von Guy, der erbittert hinten im Wagen saß. Aus purem Trotz hatte er den Sicherheitsgürtel aufgemacht und klemmte seine zu kurze Oberlippe über die zu großen Vorderzähne.

„Tut's weh, Kasperl?" fragte sie; es war ein Versuch, das Kind bei einem seiner vielen Kosenamen zu erreichen. Guy schüttelte nur den Kopf. „Erzähl mir doch, hat der Doktor dir weh getan?" versuchte sie nochmals. „Nein, gar nicht", erwiderte er verdrossen. Noch immer böse auf mich, dachte Katja, und dabei weiß er noch nicht einmal, daß ich nicht nach Hause mitkomme. Himmel Herrgott, aber ich muß mich jetzt konzentrieren. Wenn ich's je nötig hatte, mich zu konzentrieren, dann ist es jetzt. Vor allem mit Mirko reden, diese Änderungen verlangen. Er muß die ganze Nacht mit mir durcharbeiten, morgen den ganzen Tag und Sonntag auch, wenn ich für die Bühnenprobe am Montag einigermaßen bereit sein soll. Oh, *mon Dieu*, und alle die Kostüme anprobieren und das Fotografiertwerden und alle die Reklamegeschichten ... „Ja? Was sagst du, mein Liebes?"

„Du wirst dich entscheiden müssen, was dir wichtiger ist: unsere Ehe, unser Leben – oder dieser ständige Wahnsinn – diese gottverdammte Irrenanstalt von einem Manhattan Ballett!"
Er brachte den Wagen an der Straßenkreuzung mit einem Ruck zum Stehen. „So geht's mit uns nicht weiter. Du kannst dich nicht für immer zwischen mir und dem Theater teilen."
„Red keinen Unsinn, ich teile mich nicht, vielleicht wär's besser, wenn ich das könnte. Wenn ich bei dir bin, dann bin ich ganz bei dir. Aber wenn etwas so Wichtiges wie diese Rolle passiert, dann muß ich eine Tänzerin sein und eine verflucht gute Tänzerin, nichts als eine Tänzerin. Während du ..."
„Aha, jetzt bin ich noch an allem schuld? Sprich dich nur aus. Was wolltest du sagen?"
„Daß ich ja doch nur eine Hälfte von dir besitze, die andere Hälfte ist immer weit weg, in deinem Laboratorium. Was zu mir nach Hause kommt, ist ein müder, geistesabwesender halber Mensch. F. S. H. Chemicals vielversprechender Doktor Marshall. Wenn du das fair nennst."
„*All right.* Ich bin ein Mann. So steht's durchschnittlich mit jedem Mann."
„Dann kann ich nur um Verzeihung dafür bitten, daß ich nicht so bin wie jede durchschnittliche Frau", erwiderte Katja mit Schärfe. Es war eine der häßlichsten Streitigkeiten in all den Jahren ihrer höflichen Ehe, und es hatte im gleichen Augenblick begonnen, da Katja ihrem Mann die üble Neuigkeit beibrachte – so ausgezeichnet diese Neuigkeit auch von ihrem Standpunkt aus war. Auf dem Wege vom Latham-Haus bis zu dieser verwünschten Straßenkreuzung, an der sie noch immer steckten, waren alle möglichen Überreste alter Zwistigkeiten ausgegraben worden.
„Warum schimpft sie mit dir, Ted? Was will sie denn von dir?" fragte ein höchst unglücklicher kleiner Junge vom Rücksitz des Autos.
„Da haben wir die Früchte deiner zweisprachigen Erziehung", brummte Ted. „Andere Eltern können ihre Brut von der Konversation ausschließen, indem sie sich in schlechtem Französisch streiten; aber nicht wir, nicht mit diesem kosmopolitischen kleinen Monster da hinten."
Katja mußte lächeln. „Andere Eltern", hatte Ted gesagt. Es war komisch, daß sie beide an Guy als an ihr eigenes Kind dachten. Wie

warm und selbstverständlich Ted den Kleinen ins Herz geschlossen hatte, ihn aufzog, erzog, wie väterlich er das Kind während ihrer Abwesenheit behütete. Sie liebte ihn für dieses Gefühl des Geborgenseins, das von ihm ausging. Es war eine saubere Klarheit in ihm und männliche Kraft in seiner Zuverlässigkeit. Mann, mein Mann. „Ted", sagte sie, nach seiner Hand tastend, „laß uns nicht streiten. Laß uns gut zueinander sein, ich bitte dich, Ted. Versuche zu verstehen, was für mich auf dem Spiel steht."

„Du bist's, die nicht versteht. Ich brauche dich, Kate, du weißt, wie nötig du mir bist, jetzt, immer. Ich habe so sehr auf dein Nachhausekommen gewartet, und wenn's auch nur für ein kurzes Wochenende war. Und nun kommst du also nicht. Ich bin nicht sicher, daß ich's noch lange aushalten kann zu warten", sagte Ted. Katja versuchte, in seine Augen zu blicken, es hatte so verzweifelt geklungen, aber in der frühen Dämmerung hing da nur die bleiche und verwischte Fläche seines Profils. Es hatte wieder zu regnen begonnen, Ted stellte die Wagenlichter und die Regenwischer an. Wünsche – Wünsche – Wünsche – wisperten sie.

„Kommt sie nicht nach Hause, Ted? Sagt sie, daß sie nicht mit uns geht?" fragte Guys brüchige Kinderstimme.

„Nein! Nein, sie kommt nicht nach Hause! Und hör auf, mit deinen dreckigen Schuhen gegen meinen Sitz zu trommeln", brüllte Ted, seine Enttäuschung hatte sich in Wut gewandelt, die nach der falschen Richtung explodierte. Katja sagte schnell: „Schau, Ted, schau, Kasperl, es ist ja nur eine Woche, es ist wirklich nicht wert, solchen Krach zu schlagen. Heut haben wir Freitag, die Premiere ist nächsten Freitag, zweite Vorstellung am Sonnabend. Und dann komme ich heim, ob lebendig oder tot – abgemacht?"

Darauf kam keine Antwort, nur wieder ein stoßweiser Halt, der Katja gegen das Schaltbrett warf. „Gib doch acht. Oder willst du mir vielleicht ein paar Rippen brechen, damit ich nicht tanzen kann?"

„Bin nicht schuld dran", knurrte er nur.

„Hör doch, Ted, bitte hör mir zu. Ich hab' noch nicht für die Sommer-Tournee unterschrieben; soll ich Olivia gleich jetzt sagen, daß sie nicht auf mich rechnen kann? Daß ich ihr in diesem scheußlichen Durcheinander nur unter der Bedingung aushelfe, daß ich mir nachher gute lange Ferien vergönne? Soll doch die Truppe ohne mich in jedem Nest zwischen hier und San Franzisko auftreten! Oder von mir aus, laß sie Mr. Bender bis nach Italien nachrennen – oder nach Hollywood –, was kümmert's mich? Katja bleibt zu Hause. Sechs Wochen, Ted, sechs wundervolle lange Faulenzerwochen daheim. Und weißt du was? Wir schicken die McKenna auf Urlaub, und ich koche für euch und tue alles – du brauchst gar kein Gesicht zu schneiden, ich bin eine sehr gute Köchin, erinnerst du dich nicht?" In ihrer Hast, ihn zu beschwichtigen, machte sie einen vielleicht voreiligen, aber wahrhaft monumentalen Vorschlag. „Sechs Wochen, Ted – vielleicht sogar länger. Vielleicht gehe ich nachher nicht einmal nach Südamerika mit der Truppe. Also, was sagst du dazu?"

Ted sagte gar nichts. Er schwang den Wagen hart um die Ecke, sein Gesicht war noch immer abgewendet. Reklamelichter, weiß, grün, gelb, rot, schwammen ihnen entgegen. Schon wieder eine Kreuzung, schon wieder ein Stopp, nervenzerreißend. Er ließ das Steuerrad los und zündete sich eine Zigarette an.

„Ted, hörst du mir denn nicht zu? Sieh mich doch an, Ted...", bettelte Katja. Er sah sie an, mit einem verkrampften kleinen Lächeln, und dann ließ er die Hände sinken mit einer resignierten Gebärde, so, als ließe er etwas fallen, das er zu lange festgehalten hatte. „Ist schon gut, Kate. Ich hör' dir zu. Ich seh' dich an. Es hilft nichts. Ich glaube dir nicht mehr; du wirst die Tournee nicht mitmachen? Das meinst du jetzt. Morgen wirst du dir's überlegt haben – oder nach deiner Premiere. Ich hab' das zu oft mitgemacht. Ich nehme an, du kannst nicht anders. Du versprichst mir's? Du großer Gott, Kate, du und deine Versprechungen..."

Plötzlich schob sich Guys gespanntes Gesichtchen zwischen die beiden. „Recht geschieht ihr, Ted, glaub ihr kein Wort, sie lügt doch nur, jawohl, du lügst, du hältst nicht, was du versprichst, du redest nur davon, und dann tust du's nicht! Du bist schlecht, eine schlechte böse Hexe bist du!" schrie er in seinem mitleiderregenden Diskant, der jedoch in diesem Augenblick Katja bis zur Unerträglichkeit irritierte. Es war eine brennende Beleidigung, daß Ted das ungeheure Opfer, zu dem sie bereit war, abstreifte wie ein bißchen Staub. Sie war tief verletzt, ihr war zum Ersticken, zum Explodieren. „Du halte den Mund, Guy, und setz dich, wie es sich gehört", befahl sie mit schriller Schärfe, doch mit der Disziplin, die sie gelehrt hatte, Szenen um jeden Preis zu vermeiden, brachte sie ihre Stimme rasch in ihre Gewalt. Guy aber setzte sich keineswegs, wie es sich gehörte. „Ich mag dich nicht, aber schon gar nicht!" schrie er, riß seine Pistole aus dem Halfter und zielte auf sie. „Jetzt schieß ich dich tot – ganz tot..."

„Was dir not tut, junger Mann, ist eine gute Tracht Prügel", sagte Ted ruhig. Die Verkehrslichter hatten gewechselt, die Wagen hinter ihnen brüllten wie die Löwen. Er trat hart auf den Gashebel, und der Wagen schoß mit solcher Gewalt davon, daß er beinahe den Autobus vor ihnen gerammt hätte.

„Zu schade, daß du mich nicht leiden kannst, Kasperl. Ich hab' dich nämlich sehr lieb", sagte Katja. Sie drehte sich ganz herum, um den Kleinen zu beruhigen, und sie versuchte, ihm die Hand auf seinen dünnen Bubennacken zu legen. Aber Guy wollte nicht beruhigt werden. In einem Paroxismus enttäuschter Liebe schüttelte er ihre Hand ab und, noch immer schreiend, daß er sie verdammt noch mal, verdammt umbringen würde, stieß er seine harte kleine Bubenfaust direkt in ihr Gesicht.

Im nächsten Moment und zu ihrer größten Überraschung holte Katjas Hand ganz von selbst aus und landete mit einer schallenden Ohrfeige auf seiner Wange.

Es gab ihr eine Sekunde größter Erleichterung, und dann hielt sie ihren Atem an vor Scham. „Nette Manieren", murmelte Ted. Katja erwartete, daß der Junge in lautes kindisches Geheul ausbrechen würde, aber da rückwärts im Wagen herrschte jetzt eine tiefe, dickköpfige Stille. Nur der windgewehte Regen an den Fenstern, die nervösen Hupen rundherum, das stete Gemurmel der Straße. Nein, so geht's nicht weiter, dachte Katja. Jetzt hab' ich genug.

„Bitte, stopp an der Ecke", sagte sie. „Ich möchte aussteigen."

„Sei nicht verrückt. Es gießt ja."

„Stopp, wenn ich dich drum bitte. Ich geh' zu Fuß, es ist nur ein paar Blocks. Ich brauche frische Luft, oder ich ersticke."

„Okay. Wie Madame wünschen."

Sie griff nach ihren Handschuhen, dem Köfferchen mit ihren Ballettschuhen, Trikots und Bagoryans Regiebuch. Der Regen prickelte mit tausend winzigen Nadeln auf ihren Wangen. „Es tut mir leid, Ted, ich rufe dich heut abend an, nach der Probe", sagte sie; sie stand schon am Trottoir.

„Du hast wohl den Verstand verloren – bilde dir nicht ein, daß ich die ganze Nacht dasitzen werde und auf deinen Anruf warte", antwortete Ted.

Aber dies hörte sie nicht mehr, denn er hatte die Tür zugeschlagen, und der Wagen löste sich vom Trottoir und wurde wie ein Balken im langsamen Strom des Verkehrs davongeschwemmt.

Als Katja durch die eiserne Tür die Hinterbühne betrat, konnte sie, dünn und entfernt, das Klavier hören, übertönt von dem Schlurfen und Tappen der Ballettschuhe, mit den harten Einlagen an den abgestumpften Zehenspitzen, auf denen die ganze Brillanz der Balletttechnik beruhte. Doch sobald sie ihren Weg hinter den Kulissen und über das schwankende Regiebrückchen in den Zuschauerraum gefunden hatte, hörte sie die Musik mit einer lauten und ärgerlichen Dissonanz auf, und die Gruppe stand unbeweglich, in vorgeschriebenen Posen an der Stelle festgenagelt. Sie waren schweißbedeckt auf der kalten, zugigen Bühne, die sich unmeßbar unter dem einzigen grellen Probenlicht hindehnte. Das leere Orchester war ein breiter, schwarzer Fluß, und Lazar sah klein und schmächtig aus, wie er da unten über den Tasten des ausgeleierten, schlechtgelaunten Probenpianos kauerte. Doch als er Katja entdeckte, kam er zu dem Geländer, das den Zuschauerraum vom Orchester trennte.

„Wie geht die Probe? Klappt's nicht?" erkundigte sich Katja.

„Derselbe Mist wie immer: Ich schwöre, dies ist das unwiderruflich letzte Mal, daß ich etwas mit Ballett zu tun habe."

Katja achtete nicht darauf, sie hatte es zu oft von ihm gehört: Sie forschte mit Aufmerksamkeit nach dem Grund der Verstimmung da oben. Ein Teil der momentanen Schwierigkeiten schien darin zu liegen, daß sie in der Dekoration für das erste Ballett der Abendvorstellung probierten. Nicht nur sah die vielgereiste, abgenutzte Barockpracht von „Auroras Hochzeit" in der mageren Beleuchtung äußerst schäbig aus, sondern sie brachte die Gruppenkomposition der „Bienen" aus dem Gleichgewicht, verstellte die Abgänge und verwirrte die

Balletteusen aufs äußerste. An der unbeleuchteten Fußrampe stand Bagoryan mit dem Rücken zum Parkett, unerschütterlich guter Laune wie immer. Seine Hand lag beruhigend auf Joyces Schulter, während er sich leise mit dem Inspizienten unterhielt. Zwischen den Tänzern in ihren schwarzen Trikots war Bagoryan der einzige helle Punkt, denn – wie immer für Bühnenproben – er hatte den schwarzen Sweater gegen eine Art weißen Chirurgenkittel vertauscht. Doch nun verschwand der Inspizient mit Joyce in die Kulisse, und gleich darauf wurde Auroras Thron beiseite geschoben, um Raum für den übermütigen Auftritt des Honigbienchens zu schaffen. Lazar schlug auf die Tasten, und Katja nahm in einer der mittleren Reihen Platz, um zuzuschauen; ihre Kiefer und ihre Finger waren plötzlich verkrampft vor Spannung.

Aber das Mädel ist ja großartig! Noch viel besser, als ich erwartete, sagte sich Katja. Für sie – wie für jede wirklich große Tänzerin – war es eine Freude und ein Genuß, die geschliffene Leistung, das Plus an Technik, Brillanz und Persönlichkeit einer Rivalin zu beobachten; selbst wenn es ein wenig schmerzte. Selbst wenn es ihr zugleich völlig klar war, daß Joyce verhindert werden mußte, sich in dieser ihr auf den Leib geschriebenen Rolle einen sensationellen Erfolg zu erringen, während sie selbst, Katja Milenkaja, die Primaballerina, die sehr heißen Kastanien für Olivia aus dem Feuer holte, sich fürs Manhattan Ballett aufopferte, in der letzten Minute eine undankbare und sehr schwierige Rolle übernahm, die ihr noch dazu gar nicht lag. Und so, während sie noch immer Joyces Tanz mit lächelndem Entzücken folgte, hatte sie schon begonnen zu berechnen, wo und wie sie sich in diese Nummer einfügen und Joyce schlagen könnte.

Zweimal unterbrach Bagoryan die junge Tänzerin, korrigierte, ließ sie das frenetische Presto, das Goldgräberfieber des letzten Teils, wiederholen. Nachher, als Joyce, um Atem ringend, auf die übliche Kritik des Choreographen wartete, applaudierte er ein bißchen – höflich, aber keineswegs begeistert. Katja lachte in sich hinein. Sie kannte ihren Mirko, wenn er Gleichgültigkeit vortäuschen wollte.

Im dunklen Orchesterraum unten trommelte Lazar plötzlich eine Art Tusch auf dem Klavier und sang: „Mr. Bagoryan: Ihre Majestät sind angekommen!"

Bagoryan wandte sich um und spähte über die Wogen von farblosem Zeltleinen, unter denen das Parkett während des Tages schlummerte. Sowie er das dunkle Pünktchen dort unten, Katja, entdeckt hatte, machte er eine kleine Zeremonie daraus, verbeugte sich in ihrer Richtung, applaudierte. Ein paar Bühnenarbeiter, widerwillig damit beschäftigt, die störende Aurora-Dekoration aus dem Weg zu räumen, blieben stehen, um zu sehen, was los war, und das Corps gab seine erwartungsvollen Posen auf und kam an die Fußrampe.

„Meine Damen und Herren", verkündete Bagoryan, die wohlgeölten Töne eines Conférenciers parodierend, worauf die Truppe dankbar kicherte. „Wir sind gerettet. Unsere unvergleichliche Primaballerina, unsere eigene einzige Milenkaja, hat sich bereit erklärt, die Rolle der Bienenkönigin zu übernehmen. Wir, meine Kinder, haben mehr als fünf Monate im Schweiß unseres Angesichts und verschiedener anderer Körperteile an diesem Ballett gearbeitet; die Milenkaja ist bereit, es in fünf Tagen zu studieren. Kinder, ich brauche euch nicht auseinanderzusetzen, was das heißt, Madame – wir danken und salutieren Ihnen!"

Seit dreihundert Jahren nährt sich das Ballett an solchen kleinen Zeremonien und Formalitäten darin wie in der eisernen Disziplin und dem Stolz auf die eigene Truppe, nicht unähnlich dem Militär. Hochrufe und Applaus. Sogar die Bühnenarbeiter klatschten in ihre großen erfahrenen Tatzen. Katjas Kehle wurde eng. Lächerlich – aber dies bedeutete ihr mehr als ein Dutzend Hervorrufe. Sie lief, flog über die Regiebrücke zur Bühne, um der Truppe ihre *révérence* zu machen, wie es der Augenblick verlangte. „Ich danke euch allen, meine Kinder, und auch Ihnen, Meister Bagoryan", sagte sie bewegt. Er beugte sich zu ihr nieder, um ihr die Hand zu küssen; er war immer ein wenig zu groß für sie gewesen. „Du bist und bleibst meine Beste . . .", flüsterte er ihr zu. „Aber, Mirko, du wirst Tag und Nacht mit mir arbeiten müssen", flüsterte auch sie, sie war auf einmal schwach vor Angst. Es war eine so ungeheure Aufgabe, ein solches Wagnis, das sie da auf sich genommen hatte.

„Meine Tage und Nächte gehören ganz dir; besonders die Nächte", erklärte er mit einem Tropfen von Selbstironie.

„Mirko – wir müssen zu studieren anfangen – jetzt gleich . . ."

„Sicher. Geh in den Ballettsaal hinauf und übe dich warm, Liebling. Ich werde dich angewärmt und gelockert brauchen. Ich muß nur noch diesen Mist hier in Ordnung bringen, dann bin ich ganz zu deiner Verfügung – ja, Joyce, was gibt's?"

„Werde ich noch gebraucht? Ich tanze doch heute abend die Aurora und . . ."

„Gut, geh und ruh dich aus. Du hast's gar nicht schlecht gemacht – aber wir müssen noch fest an deinen *fouettés* arbeiten bis Montag."

„Besten Dank, Mr. Bagoryan", sagte Joyce und ging zögernd ab.

Katja holte sie bei der Tür zum Lift ein und legte ihren Arm um die magere Schulter des Mädchens. „Ich muß dir doch sagen, wie ausgezeichnet du in dieser Rolle sein wirst, Kind. Es ist bei weitem das Beste, das ich von dir gesehen habe." Seit Katja wußte, daß sie dieses glänzende Bienchen in den Schatten zu stellen haben würde, fühlte sie eine warme Sympathie für Joyce, und außerdem war es nötig, sich mit ihr anzufreunden, wenn sie die Änderungen durchsetzen wollte, die Joyces Solo in den Hintergrund drängen würden. Sie mußte das zähe und harte junge Geschöpf biegen, es weich und geschmeidig machen. Wie wenn man harte, neue Ballettschuhe eintanzen muß, dachte sie amüsiert.

„Meinen Sie wirklich, Madame? Es ist sehr lieb von Ihnen, mir so was zu sagen, wirklich. Ich hab's nötig, ein bißchen ermutigt zu werden, nachdem der alte Baggy mich heruntergesetzt hat."

„Wenn der Choreograph einen herunterputzt, das ist das beste Zeichen, das weißt du ja selbst."

„Und Sie springen wirklich für die Gabrilowa ein? Ich muß schon sagen, das ist einfach phantastisch. Ich sag' auch den Kolleginnen immer, so was wie die Milenkaja, das gibt's nur einmal – wirklich, das sage ich immer." Und da sie selbst spürte, daß dies nicht ganz aufrichtig klang, setzte sie schnell hinzu: „Ich kann Ihnen gar nicht sagen, wie ich Sie bewundere, Madame. Ich bin sicher, Sie werden einen Bombenerfolg haben."

„Du wirst mir durchhelfen müssen, Joyce. Kann ich auf dich rechnen?"

„Aber sicher. Was immer ich für Sie tun kann, Madame."

„Ach, laß doch das dumme ‚Madame'. Meine Freunde sagen zu mir du und Katja."

„Ja, wenn ich das wirklich darf – Katja – danke dir auch vielmals." Joyce versuchte eine gleichsam von Freude überwältigte Bescheidenheit in ihre Stimme zu legen, aber ihre Gedanken waren noch bei Bagoryans letzter Bemerkung. „Er ist so glatt, immer liebenswürdig, nicht? Man weiß nie, wie man eigentlich mit ihm steht. Manchmal, wenn Mr. Bagoryan über meine *fouttés* redet, komme ich mir vor wie beim Zahnarzt. ‚Das wird vielleicht ein ganz klein wenig weh tun – oder möchten Sie lieber Novocain?' – ‚Danke, nein, Herr Doktor, ich nehm's, wie's kommt . . .!'" Sie lachte ärgerlich. „Möglich, weil er diesen dummen weißen Zahnarztkittel anhat."

„Magst du das nicht? Zumindest kann man ihn in der Dunkelheit hinter den Kulissen immer finden", sagte Katja, und einer Erinnerung zulächelnd: „Auf jeden Fall ist der Kittel nicht so altmodisch-romantisch wie das schwarze Samtjackett, das er trug, wie ich ihn zuerst kennenlernte. In Wien."

„Oh – Sie haben ihn – du hast ihn gekannt, wie er in Wien anfing? Sag doch – auch seine erste Frau vielleicht?"

Wie durchsichtig junge Menschen doch sind, dachte Katja lächelnd. „Ja, o ja. Wir waren zusammen in der Ballettschule."

„Ach – ich wußte nicht, daß sie auch beim Ballett war. Es scheint, er heiratet immer junge Tänzerinnen, nicht? Sagen Sie doch, Madame – ich meine, erzähl doch, Katja: Was für eine Art Person war sie denn?"

Was für eine Art Person war Mitzi Keller? überlegte Katja. Eine so so Person. Teils gut, teils schlecht. Wie die meisten sind.

„Sie galt für unser schönstes Mädel", berichtete sie zögernd.

„Ja, aber war sie *gut*?" fragte Joyce.

„Doch, sehr gut. Nur eben nicht gut genug. Wir alle dachten, sie würde es bis zur Primaballerina bringen; aber dazu hat's eben doch nicht gelangt."

Mitzi Keller – Himmel, wie lang das her war, wie weit zurück, wie blaß und vergangen, dachte Katja. Und zu denken, was ich ihrethalben gelitten habe! Zu denken, daß ich Selbstmord begehen wollte – wegen einer Mitzi Keller! Wie lächerlich Jugend doch ist, wie ganz ohne Perspektive. Und hinter dem nachsichtigen Lächeln, mit dem sie die verwelkte Erinnerung von sich wies, steckte ein wenig Neid. Was gäbe ich nicht dafür, wenn ich noch imstande wäre, so zu leiden: so blind, so unschuldig, so heftig. Brennstoff für mein Feuer, meine Tänze, mein Leben ...

„Also, ich denke, jetzt muß ich mich ein bißchen warm üben, bevor Bagoryan mit mir zu arbeiten anfängt. Darf ihn nicht hören lassen, wie meine alten Knie knacken, das ist ein Geräusch, das ihm auf die Nerven geht", sagte sie entwaffnend und entließ Joyce an der Tür ihrer eigenen Garderobe.

Als sie wieder herauskam, in ihr schweres Wolltrikot verpackt und für die Arbeit im Ballettsaal bereit, bemerkte sie einen weißen Fleck am Ende des engen dunklen Korridors, der zum Lift führte: der weiße Arztkittel, der nicht nach Joyces Geschmack war. „O Mirko, wart auf mich!" rief sie, und erst einen Augenblick zu spät begriff sie, daß sie ihren alten Freund recht peinlich gestört hatte. Mit einem Ruck machte er sich von dem Mädchen los, das er eben leidenschaftlich geküßt hatte: Joyce Lyman.

In großer Verlegenheit murmelte Katja eine Entschuldigung und suchte in der nächstbesten Garderobe Zuflucht. Und da stand sie dann vor dem Spiegel, lachend, aber zornig. „Dieser Narr!" sagte sie laut. „Noch immer dieselben alten Tricks. *Plus ça change plus c'est la même chose ...*"

Mirko Bagoryan war Katjas erste Liebe gewesen, hauptsächlich, weil sie damals, fast sechzehn Jahre alt, bereit war, sich zu verlieben. Schon ehe er in ihr Leben eintrat, war sie durch eine sonderbare Zwielichtzone gegangen. Ungekannte Dinge geschahen in ihrem Körper, und nie zuvor war die Welt so voll von Männern gewesen; Männer standen an den Straßenecken, starrten sie an, folgten ihr, murmelten galante oder schmutzige Einladungen, belagerten den Bühneneingang. Der schlaue, hungrige und eitel-jagdlustige Glanz in ihren Augen stieß Katja ab, und doch fühlte sie sich wunderlich weich, schwach und süß erregt davon.

Da war zum Beispiel Herr Pavlick, der alternde erste Tänzer, ein großer, starker, mit Muskeln bepackter Kerl, der den Ballettjungen strenge Klassen in Akrobatik gab. Nachdem Kati ihren Freund Grischa dazu gebracht hatte, auch ihr einige Lektionen in den Zirkuskünsten des Springens und Radschlagens zu geben, marschierte sie auf Pavlick los und verlangte, gleichfalls an den Akrobatik-Klassen teilzunehmen. „Nein. Das gibt's nicht", sagte Pavlick. – „Aber ...", sagte Kati. – „Da gibt's kein Aber! Du bist ein Frauenzimmer. Was du an Akrobatik brauchst, das wirst du im Bett lernen." Er lachte sie aus und entließ sie mit einem Klaps auf den Popo. „Wart noch ein Jahr oder zwei, Schatzerl, und ich bring' dir's gern bei ..."

Und dann war da Tante Malis Mann, „mein Franzl". Es war nie angenehm gewesen, daß alle Wege zum Milenz-Klosett durch Katis enges Zimmerchen führten, doch nie zuvor war da soviel Verkehr gewesen wie neuerdings. Zu den unmöglichsten Stunden mußte „mein Franzl" diesen Ausflug unternehmen. In der Morgendämmerung mochte Kati ihn an ihrem Bett stehend vorfinden oder auf dem Durchmarsch, gerade wenn sie ihr Haar kämmte. Er unterzog sie und ihr enges Unterleibchen einer genauen Betrachtung und machte geschmacklose Witze über ihre zu kleinen Brüste. Tante Mali wurde unfreundlich, nervös, feindselig. Auf ihre zerstochenen Fingerspitzen starrend, äußerte sie bösartig, daß Kati nun schon ein großes Mädel sei, und schließlich und endlich war „mein Franzl" nicht ihr wirklicher Vater. „Mein Franzl" war ein *Mann* . . . „und du weißt ja, wie Männer sind". Kati wußte es nicht. Sie war was die Garderoben ein spätes Mädel nannten: Unerwachsen, spät zur Reife gelangt, schlüpfte sie nur zögernd aus ihrem Kokon des Alleinseins und der Unschuld. Dennoch – als Bagoryan in ihr Leben eintrat, war der Boden geackert, gepflügt, lag dampfend in den warmen Nebeln der Jugend. Sie war bereit.

Mirko Bagoryans unerwartete Ernennung zum Choreographen und ersten Charaktertänzer fegte wie ein Wirbelwind durch das betagte Wiener Opernballett. Die alte Garde, die verwelkte Primaballerina und ihre Clique, verkalkt in der überholten italienischen Technik, dankten unter bitterem Protest ab. Zuletzt und schweren Herzens, aber unversöhnlich gegen die unorthodoxen Ideen des neuen Mannes, verließ sogar der Maestro die Oper, um entweder einem Ruf an die Scala in Mailand oder den Verlockungen des Diaghileff Balletts zu folgen.

Der junge Bagoryan war damals ein Kämpfer gegen Routine und steckengebliebene Traditionen – was im leichtlebigen Wien nicht gern gesehen wurde. Dies zeigte sich aufs heftigste bei seiner ersten Reformtat, dem Bacchanale in „Tannhäuser". Was sich da in der Venusgrotte abspielte, war der traditionellen Langeweile so unähnlich, daß das Publikum wie vor den Kopf geschlagen dasaß. Bagoryan hatte alles Dämonische entfesselt, eine wilde Sinnlichkeit, eine barbarische geschlechtliche Kraft, die in ihrer Direktheit die ältere Generation des Publikums tief erschreckte, obwohl sie die jungen Leute auf den Galerien zu lärmenden Demonstrationen des Beifalls und der Zustimmung erhitzte. Applaus, Fußstampfen und Bravos vom Olymp, zorniges Zischen aus den Logen, beinahe ein Skandal. Katja, eine von sechzehn Nymphen im Hintergrund, bebte vor Erregung wie ein junges Bäumchen im ersten Aprilsturm.

Unter den Tänzern gab es hitzige Debatten und Kräche und endlosen Tratsch. Die Sachen, die dieser Neue, dieser Mirko Bagoryan, von ihnen verlangte: „Wir tanzen ohne Trikot." – „Und wie sollen wir jemals warm werden mit nackten Beinen?" – „Keine Angst, ich werde euch schon schwitzen machen", lachte Bagoryan. Oder: „Heute wollen wir mal die Schuhe ausziehen, jawohl, das ist genau, was ich sagte: Zieht eure Schuhe aus. Und jetzt lernen wir gehen."

Gehen? Das war eine Zumutung, die die Klasse an den Rand der

Rebellion brachte. Jesus, Maria 'nd Josef, wer hatte je gehört, daß in einem Ballett gegangen würde! Man lief ein paar zierliche Schritte oder stand in der fünften Position, in der vierten, in der zweiten, mit den Händen im manierlichen *port-de-bras;* man bewegte sich auf Zehenspitzen, trippelte in sauberem *bourrée,* man sprang und flog und schwebte und landete, leicht wie eine Feder – nein, man durfte einfach nicht gehen. Beim Gehen gab es keine Grazie, keine Schönheit. „Das ist wahr: Vorläufig watschelt ihr wie die Enten", sagte Bagoryan ingrimmig. „Aber ich schwöre, ich werd' euch beibringen, wie man geht."

Beschämt kamen sie dahergewatet, eine hinter der anderen, mit ausgedrehten Füßen: Schwäne, Pelikane, Kormorane, königliches Getier im Wasser und in der Luft, unselig auf trockenem Boden. Da gab's Zähneknirschen und verzweifeltes Unverstehen, wenn er sie dazu drängte, die klassischen Ballettgebärden durch eine Dynamik des Ausdrucks zu ersetzen, die ihr Zentrum nicht in stählernem Rückgrat und Spann hatte, sondern im Innern, im Geburtsplatz des Gefühls. „Ihr müßt aus eurem Inneren tanzen, aus der Mitte", beschwor er sie, „ich bitte euch, Kinder, ich flehe euch an, wenn ihr Tänzer sein wollt, müßt ihr euch die Gedärme herausreißen, sonst wird's nichts."

Man flüsterte, daß Bagoryan einfach keine Ahnung von wahrer Technik habe, bis er die Schwätzer ganz nebenbei beschämte, indem er ihnen einen Harlekin im reinsten klassischen Stil und mit dem ganzen blendenden Feuerwerk von Pirouetten, *tours en l'air* und *entrechats-quatre,* vortanzte. Aber er tat dies nur auf einer Probe, und dann händigte er die Rolle wieder an Kuprin aus, mit einer ganz schwachen Spur von Ironie in seinem Lächeln. Es herrschte eine fieberhafte Geschäftigkeit in dem aufgerüttelten Ameisenhaufen; ein rücksichtsloses Sichvordrängen für Avancement, angestrengte und unsichere Bemühungen, die Gunst des neuen Ballettmeisters zu gewinnen, zu verstehen, was er eigentlich wollte. Kati Milenz, eine Null in der letzten Quadrille, verstand. Sie wußte, um was es ging. Bagoryan rollte Felsblöcke aus dem Weg, um die Quelle zu befreien, die in ihr sprudelte. Sie starrte ihn fasziniert an, wenn er so vor ihnen stand, mit seinem scharfen Falkenprofil, dem gelben Haar eines Kreuzritters, Gelächter in seiner Kehle und das Feuer des Propheten in seinen Nüstern. Sie horchte in ihren Körper hinein, plötzlich der Achse bewußt, die Gehirn und Herz mit den erwachenden Regionen von Uterus und Vagina verband. Katja hatte sich verliebt.

In späteren Jahren dachte Katja zuweilen, daß sie sich dieser ersten Liebe vielleicht nicht mit solch ungestümer Dankbarkeit hingegeben hätte, wenn da nicht die schmerzliche Leere gewesen wäre, in der Grischas überstürzte Flucht aus Wien sie zurückließ.

Zuerst hatte es Wochen und Monate gegeben, in denen Grischa kaum mit ihr sprach und sich außerhalb der Oper unsichtbar machte.

Schön, wenn ihm soviel dran liegt, mich zu meiden, da mache ich mir gar nichts draus, redete sie sich zu, aber oh, wieviel sie sich doch draus machte!

Ein paarmal verließ sie das Theater zugleich mit Grischa, und er ging mechanisch an ihrer Seite nach Hause, ohne wirklich bei ihr zu sein. Er war geistesabwesend, unnahbar und einsilbig. Oder er hörte plötzlich auf zu reden, murmelte, daß er auf einer Gesellschaft erwartet würde, und ließ sie einfach stehen. Wie einen vergessenen Regenschirm, dachte sie wütend. Und doch lag manchmal, während einer Probe, sein Blick mit einem wunderlichen Flehen auf ihr. Auch ließ er ein Geschenk für sie auf ihrem Platz in der Garderobe, einen Druck der betenden Hände von Dürer, dessen Original er ihr in der Albertina gezeigt hatte. *Ora pro nobis* hatte er flüchtig daruntergekritzelt. Das machte Katja nachdenklich. Sie schrieb ihm einen höchst formellen Dankbrief, den sie gleich darauf als zu kindisch zerriß. Einige Tage danach, in einer Situation, wo er ihr nicht entwischen konnte, dankte sie ihm persönlich. „Wüßte nicht für was", murrte er. Sie standen in der düsteren Unterwelt der Versenkung, gefangen zwischen Traversen und Röhren und Schatten, und warteten darauf, für die Apotheose eines alten Balletts zur Bühne hinaufgepumpt zu werden. Kati war eine von acht geflügelten symbolischen Figuren, die in kurzem Ballettröckchen malerisch vor Grischa knieten.

„Was ist eigentlich mit dir los? Rennst du vor mir davon?" wisperte sie.

„Schon möglich. Laß meinen Arm los. Und wenn ich davonrenne, dann renne du mir freundlichst nicht nach."

„Aber weshalb, Grischa, weshalb denn?"

„Kann nicht drüber reden. Ich hab' meine eigenen Probleme. Laß mich bloß in Ruhe, sonst will ich nichts."

„Auf die Plätze!" zischte der nervöse junge Korrepetitor, verantwortlich für das pünktliche Erscheinen dieses Grüppchens; die Maschinerie begann, asthmatisch zu schnaufen. Grischa ging in seine fackelschwingende Pose – und Kati wußte noch immer nicht, woran sie war.

In dem Tumult und allgemeinen Aufstand, der Maestro Mattonis Resignation folgte, war eine Menge junger Tänzerinnen vorangekommen. Mitzi Keller, die vielversprechende Balletteuse, avancierte zur Solotänzerin, und Kati wurde an Mitzis Stelle unter die Koryphäen eingereiht. Grischa war *de facto*, wenn auch nicht dem Titel nach, der erste Solotänzer geworden, doch seine Leistungen waren eher ungleichmäßig; manchmal fast zu glänzend und intensiv und an anderen Abenden wieder lustlos und schleppend. „Sieht aus, als wenn er sich wo angesteckt hätt'", kommentierte Herr Pavlick. Bald danach wollte ein Gerücht wissen, daß Kuprin in einer Soloprobe einen unerhörten Krach mit dem neuen Ballettmeister gehabt habe. Einige behaupteten sogar, daß es zu einer Ohrfeige gekommen sei. Auf jeden Fall wurde Grischa etwas zurückgestellt, seine Soli gingen auf andere Tänzer über, und im Bacchanal verschwand er in der anonymen Menge der Faune und Satyre, die hinter den Nymphen herjagten und sie davonschleppten.

So geschah es, daß in der purpurnen Dämmerung der Venusgrotte, in den kreiselnden Evolutionen von hitziger Jagd und süßem Unterliegen, Kati plötzlich fühlte, daß es Grischas Hände waren, die ihren Schenkel und ihr Kreuz zum Hochheben stützten. Sie erkannte seinen Griff überall und immer. Da war sein *Allez-hop!*, so tief vertraut aus Jahren gemeinsamen Trainings. Sie paßte ihren Atem dem seinen an und spannte ihre Muskeln, um sich leicht zu machen für den bitter vermißten Flug und das Schweben und das Glücklichsein vergangener Tage.

Noch war sie keine sechzehn Jahre alt, und schon hatte die kleine Kati eine Vergangenheit, nach der sie sich zurücksehnte.

Sie hätte weinen mögen, als sie ihn zählen hörte, noch immer auf russisch wie als Kind, er summte den Takt für sie beide – in Ballettvorstellungen gibt es immer einen Turm zu Babel durch das vielsprachige gemurmelte Auszählen der Schritte. Auch sie zählte ihr „*Und* eins – *und* zwei – und *jetzt!*" Aber sie wußte nicht, daß sie in der Überraschung und Seligkeit des Gehobenwerdens einen kurzen, hohen gebrochenen Schrei ausgestoßen hatte.

„... wie ein wilder Vogel. Wie eine Frau im höchsten Moment der Leidenschaft...", sagte Bagoryan ihr viele Monate später, als sie schon seine Geliebte geworden war. „Ich glaube, es war dieser kleine Schrei, der mich neugierig auf dich gemacht hat. Er verfolgt mich noch immer. Ich werde keine Ruhe haben, bis ich ihn wiederhöre – im Dunkeln, im Bett, wenn du mir ganz gehörst, ganz, ganz..."

Aber obwohl Bagoryan ein erfahrener und guter Liebhaber war und Kati sich ihm mit der vollen romantischen Willigkeit ihrer Jugend hingab, sollte er niemals jenen spontanen Schrei der äußersten Erfüllung von ihr hören. Weder in einem Tanz noch in einer Umarmung. Er kämpfte darum, mit Geduld, mit Liebe, mit Leidenschaft, mit Zärtlichkeit und zuweilen mit einer zornigen, bleichen Beharrlichkeit wie ein Mann in einem Duell. Aber aus irgendeinem Grund gelang es ihm nie, Kati bis dorthin zu steigern, wo das Bewußtsein des Ich sich in der Ekstase verliert.

„Ich war zu jung und zu dumm; eine verdrehte, kleine, dumme Jungfrau; und außerdem – sein Heben war nicht halb so gut wie deines", hatte Katja ihn viel später einmal leichthin abgetan, um Grischa während eines langweiligen Fluges die Zeit zu vertreiben. Das war auf ihrer zweiten südamerikanischen Tournee gewesen.

Grischa – nicht der gelangweilte Star jener Tournee von 1937, sondern der junge Grischa im Bacchanal in der Wiener Oper – ließ sie an seinem Körper herabgleiten, und sie bog ihren Rücken über seinen rechten Arm für die vorgeschriebene Ballettohnmacht. Seine Brust glänzte von Schweiß, die Ziegenfelle an seinen Beinen preßten feucht, heiß und rauh gegen ihre Haut. „Bist du übergeschnappt?" hauchte sie. „Du gehörst nicht zu mir – ich hab' Pavlick als Partner ..."

„Wir haben getauscht. Soll doch Herr Pavlick die Mitzi herumschleppen." Er stand mit gespreizten Beinen über ihr in der Ballettversion von Vergewaltigung und Frauenraub, wobei er ärgerlich zischte: „In diesem Sauhaufen kommt's gar nicht drauf an, wer was mit wem tut." Er schwang Kati herum, brach sie über seinen Schenkel, warf sie über seine Schulter und entführte sie in die Kulisse.

Und da stand Bagoryan, eine Silhouette, ein scharfer Wächter, schwarz in das Rot eines Scheinwerfers geschnitten.

„Hast du sein Gesicht gesehen?" jammerte Kati, sobald Grischa sie im Bühnengang draußen abgesetzt hatte. „Jetzt gibt's Strafgeld zu zahlen – Gott weiß wieviel –, oder du wirst ins Corps zurückgesteckt. Wenn er dich nicht überhaupt hinausschmeißt, du Narr."

Grischa lachte. „Nichts da. Er kann mich nicht hinausschmeißen. Er kann mir nichts mehr tun. Ich bin nämlich schon draußen."

„Du? Draußen? Was meinst du? Gekündigt?"

„Nicht gekündigt; nicht hinausgeschmissen. Um mich offiziell auszudrücken: Ich habe gestern ein Gesuch um meine Entlassung eingereicht. Ich verlasse die Oper. Wien. Alles überhaupt."

Verschwitzte Nymphen strömten von der Bühne. Grischa zog Kati aus dem Gedränge fort; ihre Hand war naß und kalt, schmelzender Schnee. „Das verstehe ich nicht. Wieso denn verlassen?" flüsterte sie. Sie spürte sich kalt und bleich werden unter der dicken Bühnenschminke. Es war ein Augenblick von gläserner Klarheit, unvergeßlich. Der immer gleiche Theatergeruch füllte in plötzlicher Intensität ihre Nase: Leim und gemalte Kulissen, die im engen Gang aufgestapelt standen, der Geruch von Fettschminke, Perücken, Mastix, erhitzten Körpern, Füßen, billigem Rosenparfüm, Puder und Staub und Mottenpulver von den Ziegenfellen an Grischas Beinen. Kati bemerkte, daß er sich eine übertrieben satanische Maske geschminkt hatte; über der Stirn war sein Haar in zwei steife kleine Hörnchen gedreht – und er wollte sie verlassen ...

„Wie Moses", sagte sie mit einem tapferen Kichern, das mittendrin zerbrach.

„Nur der Bart fehlt", sagte Grischa. Er wußte, daß sie Michelangelos Moses meinte; er konnte ja immer ihren Sprüngen folgen, im Gespräch, beim Tanzen oder in der Stummheit unausgesprochener Gedanken.

„Aber wohin gehst du denn? Mit dem Maestro?"

„Nein. Ich gehe einfach weg. Ziel unbestimmt."

„Aber Grischa – warum? Kannst du dich nicht mit Bagoryan vertragen? Kannst du's nicht wenigstens versuchen? Ist er zu modern für dich?"

„Herr Bagoryan zu modern? Heilige Mutter von Kasan, ich bin ihm so weit voraus – ich bin so voll von Ideen – ich möchte Tänze schaffen, so neu, so unerhört, so weit voran und jenseits von allem, was dein geschickter Bagoryan sich ausdenkt ... Du glaubst, weil er ein bißchen am modernen Tanz genagt hat wie eine Maus an der Käserinde? Mein Gott, er panscht eben ein bißchen Mary Wigman und ein bißchen Fokin und ein bißchen Ted Shawn mit dem zusammen, was er in Laibach oder Preßburg oder Brünn oder sonst einer Schmiere gelernt hat – *oh, mon Dieu, quelle salade!*"

Kati hatte eine Erleuchtung. „Ach, du bist einfach eifersüchtig, das ist das Ganze. Du benimmst dich ja immer wie ein vergifteter Affe, wenn du eifersüchtig bist. Aber, Grischa, wenn du jedesmal davonrennen willst, wenn dich die Eifersucht erwischt, dann wirst du's zu nichts bringen."

„Ich? Eifersüchtig? Auf einen Bagoryan? Der ist mir viel zu klein – *so* klein ist der", und mit einer kapriziösen Harlekingeste schnippte er eine nichtexistierende Mücke von seinem Arm. Doch unvermittelt veränderte sich sein Gesicht, seine Augen wurden starr und visionär. „Der Tanz ...", sagte er, *„mein* Tanz – muß *alles* umschließen. Die Welt. Die Sterne, die Sonne – alle Sonnen. Das Universum. Planeten und Elektronen, alles ist Tanzen, Kreisen, ewig, im Unendlichen. Die Hindu sind weise, sie zeigen ihre Götter tanzend. Wenn Gott je eine Pirouette verhaut – das wäre der Weltuntergang ..."

Kati wurde zornig. Da galoppierte er wieder einmal davon mit seinen überspannten Theorien. „Ach, Quatsch, du bist ein Narr, du mit deinen tanzenden Schiwas und den Elektronen. Eines Tages wirst du dich noch ganz aus dem Leim denken."

„Ich? O nein. Nijinsky vielleicht; vielleicht hat er sich um den Verstand gedacht. Obwohl der Maestro sagt, Nijinsky hatte nicht viel Verstand zu verlieren."

Die Satyrmaske beugte sich über Katja, um ihr ein Geheimnis zuzuflüstern. „Eines Tages werde ich das Gespenst besiegen. Ich werde besser tanzen als Nijinsky, und dann wird Schluß sein mit der schönen Legende. Glaubst du mir das?"

Wie er so über den geistesgestörten Tänzer flüsterte, sah Grischa selbst ein wenig irre aus. Das kommt von der verrückten Maske, dachte Kati, aber es fröstelte sie. Grischa erwachte aus seiner Trance. „Komm, hier zieht's, du darfst dich nicht erkälten", sagte er ernüchtert. „Geh, zieh dich an. Gute Nacht."

„Gute Nacht. Ich wünsche dir eine sehr gute Nacht und süße Träume", sagte sie, und während sie vermeinte, noch immer tapfer zu lächeln, brach etwas wie eine Eisdecke über tiefen schwarzen Gewässern, und kochendheiße Geiser schossen hoch in ihr. „Du gehst weg! Du rennst einfach davon, nicht wahr? Du sagst mir nicht warum, wohin, wann – schön, schön, geh nur, gute Nacht! Von mir aus kannst du zum Teufel gehen, du mitsamt deinem Nijinsky, das macht mir gar nichts, du wirst mir nicht fehlen, gar nicht – aber, Grischa, Grischa ...", schluchzte sie, „was soll bloß aus mir werden ohne dich? Geh, geh, wohin du willst, ach, ich wollte, ich hätte dich nie gesehen, und ich will dich nie mehr sehen, nie wieder . . ."

Damit landete Katis Gesicht in der vertrauten warmen Bucht zwischen seinem langen, ägyptischen Kinn und der Schulter; sie konnte seine Halsmuskeln spüren und den starken Puls in der Schlagader, und sie schluchzte ihren wütenden Kummer in seine Haut und schwemmte ihre Schminke in einem Strom von unbeholfenen, unerwünschten Tränen fort, während sie fortfuhr, Grischa mit den traurigen Resten ihres jungen Stolzes zu verfluchen.

„Hör auf, hör doch auf", befahl Grischa. „Das hier ist nicht der richtige Ort für eine *grande scène*. Geh, zieh dich um, ich treffe dich nachher. Ich – Katuschka – es tut mir leid, daß ich nicht früher mit dir gesprochen habe. Aber ich stecke bis über die Ohren im Sumpf . . ."

„Du? Was für ein Sumpf?"

„Ich erzähl's dir, wenn du auf mich wartest."

„Gut. Beim Bühneneingang?"

„Nein. Im Park. Bei unsrer Bank."

„Unsre Bank" stand nahe einer Straßenlaterne unter einem Kastanienbaum mit fast kahlen Zweigen, die ein feines Schattennetz über den schwach erhellten Rasen breiteten. Die Luft war feucht, still, kühl, der kleine Park ihrer Kindheit menschenleer. Kati wartete. Die Luft wurde schwerer, noch feuchter, kondensierte sich zu einem feinen Sprühregen. Er läßt mich wieder einmal sitzen. Er kommt nicht, dachte Kati. Ich zähle bis hundert, und dann geh' ich heim.

Als sie bis dreihundertsechsundzwanzig gezählt hatte, tauchte Grischa auf. Niemand außer ihr hätte ihn durch die Spinnweben des Regens erkannt. „Da bist du ja, Duschka. Danke, daß du gewartet hast. Ist dir nicht kalt?" Er setzte sich und legte den Arm um ihre Schulter. „Tut mir leid, daß es so lang gedauert hat. Herr Bagoryan wünschte mich zu sprechen."

„Hat er dir einen Krach gemacht?"

„Im Gegenteil. Er will mich nicht gehen lassen, versprach mir den Himmel auf Erden, wenn ich bleibe. Er versteht sich aufs Überreden, dein Herr Bagoryan."

„Na, und? Hast du dich überreden lassen?" fragte Kati mit angehaltenem Atem.

„Nein. Ich erklärte ihm, daß ich weg muß, bevor's zu spät ist. Ich weiß nicht genau, was ich ihm sagte, aber auf einmal schien er zu begreifen, daß man eine derartige Entscheidung nicht trifft, ohne tiefgehende Gründe dafür zu haben. Ich muß sagen, er hat sich recht anständig benommen. Keine weiteren Fragen, wünschte mir viel Glück, trug mir sogar eine Empfehlung an die Pawlowa an. Er ist ein aalglatter Mensch; oder vielleicht ist er einfach froh, mich loszuwerden. Komm, laß uns ein bißchen herumgehen."

„Ja, das ist recht", sagte Kati. Sie waren Tänzer, sie konnten am besten denken, wenn sie in Bewegung waren. Grischa schob seinen

Arm in ihren und brachte ihre Hand in seiner Manteltasche unter. Dort traf sie auf einen alten Bekannten, einen seiner Ballettschuhe, dessen Bruder in der andern Tasche schlief. Grischa trug das Paar immer mit sich herum.

„Ich bin nicht so gescheit wie Bagoryan; ich begreife nicht das geringste", sagte sie, etwas getröstet durch seine warme Hand, die die ihre da unten in der dunklen kleinen Heimat seiner Tasche festhielt.

„Ich laufe davon, solange ich noch dazu imstande bin. Möglich, daß ich ein Feigling bin. Andererseits – vielleicht ist mein Davonrennen, bevor's zu spät ist, das Tapferste, das ich in meinem ganzen Leben tun werde."

„Sei nicht so geheimnisvoll, mach kein Drama draus, bitte, bitte, Grischa, sag mir gradeheraus, was los ist."

Eine lange Pause, Regen, Dunkelheit.

„Gradeheraus also: Schnee. Koks, Kokain", sagte er zuletzt. „Die große Mode in gewissen Kreisen. Kokain – und noch allerhand andre Dinge." Seine Finger hatten sich um die ihren gekrampft, bis es schmerzte, und dann erschlafften sie. Kati wünschte, daß ihre Hand nicht zurückgezuckt hätte. Sie wanderten weiter, schweigend, immer rund um das kleine Rasenrondeau, wo sie als Kinder tanzten und spielten.

„Schockiert?" fragte Grischa, seine Stimme klang rauh, versandet.

„Nein, eigentlich nicht", antwortete Kati ruhig. Vorsicht nun, Vorsicht. „Ich glaube, so was kann jedem passieren, und dann vergeht's bald wieder. So konfuse Sachen, weißt du", sagte sie mit äußerster Beherrschung. „Vorläufig hat's dir nicht geschadet. An manchen Abenden tanzt du sogar besser als je zuvor", sagte sie leichthin.

Das erste Gebot im Ballett: leicht sein, nie die Anstrengung merken lassen, das Gewicht, die Schwierigkeit ...

„Selbstverständlich. Mit diesem Zeug in den Nerven kann jeder fliegen. Weißt du, was Nijinsky sagte? ,Ich bin ein Vogel, hoch über dem Meer.' Und nachher der entsetzliche Kater. Der Absturz ins Tiefe, Dunkelblaue. Und die nächste Portion Schnupfpulver. Und die völlige Impotenz ohne Kokain, die Sucht – o mein Gott!"

„Natürlich kannst du nicht immerfort da oben bleiben, Grischa, du bist ja kein Vogel; nur ein fliegender Fisch. Wir alle müssen wieder hinunter, mit einem lauten Platschen zurück ins Wasser, nicht?"

„Genau das ist es. Hoch hinauf in den Himmel und hinunter in die bleierne kalte See – fliegende Fische? Höre, das wäre kein übler Tanz – lauter Silber und *tours en l'air*", sagte er, einen Augenblick von seinen düsteren Gedanken abgelenkt.

„Du mußt zum Doktor gehen, er wird dir eine Medizin verschreiben. Es ist doch so was wie – wie eine Krankheit, nicht? Laß dich doch kurieren", sagte sie, und als er nur ärgerlich dazu lachte: „Weißt du, was ich dachte, wie du mich so ängstlich gemieden hast? Ich dachte mir, daß du in eine Liebesgeschichte verwickelt bist – ein Verhältnis oder irgendwas Ähnliches –, ich bin dumm, nicht wahr?"

„Ein Verhältnis? Ja, das auch. Aber Liebe? Wenn das ist, was Liebe heißt, dann glaub mir, Duschka, es ist die reinste Hölle. Klebrig, süß, giftig – Fliegenpapier. Man zappelt verzweifelt, man will davon loskommen und kann nicht. Aber ich werde mich frei machen, bestimmt."

Kati hörte ihm zu, respektvoll, mitleidig und mit einer Spur von Neid. Er war so erwachsen. Grischa hatte die Grenze in fremdes Gebiet überschritten und sie im Land der Halbwüchsigen zurückgelassen. „Kenne ich sie? Ist es eine von uns?" fragte sie. Grischa schüttelte den Kopf. „Oder magst du nicht darüber reden?"

„Doch. Aber du wirst es nicht verstehen." Er holte tief Atem wie für ein jeté. „Es ist kein Mädel. Es ist – Laurent. Der junge Brioni. Mädchen interessieren mich nicht."

„Ach so", sagte Kati in abgründiger Unschuld. Nach der dramatischen Vorbereitung war diese Enthüllung etwas flach, enttäuschend. „Du fliegst auf ihn. Das tun viele, kommt mir vor. Die Mitzi behauptet, er ist der gefährlichste, schönste junge Mann in ganz Wien."

Der junge Brioni lebte und sah aus wie ein Prinz der Renaissance. Sein Vater galt als der reichste Mann im verarmten Österreich. Es war neuer Reichtum, das glitzernde Kriegsgewinnlergold, aus den Profiten des ersten Weltkrieges gepreßt. In den zwanziger Jahren gehörten Männer seiner Art zum Bilde, überall in der Welt; die Kreugers, Insulls, Zacharoffs – eine Rasse von Konquistadoren, die in der Depression nach 1930 wie geborstene Kometen abstürzten. Im Sohn Laurent war die rohe Triebkraft des Vaters zu einer zweideutigen schillernden Dekadenz verfeinert. Er umgab sich mit einem Hofstaat von Künstlern und deren schönen Modellen; er finanzierte Theater, unterstützte eine exklusive Zeitschrift, er war der Freund von Schauspielern und Schauspielerinnen, Tänzern, Jockeys und Zirkusclowns. Er stand im Mittelpunkt von Gerüchten und Skandalen, genauso wie die leichtsinnigen Erzherzöge der Vorkriegszeit, um deren Abenteuer die alten Garderobierinnen noch immer ihre Sagen webten.

„Wahrscheinlich würde ich auch auf ihn fliegen, wenn ich ihn kennenlernte", schloß die kleine Kati. „Warum hast du ihn mir nie vorgestellt? Schon wieder eifersüchtig?"

„Himmel, wie kannst du nur so vernagelt sein! Du bist ein Mädel, du tätest mir sehr leid, wenn du dich in Laurent verlieben würdest, denn er ist schlecht, durch und durch, und er würde dich sehr unglücklich machen. Aber ich bin kein weibliches Wesen und Laurent auch nicht. Verstehst du mich jetzt? Oder weißt du überhaupt nicht, wovon ich rede?"

„Natürlich weiß ich's. Ich bin doch kein kleines Kind. Ich weiß *alles*." Aber sie wußte und verstand nichts. Sie wanderten schwei-

gend weiter, während sie versuchte, sich die Dinge zusammenzu-
reimen, Worte, Andeutungen, Gekicher, im Theater gehört und
nicht beachtet.

In der gesunden erotischen Atmosphäre des damaligen Wien war
Homosexualität kein vieldiskutiertes Problem, außer vielleicht in
den Beichtstühlen der Psychiater. Man sprach davon nicht in Gegenwart von Damen, und unter Männern wurde es mehr oder
weniger als Spaß behandelt, eine etwas komische Geschmackssache,
und im großen und ganzen eine Spezialität der verhaßten Preußen.
So war es kein Wunder, daß Kati unwissend wie ein Kind davor-
stand, wenn auch mit der ahnungsvollen Einsicht des Kindes in
die unaussprechlichen Geheimnisse der Erwachsenen. Für sie war
Liebe noch eine allumfassende, ambivalente Angelegenheit, etwas
wie ihre verflossene Schwärmerei für die schöne Madame Kuprin.
Sie wußte noch nicht, daß es für Grischa einen giftigen Pfeil in
seinem Fleisch bedeutete und ein Kreuz, das er durch sein ganzes
Leben schleppen mußte.

Sie wanderten noch immer im Kreis, im Dunkeln, im strömenden
Regen, während sie versuchte, sich zum Verstehen des Unverständ-
lichen durchzutasten, die ungeformten Dinge zu begreifen, die ihr
Verstand nicht erfassen und ihre Phantasie nicht gestalten konnte.
Dann flitzte in all der Verwirrung ein Bild vorüber:

Eine Bühne, ein Tanz. Zwei junge Männer, ohne Gesichter, doch
schön gebaut, tanzen ein *pas de deux*. Nicht den üblichen Männer-
tanz, keinen stampfenden Nationaltanz, keinen Kampf, keine Jagd,
keine komisch-betrunkene Orgie; sondern ein *Adagio*, den typi-
schen Liebestanz, ausgeführt von zwei Jungen in Trikots, die einander umschlingen in dem sublimierten, stilisierten, geklärten und
dennoch schamlos intimen Liebesspiel des Balletts. Es ist ein greller
Blitz in der Nacht, eine huschende Vorahnung von den unergründ-
lichen Tiefen künftiger Erlebnisse.

Ein Schauer überlief sie, und instinktiv zog sie ihre Hand aus Grischas Manteltasche.

„Ekelt's dich jetzt?" fragte er laut, herausfordernd. Sie schüttelte
heftig den Kopf. Der Regen wuchs immer noch und es war sehr
finster geworden, alle Lichter im Park waren um Mitternacht ausgegangen.

„Jetzt siehst du, Katuschka, was es heißt, anders zu sein", sagte
Grischa.

„Es ist – ich hab's nicht gewußt – aber es ist eine so dünne
Kruste ..."

„Wovon redest du?"

„Der Boden, auf dem wir stehen oder irgend etwas. Es kann jeden
Augenblick durchbrechen, und es geht hinunter, hinunter – nur –
es ist nicht kalt und schwarz da unten. Es ist ..."

„Richtig. Der Kern der Welt ist Feuer. Weißglut. Die Hölle. Weiß
Gott, ich hab' die Kruste brechen gespürt unter mir, diese letzten
Monate – sieh doch, ich glaube, es regnet", sagte er erstaunt; er

war weit weg gewesen. Der Regen peitschte Katis Gesicht, wenn sie gegen den Wind gingen, und rann ihr ins Genick, wenn sie den Kreis vollendeten.

„Aber – wenn du fortgehst, was soll ich bloß ohne dich tun, Grischa?"

„Dasselbe, was du jetzt tust. Arbeiten, tanzen und nach und nach ein erwachsener Mensch werden."

„Und du? Wohin geht's denn mit dir?"

„Ich weiß nicht. Ich weiß nur, daß ich weg muß, so weit wie möglich. Hier – es ist alles so unsauber. Im Theater, im Ballett – und zu Hause auch. Maman mit ihrem Gesindel und Geflunker – vielleicht werde ich versuchen, mich nach Rußland durchzuschlagen. Ich habe solche Sehnsucht nach Reinheit und Stille. Ich kann mich an Rußland erinnern. Die endlosen Ebenen, der Schnee. Ich möchte ein Mönch werden. Da gibt's ein Kloster am Berge Athos – wenn ich bloß an Gott glauben könnte..."

„Grischa, schau mich an, Grischenka: Nimm mich mit", sagte sie verzweifelt. „Vielleicht könnte ich dir helfen. Ein bißchen, vielleicht?"

„Helfen? Mir helfen? Wie denn?"

„Das weiß ich nicht. Ich weiß es nicht. Aber wir würden beisammen sein und . . ." Sie verstellte ihm den Weg, und, auf Fußspitzen stehend, schlang sie die Arme um seinen Hals und bot ihm ihr regennasses Gesicht und ihren geöffneten Mund. Es war unbeholfen, alle Ballettgrazie vergessen. Grischa nahm ihr Gesicht in seine kalten Finger und küßte sie, so wie er ein Baby oder eine junge Katze geküßt haben würde. Dann löste er ihre Hände von seinem Nacken und tat einen Schritt zurück.

„Schade um uns, Duschka. Aber du kannst mir nicht helfen. Ich muß allein sein. Muß mich bei meinen eigenen Haaren aus dem Sumpf ziehen. Komm jetzt, es regnet. Ich bring dich nach Hause."

„Danke. Jetzt – jetzt möchte auch ich lieber allein gelassen werden", sagte sie und ging schnell von ihm fort. Er versuchte nicht, ihr zu folgen.

Sie hörte nur ein einziges Mal etwas über ihn, Monate danach und durch Bagoryan. „Apropos – was sagst du zu unserm Freund Kuprin? Ist bei Diaghileff gelandet und macht sich recht gut, wie's heißt. Ein neues Spielzeug für den schlauen alten Zauberer – oder wußtest du das gar nicht?"

„Nein. Er schreibt nie. Nicht einmal seiner Mutter", sagte Kati mit Eiseskälte.

Der junge Mirko Bagoryan war etwas ziemlich Seltenes: ein glücklicher Mensch.

Er hatte den kräftigen Lebenshunger strahlend gesunder Geschöpfe und die Straffheit und Körperfreude, mit der der Tanz die harte Zucht und Arbeit des Tänzers belohnt. Es gab kaum eine Minute, die er nicht voll auskostete, kaum etwas, das er nicht intensiv genoß. Den Anblick, den Klang, die Berührung der Dinge um ihn, ihre Farben, ihre Gerüche. „Das sind so wunderbare Linien überall – Bewegungen – neue Ideen – Raumgestaltung – Kompositionen – Giá!" endete er mit einem italienischen Trompetenstoß des Entzückens. „Kinder, die Welt ist zu reich für Worte!" und damit galoppierte er los, um den Reichtum zu verschlingen, aus Schönheit und Häßlichkeit gleichermaßen Freude zu saugen; er spielte den Clown in den Salons entthronter Prinzessinnen, aber ebenso in den Sälen von Krankenhäusern für verstümmelte Kinder, verstümmelte Kriegsinvaliden, für die in sich vergrabenen Schizophrenen. Wenn sein Ballettcorps es gut machte, mochte er die Arme ausbreiten, wie um alle vierundsechzig Ballettmädchen zu umarmen: „Ah, meine Kinder, ihr seid so gut, ihr seid so schön, ich liebe euch, jede einzeln und alle zusammen – Giá!"

Er war ein glücklicher Mensch, weil er die meisten Menschen liebte und diese Liebe auf ihn zurückstrahlte. Freilich liebte er sich selber am meisten, ohne Eitelkeit oder schlechtes Gewissen; eher mit einer gutmütigen Nachsicht für seine Fehler, als wäre er sein eigenes Kind, dem er beim Spielen zusah.

Kati blühte auf in seiner Wärme und Fröhlichkeit; alles war so neu, so leicht und hell nach den Dunkelheiten, durch die Grischa sie gezerrt hatte. Bagorjan war ein großes Talent, und talentierte Menschen können sich's leisten, sich und andern das Leben angenehm zu machen, während das Genie unweigerlich in Kämpfen steht, in denen es sich selbst und andere verwundet.

„Ach was – Talent! Ich habe hungrige Augen und ein gutes Gedächtnis, das ist alles. Außerdem bin ich der neugierigste Mensch, den es gibt, das macht jeden Mann springlebendig."

Er war neugierig auf Kati gewesen, von dem Moment an, da er jenen wilden kleinen Schrei im Bacchanal erlauschte. Gott steh uns bei, was für ein Feuer, welche Leidenschaft in der kleinen Person, sagte er sich. Er beobachtete sie bei der Arbeit; weit hinten, in der letzten Reihe, schmiß sie sich viel zu intensiv in die *exercises* – keine Linie, kein Stil, dachte er und bahnte sich durch die Corpsmassen zu ihr, um sie zu korrigieren. „Du, Kleine – wie heißt du – Kati? Kati, was? Milenz – höre, Milenz, zerreiß dich nicht so! Du übertanzt alles – und hau nicht so mit den Armen herum. Du mußt spüren, wie du sie hebst, spür den Raum um dich, nein, nicht nachdenken, das Gehirn hat nichts damit zu tun; wenn du eine Tänzerin sein willst, mußt du deinen Körper für dich denken lassen – spüren, spüren . . ."

Er war damals noch sehr jung, kaum achtundzwanzig, und er sprudelte von neuen Ideen; ohne Zweifel, Umwege und zerebrale Bemühungen fielen ihm immer neue Tänze ein. „Ich bin keiner von euren intellektuellen Tänzern", mochte er feststellen, „nicht wie dieser merkwürdige junge Teufel Kuprin. Leben und tanzen muß man von hier aus, von der Mitte", sagte er und legte seine Hand auf Katis flachen, festen Unterleib. „Alles kommt von hier.

Deine Tänze. Deine Kinder. Und diese andre Sache – das Beste in der Welt, weißt du . . ."

Kati wußte es nicht, noch nicht. Aber sie erschauerte unter seiner Berührung, und er lächelte, bezaubert und ein wenig gerührt. Ihre Zartheit, ihre Jugend rührten und erregten ihn, der perlmutterne Glanz ihrer Achselhöhlen, noch nackt wie die eines Kindes. Aber sie ist ja noch ein Kind, ein kleines Mädel, dachte er. Das gründete kleine Flämmchen an seinem Rückgrat entlang an, bohrte mit glühenden Schrauben in die empfindlichen Nerven seiner Handflächen. Hastig steckte er diese hungrigen Hände in die Hosentasche.

Am Anfang hatte er ein paar scharfe Attacken gegen ihre Unschuld geritten. Eines Nachmittags, zum Beispiel, kam er in den Ballettsaal gewandert, wo Kati allein und ohne Musik an ihren Arabesken arbeitete. „Oh – ich wußte nicht, daß du hier bist. Aber laß dich nicht stören, mach nur weiter", sagte er. „Ich muß mir etwas für diesen alten Käse zurechtlegen, ‚Geschichten aus dem Wienerwald', bevor's an allgemeiner Arterienverkalkung draufgeht." Er drehte das Grammophon an, eine andre seiner vielkritisierten Neuerungen. Wie verzaubert sah Kati ihm zu; er glitt in die ersten experimentellen Schritte eines Walzers, hielt an, sehr unzufrieden. Versuchte etwas anderes. Ihr schien es ausgezeichnet, aber er hörte wieder auf zu tanzen und holte seine Zigaretten hervor. „Rauchst du?" fragte er. Sie schüttelte den Kopf. „Danke, nein, Herr Ballettmeister", sagte sie nachher, sich auf ihre Manieren besinnend. „Ich war grade beim Weggehen."

„Warum denn? Du fürchtest dich doch nicht, mit mir allein zu sein?" sagte er und stand plötzlich dicht bei ihr. „Oder doch?"

„Nein, aber nicht im geringsten, Herr Ballettmeister . . .", protestierte sie ein wenig zu nachdrücklich.

Er lachte. „Soso. Nicht im geringsten. Das ist kein großes Kompliment. Vielleicht sollte ich dich lieber warnen. Ich bin ein gefährliches Individuum. Keinerlei Hemmungen. Was ich haben will, das kriege ich auch."

Darauf lächelte Kati ihr nichtssagendes Ballettlächeln, das abbrach, als er seine Hände um ihre kleinen Brüste wölbte und ein wenig heiser hinzufügte: „Und dich will ich haben, Milenka."

Aber obwohl sie willenlos dastand, zitternd, erblaßt, mit einer plötzlichen schweren Süße in allen Gliedern, ließ er seine Hände sinken und schickte sie an die Stange zurück. „Nun laß mich einmal eine wirklich gute Arabeske von dir sehen. *Und* eins – *und* zwei – *und* . . ."

Mirko, mein Sohn, predigte er sich, verbrenne dir nicht die Finger, geh nicht während der Schonzeit auf die Jagd, friß keine grünen Äpfel, das ist nicht gesund, warte, bis das Früchtchen reif ist. Aber das war leichter gesagt als getan. Herrgott, ich fürchte, ich bin in die Kleine verliebt, wirklich und wahrhaftig und ernsthaft verliebt, seufzte er. Es war eine neue Erfahrung, unähnlich den leichtherzigen Liebschaften, an denen es ihm auf seinen Wanderungen nicht gemangelt hatte. Mit seiner unbegrenzten Genußfähigkeit genoß er auch dies: die zerrende Ungeduld, die Erwartung, die Spannung, die lange Belagerung, die langsame Verführung. Inzwischen, Mirko, mein Sohn, müssen wir ja nicht *en célibataire* leben, *n'est-ce-pas?*

Einige Tage vor ihrem letzten Examen wurde Kati schriftlich in die Kanzlei des Ballettmeisters vorgeladen. Sie nahm das Dokument mit schlechtem Gewissen in Empfang. „Was will er denn? Was hab' ich jetzt wieder angestellt? Aus der Reihe getanzt?" fragte sie die Gouvernante der Ballettschule, Fräulein Habicht. Die alte vormalige Balletteuse lächelte, zuckte die Achseln und lieferte Kati zur vorgeschriebenen Zeit ab. „Und vergiß nicht, dem Herrn Ballettmeister einen Knicks zu machen", mahnte sie an Bagoryans Tür und überließ Kati den höheren Mächten.

Kati war mit weißen Glacéhandschuhen angetan, sie trug weiße Söckchen und schwarze Lackschuhe, und sie machte beim Eintreten einen artigen Knicks. Bagoryan schien in einen Klavierauszug vertieft. „Ah, du bist's, Milenka? Du wolltest mich sprechen?"

„N-n-ein – ich meine – ich dachte, *Sie* wollten *mich* sprechen, Herr Ballettmeister."

„Ach ja, richtig. Jetzt erinnere ich mich. Willst du nicht Platz nehmen?"

„Danke bestens", sagte sie manierlich und nahm Platz; den Hals gestreckt, locker gefaltete Hände, gekreuzte Knöchel, hochgewölbten Spann.

„Was ich fragen wollte: Du bist so viel besser als die andern Corpstänzerinnen, obwohl du, glaub' ich, die jüngste bist . . ."

Besser als die andern? Gab es noch andere Wünsche, andere Erfüllungen auf der Welt? Gierig schluckte Kati die großen goldenen Klumpen von Ambrosia und Nektar in sich hinein. „Wirklich . . .?" flüsterte sie atemlos.

„Jawohl, wirklich und wahrhaftig. Aber woher kommt das?"

„Vielleicht, weil ich – Maestro Mattoni gab mir Privatstunden, manchmal. Ich meine, manchmal ließ er mich an Grischas Stunden teilnehmen, er brauchte ein Mädel für die *pas de deux*, die *Adagios*, und so – nämlich Grischa zeigte sich ein bißchen zu gern, und sooft er ein Solo mit einer Ballerina hatte, gab's deshalb Krach, also sagte der Maestro, er würde ihn schon dressieren und ihm Manieren beibringen und einen Kavalier aus ihm machen und wenn er ihm das Genick dabei brechen müßte, sonst könnte nie ein *danseur noble* aus ihm werden, denn natürlich wird keine Primaballerina ihn als Partner annehmen, wenn er immer nur sich vordrängen will, anstatt sie in den Vordergrund zu stellen und so . . ." Das war Garderobengeschwätz, es knattert geläufig dahin, aber sie bremste. „Ich spreche von Kuprin, Herr Ballettmeister."

„Ich bin mir klar darüber. Und du warst Kuprins willige Sklavin? Du hast dich von ihm benutzen lassen wie eine Stange, eine *barre*, einen Kleiderständer, um seine Eitelkeiten dran aufzuhängen?"

„O Gott, nein, so war's nicht. Es war – Geben und Nehmen. Oh, ich habe ja soviel von ihm gelernt – wir sind zusammen aufgewachsen – ich werde nie wieder einen Freund wie Grischa finden."

„Bist du sicher? Er fehlt dir also sehr?"

„Ja, natürlich", sagte Kati schnell, und viel langsamer setzte sie hinzu: „Das heißt – eigentlich nicht..."

Erst in diesem Moment erkannte sie, daß ihre Sehnsucht nach Grischa verblaßt war, vorbei. Ihr Leben war so zum Bersten ausgefüllt, da war kein Raum mehr für Grischa. Wenn er jetzt zurückkehrte, wäre er nur ein schattenhaftes, ja, selbst ein störendes Gespenst.

Bagoryan schien nicht so entspannt wie sonst. Er wanderte auf seinen schönen, langen, nackten Füßen im Zimmer herum, seine Pumps standen mit dem kummervollen Ausdruck junger Rassehunde unter einem Stuhl. Er vermied es, Kati anzublicken. Kati saß artig da und wartete, bis er mit einem Ruck vor ihr anhielt.

„Sag mir, Milenka: Hast du mit Kuprin geschlafen?"

Es war wie ein Schlag mit der Faust, so brutal, so unerhört; sie vergaß Höflichkeit und Respekt und rief zornig: „Also, das ist eine saudumme Frage."

„Aber ich möchte es wissen: ja oder nein?"

„Nein!" schrie sie, heiß vor Wut. Eine Sekunde danach fühlte sie sich eher geehrt als beleidigt durch die Vermutung, daß sie getan haben könnte, was die älteren Jahrgänge taten, die Koryphäen, die Solotänzerinnen; Mitzi Keller zum Beispiel.

„Piano, piano – komm, rauch eine Zigarette zur Beruhigung. Das Beste, wenn man nervös ist."

Kati hatte noch nie geraucht. Sie nahm eine Zigarette und gab acht, wie er ein Streichholz anzündete; er hielt das Flämmchen geschützt in seiner Handmuschel, und das war eine Geste, die Kati intensiv beobachtete; die charakteristische Geste von Soldaten und Seeleuten und Jägern, die ihr lieb und teuer wurde, denn aus solchen Winzigkeiten baut sich Liebe ihre versenkten Korallenriffe.

Es war ihre erste Zigarette, sie klemmte sie behutsam zwischen die Lippen, sie schmeckte bitter und heiß wie eine schwächste Vorahnung der vielen anderen Erstmaligkeiten, die noch vor ihr lagen.

Bagoryan sah, wie sie den Rauch von sich blies und sich Tabakfäserchen von der Zunge zupfte, und er fand ihre Unbeholfenheit reizend. Vorsicht, Herr Ballettmeister, Vorsicht, mahnte er, wir sind keine leichtsinnigen Zigeuner mehr, wir sind eine wichtige Persönlichkeit, ein Bühnenvorstand, eine Autorität. Zum Teufel, ja! Aber trotzdem ein Mann, und noch dazu ein verliebter Mann. Er rannte zweimal auf und ab, und dann kam er mit einem Schwung zu ihr zurück. „Weißt du, Milenka, ich kann dir deinen Grischa nicht wiedergeben. Aber ich kann ohne ihn deine Privatstunden fortsetzen, damit du nicht auf halbem Weg steckenbleibst wie die Touristen auf der Pyramide in Ägypten. Ballett ist eine Pyramide. Wenn man nicht bis zur Spitze kommt, dann fängt man lieber gar nicht zu klettern an. Und du hast das Zeug in dir, bis ganz hinauf-zukommen."

Kati blieb stumm, überwältigt von der Großherzigkeit dieses Ange-bots. Sie hätte ihm gern die Hand geküßt, aber was bei Maestro das richtige war, das wäre für Bagoryan ganz falsch gewesen, so-viel erfaßte sie instinktiv.

„Gut, wollen wir also sagen: am kommenden Montag um vier in meinem Privatstudio? Wellergasse 34, gleich hinter der Karlskirche. Warte, ich schreibe dir die Adresse auf."

Sie stotterte ein paar ungeschickte Dankesworte und empfahl sich mit einem zweiten Knicks. Als er sie zur Tür begleitete, setzte er mit studierter Nachlässigkeit hinzu: „Und höre, Milenka, wir wol-len kein Getratsch, keine Eifersüchteleien, nicht wahr? Es ist nicht nötig, daß du's den andern Mädels erzählst, abgemacht? Nicht ein-mal deiner besten Freundin. Also – servus, Milenka, bis Montag."

Milenka ist das slawische Wort für Liebling, und Bagoryan blieb dabei, sie Milenka zu nennen, mit einem tieferen und geheimeren Sinn späterhin, als sie schon seine Geliebte geworden war. So kam sie zu ihrem Theaternamen. Olycheff, der Erbe des verwaisten Di-aghileff-Ballett-Reiches, der prinzipiell die Namen all der kosmopoli-tischen Mitglieder seiner Truppe russifizierte, machte Katja Milenkaja daraus.

Und als Bagoryan, viele Jahre später, wieder ihren Weg kreuzte, dauerte es Wochen, bis er das respektvolle „Madame" aufgab und sie Milenka nannte wie in den verzauberten fünf Monaten ihrer frühen Liebe.

Katis beste Freundin – was in den Garderoben so die beste Freun-din hieß – war Mitzi Keller. Mitzi war die unbestrittene Königin der Kinderklassen gewesen. Schön, silberblond, rehäugig und lang-beinig, besaß sie Grazie und Leichtigkeit und eine faszinierende Kenntnis ordinärer Ausdrücke und gemeiner Tatsachen.

Die Kinderklassen brodelten fortwährend von Miniatur-Intrigen; jede Clique hatte ihre Anhänger und Gegner, und Kati war bald in die Gruppe geraten, die zu Mitzi Keller gehörte. Die Mitzi war eine freigebige Freundin, die gern mit Ratschlägen, kleinen Ge-schenken und Gefälligkeiten aushalf. Sie hatte Kati sowohl die Ge-heimnisse des Geschlechtslebens wie die Tricks des Schminkens für die Bühne beigebracht; sie hatte ihr gezeigt, wie man im Ballett lächelt, das Trikot verankert, falsche Wimpern anklebt, die Spitzen der Ballettschuhe verstärkt, die langen Bänder so knüpft, daß sie nicht rutschen. All dies war ein Teil der geheiligten Tradition. Von Anfang an hatte die Mitzi einen kleinen Hofstaat um sich gesam-melt, eine tüchtige Armee mit Offizieren, Spionen und Mannschaft für das zukünftige Reich einer Primaballerina. Erst achtzehn Jahre und schon Solotänzerin, versprach alles ihr eine glänzende Kar-riere.

Es war nett von der Mitzi, daß sie auch nach ihrem schnellen Avancement noch Katis beste Freundin blieb. Wenn sie in der

Kulisse auf ihren Auftritt wartete, mochte sie sich anmutig an Kati lehnen oder sich auf sie stützen, wenn sie, gänzlich außer Atem, nach einem Solo von der Bühne gewirbelt kam. Auch mußte Kati sie vor jeder Vorstellung in der Solistengarderobe besuchen, um ihr unter Gekicher und Getratsch das Lampenfieber zu vertreiben.

Kati fühlte sich etwas geschmeichelt durch Mitzis Abhängigkeit von ihr und sehr beeindruckt, als Mitzi sie in ihr großes Geheimnis einweihte: Die Mitzi hatte ein Verhältnis, das großen Takt und tiefste Verschwiegenheit verlangte. „Der Putzi ist nämlich ein großes Tier bei der Regierung, und außerdem...", deutete sie seufzend an. Kati schloß daraus, daß der Putzi verheiratet war. Jedenfalls sieht er verheiratet aus, dachte sie, als die Mitzi ihr ihn durch das Guckloch im Vorhang zeigte: ein rundlicher Herr in mittleren Jahren, ganz nobel in einer Loge.

Kati konnte Vertrauen nicht mit Vertrauen erwidern; es war ihr völlig unmöglich, über ihr eigenes Geheimnis mit irgendeinem Menschen zu reden; doch, vielleicht mit Grischa. Oder mit Grischa am allerwenigsten? Mitzi und die andern, die haben's leicht, dachte sie wieder einmal; die haben kein Zwielicht in sich – und dieses Wort umschloß all das, was sie empfand, seit sie Privatstunden in Bagoryans Studio erhielt.

Ein länglicher Raum mit einem Oberlicht, wo Spinnen ihre kleinen Hängematten befestigten. Bagoryan hatte seine Spinnen gern, und zum Beweis seiner Freundschaft fing er ihnen gelegentlich Fliegen, die er lebend in den Spinnennetzen ablieferte. „Aber das ist grausam", sagte Kati. „So wie die Natur", erwiderte er ungerührt. Die Lektionen waren streng, das Studio groß und kahl, nichts als die Stange, der Fußboden, der Spiegel, das Grammophon.

Nach der dritten Lektion zog er den grauen Samtvorhang beiseite, der das Studio von seinem Wohnraum trennte, und lud Kati ein, noch ein wenig zu bleiben, auszuruhen, sich zu entspannen. Auch dieser Raum war ziemlich leer. Eine breite Couch, ein großer Arbeitstisch, mit Büchern, Noten und Skizzen beladen; in einer Ecke ein Spirituskocher, über dem er geschäftig daran ging, türkischen Kaffee zu brauen.

„Ich brauche keine Möbel, aber ich brauche Platz", sagte Bagoryan. „Sobald man Sachen besitzt, besitzen die Sachen einen; und ich kann mich nicht besitzen lassen, nicht von Dingen und nicht von Menschen – überhaupt von nichts."

Kati liebte diesen Raum. Er wurde bald zu der Bühne, auf der ihre erste Liebe sich entfaltete, im romantischen Stil der *Balletts blancs*, der „weißen" Ballette des neunzehnten Jahrhunderts, Choreographie und Dekorationen von Mirko Bagoryan. Zart und sentimental wie „Schwanensee", graziös und ohne Substanz wie „Sylphides", tragisch wie „Giselle" und im ganzen ein wenig blaß und lebensfern.

Es war unvermeidlich, daß ihre Zusammenstöße mit der Alltäglichkeit in dieser Zeit sich härter und unheilvoller gestalteten. Wie alle

111

Sechzehnjährigen, von jeher und überall, rebellierte sie gegen den Stumpfsinn von Heim und Familie, die unerträgliche Verständnislosigkeit dieser prosaischen alten Leute zu Hause für die stürmischen Ekstasen der Jugend.

Es gibt Streit, Szenen, unerhört grobe, gemeine Beschimpfungen; Tante Malis Tränen, Franzls Fluchen und schmutziges Nach-ihr-Schielen. Sie spionieren hinter ihr her, sie schinden sie, sie machen eine Gefangene aus ihr, bis sie es nicht mehr aushält. Die Existenz in der gedrängten kleinen Wohnung ist nicht nur beengend, sondern wird unsauber, ekelhaft. „Mein Franzl" geht von dreckigen Witzen zu noch ärgeren Handgreiflichkeiten über; seine unverschämten Finger kriechen überallhin, zwischen ihre Brüste, unter die Röcke; Kati weiß, worauf er hinaus will – und auch Tante Mali weiß es. Zuletzt bricht die untragbare Situation auf wie ein eitriges Geschwür, und nach einer letzten hysterischen Szene rennt Kati davon.

Nicht sehr weit, nur bis zu Maman Kuprins eleganter Wohnung im Vorderhaus, wo sie in einem der zahlreichen gastfreundlichen Kämmerchen Unterkunft fand. Dort, im ständigen Kommen und Gehen von Gästen und Freunden, dem russisch-französischen Geschnatter, dem Lachen und Weinen und Gesang und Gebet, in dieser warmen sorglosen Atmosphäre der Entwurzelten, hatte Kati die unbewachte Freiheit, die sie brauchte, um mit Mirko beisammen zu sein, wann immer er wollte.

„Oh, wie schön es bei dir ist", seufzte sie, wenn sie nach einer Lektion entspannt auf der Couch lag, den Duft von türkischem Kaffee und ägyptischen Zigaretten einatmend, der sich für sie unlösbar mit Bagoryan verband. „Hier ist alles so leicht, so luftig. Es sieht improvisiert aus, nicht? Aber ich weiß, daß du es genauso entworfen und geplant hast, jede kleinste Linie, jede Proportion. Alles ist Mirko. Und der Himmel – so viel Himmel . . .", sagte sie wohl, wenn sie ihre Augen aufwärts in die breite Fläche des Oberlichts tauchen ließ.

Dieses Stück Himmel spielte eine wichtige Rolle in der Geschichte ihrer Liebe. Zuerst war es ein wintriges Grau gewesen, Schnee auf den Glasscheiben, oder eine bläuliche Girlande von Eiszapfen, die in dem messinggelben Sonnenschein eines unerwartet warmen Tages schmolzen. Wolkenprozessionen wanderten da oben dahin, dunstige Sonnenuntergänge von der Farbe einer mit Heidekraut bedeckten Halde, und später, wenn die Lichter in der Stadt unten angingen, ein blasses Lachsrot. Dann kam das Frühjahr und dann das kreisende Dunkel ihrer ersten Nacht, mit den vielen Sternen da oben, bis der durchscheinende Himmel in der Stunde vor Tagesanbruch auf ihr erschöpftes Wachsein herabblickte und auf Mirko, der neben ihr schlief. Mirko, unergründliches Wesen: Mann.

Sie stand in ihrem tugendhaften Batist-Unterkleidchen vor dem Spiegel, als er auf der zerwühlten Couch erwachte. „Hallo", sagte er. „Guten Morgen, Süße."

„Guten Morgen, Herr Ballettmeister." Sie versuchte eine tiefe Schlucht von Befangenheit zu überbrücken. „Nicht vergessen – Probe um halb zehn."

„Wie fühlst du dich? Nicht böse auf mich? Müde, enttäuscht?"

„O nein. Nur ein bißchen faul – bißchen schwer in den Gliedern. Ich fürchte, ich werde heute schlecht tanzen, Herr Ballettmeister. Nein, weißt du, wie ich mich fühle? Glücklich wie eine Biene bei Sonnenuntergang. Sie möchte fliegen, aber sie ist so beladen mit Pollen und Nektar, die Flügel sind ihr schwer – ja, jetzt lachst du mich aus, aber ich kann's nicht besser ausdrücken."

Sie hob ihre Arme wie ermüdete Flügel und ließ sie sinken. Bagoryan sah ihr aufmerksam zu. „Ein müdes Bienchen? Das gefällt mir", sagte er. „Vielleicht mach' ich einen Tanz für dich daraus; später einmal." In der Nacht war er etwas enttäuscht von Kati gewesen. Na ja, was kann man von einer schüchternen kleinen Jungfrau beim erstenmal erwarten – aber, Herrgott, was für eine Tänzerin ich aus ihr machen werde!

Später...? Wann wird Später aus Jetzt? dachte sie. Eine feine, schmelzende Traurigkeit lag in dem Gedanken und in der Traurigkeit eine kleine Pose, und Liebe, Glück, Melancholie und Pose formten sich ganz von selbst in eine wunderschöne Arabeske; die erste der vollkommenen Arabesken, für die die große Katja Milenkaja berühmt wurde.

Mirko Bagoryan, der Tänzer, der Lehrer, der Mensch mit den hungrigen Augen, der Liebhaber – Pygmalion auf seiner Couch da drüben – applaudierte...

Wenn man sechzehn ist, gibt es kein Ende, wenn Liebe beginnt; wenn man über Vierzig ist, erzählt man Reportern, daß Liebe als eine vergessene Telefonnummer aufhört, dachte Katja lächelnd. Aber nichts ist je vergessen. Nicht für eine Tänzerin. Es schläft nur irgendwo im Dunkeln, und wenn man die Erinnerung braucht, holt man sie hervor wie neu.

Es hatte geendet, wie jede Liebe früher oder später endet. Nur daß man's nicht glauben kann, wenn's das erstemal geschieht. Nur daß man überzeugt von der Einmaligkeit und Ewigkeit seiner Liebe ist. Aber jede Liebe ist einmalig, und doch ist Liebe immer das gleiche, dachte sie mit weisem Lächeln. Der Unterschied ist, daß nicht jede Liebe mit einem so vernichtenden Donnerschlag aufhört.

Erst war da eine Männerstimme am Telefon, ein Vertrauen einflößender Bariton, der nur gelegentlich in ein nervöses Falsetto umschnappte. „Fräulein Milenz?... Spreche ich mit Fräulein Milenz persönlich? Ich habe eine Nachricht für Sie... von einer Freundin... wie bitte?... Die Mitzi... Frau Mitzi Schmidt... Tja, das ist der Name, den sie uns angab... Sie möchten sofort kommen und sie abholen... Jawohl, *sofort*... Warten Sie, ich muß Ihnen die Adresse geben: Rittergasse 37, im fünften Stock... ja, sie sagte, Sie möchten ein Taxi nehmen, sie zahlt dafür... wie bitte? Mein Name? Tut nichts zur Sache, Sie kennen mich ja doch nicht... Ich bin Doktor Krz...", und der Name verlor sich in einem Dickicht von Konsonanten.

Rittergasse 37 war ein Haus wie jedes andre, ziemlich sauber, ziemlich neu. Der Lift führte sie an einem Fotoatelier im ersten, an einer Zahnarzt-Praxis im zweiten Stock vorbei, dann kamen zwei Stockwerke mit Pension Bellevue und Küchengerüchen. „Bis ganz oben, Fräulein?" fragte der Mann, der den Lift bediente. „Ich – ja, ich glaube – ich will in den fünften...", murmelte Kati. Der Mann warf einen merkwürdigen Seitenblick auf sie.

„Das wäre also der Massagesalon", sagte er.

Kati war dem Ruf sogleich gefolgt, etwas besorgt und auch aus Gewohnheit. Seit sechs Jahren hatte die Mitzi sie zu verschiedenen kleinen Diensten verwendet, zu allerhand Späßen, Überraschungen und Streichen. Ob es sich wieder um so etwas handelte? Oder weshalb sonst hatte die Mitzi einen falschen Namen angegeben? Erst als eine unsagbar dicke Person in unglaubwürdiger Schwesterntracht sie in Empfang nahm, kam ihr der Gedanke, daß sie in irgendeine phantastische Falle gerannt sein könnte.

Die Person war übertrieben vergnügt und mütterlich, obwohl sie mehr wie ein böser alter Mann aussah, wie einer von den Baßgeigern in der Oper. Als sie Kati einen wurmartigen Gang entlangführte, wo es nach Äther roch, sah Kati sich plötzlich wie in einer Filmszene: Sie und die Mitzi, chloroformiert, gebunden und geknebelt, Opfer einer Bande von Mädchenhändlern.

Die Wirklichkeit, in ihrer gnadenlosen Weise, war zwar nicht so dramatisch, wenn auch gewissermaßen noch viel ärger.

In einem engen Zimmer, wo leise schwankende Zebrastreifen durch die staubigen Jalousien auf die Diele fallen, liegt Mitzi auf dem Bett. Sie ist vollkommen angekleidet, hat sogar den Hut aufgesetzt und sieht miserabel aus. Sie zieht Kati zu sich herunter und flüstert ihr ins Ohr, ihr doch gleich hier fortzuhelfen, um Gottes willen, nur fort von hier. „Ich bin im Sterben, Katzerl, und die wollen mich hinauswerfen, bevor ich ihnen hier draufgehe. Gott sei Dank, daß du da bist, Katzerl, du bist ein guter Kerl, ich weiß ja, du läßt mich nicht im Stich, du bist die einzige, der ich trauen kann..."

Ihre Hand ist heiß, ihre Lippen aufgesprungen, und der abgestandene Geruch von menstruellem Blut hängt um sie. Die dicke Person steht wie eine Schildwache in der Tür, versperrt sie mit ihrem Körper. „Hören's ihr gar net zu, Fräulein, des is ja ein Blödsinn, der geht's ausgezeichnet, bringen Sie sie bloß nach Haus, nix geschieht ihr...", sagt sie mit lauter Stimme. Das Bett war schon abgezogen, nur eine braune Gummiunterlage lag noch auf der nackten Matratze. Auf einem Stuhl steht Mitzis Köfferchen, am Nachttisch liegen Mitzis Handschuhe und Tasche neben einem Glas Wasser, in dem ein Sonnensplitterchen einen winzigen Regenbogen erzeugt. Ein Schüttelfrost läßt Mitzis Zähne klappern, ein Krampf schüttelt ihren Körper. Die Person nimmt den Handkoffer auf und schwätzt immer weiter.

„Jessas, ja, der wird's gleich besser gehn, wenn's erst im eigenen Flohtriegerl liegt, is ja bloß a kleiner Schock für den Organismus, wissen's, nämlich die Behandlung macht die Damen gewöhnlich ein bisserl hysterisch, na, ist des net lieb von der jungen Dame, daß sie gleich kommt und auf Sie achtgibt? Sie soll'n froh sein, daß Sie's hinter sich haben, und bezahlt haben's auch schon, Sie wer'n sehn, nach ein, zwei Tag sind's ein ganz anderer Mensch, den ganzen Dreck sind's los, brauchen sich keine Sorgen mehr zu machen."

„Halt's Maul jetzt!" schrie die Mitzi, griff mit überraschender Kraft nach dem Wasserglas und schmiß es nach der fetten Trösterin. Kati hatte den Eindruck, daß die Mitzi doch letzten Endes am Leben bleiben werde. „Komm nur. Glaubst du, daß du gehen kannst?" sagte sie, und die Mitzi kam hoch, klammerte sich an ihren Arm und wankte zur Tür.

Es war sonderbar, wie völlig klar Kati die Situation begriff, ohne etwas zu fragen. Und warum nicht? Ich bin ja eine Frau, dachte sie. Dies war es also, wovon in den Garderoben geflüstert wurde. Die hat Pech gehabt. Mit der ist's schiefgegangen. Ein kleines Malheur ist passiert: Die bleiche Angst, die auf dem tiefen Grund des Brunnens der Liebe wartet.

Die Person folgte ihnen mißgelaunt mit dem Köfferchen und klingelte für den Lift. Der Doktor blieb unsichtbar, eine nervöse Stimme am Telefon, Kati versuchte vergeblich, sich ein Bild von ihm zu machen.

„Hat er einen Bart?" fragte sie zusammenhanglos. Die Mitzi lachte mit klappernden Zähnen. „Deine Sorgen möcht' ich haben", sagte sie. Kati hatte großes Mitleid mit ihr und ängstigte sich um sie, aber zugleich war sie geschwellt von dem Gefühl ihrer eigenen Wichtigkeit und Verantwortung im Drama der Freundin. Während der Minuten, die vergingen, bis der Lift heraufkam, war Kati um Jahre gereift.

„Die Dame sollte sich lieber niedersetzen", bemerkte der Mann im Lift und bot Mitzi galanterweise sein Stühlchen an. Die Mitzi lehnte es mit ihrem besten Lächeln ab, sich zu setzen. Ihre Zähne hörten zu klappern auf, und Kati konnte fühlen, wie sie sich zusammenriß, die Knie und das Rückgrat straffte, gestützt auf die strenge Disziplin, die das Ballett den Körper lehrt.

„Wie fühlst du dich jetzt?" fragte Kati, sobald der hilfsbereite Mann losgegangen war, um ein Taxi zu holen.

„Wie der Abfall im Fleischerladen. Für zehn Groschen Katzenfutter, bitte. Herrgott, wie einen die Männer herrichten. Versprechen dir den Himmel auf Erden, und wenn das Malheur passiert ist, wirst du zu einem verläßlichen Doktor geschickt, verläßlich, ja, da muß ich lachen! Was dieser Fleischhacker an mir herumgepatzt hat, na, ich sag dir! Wie ich dann das hohe Fieber kriege und das Bluten nicht aufhört, da ist ihm der Arsch mit Grundeis gegangen, er hat

Angst gehabt, ich geh' drauf, also haben wir die Nummer wiederholen müssen, und das war kein Spaß, das kannst du mir glauben!
Stopft mir ein paar Hundert Meter Gaze hinein, aber ich blute noch
immer – mein Gott, ich sollt dir solche Sache gar nicht erzählen, du
bist ja noch so ein Baby, aber ich hab' mir nicht zu helfen gewußt."
„Wohin soll ich dich bringen?" fragte Kati, sobald sie die Mitzi im
Taxi untergebracht hatte. „Ja, wohin?" stöhnte die Mitzi. Nicht
nach Hause, denn die Vermieterin der möblierten Zimmer ist eine
hysterische Betschwester, die sie in ihrem Zustand möglicherweise
auf die Straße setzen oder sogar der Polizei übergeben wird. Und
schon gar nicht zu Mitzis Schwester, einer früheren Chorsängerin,
doch seit ihrer kürzlichen Verheiratung eine Dame von außergewöhnlicher Sittenstrenge und Engherzigkeit. Und da Kati schüch-
tern vorschlug, den Mann anzurufen, der für die üble Situation
verantwortlich war, starrte die Mitzi sie an und fragte, ob sie den
Verstand verloren hatte.
Ein Krankenhaus kam nicht in Frage, wenn man nicht sofort die
Polizei auf dem Hals haben wollte. Schließlich entschied sich die
Mitzi für ein kleines Hotel, wo sie schon ein paarmal gewesen war.
„Mit ihm ...", sagte sie, worauf Kati ein wenig errötete.
„Hast du genug Geld für ein Hotel?"
„Mach dir keine Sorgen, er wird schon dafür blechen. Oje, und
ob ich ihn hochnehmen werde! Von jetzt an muß er nach meiner
Pfeife tanzen. Wenn ich draufgehe, dann werde ich als Gespenst
Tag und Nacht hinter ihm her sein. Aber wenn ich lebendig aus
diesem Mist herauskomm', da wird der Herr Ballettmeister mich
zur Primaballerina ernennen müssen, noch bevor die neue Spielzeit
anfängt, da kannst du Gift drauf nehmen!"
Es war ein heißer Junitag, die Oper war für den Sommer geschlossen, die Stadt keuchte in der kochenden Hitze unter dem ausge-
bleichten Himmel. Doch nun griff eine eisige Kälte nach Kati,
schüttelte sie, als wäre sie es, die am Verbluten war. Zuerst ein
stumpfes Gelähmtsein, dann die Schwäche, Ohnmacht, das Weg-
sterben unter den Hammerschlägen der undenkbaren Wirklichkeit.
Die Vision eines Mädchens in seinen Armen – dieses harten, gewöhnlichen Mädels, das den Wagen mit dem schalen Geruch ge-
trockneten Blutes erfüllte – und dann versuchte Kati, der Panik zu
entfliehen, einen Ausweg aus dem Unvorstellbaren zu finden.
„Aber – war es denn nicht – dein Freund? Nicht der Putzi?" fragte
sie, ihr Mund war voll Asche, sie konnte kaum sprechen.
„Was soll der Putzi damit zu tun haben? Um Himmels willen,
hab' ich dir nicht erzählt, daß er zum Konsulat in Bukarest versetzt
ist? Schon vor vier Monaten."
Kein Ausweg, keine Gnade. Zurück im Kreis, das gleiche Bild wieder
und wieder und wieder, schwindlig wie die Figuren im Karussell:
Mirko und die Mitzi, während dieser ganzen Zeit – er hat mit ihr
geschlafen die ganze Zeit, während wir – während ich – wir ...
„Stopp!" befahl sie dem Chauffeur.

„Was gibt's?" fragte Mitzi, durch den Ruck in einen neuen Krampf geschleudert.

„Nichts. Mir ist schlecht."

Sehr steif und aufgerichtet und vollkommen blind ging sie auf das nächste Objekt zu, um sich festzuhalten. Es war eine große metallene Müllkiste; mit dem Geruch des Abfalls stieg ein Fliegenschwarm davon auf. Kati lehnte sich würgend und keuchend darüber und übergab sich. Nachher stand sie da, mit zitternden Beinen, von kaltem Schweiß bedeckt, und wartete, bis ihr Herz und Magen und Unterleib sich beruhigen würden. Das Taxi war ihr langsam an den Straßenrand gefolgt, und erstaunlicherweise stieg die Mitzi stolpernd aus und legte ihr den Arm um die Schulter.

„Mein armes Katzerl, war die Aufregung zuviel für dich? Tut mir ja so leid, daß ich dich in diesen Mist hineingezogen hab', ich hätt's nicht getan, wenn ich ihn hätt' erreichen können, aber Männer sind ja so feig. Er ist aufs Land, fischen oder irgendwas. Gott weiß, wo er sich herumtreibt, der Schuft."

Kati wußte es genau. Er war vorausgefahren, um das kleine Häusl in Ordnung zu bringen, das er in der Nähe vom Semmering gemietet hatte. Sie hatte erwartet, dort die glücklichsten Ferienwochen ihres Lebens mit ihm zu verbringen. Der Aufruhr in ihrem Innern legte sich, ihre Augen wurden klarer. Sie konnte die schwarzen Buchstaben an der grauen Kiste lesen: „Eigentum der Gemeinde Wien, Müllabfuhrsammelstelle. Mißbrauch wird bestraft." Kati begann zu lachen.

„So viel Leut' haben jetzt mit'm Magen zu tun", bemerkte der Wagenführer. „Es heißt, daß eine Bazille umgeht."

„Oder es kommt von der Hitz'", sagte die Mitzi. „Fahren's langsam, meine Freundin kann's Fahren nicht vertragen."

„Ich fahr' nicht mit. Bringen Sie die Dame nach Hause, Wellergasse 34, gleich hinter der Karlskirche", sagte Kati zu dem Mann.

„Bist du verrückt? Dort wohnt er ja, der Bagoryan."

„Eben. Dorthin gehörst du jetzt."

„Aber, Katzerl – ich sag' dir doch, er ist auf dem Land. Ich könnt' gar nicht in seine Wohnung hinein, sogar wenn ich wollte. Tu mir das nicht an, laß mich jetzt nicht allein!"

„Schon recht. Hier ist der Schlüssel zu seiner Wohnung. Da, nimm ihn nur."

Mitzi schnappte nach Luft, starrte sie an, eine Ewigkeit des Schweigens verging. „Heilige Mutter Gottes – hat er dich auch gehabt? Was willst du mir jetzt antun? Daß er mich in seiner Wohnung am Verbluten finden soll, wenn er zurückkommt? Oder tot? Willst du mir die Polizei auf den Hals hetzen und ihm auch, dem Schwein?"

Daran hatte Kati nicht gedacht, aber es war ein höchst einladender Gedanke. Mitzi, grau im Gesicht, sagte leise: „Du armer kleiner Wurm – du bist ja zu jung für solche Sachen...", und Kati spürte noch in ihrer bitteren Verzweiflung die merkwürdige Solidarität der Frauen gegen den gemeinsamen Feind, den Mann.

117

„Ich schick dir einen Arzt, einen von Maman Kuprins Russen, der wird dich nicht anzeigen", sagte sie, suchte sich und ihre Stimme zu beherrschen. Und zum Chauffeur, der eine Zeitung las, während der Taxameter die Minuten abtickte: „Bitte, helfen Sie der Dame mit dem Gepäck, ja? Es ist im fünften Stock und kein Lift."
„Aber ich kann keine fünf Stock hochklettern. Es tät mich umbringen...", wehklagte die Mitzi.
„Wenn du fünf Stock hochklettern kannst, um dich auszuhuren, kannst du auch fünf Stock klettern, um zu krepieren!" schrie Kati in einem grellen Ausbruch wütenden Schmerzes.
Sie hätte Mitzi umbringen mögen in diesem Moment. Mirko umbringen. Sich selbst umbringen und alles hinter sich haben. Doch als der Chauffeur den Wagen ankurbelte, hörte sie noch Mitzis sonderbar begütigende Antwort: „Er hat mich ja nie zu sich genommen. Immer nur ins Hotel..."

Katja warf einen Blick auf die Uhr, die über dem Spiegel des Ballettsaales hing. Sie wartete mit Ungeduld auf den Anfang der Arbeit mit Bagoryan. Ich möchte wissen, ob Mitzi je eine Ahnung hatte, daß diese paar Worte mir das Leben retteten oder zumindest meinen zertrümmerten Selbstrespekt so weit wiederherstellten, daß ich weiter zu leben vermochte, überlegte sie, wobei sie mechanisch fortfuhr, ihre *battements* zu üben. Ich muß ihr wirklich eine Karte schreiben, hab' ihren letzten Brief noch nicht beantwortet.
Die Mitzi hatte ihren zweiten Mann getreulich auf den Ahasver-Wanderungen des deutschen Juden begleitet und lebte nun in Milwaukee. Sie hatte zwei Kinder und war die Besitzerin einer erfolgreichen Konditorei, die in Apfelstrudeln und Sachertorten spezialisierte. Wie klein und spaßig und entfernt unsere Jugendtragödien doch aussehen, wenn man sie durch das umgekehrte Opernglas der Erinnerung betrachtet. Gut, daß ich in jener Nacht nicht in die Donau gesprungen bin, dachte Katja und lachte leise über die verzweifelte Sechzehnjährige von damals.
Sie war nur hin und her gegangen und hatte sich über das Brückengeländer gelehnt und in den Fluß gestarrt, bis ein verständnisvoller und erfahrener Polizist sie von der Brücke weglotste. Nur in dem alten, immer wiederkehrenden Traum mußte sie noch immer über die Brücke gehen, die unvermittelt im Leeren endete.
In jener Nacht war Kati ihrer mondsüchtigen ersten Liebe entwachsen und hatte begonnen, Grischas Flucht zu verstehen. Sie war allein, nur auf sich selbst gestellt, und wußte nur eins: daß auch sie wegrennen mußte, sich frei machen von dem tödlichen Fliegenpapier dieser Liebe; daß sie nie wieder in die Oper zurück konnte, nie wieder Bagoryan sehen, niemals mehr mit ihm arbeiten, oh, niemals, niemals...
Und da war er nun, kam durch die Tür des Ballettsaales, wie aufs Stichwort.
Noch immer sah er gut aus in seinem schwarzen Sweater – wenn

118

auch ein wenig verbraucht; noch immer voll von Talent und Einfällen – die freilich nicht mehr neu waren; aber so angenehm, heiter und gelockert wie je. „Verzeih, daß ich dich ein paar Minuten warten ließ, Süße, ich mußte erst die Tränchen deiner jungen Kollegin trocknen helfen. Joyce hat so labile Nerven, und es war nötig, sie für ‚Aurora‘ in Ordnung zu bringen. Ach ja, diese amerikanischen *girls* – sie kommen so leicht aus dem Geleise.“

„Ja?“ sagte Katja zweifelnd.

„Sie denkt, daß du uns in einer etwas delikaten Situation erwischt hast. Ich meine, sie hat Angst, daß getratscht wird, daß wir – daß ich – *Giá!* – du weißt, was ich meine.“

„Unsinn, Mirko. Erkläre ihr doch, daß ich die verkörperte Diskretion bin, und außerdem – deine kleinen Techtelmechtel interessieren mich nicht. Ich habe jetzt an wichtigere Dinge zu denken.“

„Entschuldige, Katinka, aber es handelt sich nicht um ein Techtelmechtel“, sagte Mirko mit so viel Würde, daß sie Mühe hatte, ein Lachen zu unterdrücken. „Wir wollen heiraten, sobald die Saison schließt. Joyce möchte nur nicht das ganze Gerede und Getue vor ihrer Premiere haben.“

Soso, jetzt ist es also *ihre* Premiere. Ha! Miß Lymans Premiere! dachte Katja aufgebracht, während sie ihm gratulierte. Ihr Lächeln war warm und strahlend, und dabei überlegte sie ingrimmig, daß es schwierig sein würde, Mirko, den Bräutigam, zu überreden, daß er den Effekt der strittigen Szene von seinem Honigbienchen auf die Bienenkönigin verschieben sollte. „Und denk nur, wenn Mr. Bender deiner Joyce einen Filmkontrakt anbietet, wäre das nicht wunderbar? Ihr könntet eure Flitterwochen in Venedig verbringen und ihn noch dazu als Brautführer haben.“

Mirko lachte ihr breit ins Gesicht. „Jawohl, wäre das nicht wunderbar, du kleine Klapperschlange?“ Sie kannten einander zu gut, um sich was vorzumachen. „Ach nein, Katinka, ich mach’ mir keine großen Illusionen. Wahrscheinlich würde Joyce mich in dem Moment aufgeben, wo sie beim Film ankäme. Und ich wäre der letzte, ihr das übelzunehmen.“

Das ist es, was das Leben einen lehrt, wenn man Glück hat, dachte Katja. Weitherzigkeit ohne Zynismus. Wenn man erst genügend oft über den Schädel gehauen worden ist, erwirbt man das merkwürdig sachliche und leichtherzige Verhältnis zu Dingen des Geschlechts und der Liebe, durch das Leute vom Ballett so oft die Außenseiter überraschen und schockieren. Aber auch das war nur eine andere Facette der Verpflichtung, niemals die Anstrengung zu zeigen, weder verrenkte Gelenke noch gebrochene Herzen. Auch dies hatte sie in jener Nacht auf der Brücke gelernt. Man durfte es nicht zulassen, daß Dinge der Liebe und des Geschlechts einem zu tiefe Schmerzen zufügten. Solche Dinge waren nicht wichtig genug. Wichtig war das Tanzen, die Leistung, der Ehrgeiz, der Erfolg.

„Was ist es, Mirko, Liebling? Noch immer der alte Pygmalion-Komplex?“

„Zum Teil. So ein junges, talentiertes, noch ungeformtes Geschöpf in die Hände zu nehmen und sie zu formen nach *meinem* Geschmack, in *meinem* Stil! Zu sehen, daß niemand anderer sie verpatzt! Aber wie kann man sie halten, ohne sie zu heiraten? So, daß nicht irgendein Idiot sie vors Publikum stellt, bevor sie perfekt ist . . .?"

„Du hast recht. Und das erinnert mich", versuchte Katja hastig, „an diesen Tanz des Honigbienchens – ich fürchte, er ist zu verdammt lang und anstrengend für eine so junge Tänzerin. Ich weiß, daß ich die Szene in ihrem Alter nicht hätte durchhalten können. Denkst du nicht, es müßte etwas leichter für Joyce gemacht werden? Ich habe da eine kleine Idee, wie man ihr zumindest Zeit geben könnte, zu Atem zu kommen."

Doch Mirko war ganz woanders. „*Madonna mia*, wenn du mich mit dir hättest arbeiten lassen, bis du die Spitze erreichtest, meine Katinka . . ."

„Nun, ich hab's schließlich auch ohne dich nicht so schlecht gemacht", sagte sie pikiert. Mirko schloß sie lachend in die Arme. Es amüsierte ihn immer, wenn sie zornig wurde.

„Laß los, du Narr – wir müssen arbeiten. Wo ist Lazar? Ich brauche Musik."

Er zog sich seinen Sweater über den Kopf, und Katja warf ihren cardigan ab und spannte jeden Nerv in äußerster Konzentration.

„Also, paß auf, wie du deinen ersten Auftritt angehen mußt . . .", sagte Bagoryan und warf sich in die Arbeit.

Auf der Uhr über dem Spiegel war es ein Viertel vor neun.

Freitag, Sonnabend, Sonntag: arbeiten, studieren, üben. Wiederholen und wiederholen, memorieren. Sie versucht, sich jeden Takt ins Gedächtnis zu hämmern, sie prügelt ihre Schenkelmuskeln, wenn sie müde werden wollen. Sie läßt sich hinfallen, Louisa muß ihr die Beine massieren, oder Mirko oder Lazar. Sie ist desperat und dann wieder über sich selbst hinausgesteigert. Sie möchte weinen, aufgeben. Und sie geht wieder zum Angriff vor. Und diesmal gelingt's. Und sie jubelt und fühlt sich unübertrefflich – bis zur nächsten Schwierigkeit und der nächsten Niederlage. Sie keucht, stöhnt, zählt immerfort, immer wieder, bis sie sich den Rhythmus zu eigen macht, den Charakter, den Stil. Und die Choreographie, die Schritte, Bewegungen, Figuren, den Ausdruck bis zum geringsten Zucken einer Braue, zum letzten Glied der kleinen Fingers. Völlig erschöpft fällt sie auf das Sofa in ihrer Garderobe und schleppt die Schwierigkeiten mit sich in einen kurzen zerfaserten Schlaf, voll von den ewig gleichen Alpträumen des Stars. Der Zug fährt ohne sie ab, die Kostüme sind verlorengegangen, man steht auf der Bühne, man kann kein Glied bewegen, der Bühnenboden senkt sich so steil, daß man abgleitet, da sind schon die Rampenlichter, sie gleitet und stürzt – sie erwacht unerfrischt, und die Arbeit geht weiter.

Die anderen arbeiteten in Schichten mit ihr. Lazar und Chuck lösten einander am Klavier ab, Bagoryan und die zuverlässige und hilfreiche Iris McGuire im Ballettsaal, und selbst der Maestro, unerschöpfliche Quelle choreographischen Wissens, half mit. Verwischt wie in einem Fieber glitten andere Gestalten durch Katjas Gesichtsfeld. Louisa mit frischen Frottiertüchern und trockenen Trikots, mit riesigen Kaffeekannen und unerschöpflichen Zigarettenschachteln. Olivia mit Stullen und Milch, Olivia mit Champagner, mit den kleinen weißen Pillen, mit deren Hilfe der gute Doktor Peel die Truppe in Zeiten von außergewöhnlicher Anstrengung auf der Höhe hält. Und Olivia mit hilfreichem Winken, kritisch oder ermutigend.

Einmal erschien Masuroff, beobachtete Katja mit glühenden Augen, flüsterte laut genug, um von ihr gehört zu werden: *„Magnifique! Epatante!"* Er warf ihr eine Kußhand zu, markierte Applaus für Bagoryan und verduftete. Katja blieb stehen und lachte etwas hysterisch. „Das Glühwürmchen", sagte sie atemlos. „Das – was?" fragte Mirko.

„Als ich ein Ballettkind war – wir waren Glühwürmchen – in ,Geschichten aus dem Wienerwald' – wir hatten kleine Batterien zum Auf- und Abdrehen. Genau wie Masuroff – die Glühwürmer können das mit ihrem Hintern machen..."

„Piano, piano und keine dummen Witze – oder brauchst du eine Pause?" sagte Mirko etwas besorgt. „Pause – *merde!"* sagte Katja, und es ging weiter.

Am Sonnabend kam Phil Daniels in den Ballettsaal, während auf der Bühne unten eine bittere Schlacht stattfand; die zuständige Tischlergenossenschaft konnte sich mit der zuständigen Gewerkschaft der Kulissenschieber nicht einigen und deshalb die Dekorationen für den Hochzeitsflug vorläufig nicht aufgebaut werden.

Daniels war ein Riese, unrasiert und zerknüllt nach einer Nacht von Beleuchtungsproben. „Eine Rieseneiche, vom Blitz gespalten", hatte Dirksen einmal von ihm gesagt. Und das umfaßte die Breite und Größe dieses Mannes, die zähen Schichten der zerrissenen Rinde, die Narben von Feuer und Brand, den weichen Zerfall im Innersten; und trotz allem die geheimnisvolle Kraft der Unzerstörbarkeit. Er tauchte in einem Wirbel gemeinster Verwünschungen auf, unterbrach Bagoryans schöpferische Wehen, hob Katja auf, um sie wie ein Kätzchen herumzutragen, und trank all den vorhandenen Champagner aus.

Er hatte trübe, rotgeäderte Augen, nicht nur, weil er die letzten achtzehn Stunden ohne Unterbrechung durchgearbeitet hatte, sondern als chronischen Zustand. Ihm folgte Alouette mit einigen ihrer Untertanen, denn Daniels wünschte die Kostüme, die für Katja hergestellt wurden, an ihr persönlich zu sehen. Katja schloß die Augen, während sie die Stoffe ansteckten und drapierten, ihr war ein bißchen schwindlig – solange sie tanzte, war ihr nicht schwindlig geworden, nur jetzt, weil sie stillstand. „Hoppla", sagte Daniels, der ihr Schwanken bemerkte und sie auffing, obwohl er selbst auch nicht ganz fest auf den Beinen stand.

„Was ist denn los?" fragte Katja erstaunt. Vor dem Spiegel stehend, war sie eine Minute lang eingeschlafen. „Zigarette", sagte sie und bekam eine in den Mund gesteckt. „Diese letzte Figur, Mirko, wo es ta-rum-tata-ta macht – ich krieg's nicht recht..."

Daniels stieß ein Gebrüll aus, das Alouettes Lehrmädchen springen machte wie erschreckte Antilopen. Er nannte das Hochzeitsgewand der Königin eine Mißgeburt, eine Scheußlichkeit, und indem er zu dem kräftigen Französisch der äußeren Boulevards überging, ließ er einen Hagel von Beschimpfungen auf Alouette niedergehen. Alouette stand ihren Mann. Sie hatten so oft zusammen gearbeitet, sie wußte recht gut, daß Tränen, die Bagoryans Herz geschmolzen hätten, auf Daniels keinen Eindruck machten. Und sie steckte keine Beleidigung ein, ohne sie zu übertrumpfen. Und was sollte sie tun, wenn Madame über Nacht beinahe um zehn Zentimeter abnahm? Gestern paßte es *parfaitement*, und wenn das Kostüm heute an ihr herunterhing wie ein nasser Fetzen, dann war das nicht Alouettes Schuld. Die beiden schrien einander an, sehr laut und schnell und außergewöhnlich ordinär, aber obwohl es klang wie die endgültige Katastrophe und der entscheidende Zusammenbruch, wußten die anderen, daß es nichts bedeutete, und warteten unbesorgt, bis die beiden Kämpfer ihre Munition aufgebraucht hatten.

Inzwischen lehnte Bagoryan sich an die Stange, und Katja lehnte ihren Rücken an seine Brust, seine Hände stützten sie von rückwärts wie für eine schlecht vorbereitete Hebung, und beide waren eingeschlafen. Nach fünf Minuten wachten sie auf, erfrischt und ausgeruht, und Daniels begann, Alouettes Kreationen herunterzureißen, Stecknadeln in Katjas Haut zu rennen, sie mit Seide und Tüll zu überschwemmen und nach Samt zu rufen: „Dunkelbraun, nicht diesen glänzenden Kitsch, stumpfes Gold, und ich brauche zwölf Straußfedern, nicht gekräuselt, nicht wie im Zirkus; schlaff, seidig; habt ihr noch nie die Fühler eines Insekts unter dem Mikroskop gesehen, verdammt noch mal?"

Und Olivia sprach von Kostenanschlag und Budget, und ein Mädchen in farbfleckigem Overall kam angerannt, um Daniels auf die Bühne zu rufen, und Louisa brachte noch mehr Kaffee. Klingeln schrillten, Lichtsignale flackerten, Lazar trommelte auf dem Klavier, McGuire rief nach einem Blick auf die Uhr: „O mein Gott. Beinahe fünf!" Und zuletzt scheuchte Olivia die ganze Herde fort, und Katja kehrte zu ihrem Ringkampf mit der ungelösten Figur zurück: tarum-ta-tata-ta...

Es war fast fünf Uhr am Sonntagnachmittag, als Lazar den Klavierdeckel zuschlug. „Ich höre auf. Wenn ihr nicht genug davon habt, mir kommt's bei den Ohren heraus!" erklärte er. Während der letzten halben Stunde waren sie an einem recht unwichtigen Detail hängengeblieben. „Ich bin auch ausgepumpt", sagte Bagoryan. Katja ging ohne ein Wort davon. Nach der unmenschlichen Anstrengung kam das völlige Zusammenklappen.

Bagoryan jedoch sah es nicht gern, wenn eine Probe auf einer deprimierten Note endete. Als Katja, nachdem sie sich umgezogen hatte, zum Bühneneingang kam, wartete er dort auf sie. „Komm, ich fahr' dich nach Hause, Duschka", sagte er und schob sie in ein Taxi. „Mach' ich's denn wirklich so schlecht?" sagte Katja mit dem Versuch eines Lächelns. „Wenn du denkst, ich kann's nicht schaffen bis Freitag, dann wär's mir lieber, du sagst es mir direkt."

„Aber natürlich kannst du's schaffen. Schau, wir haben eine ganze Menge beinahe fertig. Das große *pas de deux* mit Masuroff lernen wir in Soloproben, das Zeug hast du hundertmal getanzt, und der Maestro will uns mit dem *pas de quatre* helfen, er kennt dich so gut, er gibt dir die alten Pawlowa-Sachen, die sind leicht und sehen großartig aus. Du kannst die drei Jungens in ihren Variationen glänzen lassen, ohne dich zu verausgaben, und sparst dich für das große *pas de deux* und Finale auf. Nein, Milenka, mach dir keine Sorgen, die Bühnenprobe morgen wird gut ablaufen." Und nach einem Seitenblick auf Katjas gerunzelte Stirne nahm er einen Anlauf zu stärkerer Begeisterung: „Du wirst die Gruppe morgen überraschen. Sie erwarten nicht, daß du eine so überzeugende Sirene sein kannst und noch außerdem komisch und satirisch. Du wirst ausgezeichnet sein, Süße. Ausgezeichnet. Wirklich."

Aha! Wirklich! Es erinnerte Katja an Joyces Unaufrichtigkeiten. „Aber du hast noch immer nicht die Szene mit dem Honigbienchen mit mir besprochen, mein Schatz."

„Weil es nicht deine Szene ist, Herzchen. Es ist Joyces Solo."

„Gewiß. Aber du kannst mich nicht auf der Bühne stehenlassen wie einen angemalten Türken, während sie tanzt. Schließlich und endlich bin ich die Primaballerina und ..."

„Wenn das dich beunruhigt, selbstverständlich kann ich dich abgehen lassen und nachher wieder auf die Bühne bringen", sagte Bagoryan gereizt. Katja stieß einen kleinen Schrei des Unwillens aus und hielt sich die Schläfen. „Aber um Gottes willen, das kannst du doch nicht mit mir machen! Das hat die Perroni getan, als ich zehn Jahre alt war, und sogar damals war es veraltet. Abgehen für Joyces Solo und wieder hereinkommen, wenn ich drankomme! Das wär' ja noch schöner. O nein, ich werde dasein, auf der Bühne, und du sieh besser zu, daß dir etwas Anständiges für mich einfällt, oder jemand anderer kann die Königin für dich tanzen."

„Warum bist du denn so aus dem Häuschen? Die Gabrilowa hatte nichts einzuwenden, und sie ist die *Assoluta,* du Säugling."

„Das ist es eben! Die Gabrilowa würde hinauslaufen und sich für ihre Nummer von Axel oder Cecil oder Larry wieder auf die Bühne bringen lassen, denn so haben's die Russen vor fünfzig Jahren gemacht, und dabei sind sie geblieben bis heute. Aber mir kannst du das nicht zumuten, Katja Milenkaja kann das nicht tun ..." Plötzlich erinnerte sie sich. „Wie geht's übrigens der armen Gabri?" fragte sie, gerade als das Taxi vor dem Latham-Palast anhielt.

„Nicht schlecht", meinte Olivia. „Also hier sind wir. Ruh dich recht gut aus, mein Herz, und morgen reden wir weiter. Jetzt sind wir beide zu müde, als daß was Vernünftiges dabei herauskäme. Auf morgen also, Bühnenprobe um neun Uhr dreißig, gut angewärmt. Servus."

Im hochherrschaftlichen Schlafgemach ließ Kati sich mit einem tiefen Seufzer ins Bett fallen. Aber im selben Augenblick, da sie die Kissen berührte, begann ihr Herz zu trommeln und ihr Gehirn sich zu drehen.

„Madame muß jetzt schlafen", sagte Louisa, die mit einem Glas warmer Milch, verstärkt durch einen Schuß Cognac und ein rohes Ei, hinter dem Wandschirm hervorkam.

„Ich kann nicht, Louisa, ich bin viel zu wach. Mir ist, als ob ich die nächsten ein, zwei Jahre nicht schlafen könnte. Oder zumindest nicht bis nach der Premiere."

„Wie wär's mit einem Schlafpulver?"

„Ja. Zwei, bitte."

Als Louisa mit den gelben Kapseln und einem Glas Wasser aus dem Badezimmer zurückkam, war Madame tief eingeschlafen. Louisa lächelte und drehte das Licht ab.

Katja erwachte im Dunkeln, ein Durcheinander unangenehmer Geräusche hatte sie aus dem Schlaf gerissen. Schwere Schritte, ein Klappern von Pferdehufen, Kettengerassel, unheimliche Stimmen, die durch den alten Speisenaufzug hochschwebten. Katja kicherte. „*Voilà*, hab' ich vielleicht das Vergnügen mit Mr. Lathams Geist?" sagte sie laut, in einem kapriziösen Anfall guter Laune.

Sie drehte das Licht an, schaute auf ihre kleine Reiseuhr: zehn Minuten vor sechs. Nach zwölf Stunden Schlaf fühlte sie sich wunderbar frisch und ausgeruht. Sie reckte sich, sprang aus dem Bett und lief unter die Dusche. Sobald sie den Wasserstrahl abdrehte, hörte sie wieder Mr. Lathams Gespenst, lauter als zuvor, und Louisa erschien in der Tür. „Na, so was. Haben die Leute Madame aufgeweckt mit ihrer verdammten Party?"

Als Kati begriffen hatte, daß es noch immer derselbe Sonntag war und sie kaum länger als eine Stunde geschlafen hatte, stand sie nackt und tropfend da und lachte Tränen über sich selbst. Olivias große Einladung für Mr. Bender war ihr gänzlich entfallen. Louisa rieb sie trocken und jagte sie zurück ins alte Himmelbett. Doch der wachsende Lärm der Vorbereitungen im unteren Stockwerk steigerte sich zu einem enormen Crescendo, als die Gäste zu erscheinen begannen, und verhinderte Katja am Einschlafen, machte sie kribbelig und unruhig.

Sie hatte eine heftige Abneigung gegen große Gesellschaften; zu oft war sie selbst als Tafelaufsatz serviert worden. Doch, obgleich sie um keinen Preis dabeisein wollte, fühlte sie sich irgendwie ausgeschlossen. Es war ein Gefühl, das sie nur zu gut aus ihrer Kindheit kannte. Andere durften spielen und sich vergnügen, und sie mußte abseits bleiben. Wie eine Nonne. Wie eine Königstochter – eine verdammt einsame Primaballerina und Bienenkönigin. Nun, das hast du dir ja gewünscht, Katinka: ein geweihtes Leben. Dem Tanz geweiht, hol's der Teufel. Sie griff nach dem Telefon und verlangte Princeton.

„Ich begreife gar nicht, warum sie zu Hause nicht antworten", sagte sie gereizt zu Louisa, die hereinpantoffelt kam, um nachzusehen, ob Madame im Bett war. „Ja, bitte, Fräulein, versuchen Sie's nochmals."

„Sie werden einen Spaziergang machen. Heute ist so schönes Wetter."

„Ja? Wirklich?" fragte Katja erstaunt.

„Mr. Daniels ist da und möchte wissen, ob er Madame besuchen kann", meldete Louisa.

Sofort verschwand Katjas getrübte Stimmung. „Nur herein, immer herein mit dem Verbrecher!" sang sie. Wer wagte zu behaupten, daß sie einsam und verlassen war? Wenn der Lärm sie nicht schlafen ließ und wenn sie zu der Belustigung im unteren Stockwerk nicht eingeladen war (und es sah Katja gleich, zu ignorieren, daß sie Olivias Einladung starrsinnig abgelehnt hatte) – nun, dann würde sie sich eben selbst Gesellschaft suchen; in einer plötzlichen Laune beschloß sie, ihre liebsten Freunde um sich zu versammeln, jetzt gleich, hier, im Lathamschen Schlafzimmer.

Als Daniels hereingestolpert kam, saß Katja nackt am Bettrand und band mit der völligen Unbekümmertheit des Balletts ihr langes Haar hoch. Louisa kniete vor ihr am Boden, um ihr ausgediente, zu Pantoffeln degradierte Ballettschuhe anzuziehen.

„Gott zum Gruß", sagte Daniels; er blinzelte kritisch abwägend auf die beiden, wobei er sich, als vorläufigen Stützpunkt, an den Bettpfosten lehnte. „Nicht übel – das heißt, wenn dir die frühen Impressionisten gefallen. Es wäre noch besser, wenn du etwas anhättest, Katja, und deine üppige Sklavin nackt wäre; ihr grünes Fleisch . . .", er bewegte die Hand, um die Farbenreflexe des antiken Mandaringewandes anzudeuten, das Katja vom Fuß des Bettes angelte und rasch anzog, „Brüste so groß und rund wie die zwei Hälften eines Pferdepopos; purpurne Brustwarzen. Und eine scharlachrote Narbe vom *mons veneris* bis zum Nabel – Andenken an eine Hysterectomie . . ."

„Schon gut, Pips. Wir wissen, daß du ein Original bist, du brauchst es uns nicht unter die Nase zu reiben", sagte Katja vergnügt. „Wie steht's mit der letzten Dekoration? Werden wir morgen drin probieren können?"

„Du kümmere dich um dein Tanzen, Weibsbild, und ich kümmere mich um meine Dekorationen. Und verschaff mir um Gottes willen etwas zu trinken, bevor ich an Miß Beauchamps vergiftetem Punsch zugrunde gehe. Ein guter, starker Scotch Whisky würde sich empfehlen." Seine Augen folgten Louisa. „Wieviel wiegt Louisa, Lebendgewicht?"

„Nur hundertvierundneunzig Pfund seit ihrer letzten Diät", lachte Katja. Plötzlich verließ Daniels den hilfreichen Bettpfosten und näherte sich Louisa; er berührte zart ihren Arm und fragte behutsam: „Wie kommt es, Louisa, daß Sie sich bewegen wie eine Gazelle?"

„Weil ich einmal eine gewesen bin", antwortete Louisa und verließ das Zimmer, um Whisky zu holen. Daniels warf einen fragenden Blick auf Katja.

„Ja, das ist wahr. Als ich sie zuerst sah – du lieber Gott, wie lang das her ist – in Budapest, in der *Alhambra*. Eine Art Nachtklub mit einer dreckigen kleinen Varietébühne. Sie und ihr Mann traten als exotisches Tanzpaar auf – Honolulu Lu und Lulu –, na, du kannst dir's ja vorstellen, aber sie waren großartige Tänzer. Tanzten eine Hula, tanzten eine Rumba, einen Tango; um den Ungarn einen Gefallen zu tun, tanzten sie sogar etwas wie einen Csárdás. Damals war Louisa eine Schönheit, mondweiß geschminkt, schlank, sie hatte die ausdrucksvollsten Hüften, die ich je gesehen habe, und sie war irrsinnig verliebt in den Mann. Lu war ein brauner Junge, ich glaube, er kam von Haiti. Dünn wie eine Flöte, fiebrig, rauchte Haschisch, um tanzen zu können, ich glaube, er war damals schon lungenkrank . . ."

„Und wie ist aus der Gazelle eine Elefantin geworden?"

„In Mexico City fand ich sie wieder – das war eine Ewigkeit später, ich war schon Primaballerina, tanzte den ‚Feuervogel' im Bellas Artes Theater, und sie trat in den Follies auf. Ganz allein tanzte sie, noch immer mondweiß geschminkt, aber unförmig dick, eine Zwei-Zentner-Tragödie. Das Publikum brüllte vor Lachen, solange sie auf der Bühne war. Herzbrechend. Lu war gestorben. Und Grischa auch – ich spreche gerade von Mexico City", sagte Katja, als Louisa mit dem Whisky kam.

„*Dios mio,* was für ein Hurennest das war! Aber ein paar gute Nummern und viel Leben auf der Galerie. Immer noch besser als Budapest. Die Alhambra. Erinnert sich Madame noch, wie's dort zuging?"

Katja lachte. „Und ob. Zigeunermusik, Ratten in der sogenannten Garderobe im Keller drunten, Gestank von angebrannten Zwiebeln und verstopften Klosetts – und schweinische Zeichnungen an den Wänden; und das beste Publikum der Welt. Mein Gott, die alte Alhambra!"

Daniels hielt die Whiskyflasche gegen das Licht, die klare Flüssigkeit splitterte in farbige Prismen, die er mit halbgeschlossenen Augen studierte. „Darf man fragen, was du dort zu tun hattest? Champagner mit entthronten Habsburgern trinken? Oder den Sterbenden Schwan tanzen?"

„Aber nein. Ich durfte nur das Zeichen über die Bühne tragen, die Tafel, auf der dem Publikum die nächste Nummer angezeigt wird, weißt du, rosa Ballettröckchen, schwarze Netzstrümpfe, hohe Absätze, drei Straußfedern am Kopf, wie diese *pomp-funèbre*-Rösser bei Pariser Leichenbegängnissen."

„Aber wer, zum Teufel, verkaufte dich an so etwas?"

„Ich selber. Als ich von Wien weggerannt war, hätte ich genommen, was immer der schmierige kleine Winkelagent mir anbot. Ich war ja so dumm, so unpraktisch und so jung. Nicht einmal siebzehn. Aber es war eine nützliche Erfahrung."

„Kann mir's lebhaft vorstellen. Noch nicht siebzehn, nach dem Balkan verschoben und vogelfrei!"

„Nichts kannst du dir vorstellen, Pips. Ich lebte wie eine kleine Nonne, arbeitete wie verrückt an meiner Technik, hielt mich von allem fern. Ein gebranntes Kind. Mit siebzehn Jahren war ich fertig mit den Männern! Absolut fertig, verstehst du."

„Bis Grischa dich nach Paris brachte . . ."

Katja gab keine Antwort. Daniels hatte schon das zweite Glas Whisky in sich hineingegossen. Seine Augen waren verschwommen, die entzündeten Augäpfel wie halbtransparente Glasmurmeln gelb und rot. Katja fürchtete die rührseligen Stadien von Daniels Betrunkenheit. Neuerdings brauchte er immer weniger Alkohol, um stockbesoffen zu werden. Er war dabei, sich das dritte Glas einzuschenken, und die Tränen liefen ihm über die Wangen, ließen zwei glitzernde Schneckenspuren zurück.

„Höre, Pips, ich möchte ein paar kleine Änderungen mit dir besprechen, die wir in der Honigbienchen-Szene machen müssen", sagte sie schnell; es galt ihn zu überzeugen, bevor er zu betrunken wurde. „Siehst du, Pips, ich stehe also in dem herrlichen Hochzeitskostüm da, das du für mich entworfen hast – doch, doch, es ist ein großartiges Kostüm – alles ist Spannung, Erwartung –, und was passiert in diesem Moment? Miß Honigbienchen tritt auf. Alles wird verjazzt, alles, was ich vorher getanzt habe, ist ruiniert, dein Kostüm ist ruiniert, alles, was noch kommt, ist in Grund und Boden ruiniert. Hörst du mir zu, Pips? Was wirst du dazu sagen, wenn die Verwandlung zu deiner tiefblauen letzten Dekoration kommt, und dieser wunderbare Effekt einfach untergeht in dem *Bis!-Bis!*-Geschrei für Miß Lyman? Hör mir doch zu, Pips."

Katja war dabei, an seiner Schulter zu rütteln, um ihn und seine Aufmerksamkeit wachzuhalten, als das Telefon klingelte. Das ist Ted, dachte sie, ließ Daniels los und griff nach dem Hörer. Sie horchte, erst verblüfft, dann enttäuscht und schließlich erfreut. „Walth! Was für eine wunderbare Überraschung! Wir erwarteten Sie nicht vor Donnerstag – es ist Dirksen, er ist von Rom herübergeflogen", informierte sie Daniels in einem Beiseite, während sie fortfuhr, kleine Schreie des Entzückens ins Telefon zu entsenden.

Es war beinahe unmöglich, sich völlig natürlich gegen einen Freund zu benehmen, der einen als Kritiker mit einem seiner feinziselierten Feuilletons „machen" oder ruinieren konnte. Automatisch nahmen ihre Beine eine graziöse Ballettstellung ein, und sogar ihre Stimme – gewöhnlich ein tiefer, rauchiger Alt, in reizvollem Kontrast zu ihrer zarten Person – wurde zu einem zwitschernden Balletteusen-Sopran.

Sie angelte nach Worten, um ihr Entzücken über Walths Anruf entsprechend auszudrücken. Er war ein mächtiger Verbündeter, und sie hatte sofort beschlossen, Bagoryan durch ihn zu bearbeiten. „... aber nein, Lieber, Sie werden mich nicht auf Olivias Gesellschaft treffen ... können Sie sich vorstellen, daß Ihre Katja Mr. Benders Stiefel leckt? ... *Bon* ... wenn Sie müssen, aber versprechen Sie mir, daß Sie nur einen kurzen *acte de présence* dort machen, und dann gehört Ihr Abend mir ... ich bestehe darauf ... ich gebe nämlich auch eine kleine Gesellschaft, oh, ganz intim, nur ein paar Ihrer besten Freunde: Daniels ... Lazar ... ja, natürlich auch Mirko ... sonst noch jemand, den Sie sehen möchten? ... Also, ich rechne auf Sie, absolut – *tout à l'heure, liebster, liebster Walth ...*"

Jetzt schnell Lazar erwischen, dachte sie und rief schon seine Wohnung an. Aber nur Baby antwortete, verwaschen und klagend wie stets. Man vergaß immer, daß Lazar verheiratet war; ein verheirateter Junggeselle mit einer unzureichenden Frau, drei Kindern und dem vierten unterwegs. „Nein", jammerte das Telefon, „er ist nicht da, er ist ja nie zu Hause ... zu Olivias Party gegangen ... läßt mich zu Hause hocken wie gewöhnlich ... aber ich hätte ja sowieso nichts zum Anziehen, nur das alte Zeug noch von der vorletzten Schwangerschaft ..."

Nun, da Katja munter beschlossen hatte, mit Olivias Party zu konkurrieren, legte sie sich auch richtig ins Zeug. Zuallererst schluckte sie zwei von Doktor Peels Pillen, um sich während des Abends wach und auf der Höhe zu halten. Sie durchsuchte ihre Handtasche nach Geld und schickte Louisa mit dem letzten Zwanzigdollarschein nach dem Delikatessenladen auf der Madison Avenue. „Und sieh zu, daß du unten ein paar Flaschen Champagner stibitzen kannst, oder bitte Elkan darum, er gibt mir's gern. Also mach schnell – los, los – warte, wo rennst du hin? – Du mußt Lazar unten abfangen – ich muß unbedingt mit ihm reden, es ist wichtig; erzähl ihm, daß Dirksen hier ist, und er wird im Eilmarsch ankommen, wirst sehen ..."

Sie war lebendig, voll vergnügten Eifers und zielbewußt. Die kleinen Pillen rumorten angenehm in ihren Nerven, als sie sich vor den Spiegel setzte, um zu Dirksens Ehren ein wenig Farbe aufzulegen; aber ihre Augen waren noch nicht hergerichtet, als das Telefon klingelte und die Telefonistin meldete, daß sie jetzt die Nummer an der Leitung habe. „Welche Nummer denn?" fragte Katja verblüfft.

„Ihr Ferngespräch, Princeton."

„Ach so – natürlich. Ja? Hallo, mein Liebes. Endlich! Was ich alles versucht hab', um dich zu kriegen, jede Nacht nach der Probe angerufen, aber du hast nie geantwortet ... Oh, ich weiß nicht, so um zwei herum, kann auch drei gewesen sein ... Was ist los mit dir, Liebes, bist du mir noch böse?" Sie runzelte die Stirn, während sie Doktor Marshall zuhörte; in gemessenen Tönen gab er an, daß er wahrscheinlich einen nächtlichen Spaziergang gemacht hätte, weil er nicht schlafen konnte.

„Steht die McKenna hinter dir? Du klingst so fremd ... ach ja, ich vergaß, es ist ihr freier Abend..." Katja lachte leise. An ihren freien Abenden spielte McKenna in einem Amateurorchester die Posaune. Mit was für drolligen Schnörkeln manche Leute ihren Gefühlen Luft machten. „... ich weiß nicht, du hast komisch geklungen, als wenn du nicht allein wärst ... aber wenn du allein bist, warum sagst du mir denn nichts?"

Das Telefon räusperte sich. „Wie geht's dir?" sagte es. „Danke, gut; und dir?" antwortete sie mit zorniger Höflichkeit. Sie hatte auf ein Wort aus der zärtlichen Geheimsprache ihrer Ehe gewartet. Statt dessen schien das Telefon jetzt ein Gähnen zu unterdrücken, und sie sagte rasch: „Armer Ted, du bist müde. Versprich mir, daß du dich heut nacht nicht in deine Enzyme verwickeln wirst, oder wie das Zeug heißt, an dem du gerade arbeitest. Du brauchst deinen Schlaf."

„Will's versuchen. Aber du auch, Kate. Auf Wiedersehen."

Sie stand nachher noch einige Sekunden und horchte in den stummen Hörer hinein. Es war, als bliese ein Hauch von kalter Luft nach ihr, und sie legte ihn hin.

Beladen wie ein Packesel kam Louisa durch die Tür. „Ausgeknockt?" bemerkte sie nur nach einem Blick auf das Bett.

Während Katjas Gespräch mit Princeton hatte sich Daniels auf dem Bett niedergelassen und war dort unvermittelt in den bewußtlosen Schlaf der Betrunkenheit gefallen. Louisa mochte noch so viel an der unbeweglichen Masse zupfen und zerren und kneten, er spürte nichts. Katja rieb sein Gesicht mit nassen Handtüchern und hielt ihm Riechsalz unter die Nase. Er schnüffelte, beinahe hätte er genießt, und einmal zuckte sein Mund wie der eines Säuglings, dessen Kolikgrimassen die stolzen Eltern für ein erstes Lächeln halten. Doch Katja hatte Daniels schon in solch hoffnungslosem Zustand gesehen, und sie wußte, daß sich nichts tun ließ, bis er von selbst zu sich kam.

Er bot einen unappetitlichen Anblick, und Dirksen war ein überempfindlicher Ästhet, dem man diesen Anblick nicht bieten durfte. Sie drehte die Bettlampe ab und breitete die zerschlissene Brokatdecke über diese Ruine eines großen Mannes. Aber Lazar, der einige Minuten später erschien, bemerkte sogleich die störenden Ausbuchtungen im Himmelbett. „Aha!" sagte er verständnisvoll. „Um wieviel Uhr findet die Enthüllung des Denkmals statt?" – und dann stand er noch einen Moment nachdenklich über Daniels geneigt, der in der Tat einem riesigen zerfallenden Granitblock glich. „Armer Kerl, armer genialer Mensch", sagte er und wendete sich mit einem Seufzer ab.

„Noch ein Opfer!"

„Opfer von was?"

„Oh, von allem zusammen. Der ganze Schlamassel. Die Atmosphäre – und wie jeder von jedem abhängt; ist dir das nie aufgefallen? Seit Grischas Tod sieht alles, was Daniels malt, wie Grischa aus. Quadrate, Kreise, abstrakte Bilder: zuletzt ist es doch

Grischa. Er nimmt einen Eimer schwarze Emaillefarbe und schmeißt ihn gegen eine weiße Wand; und was bleibt, wenn's abgetropft hat? Grischa. Kein Porträt, aber die Essenz, das Aroma – *Le jeune homme et la mort . . .*"

„Bist du auch besoffen? Oder bloß inspiriert?" fragte Katja, die inzwischen sachgemäß eine Champagnerflasche entkorkt und zwei Gläser gefüllt hatte.

„Geh weg mit dem Zeug, wenn du nicht zwei Leichen in deinem Bett haben willst. Was ich dringend brauche, ist der stärkste, schwärzeste Kaffee, den Louisa produzieren kann."

„Also, *ich* bin durstig. Und ich kann eine kleine Aufmunterung brauchen." Katja trank ein wenig zu schnell. Lazar rieb seine Augen hinter der Hornbrille. „Wir sind Kannibalen, Katinka, wir alle. Wir fressen uns gegenseitig auf in diesem Geschäft, wir saugen einander das Mark aus den Knochen. Aber laß uns von dir reden, bevor unser kostbarer Freund Dirksen daherkommt. Was ist die dringende Angelegenheit, die du absolut noch heute mit mir durchsprechen mußt?"

Das war keineswegs eine so subtile Einleitung, wie Katja sie geplant hatte, aber nun mußte sie eben mit beiden Füßen hineinspringen. Wieder einmal brachte sie ihre Vorschläge für eine Änderung der kritischen Szene vor – Vorschläge, die anscheinend keinen Menschen interessierten. Doch als sie begann, sich zu bewegen, darzustellen, was sie im Sinn hatte, erwärmte sie sich mehr und mehr; fast überzeugte sie sich selbst, daß sie diese Änderungen nicht zugunsten ihrer Rolle verlangte, sondern als eine ausgesprochene Verbesserung des Balletts. Laßt doch Joyce ihr Solo tanzen, so wie es ist; sie, die Königin, würde gleichzeitig einen Kontrapunkt dazu ausführen. „Höre, Sandy – das Honigbienchen bringt zwar die aufregende Neuigkeit von dem gefundenen Honigschatz, aber nur die Königin kann den Arbeitsbienen befehlen, loszugehen, loszufliegen. Stimmt das? Ich tanze ungefähr das gleiche wie Joyce, aber in einem ganz andern Stil, übertrieben majestätisch, verstehst du, so königlich, daß es komisch wirkt, und immer ein paar Takte zu spät. Das ist jetzt eine ideale Gelegenheit für dich, ein kleines Fugato zu komponieren, so ein witziges sinfonisches Stück Musik – interessiert dich das denn nicht?" endete sie etwas atemlos.

„Nein, gar nicht. Ich will verdammt sein, wenn ich noch ein einziges Mal meine Partitur umschmeiße – zwei Tage vor der Premiere! Du großer Gott, wie ich es über habe, die Löcher zuzustopfen, die ihr in das Gewebe meiner Musik reißt!"

Katja, in kalter Wut, wurde ganz Primaballerina. „Und wenn ich diese Änderung einfach verlange? Wenn ich mich sonst weigere, die Rolle zu tanzen? Wo bleibst du dann mit deiner Partitur und dem Gewebe deiner Musik, wie?"

„Das kann ich dir genau sagen. Ich mache eine symphonische Suite draus, und ihr könnt sehen, wie ihr eure Premiere aus dem Dreck zieht. Ich bin's satt. Ich bin fertig mit Ballettmusik, ganz fertig. Ich hab' dir ja gesagt, daß dies mein letztes Ballett ist."

„Das sagst du vor jeder Premiere. Das ist deine Art von Lampenfieber, deine kleine Lieblingsneurose. Seit zwanzig Jahren bist du fertig mit dem Ballett – bis wir das nächste anfangen."

„Richtig, Katja. Aber diesmal ist es mir Ernst damit", sagte er so still, daß der Klang der Wahrheit Katja bestürzte.

„Zwanzig Jahre – ich habe dir zwanzig Jahre meines Lebens gegeben – oder du hast sie dir genommen. Ich beklage mich nicht, Katinka, du warst es wert. Aber jetzt bin ich ausgepreßt, eingetrocknet, und ich will in die tiefste Hölle verdammt sein, wenn ich noch länger diese Sträflingsarbeit verrichte. Diesen Pansch zusammenkochen, wie ihr's verlangt, diese niedlichen Arrangements nach Maß schneidern, den schlechtesten Tschaikowskij neben dem besten Strawinskij dirigieren und noch den gemischten Salat von Madame Boulangers Aposteln dazutun nebst dem unsagbaren Kitsch meiner Vorgänger aus dem 19. Jahrhundert. Meine Ohren ruinieren, meinen Magen, meinen Verstand, das bißchen Talent, das mir vielleicht noch geblieben ist! Herausstreichen, Kürzen, Dazutun, Wiederholen, Ausflicken und euer Tempo und eure Füße nicht eine Sekunde aus den Augen lassen und immer die gleiche Hetzjagd, niemals genug Proben, niemals ein Orchester, für das ich mich nicht schämen müßte – o mein Gott, ich war ein guter Musiker, bevor du in mein Leben kamst, ich hatte ein anständiges Streichquartett geschrieben, sie gaben mir den Prix Berlioz dafür . . ."

Katja horchte entgeistert auf die Qual in Lazars Ausbruch. Sie war durch viele Krisen mit ihm gegangen, aber dies hier war etwas anderes. Gewöhnlich rollte Lazar sich ein wie ein Igel, klemmte den Kopf zwischen die Knie, verbarg sein Gesicht, trommelte an seine Schläfen, riß an seinen Augenbrauen. Aber nun war er aufgesprungen und stieß die Möbel weg, die ihm den Weg verlegten, als bahnte er sich den Weg durch einen Dschungel. Lazar in vollem Aufruhr war ein Anblick, der Katja erschreckte. Sie hatte sich für einen gründlichen Kampf gegürtet. Jetzt hingegen war es nötig, zu beschwichtigen, leise, heilende Worte zu finden.

„Komm, komm, du bist müde, überarbeitet. Wir sind's beide. Vielleicht sollten wir wirklich ein bißchen aussetzen, nicht für die Tournee unterschreiben, sondern Ferien machen?"

„Hast du noch nicht unterschrieben?"

„Nein; ich hab' Olivia noch hingehalten", sagte Katja.

Lazar wußte, daß dies eine halbe Lüge war: Es war Olivia, die Katja hinhielt.

Olivia wartete auf das Resultat von Mr. Benders Besuch, auf die Reaktion von Presse und Publikum zu der Premiere und zu Katjas Leistung darin. In letzter Instanz wartete sie auf Stan Tedescos Entscheidung, denn Stan war der Impresario, der sein Geld in den Tourneen des Manhattan Balletts riskierte. „Ich habe eine gute Nase, ich weiß, was das Publikum will", pflegte er zu erklären.

„Und ich kann Ihnen versichern, das Publikum möchte neue Gesichter sehen, neue Beine ebenfalls. Amerikanische Beine und Gesichter und amerikanische Namen im Programm. Das ist diese neue Woge nationaler Selbstbesinnung, über die so viel geschrieben wird."

Lazar wußte, wieviel für Katja auf dem Spiel stand und weshalb es ihr so wichtig war, Joyces Donner zu stehlen; sie tat ihm leid. Aber diesmal konnte er ihr nicht helfen. Herrgott, einmal muß ich auch für mich selbst einstehen, dachte er. „Herrgott, einmal muß ich auch für mich selbst einstehen", schrie er Katja an. Aber Katja hatte ihm nicht vorgeworfen, daß er nicht zu ihr hielt. Sie hatte es nur gedacht.

Wohin geht's mit mir, wenn sogar Lazar mich im Stich läßt? dachte sie traurig. „Gut, gut, tu, was du willst, wer hindert dich, die größte Musik des zwanzigsten Jahrhunderts zu schreiben? Was ist so schlecht an Ballettmusik? Sogar Beethoven hat ein Ballett komponiert!"

„Richtig. Und es ist eins der schwächsten Stücke. Aber sowie er dasselbe Thema in der Eroika verwendete, wurde etwas Großartiges daraus."

„Du gefällst mir! Geh doch los und komponiere auch eine Eroika – wenn du kannst", rief Katja aus, und nun rannte auch sie auf dem ächzenden Parkett auf und ab.

„Jawohl, mein Schatz. Genau das habe ich mir vorgenommen." Lazar hatte sie nicht vor ihrer Premiere aufregen wollen, aber nun ließ es sich nicht mehr halten, alles mußte heraus.

Er wolle ganz von vorne anfangen, sagte er – den Kopf zwischen den Knien wie ein Embryo –, deshalb ziehe er sich für die nächsten sechs Monate in das Asyl der McDermott-Stiftung zurück. Dies war eine der von Mäzenen erhaltenen Niederlassungen, wo es weder weltlichen Verführungen noch den trivialen Sorgen des täglichen Lebens gestattet war, den Schaffensprozeß der auserwählten Gäste zu stören. Wie ein Heim für gefallene Mädchen, dachte Katja wütend.

„Und wenn die sechs Monate vorbei sind?" fragte sie voll Spott. „Das wird sich finden. Es gibt Kirchenchöre, Universitätsorchester. Ich kann Klavierstunden geben – alles, nur kein Ballett mehr!"

Katja preßte ihre Hände wütend auf die Ohren, sie wollte nicht noch mehr hören. Sie fühlte sich zerschlagen, als hätte er sie einen steilen Abhang hinabgestoßen; in ihrem Kopf summte es. Sie beherrschte sich, ließ die Hände fallen und verschränkte sie krampfhaft in ihrem Schoß, um nicht herauszuschreien, was sie dachte: Lazar. Von allen Menschen tut Lazar mir das an! Der verhungerte Junge, den wir aus einer schmutzigen Apachenkneipe herausholten, dem ich sein erstes Paar anständiger Schuhe kaufte, dem ich beibringen mußte, mit Messer und Gabel zu essen – ach, und noch so vieles.

„Sandy, du bist ein Narr", sagte sie, es kostete sie große Anstrengung, ihre Stimme im Gleichgewicht zu halten. „Du bist nicht recht bei Verstand, und nach einem Monat wird's dir leid tun. Ich will nicht davon sprechen, was du mir antust, es ist mir niemals in den Sinn gekommen, daß wir uns trennen könnten, so wie wir zusammengehören, aber..." (Eine Symbiosis hatte Dr. Marshall es genannt; sie hatte im Lexikon nachgesehen: „... dauerndes Zusammenleben zweier verschiedener Organismen zum gemeinsamen Vorteil...") „aber was wird aus deiner Familie? Womit willst du sie erhalten? Vergiß nicht, daß du verheiratet bist, und Baby ist im siebenten Monat, bald gibt's noch ein Kind..."

„Besten Dank, daß du mich erinnerst. Es ist eine Fürsorge, die ich von dir nicht erwartete. Bisher hast du dir nicht viele Gedanken um meine Familie gemacht."

Katja hatte sich wieder in der Gewalt. Sie schluckte das Bittere hinunter und lächelte Lazar durch den Rauch ungezählter Zigaretten zu. „Nicht, Sandy, sei du nicht bissig, wenn ich's nicht bin. Ich werde dir den Daumen halten und eine Kerze für dich in meinem Fenster brennen lassen, wie die Frauen der Seeleute, die auf die Heimkunft ihrer Männer warten. Laß uns also auf die nächste Sinfonie trinken und auf deinen Erfolg und auf das nächste Baby und... *Merde! Ni puka ni pera!* Und Hals- und Beinbruch!" rezitierte sie die vielsprachigen Segenswünsche des Theaters.

„Danke, Katinka. Ich wußte ja, daß du mich verstehen würdest." Lazar war erleichtert, aber auch eine Spur gekränkt, daß sie den großen Bruch in ihrer beider Leben mit einem gewissen Gleichmut zu ertragen schien. Er nahm seine Brille ab – Katja erkannte die Bewegung aus einer lang vergangenen Zeit wieder. Sie hatte Angst, daß er sie küssen würde, und dann würde etwas in ihr zersplittern, und sie würde weinen müssen oder ihn ohrfeigen; aber er beugte sich nur über ihre Hand und küßte sie, so wie kleine ungarische Buben es lernen, jedermanns Hände zu küssen. Doch plötzlich schnellte er hoch, setzte die Brille wieder auf und horchte. Katja hörte es auch: das Klavier im Musiksalon. Jemand spielte da unten, und zwar mit großer Brillanz, obwohl Lazar nicht dort war, um zu spielen. „Horch mal", sagte er. „Das ist gar nicht schlecht. Das ist gut, sehr gut sogar. Hör doch – ausgezeichnete Musik. Aber was ist es bloß? Ich erinnere mich nicht..."

„Das ist Chuck. Der dritte Satz aus seiner Zweiten Sinfonie, mein Lieber. Er spielte mir's einmal vor", sagte Katja. Es war eine kleine Rache für Lazars Verrat, und plötzlich öffnete sich ein neuer Ausblick für sie. In der Tat, da war doch noch Chuck. Seine Musik – etwas Neues, etwas ganz anderes. Ich muß mit Olivia sprechen, sie soll die Musik fürs nächste Ballett bei ihm bestellen und ihn auf der Tournee als Dirigenten ausprobieren. – „Was ist denn los? Du gehst doch jetzt nicht weg? Dirksen muß im Moment hier sein", unterbrach sie ihren Gedankengang. Aber Lazar, abrupt wie immer, war schon auf dem Weg. „Das muß ich hören. Chucks Sinfonie! Hast du Worte! Bis morgen also", sagte er und war gegangen.

Er mußte Dirksen auf der Treppe getroffen haben, denn noch bevor Katja Zeit zum Denken hatte, stand Walth Dirksen in der Tür – mit weit geöffneten Armen, lang und knochig und ein wenig grauhaariger, als sie ihn zuletzt gesehen hatte. Er war eine distinguierte und leicht exotische Erscheinung, die ziemlich gelungene Imitation eines Engländers auf Urlaub nach Jahren im Kolonialdienst. Sie eilte in seine Arme, und auf Zehenspitzen – wenn auch nicht *en pointe* – nahm sie seinen Kuß in Empfang, der eigentlich kein Kuß war, sondern nur ein Kitzeln seines Schnurrbarts und des kurzen Bärtchens, die dazu dienten, seinen kleinen, etwas weichlichen Mund zu verbergen. Nach dem Kuß kam der zweite Teil der Zeremonie. Dirksen hielt sie von sich ab, um sie mit strahlenden Blicken zu studieren.

„Jetzt laß mich sehen – wie sieht Katja aus? Ah, exquisit wie immer; selbst in diesem ihrer nicht würdigen alten Ding", sagte er, wobei seine Finger und seine Augen den Mandarinmantel streiften, den er selbst ihr von einer seiner Reisen mitgebracht hatte. Sein verstehendes Lächeln war eine überspitzte Anerkennung des zarten Kompliments für ihn, das sie ihm erteilte, indem sie dieses Gewand trug. Doch die graziöse kleine Zeremonie wurde gröblich unterbrochen, als sein Blick auf das Himmelbett fiel, wo Katja die Lampe abgedreht hatte, um den leblosen Klumpen dort in wohltätiges Dunkel zu hüllen.

„Oho? Ein Leichnam?" äußerte Dirksen mit hochgezogener Augenbraue.

„Nur scheintot. Der arme Pips, er war so erschöpft, daß er einschlief, sowie er sich nur hinsetzte. Er hat die letzten achtzehn Stunden ohne eine Minute Unterbrechung durchgearbeitet, man weiß ja, was für ein Dämon unser Pips während der letzten Proben ist", schwätzte Katja in eifriger Verlegenheit. „Er hat ja einen unglaublichen Schwung – aber dann klappt er eben zusammen – wollen wir ihn noch ein bißchen schlafen lassen?"

„Meine Teure, es ist nicht das erste Mal, daß ich unser Genie stockbesoffen sehe. In der Tat mußte ich ihn öfter in diesem Zustand nach Hause schaffen, während der ersten Monate, nachdem... *tiens, passons*", sagte er, zu taktvoll, um Grischas Tod zu erwähnen, eben jetzt, fünfzehn Jahre später. „Wir wollen uns lieber über Katja unterhalten, *n'est-ce-pas?*"

Dirksen sprach immer in der dritten Person, so wie man mit hohen Fürstlichkeiten spricht – oder mit kleinen Kindern. Katja, noch herabgestimmt durch Lazars Waffenflucht, aber zugleich aufgemuntert durch Champagner und Dr. Peels kleine Pillen, zwitscherte allerhand absurde und witzige Aphorismen. Sie überschwemmte Dirksen mit einem Strom von Fragen, weil sie wußte, wieviel ihm daran lag, sich reden zu hören, zu berichten, die Summe aus seinen Entdeckungen und Abenteuern zu ziehen. Dirksen war überall gewesen, er kannte alles und alle. Wenn er sagte „Mei", mußte man wissen, daß er den großen chinesischen Schauspieler Mei Lungfand meinte. Wenn er „Chinchilla" erwähnte, dann handelte es sich um Diaghileff. „Mary" war Mary Wigman, „Martha" war Martha Graham und „Imario" der alte Meister der balinesischen Tänze. Die Namen internationaler Berühmtheiten begannen durch die Luft zu wirbeln, zusammen mit kleinen Anekdoten, Bonmots, drolligen Mißverständnissen und auch tiefen metaphysischen Gedanken. Einmal nahm er ihre Hand, schob den weiten Mandarinärmel hinauf und küßte die blaue Ader an der Innenseite ihres Ellenbogens. „Hat man mich vermißt – ein wenig? Hat man je an mich gedacht?" erkundigte er sich.

„O Walth, was für eine Frage. Sie wissen, daß Sie der wichtigste Mensch in meinem Leben sind", antwortete sie. Sie zog ihren Arm aus dem Bereich der Liebkosungen des Kitzelbärtchens, doch streichelte sie zugleich leicht über Dirksens feines rötliches Haar. All dies war ein formaler kleiner Tanz, ein höfliches Manöver, ein dünnes Menuett. Da es von Dirksen hieß, er sei impotent oder zumindest nicht interessiert an Frauen, hatte Katja ihm geholfen, ein kleines Gerüst zur Stützung seines Stolzes zu errichten. Es war ein Schattenspiel, in dem Katja Milenkaja als die große Liebe seines Lebens auftrat, aber – *hélas!* – unerreichbar, unberührbar. Eine fein gesponnene Vorspiegelung, bedauernswert veraltet. Maeterlinck, Claudel, Debussy; Dirksens Generation – nicht Katjas.

Katja hatte ihn bequem in einem Lehnstuhl untergebracht und mit Zigaretten und Getränk versehen. „Danke, für mich keinen Champagner – vielleicht ein Glas Milch mit einem winzigen Tropfen Cognac?"

Wie sie da mit gekreuzten Beinen auf dem Boden saß und ihren Kopf an sein knochiges Knie lehnte, spielte sie recht überzeugend die Rolle der hingerissenen Zuhörerin. Dabei fragte sie sich, ob er nicht bald mit seinen Reiseschilderungen fertig und für eine Diskussion ihres eigenen dringenden Problems bereit sein würde. Immerhin war alles soweit ganz zufriedenstellend im Gange, bis zum gänzlich unerwarteten und äußerst störenden Eintritt von Elkan.

Ein paar Minuten später erschien nämlich Elkan wie ein Schauspieler, der sich in die falsche Szene verirrt hat, und was, um Himmels willen, hatte Elkan hier oben zu suchen, wenn er im unteren Stockwerk als Olivias Gatte und beflissener Gastgeber gebraucht wurde! Katja war Elkan herzlich zugetan, aber, verdammt noch einmal, sie konnte keine wichtigen strategischen Fragen besprechen, solange Olivias Mann dabeisaß.

Nur zu bald entdeckte sie jedoch, was Elkan und Dirksen vorhatten. „Ah, da sind Sie also!" sagte Dirksen, sich gierig auf die große Mappe mit Fotografien stürzend, die Elkan mitgebracht hatte. Sie nahmen eine nach der anderen vor, manche legten sie beiseite, und die meisten breiteten sie überall auf dem Boden aus; und dann ging es noch an ein großes Umstellen der verschiedenen Lampen, um die Bilder so gut wie möglich zu beleuchten. Elkan nahm sogar die Lampenschirme ab – „du hast doch nichts dagegen, Katja, nicht wahr?" –, und dann marschierten die beiden zwischen den Bildern hin und her und suchten eines oder das andere heraus, um es im Detail zu studieren. Katjas vertrauliches *Tête-à-tête* mit Dirksen hatte sich unversehens in eine Redaktionssitzung verwandelt.

Wie es schien, hatten die beiden seit mehreren Monaten über die Möglichkeit korrespondiert, einen Band mit Elkans Tanzfotos und Dirksens begleitendem Text herauszugeben. Ein Verleger war gefunden, er wünschte die Kontrakte abzuschließen, er wurde ungeduldig; nicht ungeduldiger jedoch als Elkan, der darauf drängte, daß Dirksen seine endgültige Wahl unter den Fotos treffe. Während Dirksen nun Bedingungen, Prozente, Verlagsrechte und Geld im allgemeinen besprach, veränderte er sich auf erstaunliche Weise. Auf einmal zeigte sich der Ästhet als ein hartgesottener Berufsmensch, der genau wußte, worauf er hinauswollte und wie sich ein Buch gut verkaufen ließ.

In Katja begann es zu kochen. Es war eine Unverschämtheit, wie die beiden sich da in ihrem Zimmer breitmachten, ihren Champagner tranken, ihren Kaviar in sich hineinschaufelten, als wenn sie die übrigen beiseite schoben, als wenn sie gar nicht existierte. „Weshalb geht ihr nicht mit euren Bildern nach unten ins Büro, dort ist viel besseres Licht", schlug sie erbittert vor.

„Danke nein, es geht hier ganz gut", sagte Elkan, dickhäutig, wie er es niemals war – außer wenn es sich um seine Fotografien handelte. „Hier ist der einzige Ort in diesem Irrenhaus, wo man sich denken hören kann."

„Leider", sagte Katja. Vom Fußboden vertrieben, hatte sie sich an den einzigen verfügbaren Platz zurückgezogen, den Frisiertisch. Im Spiegel begegnete sie sich im nackten Schein der unbeschirmten Lampe; mit den grünen Reflexen des Mandarinmantels auf ihrer Haut sah sie hundert Jahre alt aus. Mindestens hundert Jahre! Ein Anfall von Zorn, Kummer, Einsamkeit und bitterem Überdruß überfiel sie, würgte und überwältigte sie.

Es war acht Uhr abends, sie war seit sechs Uhr früh auf den Beinen gewesen, ein endloser Tag voll Aufregungen, harten Entscheidungen, harter Arbeit, harten Unstimmigkeiten, und am Ende das Debakel mit Lazar. Mit einer Stunde Rast im ganzen und zu vielen von Dr. Peels kleinen Pillen. Die Cocktail-Party im unteren Stockwerk hatte einen Höhepunkt erreicht, jetzt spielten sie Liszts Zweite Ungarische Rhapsodie auf zwei Klavieren, und dazu gab es ein solches Gestampfe und Getrampel, daß der Spiegel mit ihrem Gesicht darin zitterte. Ach du lieber Gott, jetzt tanzen sie also diesen alten Käse für den großen Bender. Und meine eigene exquisite kleine Gesellschaft? Meine eigenen Freunde, die intime Stimmung, die gute witzige Konversation, wie damals in Paris, in London? Wie damals, als ich – nicht wegschauen, Kati – als ich jung war? Sie wendete sich scharf herum. „Jetzt hab' ich aber genug", sagte sie. „Ich denke, ich nehme meine Zahnbürste und ziehe ins Hotel."

Bis hierher hatte Daniels sanft geschlafen, von Dirksen ignoriert und von Elkan nicht einmal bemerkt. Nun setzte er sich auf, starrte dumm um sich, griente, als ihm eine verwischte Ahnung dämmerte, wo er sich eigentlich befand. Er schwang seine Beine aus dem Bett, stellte sich auf, schüttelte sich und wanderte mit der unbeirrbaren Zielsicherheit des Betrunkenen zum Badezimmer. Stampfte über die ausgebreiteten Fotos und zwischen den zwei Männern durch, die eben die schmelzenden Linien einer ganz jungen Tänzerin diskutierten; und erreichte, an seinem Hosentürchen fummelnd, die Badezimmertür.

In Verblüffung über seine Auferstehung waren Elkan und Dirksen verstummt, und in der Minute des Schweigens drangen die Geräusche von Daniels' Verdauungsprozessen, gefolgt von der Wasserspülung, durch die nur halbgeschlossene Tür. Sein Geschäft beendigt, kehrte er zurück, stampfte ein zweites Mal über die Fotos quer durch den Raum; er plumpste wieder auf das Bett, seufzte, lächelte idiotisch, murmelte etwas wie „ . . . gerade noch geschafft . . .", – und war schon wieder weg.

Plötzlich schnappte etwas in Katja, und sie fing zu lachen an. Sie hörte ihr eigenes Gelächter, laut, atemlos und mit tränenströmenden Augen. Sie sah, wie Elkan sie besorgt anstarrte und Dirksen hastig die Fotos in zwei Päckchen sortierte – erste und zweite Auswahl –, und sie dachte in immer noch sich steigernder Ausgelassenheit: Das ist die Art von hysterischem Benehmen, wo der Held die Heldin ohrfeigt, um sie zur Besinnung zu bringen – auf der Bühne – im Film – auf der Fernsehleinwand – und damit hatte sie sich selbst zur Besinnung gebracht und sagte, noch außer Atem: „Ein bezauberndes Ende für einen bezaubernden Tag. Ich habe seit Jahren nicht so gelacht."

Nachdem Dirksen und Elkan hastig den Rückzug angetreten hatten, blieb Katja noch eine kleine Weile steif vor dem Spiegel stehen. Sie hätte sich gern auf ihr Bett geworfen und ausgeweint, aber da lag Daniels, ein unbewegliches Objekt.

Jetzt wurde unten Schuberts „Moment Musical" gespielt, übertönt von lauten Ausbrüchen des Gelächters: Das war also Olivia mit ihrem einzigen Solo, ihrem Paradestück, einer durchdringend komischen Parodie einer untalentierten Schülerin, die ihre Übungen an der Stange macht; und in diesem Augenblick kam Katja zu sich.

„Bin ich denn verrückt?" sagte sie laut. „Warum sitz' ich hier wie ein verdammter Idiot und tu' mir leid? Ich hab' doch einen Mann, ein Heim, mein eigenes Bett; ich hab' ein Kind, einen Garten, eine Küche; da ist mein Kamin mit meinem eigenen Schornstein und meinem eigenen Rauch; mein Hund, meine Bücher, meine Bilder, alles überhaupt; mein eigenes Leben. Es ist ein gutes Leben, sanft und still. Wir werden ein Feuer im Kamin machen und davor sitzen und uns aussprechen und uns zueinanderfinden, und wir werden zusammen ins Bett gehen und sehr glücklich sein und dann nach und nach einschlafen. Zusammen. Alles wird gut und warm sein und sicher, jeder kleine Nerv ausgebügelt, und morgen bin ich so stark und frisch und neu, daß sie alle das Maul aufreißen werden, was für eine Königin ich hinlegen kann."

Zehn Minuten nach neun drängte sich Katja durch das Sonntagsgewühl der Pennsylvania Station, und obwohl der Salonwagen ausverkauft war, fand sie noch einen Sitz in einem der billigen Kupees, wo sie landete, gerade als das „Einsteigen! Alles einsteigen!" den Zug entlangschallte.

ZWEITER TEIL

BITTE, WARTEN SIE EINEN MOMENT, HAMPTON, ICH MUSS DR. MARSHALL
erst um Kleingeld bitten", sagte Katja zum Taxichauffeur.
„Aber gern, Mrs. Marshall", sagte der Chauffeur in seinem höflichen Princeton-Englisch. Er war es gewohnt, daß Mrs. Marshall
kein Geld bei sich hatte. „Was die sich einbildet – wie die Königin
von England", pflegte Miß McKenna zu sagen. Katja lief schon den
Kiesweg zum Haus hinauf. Der Abend war warm, in dünne silbrige
Nebelschleier gehüllt; kein Mond, nur eine durchsichtige Helligkeit
über den Wiesenhügeln. Ich muß Preston erinnern, die Rosenstöcke
auszupacken, dachte Katja, sie konnte die reine, feuchte Frühlings-
luft auf ihren Wangen spüren. Sie klingelte, und Topper, der eng-
lische Schäferhund, bellte im Haus. Ihr Herz ging ein wenig schneller in der frohen Erwartung auf Teds Gesicht, wenn er die Tür
öffnete: so überrascht, so verblüfft, so lieb.
Das Haus stand ruhevoll auf der kleinen Anhöhe, ein altes weißes
Haus mit grünen Fensterläden. Aber es hat wirklich einen neuen
Anstrich nötig, dachte sie. Es hatte ihn schon seit mehreren Jahren
nötig, aber jedes Frühjahr sagte Ted, daß sie sich's – leider, leider –
grade jetzt nicht leisten konnten, es klappte nicht ganz mit dem
Budget. „Wenn du kein Budget aufstellen tätest, dann könnte es
auch nicht überschritten werden", protestierte Katja. Beim Ballett
kam es nie vor, daß ein Budget klappte.
Sie lächelte die Tür mit dem altmodischen, fächerförmigen Oberlicht an; es war ein so hübsches Haus in seiner Mischung von Ein-
fachheit und Würde. Sie klingelte nochmals, und dann lief sie
um die Hausecke, um zu sehen, ob im Schlafzimmer das Licht
brannte.
Wenn Ted schon schlafen gegangen war, dann mochte es eine Weile
dauern, bevor die Klingel ihn aufweckte. Aber aus seinem Studier-
stübchen im Erdgeschoß kam ein Lichtschein, zusammen mit gedämpften Männerstimmen, und Katjas Herz wurde eng vor Enttäuschung. Keineswegs hatte sie vorhergesehen, daß Ted Gäste
haben könnte, seine Bande junger Biochemiker, Assistenten vom
Laboratorium. Es tat ihr dringend not, mit ihrem Mann allein zu
sein, warm, still, entspannt, verheiratet.
Sie klingelte nochmals, tat einen tiefen Atemzug. Wie gut und klar
die Luft hier war, in den Wiesen, am Rand der alten Universitätsstadt. Da war ein ganz zarter Duft. Forsythien, dachte sie, im
Dunkeln nach dem Strauch tastend, den sie vor drei Jahren ge-
pflanzt hatten, kurz nachdem Guy zu ihnen gekommen war. Der
Strauch hatte sich ausgebreitet und war, mit Knospen beladen,
feucht unter ihren Fingern. Wenn ich nächstes Wochenende nach
Hause komme, wird er blühen. Wie schön, dachte sie. „Fehlt was,
Mrs. Marshall? Hausschlüssel vergessen?" fragte Hampton, der ihr
hilfsbereit gefolgt war. Wenn Mrs. Marshall per Bahn ankam und

auf sein Taxi angewiesen war, gab es häufig derartige Verwicklungen. Sieh mal, wie sie in ihrer Handtasche herumkrabbelt! Sie hatte schon vorher drin nach Kleingeld gesucht, um ihn zu bezahlen, und natürlich keins gefunden. Ach Gott, die Weiber! Hampton erwartete keineswegs, daß sie den Schlüssel finden würde – aber mit einem vergnügten kleinen Ausruf fand sie ihn schließlich doch. „Da ist er ja – wenn Sie jetzt bloß eine Sekunde warten wollen, Hampton . . ."

Das Deckenlicht brannte in der engen Vorhalle. „Ja, wie geht's dir denn?" erkundigte sie sich bei ihrem Hund Topper. „Wo sind denn deine Augen?" Es war ein alter Scherz zwischen ihnen, aber Topper begrüßte sie bloß mit einem Schnuppern ohne rechte Begeisterung, und sie nahm sich nicht die Zeit, sein Gesicht aus dem Gestrüpp von Englischen-Schäferhund-Zotteln auszugraben und ihn wie sonst wegen seiner Augen zu necken: Das eine war nämlich blau und gutmütig, das andere dunkel und wild. Im Eßzimmer, das Katja hastig durchquerte, war kein Licht. Noch bevor sie bei Teds Stube anlangte, hörte sie zwei Männerstimmen, von denen eine gerade einen sentimentalen Schlager zu singen begann. Katja öffnete die Tür. Der Fernsehapparat war in vollem Betrieb, und davor schlief Prestons Mutter in Teds altem Lehnstuhl den Schlaf der Gerechten. Es war so heiß wie im Dampfbad, und das breite Gesicht der alten Negerin glänzte von Schweiß. Katja drehte den Apparat ab und öffnete ein Fenster; Mrs. Preston erwachte.

Verwirrt antwortete die alte Frau auf Katjas Fragen: Der Herr Doktor? Je nun, der ist ja wohl ausgegangen, hat nicht gesagt, wann er zurückkommt. Das traf Katja mit einer so bodenlosen Enttäuschung, wie sie sonst nur Kinder erleben. Ein nervöses Frösteln überlief sie, ein scharfkantiger Schmerz steckte ihr in der Kehle; es war unfair, jawohl, unfair, ungehörig und überhaupt ganz unmöglich, daß die Besänftigung und warme Freude ihrer Heimkunft so sinnlos in die Brüche ging, im Augenblick, wo sie die Schwelle ihres Heims überschritt. Aber so geht's immer – das tägliche Leben bleibt ja immer hinter den Erwartungen zurück, die meine Phantasie mir ausmalt. Bitte um Entschuldigung, es liegt wohl an mir, wenn's schiefgeht.

In ihrer Geldbörse waren nur 52 Cents. Zwanzig Dollar hinausgeschmissen für Menschen, vor denen ihr in diesem Moment ekelte, und beim Nachhausekommen nicht genug Geld in der Tasche, um das Taxi und die alte Bedienerin zu bezahlen – es war eine Schande! Aber Katja nahm schnell die Zügel in die Hand, sie schickte die alte Preston in Hamptons Taxi heim, und in stummer Dankbarkeit für Teds guten Ruf versprach sie, daß Dr. Marshall morgen alles in Ordnung bringen würde. Im Augenblick, als sie die beiden los war, griff sie schon nach dem Telefon in der Vorhalle und klingelte das F.S.H.-Gebäude an. Wenn Ted nicht zu Hause war, dann hockte er bestimmt noch im Laboratorium, sogar spät Sonntag abends.

Sie zündete sich eine Zigarette an, ihre Fußspitzen trommelten einen Wirbel auf den Boden, die Ungeduld prickelte in ihren Beinen, als ob Ameisen daran entlangliefen, bis endlich der Nachtwächter da draußen antwortete. Aber nach längerer Suche konnte er nur berichten, daß Dr. Marshall bestimmt nicht in seinem Labor sei, auch nicht in seinem Büro und überhaupt nirgends im ganzen Gebäude.

Für ein paar Minuten überlegte Katja alle Möglichkeiten. Williamson! Aber natürlich, teilte sie sich mit. Bestimmt war Ted zu seinem Freund Williamson gegangen, auf ein kaltes Abendbrot und eine ihrer gemütlichen, endlosen medizinischen Diskussionen. Aber nur die Stimme eines wohldressierten Telefonfräuleins antwortete.

„Bedaure, Doktor Williamson ist verreist; jawohl, nach Stockholm, zu einem medizinischen Kongreß, von dem er am übernächsten Montag zurück zu sein hofft. Inzwischen vertritt ihn Doktor Haffner – wenn es sehr dringlich ist, kann ich Sie mit ihm verbinden."

„Nein, danke, es ist nicht dringend", murmelte Katja. Erst jetzt nahm sie sich Zeit, ihren Mantel abzulegen, und sodann versuchte sie den einzigen Ort, wo Ted noch möglicherweise sein mochte. Erst mußte sie die Nummer des Universitätsklubs heraussuchen, dann wurde sie mit einem Mann und mit noch einem andern Mann verbunden, im Hintergrund gab es Stimmengewirr, Gelächter, die Rufe des Pagen: „Dr. Marshall! Telefon für Dr. Marshall!" – und zuletzt wurde ihr mitgeteilt, daß Dr. Marshall sich nicht im Klub befinde, daß er überhaupt seit mehr als zwei Wochen nicht dort gewesen sei.

„Wo kann unser Ted bloß zu finden sein?" fragte sie Topper. Aber obwohl Topper höflich seinen Schwanzstummel bewegte, wußte auch er die Antwort nicht.

Auf der alten Uhr im Treppenhaus war es zehn Minuten nach elf, als Katja die Suche aufgab, und dann kamen ein paar Minuten völliger Panik. Wahrscheinlich war Ted auf einem Dauermarsch durch die Wälder begriffen, bis er sich genügend müde gelaufen hatte, um schlafen zu können. Er hatte so etwas erwähnt, der arme, ruhelose Kerl! Solche nächtlichen Spaziergänge waren ein bewährtes Beruhigungsmittel, wenn immer irgendwelche Probleme – ob persönlicher, finanzieller oder wissenschaftlicher Natur – ihn nicht schlafen ließen. Es mochte gut und gern Mitternacht werden, bevor er zurückkam, vielleicht sogar noch später.

Zu spät, ach Gott, viel zu spät, um noch ein Weilchen vor dem Kaminfeuer zu sitzen und die Wochen des Getrenntseins zu überbrücken; zu spät für ein stilles, zärtliches Zueinanderfinden. Nichts als wieder einmal ein hastiges Ins-Bett-Fallen, eine überstürzte Umarmung, eine jener übereilten kurzen Vereinigungen, die stets einen Knoten von Scham und Einsamkeit in ihrer Brust zurückließen. Als ob man ein großes *Adagio* ohne jede Vorbereitung tanzen müßte, dachte Katja mit einem bittern, kleinen Lachen. Aber ich darf mich nicht deprimieren lassen, Ted mag jeden Augenblick hier sein. „Du, bleib drunten, wir wollen unser kleines Herrchen nicht aufwecken", mahnte sie Topper, als sie die Treppe hinaufging.

Die Tür zum Kinderzimmer stand einen Spaltbreit offen; von der Lampe an seinem Bett sickerte gedämpftes Licht in den sanft atmenden Raum. Die gewärmte Luft bewegte den zylindrischen Lampenschirm im Kreise, und seine Korallenlandschaft warf feine, sachte kreisende Schatten auf das Gesichtchen des schlafenden Kindes. Offenbar hatte McKenna dem Buben in allem nachgegeben, um schneller wegzukommen. Nicht nur war die Lampe nicht abgedreht worden, sondern er hatte seine Kleidungsstücke achtlos auf den Boden geschmissen – genauso schlampig wie ich, lachte Katja. Schokoladenflecke auf seinem Kinn und ein angebissenes Schokoladentörtchen auf der Bettdecke zeigten an, daß er mit Süßigkeiten bestochen worden war, zu Bett zu gehen, und mitten im Genuß einschlief.

Auch hier war es viel zu warm. Katja schlich auf Zehenspitzen zum Fenster, das man vergessen hatte zu öffnen, und dann kehrte sie zum Bett zurück, um den schlafenden Kleinen zu betrachten. Eine Welle unendlicher Liebe zu dem Kind überschwemmte sie und trieb sie in eine ankerlose Weite; im nächsten Moment riß eine Gegenströmung sie hinab in die stumme Dunkelheit ihres geheimsten, tiefsten Kummers.

Christopher. Ihr eigenes verstorbenes Söhnchen ...

Nach den ersten Monaten, da sie am Rand eines Nervenzusammenbruchs dahintaumelte, hatten sie nie mehr das tote Kind erwähnt; deshalb glaubte ihr Mann, ebenso wie Dr. Williamson, daß eben diese Nervenkrise barmherzigerweise die schmerzlichen Erinnerungen ausgelöscht habe; Heilung durch partielle Amnesie, wie die Ärzte es nannten, ein Mittel, mit dem die Natur zuweilen das Unerträgliche kuriert. Aber nichts ist jemals ganz vergessen; alles Gelittene war noch immer ein Teil von Katja, und in Augenblicken wie eben jetzt durchlebte sie wieder und wieder jede einzelne Minute von Christophers Todeskrankheit, so deutlich und grell wie unter einem Scheinwerfer.

Sie kniete am Bettrand neben dem schlafenden kleinen Guy hin, lehnte die Stirn in ihre gefalteten Hände, und so, mit geschlossenen Augen, konnte sie ihr verlorenes eigenes Kind sehen: ein zärtlicher und stürmischer kleiner Mann, der kurz vor seinem dritten Geburtstag in einer Epidemie an Kinderlähmung gestorben war. Seine kleinen Arme um ihren Hals – er erwürgte sie beinahe, um ihr zu zeigen, wie lieb, wie schrecklich lieb er sie hatte. Der Klang seiner Stimme, immer ein bißchen heiser – genau wie meine, dachte sie – und seine gravitätischen kleinen Manieren. O du mein kleiner Bub, immer bedeckt mit Bubenschmutz und doch so sehr auf Reinlichkeit bedacht! Schluchzen und Heulen, weil seine Händchen nicht sauber blieben, wenn er wie ein kleiner Maulwurf stundenlang im Gartenschlamm damit herumgrub. All die Gegensätze,

144

durch die seine Eltern einander anzogen, waren in dem Kind vermischt und vereinigt.

Er wird es nicht leicht haben, etwas Ganzes, Rundes aus diesen Widersprüchen in sich zu formen, hatte sie oft gedacht; Teds Geduld und mein durchgeherisches Davongaloppieren bis zum Mond; Teds kostbares Gehirn, exakt wie eine Präzisionsmaschine, und dagegen ich, immer unter vollen Segeln, von Gefühlsstürmen und Wachträumen getrieben – er wird strenge Disziplin brauchen, genau wie seine Mutter. Sein Vater, Gott sei Dank, ist ja mit einer vollen Ration von Selbstdisziplin auf die Welt gekommen.

Sie hatte in seiner Spielecke mit ihm auf dem Fußboden gehockt, das Wetter an jenem Morgen war unfreundlich, sein Näschen lief ein wenig, und sie hatte ihn im Zimmer gehalten. Seine Lieblingsspielsachen umgaben ihn, eine leere Kaffeebüchse, ein Holzpferdchen, dem ein Bein fehlte, und ein Zelluloidsoldat namens Annie.

Und nun gab es wieder Spielsachen im Kinderzimmer, weiter fortgeschrittenes Spielzeug, wie es Guys sechs Jahren zukam; obwohl er noch immer seine früheren Kumpane mit ins Bett nahm, die den Sammelnamen „die Schlafleute" trugen. Unbestimmte Geschöpfe, die zerfransten Sofakissen glichen. Eine Giraffe, ein Pudel, den er während der ganzen Reise von Lyon nicht aus den Armen gelassen hatte, und einen Frosch, von Katja aus grünem Filz fabriziert.

Katja hatte irgendwo gelesen, daß solch zärtliche Anhänglichkeit an altes Spielzeug warnend anzeigte, wenn ein Kind nicht so viel Liebe empfing, wie ihm not tat. Aber das ist ja Unsinn, Kasperl, wir haben dich so sehr, sehr lieb, und du willst doch bestimmt nicht mehr gehätschelt werden wie ein ganz kleines Baby, versuchte sie das schlafende Kind zu überzeugen, und dabei erinnerte sie sich schuldbewußt, daß sie sich zuletzt unter recht üblen Umständen von ihm getrennt hatte. Das arme kleine Gesicht geohrfeigt und ihn einfach im Stich gelassen, ihn, und Ted auch. Sie beugte sich über den Kleinen, sie wollte ihn nicht aufwecken, aber es drängte sie danach, mit ihm zu reden, vielleicht sogar den Arm um seine Schulter zu legen, sich ein bißchen Zärtlichkeit zu stibitzen.

„Hei", sagte Guy. Seine Augen waren geschlossen, aber sein Mund lachte mutwillig, während die Korallenschatten der Lampe unentwegt über sein Gesicht wanderten.

„Hei. Ich dachte, du schläfst."

„O nein. Ich hab' doch gewußt, daß du kommst."

„Wirklich? Wieso denn?"

„Geheimnis, kann nicht drüber reden", sagte er mit weisem Kopfnicken. In seiner Welt gab es Geheimnisse, in die man bestimmte Leute – meistens seinen Freund, den riesigen Neger Preston – einweihen konnte, und Geheimnisse, über die man *absolut* nicht reden durfte. „Und du bist nicht mehr zornig auf uns? Ted sagt, du bist noch, aber ich weiß, du bist nicht. Ich bin auch nicht mehr zornig auf dich."

„Da bin ich aber froh, Kasperl. Ich glaube, wir haben beide einen kleinen Koller gehabt, unlängst."

„Haben denn – ich meine: haben – Damen – wie du – auch 'nen Koller?"

„Erwachsene, meinst du? Ich fürchte, es erwischt jeden gelegentlich."

„Sogar Feen? Gute Feen, mein' ich", fragte er hurtig. „Solche wie", er zog sie zu sich herunter und flüsterte ihr ins Ohr: „Solche wie die Zuckerpflaumenfee?"

„Das weiß ich nicht so genau. Da müssen wir wohl mal im großen Märchenbuch nachschauen."

„Preston sagt: Alles Mumpitz, sagt er, es gibt keine Feen. Er sagt, das ist alles bloß zum Geschäftemachen, das Christkind, zum Beispiel, und der Weihnachtsmann und der Osterhase und der Sputnik, alles Schwindel, sagt Preston, alles bloß wegen's Geldverdienen, sagt er ..." Guys Kinn bebte bekümmert; es war der richtige Augenblick, um ihren Arm um seine Schulter zu stehlen.

„Da würde ich mir keine Sorgen drum machen, Kasperl. Weißt du, Preston ist auch kein absolutes Orakel." Sie wählte das pompöse Wort mit Absicht als Gegengewicht zu Prestons Weisheiten. „Weißt du, es gibt Dinge, die viel wahrer sind als die wirklichen Sachen", sagte sie, nach Worten tastend, die dem Kleinen klarmachen sollten, was Grischa ihr einst erklärt hatte: den ewigen Zwiespalt zwischen Wahrheit und Wirklichkeit. „Laß uns ein andermal darüber reden, *okay*?"

„Wann denn? Morgen?"

„Nein, nicht morgen. Morgen kann ich nicht hierbleiben", sagte Katja verlegen. „Aber ich komme sehr bald zurück."

Sie strich die Bettdecke zurecht, arrangierte „die Schlafleute" in der vorgeschriebenen Ordnung, und Guy schloß die Augen und tat, als ob er schliefe. Ein wenig später murmelte er: „Ich wollte, du würdest mich dorthin mitnehmen."

„Mitnehmen? Wohin denn, Kasperl?"

„Wo du wohnst."

„Aber, Kind, ich wohne doch hier. In diesem Haus wohne ich doch", sagte sie erschrocken. Und da nichts mehr kam: „So – jetzt drehen wir das Licht ab und sagen gute Nacht. *Okay*?"

„*Okay*. Aber du mußt noch ein bißchen bei mir bleiben. Bitte, bitte", sagte er im Dunkeln und hielt ihre Hand fest.

„Dummerle – du fürchtest dich hoffentlich nicht im Finstern, was?"

„O nein. Ich mag's bloß nicht, wenn sie mir träumt", murmelte er schläfrig.

„Wer träumt dir, Kasperl?"

„Maman. Sie redet französisch, und sie nennt mich *bébé*, das kann ich nicht leiden. Preston sagt, sie ist im Himmel, also, warum bleibt sie denn nicht dort? Kannst du ihr nicht sagen, sie soll mir nicht träumen? Wenn du da bist, tut sie's nie ..."

Katja vernahm es mit einem kühlen Erschrecken in der Herzgrube.

146

Sie war fest überzeugt gewesen, daß sich Guy nicht an die Mutter erinnerte, die er nie zuvor erwähnt hatte. Wie unergründlich geheimnisvoll Kinder doch sein konnten.

„Dir träumt von deiner Mutter, Kasperl? Das hast du mir nie erzählt . . ."

„'türlich. Träumt dir nicht? Von deiner?"

„Ich – ja, weißt du: ich hab' nie eine Mutter gehabt."

Sie glaubte, daß er eingeschlafen sei, aber er schien nur nachgedacht zu haben, denn ein Weilchen später sagte er – und im Dunkeln konnte sie hören, daß er lächelte: „Nein. 'türlich nicht." Er seufzte zufrieden, sein Händchen erschlaffte, sein Atem wurde tief und langsam, und dann war er endgültig eingeschlafen.

Wieder in der Küche angelangt, wurde es Katja klar, daß sie halb verhungert war, und sie holte sich gierig ein Hühnerbein aus dem Kühlschrank. Doch als sie sich mit besitzerischem Vergnügen in ihrer blanken Küche umschaute, beschloß sie, wie ein zivilisierter Mensch zu essen. Summend und leise pfeifend setzte sie den Teekessel aufs Gas, richtete das Teebrett her, ja, sie verzierte sogar den kalten Aufschnitt mit Petersilie, röstete Brot und schnitt eine Tomate in Scheiben, und zuletzt kramte sie im Küchenschrank, bis sie ihre chinesische Teekanne und das silberne Teesieb fand, Gegenstände, die McKenna perverserweise immer vor ihr versteckte. Sie konzentrierte sich scharf auf die häusliche Geschäftigkeit, um ihre Gedanken von den ewigen „Bienen" abzulenken – weiß Gott, sie hatte eine kleine Erholung nötig, und sie mußte irgendwie die Zeit ausfüllen, bis Ted heimkam.

Okkupationelle Therapie, meine Herren Doktoren Marshall und Williamson, sagte sie zu sich, als sie das Teebrett ins Eßzimmer trug. Doch als sie das Licht andrehte, zeigte es sich, daß es auf dem Eßtisch nicht einen freien Zentimeter gab, um da Teezeug hinzusetzen. „Ach du liebe Zeit, was für eine Schweinerei", zankte sie Ted aus, der nicht da war, um sich zu verteidigen. „Zum Teufel, weshalb hast du denn das Kind mit der Schachtel spielen lassen? Jetzt kannst du sehen, was er angestellt hat."

Die Schachtel, ein alter Pappkarton mit dem Aufdruck *La Samaritaine, Paris,* diente als Katjas persönlicher Reliquienschrein. Katja unterschied sich von den meisten Ballerinen darin, daß sie Sammelalben abscheulich fand; es schauderte sie bei dem Gedanken, daß sie eines Tages eine jener vergessenen Berühmtheiten sein könnte, die über vergilbten Zeitungsausschnitten und vergangenen Triumphen brüten mochten. Doch waren während der Jahre allerhand Dinge, die sie nicht wegwerfen wollte, in die Schachtel gewandert. Es war eine Art Flickenbündel, gefüllt mit Endchen und Restchen ihres Lebens, ohne daß sie je die Zeit gefunden hätte, auszujäten, was bedeutungslos geworden war.

Wie alle Kinder liebte es Guy, mit Flicken zu spielen. Die Erlaubnis, „in der Schachtel zu kramen", war das wirkungsvollste Bestechungsmittel und der beste Trost, wenn ein kleiner Junge im Bett bleiben

147

mußte, weil er die Masern, Ohrenschmerzen oder Fieber hatte.
Katja hätte gern gewußt, was es heute gegeben hatte, daß man
dem Kind erlaubte, mit seinen Farbstiften drauflos zu kritzeln.
Wahrscheinlich hatte McKenna ihn dazu gekriegt, früher ins Bett
zu gehen, damit sie rechtzeitig mit ihrer Posaune loskäme.
Katja stopfte eine Handvoll der verschmierten Fotos in die Schachtel zurück, um Raum für ihr Teebrett zu schaffen, doch dann beschloß sie, etwas Ordnung in das Zeug zu bringen. Du lieber
Himmel, lachte sie in sich hinein. Sieh doch bloß mal diese Hüte
an, und das entsetzliche Kleid! Es war ein unmögliches Gruppen-
bild: das Ballett Continental, 1930, auf der unglückseligen Mittelmeertournee.
„Ja, so hat's angefangen", sagte sie laut und begann, die Pariser
Jahre aus dem Durcheinander auf dem Tisch herauszusortieren.
Das erste, was ihr in die Hand kam, war ein vergilbter, lang nicht
mehr gültiger österreichischer Paß. Katharina Milenz. Alter: 18 Jahre.
Augen: grau. Haar: dunkelbraun. Gewicht: 49 Kilo. Das letztere
wenigstens hatte sich nicht geändert. Mein Gott, diese Paßfoto-
grafien! Wie auf einem Steckbrief siehst du aus – und zehn Jahre
älter als jetzt, Katharina, du Fratz, sagte sie amüsiert zu sich, die
Wildnis von Stempeln, Unterschriften, Visas, Vorschriften, Erlaubnis-
sen und Verboten durchblätternd. Der muffige Geruch ungezählter
Büros schien davon aufzusteigen. All die vergeudeten Stunden des
Wartens, das Schlangestehen auf Konsulaten, Zollämtern, das Her-
umsitzen auf den harten Bänken von Warteräumen und Kanzleien.
„Wenn dein Paß in Ordnung ist, können wir schon morgen nach
Monte Carlo abreisen", hatte Grischa gesagt, als er in Belgrad
auftauchte, um sie mitzunehmen.
Damals arbeitete sie als Aushilfe für ein Mädel in einem Schwe-
sternakt, das sich auf dem schlechten Fußboden der *Tamburitza*
den Knöchel gebrochen hatte, eines Nachtklubs in einem Souterrain,
wo die Belgrader Huren herumhingen. Die *Tamburitza* war übel-
ster Balkan.
Katja war im Begriff gewesen, sich die scheußliche weißblonde
Perücke vom Kopf zu reißen, als sie nach ihrer Nummer in das
Loch zurückkam, das ihnen als Garderobe diente – und da saß
Grischa vor ihrem Spiegel.
„Servus, Duschka", sagte er. Es war fast zwei Jahre her, seit sie
ihn zuletzt gesehen hatte, in jener entscheidenden Nacht im ver-
regneten Park.
„Servus, Grischa", sagte sie und mußte sich an der Tür festhalten.
Er war sehr verändert, er sah erwachsen aus, elegant, selbstsicher,
ein Weltmann. Das war die glänzende Diaghileff-Politur. „Was
tust du denn hier, unter den Kannibalen?" fragte sie, es war nicht
einfach, ihren Atem zu kontrollieren.
„Wir hatten ein paar Vorstellungen in Budapest, ich suchte in der
Alhambra nach dir, und als man mir dort erzählte, daß du jetzt
in der *Tamburitza* bist, in Belgrad, nahm ich natürlich den erst-

besten Zug. Nämlich, um dich von hier loszueisen. Es ist ja nur ein Katzensprung." Er griff nach ihrer Hand, ein Eisklumpen unter der weißen Schminke. „Ich hab' deine Briefe gekriegt, Duschka", sagte er dabei.

Sie hatte ihm nur zweimal geschrieben. „Ich hab' mich nicht beklagt", sagte sie schnell, ihr Rückgrat, ihr Nacken waren starr wie Metall, sie hielt die Tränen zurück, angestrengt, als ob eine Faust ihr Herz zusammenpreßte.

„Nein, selbstverständlich beklagst du dich nicht. Du nicht. Jetzt pack zusammen und laß uns gehen. Ich habe alles mit der Direktion geordnet. Los, ich warte draußen auf dich – Madame, *je suis désolé de vous incommoder*", sagte er mit einer Verbeugung zu der Schwester vom Schwesternakt, die in verständnisloser und eifersüchtiger Wut dabeisaß; er klaubte die Perücke vom Boden auf, wohin Katja sie hatte fallen lassen, setzte sie mit geübtem Griff auf den Perückenstock und verschwand.

Ein paar Minuten später, als sie miteinander die Straße entlanggingen, fragte Katja: „Wohin willst du mich denn mitnehmen?"

„Nach Monte Carlo. Wenn dein Paß in Ordnung ist, können wir schon morgen abreisen."

„Aber Grischa – ich hab' kein Geld – ich kann mir keine Fahrkarte kaufen – und ich hab' nichts zum Anziehen..."

„Macht nichts. Ich sorge für alles. Ich habe dich untergebracht. Bei Diaghileff. Vorläufig nur im Corps, aber ich werde viel mit dir arbeiten, du wirst schon deinen Weg machen. Diaghileff wird dich im Corps entdecken. Er liebt es, Entdeckungen zu machen, bildet sich viel darauf ein."

„Aber, Grischa – wie ist das möglich?"

„Der Maestro hat dich empfohlen. Er ging nach Milano, um nach jungen Tänzerinnen zu suchen, aber – *niente!* Wenn die kleine Milenz sich nicht verschlampt hat, die ist guter Nachwuchs", sagte er. „*Alors*, ich hab' mir diesen verstunkenen Schwesternakt angeschaut, Katuschka, und, bei Gott, du bist in Form geblieben. Kann gar nicht so leicht gewesen sein, wie?"

Er brachte ihre Hand im gewohnten Nest unter, in seiner Manteltasche, wo sie seine Ballettschuhe antraf, die guten, alten Freunde. Grischa war ein eleganter Herr geworden, ein Weltmann voll Selbstbewußtsein und Sicherheit; aber in der Tasche seines feinen Überrocks trug er noch immer seine Ballettschuhe mit sich herum. „Bin ich dir abgegangen, Duschka?" fragte er leise.

„Nein. Nicht sehr. Nur manchmal...", hatte sie geantwortet.

Sie betrachtete lächelnd den abgegriffenen alten Paß und versuchte, sich den Namen der Grenzstation ins Gedächtnis zu rufen, wo man sie und Grischa für sechs Stunden festgehalten hatte. Bis dorthin war die Reise von Belgrad nach Monte Carlo eitel Glück und Lachen gewesen, alles so leicht, so vertraut; und so waren sie noch immer voll federnden Übermuts, als ihnen die Pässe abgenommen und sie

149

beordert wurden zu warten. Den Grund dafür erfuhren sie niemals.

Grischa behauptete, er sei des Mädchenhandels verdächtigt, wogegen Katja hoffte, daß die Behörden sie für eine internationale Spionin hielten, und sie beide mimten diese unmöglichen Rollen mit entsprechenden Übertreibungen ins Groteske. Etwa eine Stunde lang machte das großen Spaß. Dann aber kam der Schlag, der allem Gelächter ein Ende setzte...

In den Rauch der Zigarette blinzelnd, sah Katja die ganze Szene wieder, so deutlich, als würde ein Film vor ihren Augen abgerollt. Der sinkende Abend, die kleine Grenzstation, der schäbige Wartesaal; überfüllt, schlecht beleuchtet und mit dem unvermeidlichen Geruch verwahrloster Züge, Kohle, Ruß, Schwefelwasserstoff, grauer Dampf und Rauch und schlechte Zigarren. Ein Säugling brüllt, eine slowakische Bauersfrau schimpft, drei Männer spielen auf einem Korb Karten, zwei Soldaten, betrunken, aber gutmütig, singen ein langgezogenes, mißtönendes Lied. Und dazwischen sie selbst, müde, schmutzig, hungrig und sinnlos glücklich. In Sicherheit, zum erstenmal nach den erniedrigenden Erlebnissen der letzten zwei Jahre! Jetzt war Grischa da, um für sie zu sorgen. Sie hatte geglaubt und verzweifelt gefürchtet, daß sie ihn nie mehr wiedersehen würde – und nun waren sie so gut und eng beisammen, als wäre er niemals fortgegangen.

„Sag doch, Grischenka, bist du ganz sicher, daß Diaghileff mich nimmt?"

„Wie oft wirst du mich das noch fragen, Dummerl? Jawohl, ich bin ganz, ganz sicher. Du hast ja das Telegramm gelesen, das er mir schickte, nachdem er den Maestro in Milano gesprochen hatte. Es ist so bindend wie ein Kontrakt."

Grischa hatte dieses Telegramm dem uniformierten Beamten überlassen, der auch ihre Pässe in irgendeinem verborgenen Sanktum der Bürokratie abgeliefert hatte. „Das hebt unser Prestige, weißt du", sagte Grischa. Doch an dieser italienisch-jugoslawischen Grenze, wo es bis zum ersten Weltkrieg gar keine Grenze, sondern bloß einen unruhigen Bezirk der alten österreichisch-ungarischen Monarchie gegeben hatte, waren Reisende mit österreichischen Pässen weder beliebt noch unverdächtig. Noch war Grischas Nansen-Paß geeignet, einen guten Eindruck auf Grenzbeamte zu machen.

Zwei Karabinieri in ihren opernhaften Uniformen kamen zu der einen Tür herein, gingen bei der andern wieder hinaus. Eine Wand war von fliegenbeschmutzten Fahrplänen bedeckt, daneben knallte Mussolinis überlebensgroßes Porträt faschistische Schlagworte von einer Plakatreihe. Der Fahrkartenschalter war geschlossen. „Si prega di non sputare" warnte eine Tafel, unbeachtet von den einheimischen Spuckern.

Ein Mädchen in rotem Kleid, unbezweifelbar eine Nutte, klappert auf hohen Absätzen in den Warteraum, überblickt das Terrain, läßt sich auf der Bank gegenüber von Grischa und Katja nieder.

Zwar gibt es da genügend freie Plätze, aber das Mädchen rückt dicht an einen Herrn mittleren Alters heran, der wie ein Handlungs-reisender aussieht. Sie kreuzt ihre hübschen Beine, lächelt ihm zu, stellt ihm in hartem Balkan-Französisch irgendeine Frage. Aber er läßt sich auf nichts ein. Vielleicht doch kein Handlungsreisender, möglicherweise ein höherer Staatsbeamter, ein Mann von Würde und Ansehen. Er zieht ein italienisches Abendblatt aus der Tasche, setzt einen Kneifer auf und beginnt zu lesen.

Zwei Nonnen, schwarz-weiß vermummt, nehmen auf der andern Seite der Nutte Platz. Sie rafft ihren engen Rock dichter um sich, um nicht die Nonnengewänder zu berühren. Nicht die Nonnen versuchen die Sünderin zu vermeiden, sondern die Hure will nicht an Keuschheit streifen, als wäre es eine ansteckende Krankheit.

Es war nur eine winzige, spontane Gebärde; ich benutzte sie später in „Karussell", erinnerte sich Katja und legte den alten Paß in die Schachtel zurück; aber ihre Gedanken waren noch in der Vergan-genheit, noch in jenem verschollenen Wartesaal.

Grischa hatte zerstreut und mechanisch ein paar Schlagzeilen auf der Rückseite der Zeitung mitgelesen, die der italienische Herr gegenüber sich vors Gesicht hielt. Plötzlich sprang er auf und riß ihm das Blatt aus der Hand; der Italiener war so empört über diese Frechheit, daß er bloß stottern konnte, zornig anschwoll wie ein Ballon, mit geballten Fäusten drohte.

Die jungen Soldaten, erfreut bei der Aussicht auf eine Schlägerei, postierten sich hinter Grischa. Katja hatte Lust zu lachen, sie dachte, dies sei noch immer nur gespielt, ein Spaß, ein Jux, eine Komödie. Aber das Lachen fror auf ihren Lippen ein, als sie in Grischas kalk-weißes Gesicht sah. Er hielt die verknitterte Zeitung unter ihre Augen und deutete mit bebenden Fingern auf eine der Schlag-zeilen.

DIAGHILEFF

Oggio, 19. Agosto 1929,
il eminente impresario muere
dopo breve malattia in Venezia . . .

„Scu . . . scusi . . .", sagte Grischa stammelnd zu dem Italiener. „Ich wußte nicht, ich verstehe nicht — er ist tot. Gestern — gestorben. Diaghileff ist gestorben."

„Ein persönlicher Verlust? Ist es, daß Sie ihn persönlich kannten?" fragte der Italiener auf französisch.

„Ja — persönlich. Es ist — es ist das Ende. Jetzt ist alles hin — alles." Der Italiener nahm den Hut ab, glättete seine Zeitung.

„Gestatten Sie mir, mein Beileid auszusprechen, Monsieur", sagte er höflich.

Sein Französisch war noch ärger als meines damals, dachte Katja. Aber man lernt es bald, gut französisch zu sprechen, wenn man nicht einen roten Heller in der Tasche hat und versuchen muß, in Paris als unbekannte Tänzerin durchzukommen.

151

Das alte graue Haus im *Quartier latin,* wo Grischa früher einmal gewohnt hatte und wo er sie nun unterbrachte, mit ihrem Köfferchen aus Imitationsleder und ihren explodierten Hoffnungen. Das enge Kabinett und die trübsinnige senffarbene Tapete, auf der das Privatleben früherer Mieter seine Spuren hinterlassen hatte, mit teils verblichenen, teils gedunkelten Umrissen; die Atmosphäre leichtlebiger Misere. Gasleitungen und elektrische Drähte krochen die Wände entlang wie blinde Schlangen. Die Möbel waren alles eher als einladend: ein ausgebuckeltes Schlafsofa, ein plumper Kleiderschrank, ein zu hoher wackliger Tisch, ein zu niedriger wackliger Stuhl. Doch gab es auch ungewöhnlichen Luxus in der Form eines Waschbassins mit fließendem kaltem Wasser und einen Gaskocher. Und da war ein winziges verbogenes Balkönchen vor dem Fenster, zwar nur mit der Aussicht auf die gegenüberliegende Feuermauer, aber ein Blumentopf mit blühenden Geranien stand dort, und die billigen Spitzenvorhänge waren sauber, wenn auch verschlissen.

„Sobald ich etwas in Aussicht habe, lass' ich dich's wissen", sagte Grischa zum Abschied; genau, was die schmierigen kleinen Agenten immer sagten, wenn man einen Job suchte, irgendeinen Job, was immer es sein mochte. Vielleicht spürte Grischa das selbst, denn er blieb an der Tür stehen und fügte hinzu: „Mach dir keine Sorgen, wir werden schon was für dich finden. Das Zimmer ist für zwei Wochen vorbezahlt, und Madame Planchard wird dich nicht auffressen. Du kannst dein Französisch an ihr üben, es läßt viel zu wünschen übrig. Die Stuhllehne da ist grade recht, kannst sie als *barre* für die Übungen benutzen. Also – à bientôt, ma brave", und damit drückte er ihr einen sehr russischen und etwas feierlichen Kuß auf die Schulter und verließ sie.

Unter den alten Momentaufnahmen auf dem Tisch grub Katja eine hervor, an die sie sich eben erinnert hatte. Es war einer von Elkans frühesten Versuchen, so spaßig und veraltet, daß Katja leise auflachte, aber trotzdem witzig und gut gesehen. Sind sie nicht ein absurdes Paar, diese beiden? schien die Fotografie spöttisch zu fragen. Grischa und Daniels; der Maler mehr als einen Kopf größer und dreimal so breit und schwer wie der Tänzer. Beide trugen Baskenmützen – selbstverständlich, was denn sonst im Paris von 1930? – und hatten dicke Wollschals um den Hals gewickelt, aber keine Mäntel (die waren natürlich versetzt), obwohl es in den Tuilerien kalt und winterlich aussah. Elkan hatte sie in ironischem Kontrast gegen die üppigen Kurven und den höchst ausgesprochenen Popo einer Statue postiert, die ihrem Gespräch zu lauschen schien, während die beiden so völlig in die Diskussion vertieft waren, daß sie die nackte Schönheit überhaupt nicht bemerkten. Sie redeten mit heftigen Gebärden aufeinander ein, ohne sich durch das lange französische Brot behindern zu lassen, das jeder unterm Arm trug.

Philipp Daniels war während jener ersten Hungerwochen ihr

Freund geworden und für immer geblieben. Ein flämischer Bauer, wie aus einem Gemälde von Breughel gestiegen, blondbärtig und tapsig: ein Riese, der mit eines Riesen unersättlichem Appetit das Leben in sich hineinfraß. Philipp war zehn Jahre älter als Grischa und im Begriff, sich einen Namen zu machen. Schon waren einige seiner Bilder auf Ausstellungen zugelassen worden, und eins oder das andere hatte sich sogar verkauft. Auch hatte er für Diaghileff die Bühnenbilder zu einem Ballett entworfen und war dabeigewesen, Skizzen für das nächste zu zeichnen, als Diaghileff starb. Dieser Tod ließ vieles unvollendet, er war das Ende einer Kunstepoche. Verwickelte Schulden und gelöste Kontrakte blieben übrig, alte Feindschaften und Eifersüchteleien wurden wieder ausgegraben, und die vorher so berühmte Truppe zersplitterte in verschiedene kleine Gruppen.

Eine dieser Gruppen war das Ballett Continental, wo Katja froh war, mit einer winzigen Gage unterzukommen. Was Grischa betraf, so überstand er die mageren Zeiten nur durch Philipp Daniels' Hilfe; der Maler ließ ihn bei sich im Atelier wohnen, wo er Platz genug hatte, allein oder auch mit Kati zu üben.

„Bin bloß neugierig, wie bald Pips genug von mir haben und mich 'rausschmeißen wird", äußerte Grischa finster.

„Das liegt gar nicht in seinem Charakter, Grischa. Und er hat dich so gern. Magst du ihn denn nicht?"

„Gewiß mag ich ihn, das alte Mastodon! Er kann auf seine Art ganz anregend sein."

„Er ist verliebt in dich, Grischa. Weißt du das nicht?"

„Er ist – was? Was meinst du damit? Ach, um Himmels willen, red nicht solchen Bockmist. Ich verbitte mir das, verstehst du? Ich verbitte mir solchen dreckigen Unsinn. Daniels ist ein braver Ehemann, er hat eine Frau und ich weiß nicht wieviel Kinder auf seinem Gutshof sitzen, eine ganze Herde von enormen, dicken, stinknormalen kleinen Daniels."

„Trotzdem..."

„Trotzdem sind wir Freunde, der Pips und ich, oder geht das nicht in dein Vogelgehirn? Weißt du nicht, was das bedeutet: Freundschaft?"

Doch, ich habe einige Erfahrung darin, was eine Freundschaft mit dir bedeutet, hatte sie gedacht, aber nicht ausgesprochen. Es bedeutet, daß Grischa auf einem herumtrampelte, wenn er deprimiert war, aber während seiner sonnigen Zeiten war es die reine Glückseligkeit. Freundschaft bedeutete Zusammengehörigkeit. Nicht die zerrende, ewig verlangende Hörigkeit von Liebenden, sondern das nährende Beisammensein zweier Freunde. Kein Hunger, keine Spannung; keine übersteigerte Erwartung, aber andererseits keine tödlichen Enttäuschungen. Ich kenne Grischa von seiner schlimmsten Seite, und trotzdem ist er mir der liebste Mensch auf der ganzen Welt, hatte sie überlegt. Möchte wissen, was ich für ihn bin? Ach was, laß das Fragen sein, törichtes Herz.

Das waren Dinge, an die niemals gerührt werden durfte. Was er ihr damals im Park gebeichtet hatte – niemals, nein, nie, niemals durfte sie fragen: Hast du dich frei gemacht von Morphium und Kokain? Treibst du's noch immer mit Männern, oder ist das vorbei, seit du erwachsen bist, selbst ein Mann? Liebst du denn niemanden? Auch nicht Philipp? Gut, gut, du hast mir verboten, darüber nachzudenken.

Daniels' frühere Bilder waren brutal hingehauene Farbkompositionen, und seine Porträts schnitten grausam durch die Haut, bis in die Gewinde des Gehirns, der Gedärme, tief in die Schwächen und Laster seiner Modelle.

„Wenn er dich malt, wirst du aussehen wie ein blutiges Stück Fischköder", warnte Grischa lachend.

„Laß nur", sagte Daniels, „das Mädel hat Courage. Die fürchtet sich vor nichts, hab' ich recht, Kate?" Daniels war in eine neue Phase eingetreten, behielt nur gedämpfte Farben auf seiner Palette, sanftes Blau und Grau, und verbrachte seine Tage mit Zeichnen; das Gewebe ihres Haares zu zeichnen, die Architektur ihres Gesichts.

„Weißt du eigentlich, daß sie schön ist?" belehrte er Grischa.

„Mein Junge, nirgends werden wir ein vollkommeneres Skelett zu sehen kriegen." Er studierte sie, eindringlich wie ein Chirurg, sein Pinsel war ein scharfes Skalpell, aber seine Diagnose erfüllte sie mit einem ganz neuen Stolz. Kati war – so erklärte er – eine Schönheit, nicht im gewöhnlichen Sinn, sondern in ihrer ureigensten Art. „In ein paar Jahren werden Millionen Frauen alles drum geben, ihr ähnlich zu sein. Wenn die Schönheiten von heute, mit ihren runden Gesichtern und süßen kleinen Mündchen und albernen Bubiköpfen lächerlich aussehen werden, dann wird dieses sonderbare Geschöpfchen mit den Schattenwangen und dem langen Hals den neuen Frauentyp repräsentieren, das verspreche ich dir."

Es war ein Augenblick zitternden Triumphes, als Grischa sie betrachtete und dann das fertige Bild und dann wieder sie, vertieft, als sähe er sie zum erstenmal. „Hol's der Teufel, ich glaube, du hast recht, Pips. Unsere Katuschka ist, weiß Gott, hinter meinem Rücken hingegangen und hübsch geworden, der komische kleine Affe!"

„Allerdings muß ich zugeben, daß sie vorläufig nur eine Skizze von dem ist, was sie werden könnte", bemerkte Daniels zurückhaltend.

„Das kommt davon, daß ihre große erste Liebe irgendwo den Anschluß versäumt hat. Seelisch ist sie noch immer eine Jungfrau."

„Stimmt das, Kate?"

„Viel schlimmer: eine Nonne", sagte Kati. Es machte sie wütend, daß sie diskutiert wurde wie ein halbfertiger Braten. „Das sind wir ja alle im Ballett; wie die Nonnen. Leisten den Schwur auf Armut und Gehorsam an dem Tage, wo wir in die Ballettschule eintreten."

„Aber keinen Eid auf Keuschheit, wie?" sagte Daniels. „Und du brauchst nicht so verschlagen zu lächeln wie die Mona Lisa, wenn sie sich von Cecil Beaton fotografieren läßt. Geh, lockere sie ein bißchen auf, Grigory."

Aber Grischa war alles eher als auflockernd. Im Gegenteil, er war einfach unerträglich während des kurzen Interims, da sie schon ein Engagement gefunden hatte und er noch nicht. Wahrscheinlich hätte er im Ballett der Großen Oper unterkommen können, allerdings nicht als Solotänzer, sondern nur als ruhmloses sogenanntes *second sujet.* „Unmöglich. Das würde damit enden, daß ich den Lejeune umbringe – oder mich selbst", raste er, als Katja ihn überreden wollte. „Was dort gespielt wird, das mache ich nicht mit, ich gehöre nicht zu Lejeunes Arschkriechern, ich bin nicht zu kaufen, und ich will lieber krepieren, als beim göttlichen Lejeune die zweite Geige spielen."

„Aber du mußt zugeben, Grischa, daß Lejeune ein großer Tänzer ist."

„Sicher. Ein recht guter Tänzer. Gebe ich zu. Wenn auch lange nicht so gut wie Nijinsky war. Und nicht so gut wie Kuprin – und deshalb würde ich nie eine Rolle kriegen, in der ich das beweisen könnte."

Na also, da sind wir wieder einmal, dachte Katja. Die alte Krankheit: Eifersucht, mörderische Eifersucht. Jetzt haben wir nicht nur Nijinskys Gespenst, das Grischas Leben vergiftet, sondern auch noch den lebenden Lejeune und seine berühmten *tours en l'air.*

Und so fuhr Grischa fort, sich unmöglich zu benehmen und dunkel damit zu drohen, daß er in das Kloster am Berge Athos eintreten werde oder in die Fremdenlegion.

Bis zu einem Tag, da er mit Nijinskys sensationellem *jeté* aus „Spectre de la Rose" in ihr Stübchen geflogen kam, um zu verkünden, daß Reinhardt ihn als Choreographen und ersten Tänzer für die Salzburger Festspiele engagiert hatte.

Er schwang Kati in seinen Armen hoch, wirbelte sie herum, hob sie bis zur Decke, ließ sie auf das ächzende Sofa fallen und bedeckte ihr Haar, ihr Gesicht, den Nacken, die Arme, die Hände mit schlechtgezielten Küssen. Zuletzt verblieb er kniend auf dem Fußboden und preßte sein Gesicht in ihren Schoß. Als sie ihre Hände um seinen Nacken schloß, konnte sie spüren, daß es ihn schüttelte wie in einem Krampf, und sie lag still, ohne sich zu rühren, hielt ihn nur enger an sich. „Heulst du denn, Grischa?" fragte sie nach einer Weile leise.

Er schüttelte den Kopf, aber hob ihn nicht aus ihrem Schoß.

„Nein – ich lache ja...", murmelte er, während ein abgrundtiefes Schluchzen seine schönen ägyptischen Schultern erschütterte.

Es war sieben Monate her, seit er zum letztenmal getanzt hatte.

Katja legte ihre Hand auf die Teekanne. Sie war noch warm, aber die Zigarette in ihren Fingern war ausgegangen. Sie goß sich noch

eine Tasse Tee ein, zündete eine frische Zigarette an. Eine merkwürdige Sache ist das Gedächtnis. Reiner Impressionismus, oder
wie hießen diese Maler, über die Philipp sich lustig macht? Poin-
tillisten? Monet, Sisley, Seurat? Ein Mosaik winziger Pünktchen,
ein bißchen verschwommen, aber doch vibrierend und wahr. Was
man im Gedächtnis behielt, waren nicht die wichtigen Ereignisse,
sondern nur Momente. Eine Stimmung, eine Farbe, ein Duft, ein
Klang, eine Melodie. Ich kann mich an die große graue Katze des
Grünwarenhändlers in der Rue Vert-Vert erinnern, sie schielte, und
an heißen Tagen pflegte sie sich auf den kühlen grünen Hügel von
Spinat zu legen; aber nicht die geringste Erinnerung habe ich an
den Grünkramhändler, dem sie gehörte. Ich erinnere mich zum
Beispiel, daß ich mit einem jungen Mann, mit dem ich eine Liebelei
hatte, auf dem Pont Neuf stehe: kurz vor Sonnenuntergang, ein
Schleppkahn treibt langsam auf die Brücke zu, ganz schwarz gegen
den hellen Fluß. Ich habe den Namen des jungen Mannes vergessen, alles überhaupt. Aber ich erinnere mich ganz genau an den
Umriß einer dicken, leuchtend weißen Sommerwolke jenseits von
Notre-Dame und ihren Reflex, wie Perlmutter, auf der Seine. Ich
erinnere mich an ein außerordentlich elegantes Abendessen *en deux*
bei Fouquet, an das Menü, den Geschmack der *rognon de veau
flambé*, mit altem Armagnac direkt am Tisch zubereitet, an das
herrliche Gefühl, einmal gut gegessen zu haben und ein hübsches
neues Kleid zu tragen und verwöhnt zu werden. Aber ich erinnere
mich weder an den Mann, der für die Festlichkeit bezahlte, noch,
ob er von mir in der erwarteten Währung belohnt wurde. Irgendwo
sagt die Stimme eines jungen Amerikaners: *It's too bad, Honey,
but there is so much nothingness between us.*
Was Katjas Gedächtnis von jenen Pariser Monaten während Grischas
Abwesenheit am deutlichsten festgehalten hatte, das war der müde
verschlissene Spitzenvorhang in ihrer Stube. Wenn sie die Augen
schloß, konnte sie noch immer jeden Faden des Musters sehen.
Jener Vorhang, oder eigentlich mehr sein Schatten auf der nackten
Feuermauer jenseits des Gäßchens, umschloß die ganze Einsamkeit
jener Zeit.
Sie hatte diesen Schatten, eine enorme Vergrößerung des Musters,
zum erstenmal eines Nachts bemerkt, als sie vom Théâtre Champs-
Elysées zurückkam, wo das Ballett Continental ein zweiwöchiges
Gastspiel absolvierte. Sie hatte wohl beim Weggehen vergessen,
das Licht abzudrehen, und ihr beleuchtetes Fenster warf seinen
Schein und Schatten auf die gegenüberliegende Mauer. Es ging
ein seltsames Gefühl der Leere eines stummen Zimmers davon aus,
etwas wie ein Lied des Verlassenseins. Ein trauriges kleines Lied.
Oder vielleicht ein Tanz. Grischa würde das verstehen, hatte sie
gedacht.
In ihrer Stube machte sie nachher ein Schattenspiel daraus. Sie
bewegte den welken Vorhang ein wenig, und der Schatten da
drüben schlug fließende kleine Wellen. Sie trat dichter heran und

beobachtete ihre vergrößerte, ins Längliche gezogene Silhouette. Ach, das meinen sie also mit ihren Verzerrungen, dachte sie: El Greco, Modigliani, Picasso. Unter Grischas, Daniels' und Madame Planchards strengem Einfluß hatte sie allerhand Kenntnisse aufgelesen, ohne es zu merken. Malerei, moderne Musik und das bewegliche Französisch des linken Ufers. Sie streckte ihre Arme aus, und ihr Schatten dort drüben wiederholte die sehnsüchtige Gebärde. Schnell zog sie sich bis auf ihren schwarzen Leotard aus und trat auf den winzigen schmalen Balkon hinaus. Nun hatte sie den Vorhang als Hintergrund für ihren großen Schatten. Sie stützte ihre Hand auf das schmächtige Geländer, um es als Stange zu benutzen, und balancierte sich in eine *arabesque en point*. Sie konnte ihre Linie dort drüben sehen wie in einem Spiegel: Es war eine gute Linie. Es war eine perfekte Arabeske. Sie hatte das unerklärliche Plus, das jenseits von technischer Perfektion liegt. Sie war in jenem Augenblick ein wenig verliebt in sich selbst, voll der kritischen narzistischen Liebe, die das untrennbare Teil jeden guten Tänzers ist. Für die Bühne geboren, wußte sie auch, was nun geschehen sollte: Ein zweiter Schatten müßte sich dazugesellen für ein notwendiges, unvergleichliches *pas de deux*. Ein zweiter Körper, um sie zu halten, zu fassen, sie zu umschlingen, hochzuheben. Es war unweigerlich Grischas Körper, der fehlte, um das kleine Schattenspiel der Liebe abzurunden.

Statt dessen waren nun da unten zwei junge Männer aufgetaucht, die gegen die Feuermauer urinierten. Als sie damit fertig waren, entdeckten sie zwar nicht die heimliche Bedeutung des Schattentanzes, sondern nur ein Mädel, das mitten in der Nacht auf einem Balkon Ballettübungen machte. Sie lachten darüber, pfiffen, improvisierten eine kleine Serenade auf nichtvorhandenen Gitarren und fragten an, ob sie nicht hinaufkommen und ihr Gesellschaft leisten könnten; falls Mademoiselle nichts Besseres vorhabe. Es war gut gemeint, eine kleine Neckerei im höflichen Französisch des *Quartier latin*, in dem selbst eine Unverschämtheit klingt wie ein Kompliment.

Aber nachdem Katja ebenso liebenswürdig gedankt und gute Nacht gewünscht hatte, nachdem sie die Fensterläden zugeklappt und sich so von ihrem Schatten abgeschnitten hatte, schloß Einsamkeit sich wieder um sie wie ein dunkles Wüstenzelt ...

Noch jetzt, fünfundzwanzig Jahre später, während sie in ihrem eigenen Haus ihren eigenen Mann erwartete, konnte sie den Schatten jenes Vorhangs und ihren eigenen Schatten auf der nackten Mauer sehen: eine junge Frau in Paris, allein, jede Nacht ganz allein und verlassen.

Die Tage hingegen verbrachte sie zumeist in Numero 47, Rue Vert-Vert, wo das Repertoire für die geplante Mittelmeertournee des *Ballett Continental* vorbereitet wurde.

Es war eine recht armselige kleine Tanzgruppe, die sich da recht und schlecht zusammengefunden hatte. Vorläufig wurde das wacklige Unternehmen einzig von den bescheidenen Einnahmen der *Grande Académie Russe de la Danse* über Wasser gehalten. Proben und Übungsklassen schwankten zwischen Aufgeregtheit und Langeweile. Es war die einzige Epoche in Katjas Leben, da sie nicht wußte, warum, du großer Gott, warum sie noch immer eine Tänzerin sein wollte. Es schien ziemlich irrsinnig, daß sie trotz allem den Glauben an ihre Träume, an ihre Zukunft, an Grischas hochfliegende Ideen nicht aufgab, den Glauben an sich selbst.

Möglicherweise ahnte die Ballettmeisterin, Tanja Stepanowja, etwas von Katjas Seelenverfassung und ließ sie deshalb eines der jungen Schwänchen im *pas de quatre* in „Lac des Cygnes" tanzen; so kindisch diese Nummer auch war, auf Katja wirkte sie wie Champagner. Sie war so jung und drollig, sie tanzte die rührend-komische Mischung der Anmut und Tapsigkeit eines Vogelkindes so überzeugend, daß sie die andern drei damit ansteckte und die Nummer nicht nur den üblichen Applaus empfing, sondern sogar wiederholt werden mußte. Und so entschied sich Tanja, sie die Ballerina in „Petruschka" mitstudieren zu lassen – dieselbe Tanja Stepanowja, die nun die Kinderklassen der Manhattan Ballettschule unterrichtete und außerdem die ergebene Freundin und Genossin der Gabrilowa war.

Katja blickte auf, horchte. Doch das Auto, das sie gehört hatte, stoppte nicht. Seufzend wandte sie sich wieder den Fotos zu, bis sie die Aufnahme fand, auf der sie in ihrer ersten wichtigen Rolle zu sehen war. Schwer zu glauben, daß dieses unbeholfen posierende Geschöpf in dem unvorteilhaften Kostüm sie selbst gewesen sein konnte. Wie bewußt, wie geschmeidig, geschliffen und unvergleichlich geistreich doch die jungen amerikanischen Tänzerinnen von heute waren! Verglichen mit ihren eigenen Anfängen, war ein Mädel wie, sagen wir, Joyce Lyman ein Weltwunder an Witz, Grazie, scharfem Humor und Charakter. Und doch war Katja in „Petruschka" ein Erfolg gewesen. Sie machte im Geist eine ironische Verbeugung vor Walth Dirksen; mit seiner einzigartigen Nase für Talent hatte er sie in jener Vorstellung entdeckt, durch die sie in einem Nebel von Angst dahinstolperte, sich in einer Wildnis falsch gezählter Schritte verirrte, jede Minute ihrer kläglichen Unzulänglichkeit bewußt.

Aber der vergilbte Zeitungsausschnitt, auf die Rückseite der Fotografie geklebt, bezeugte: „In Mlle Milence lernten wir eine neue, höchst vielversprechende Tänzerin kennen. La Milence hat Stil und besitzt jenes seltene und ungreifbare *je-ne-sais-quoi:* Originalität. Persönlichkeit. Brillant, wenn auch noch keine Primaballerina in der großen russischen Tradition, wußte Cati Milence uns völlig in Bann zu halten. Wir wollen Sie bestimmt im Auge behalten, junge Cati, und wir prophezeien Ihnen, hoffentlich nicht zu voreilig, eine große Zukunft ..."

Katja schob die spärlichen Andenken an das *Ballet Continental* zusammen wie ein Paket Spielkarten, und dann trug sie das Teebrett in die Küche, um einen Blick auf die einzige zuverlässige Uhr im Haus zu werfen. Ihr Ausflug in die Vergangenheit hatte nur zehn Minuten ausgefüllt, obwohl es ihr schien, als hätte sie jahrelang auf Ted gewartet; eine große, ganze Ewigkeit, seit sie das scheußliche Lathamsche Schlafzimmer mit dem betrunkenen Daniels hinter sich ließ. Sie lächelte über die Taschenspielertricks, die es mit dem Begriff Zeit auf sich hatten. Wenn man sich auf der Bühne auch nur um einen Takt irrte, fiel die ganze Vorstellung auseinander. Die Bühne komprimierte Zeit, verkürzte Tage, Wochen, Jahre zu einem einzigen Abend. Noch stärker preßten Träume die Zeit zusammen, so daß ein ganzes Leben zwischen dem Rasseln der Weckuhr und dem Erwachen ablaufen mochte. Und wenn das Herz nur für eine Minute stillstand, dann war man tot.

„Aber Zeit ist ja nur eine Illusion", sagte Grischa.

„Schön. Möglich, daß es nur eine Illusion ist, aber mir ist es vorgekommen, daß du Ewigkeiten fort warst."

Nach der verunglückten Mittelmeertournee hatte das *Ballett Continental* Pleite gemacht, und Grischa war losgezogen, um eine Truppe zu finden, die zwei so glänzende junge Stars wie Kuprin und Milence brauchen konnte. Aber die schweren Nebel der Depressionsjahre griffen überall um sich, Ballett war im Niedergang, das Tanzbudget wurde allenthalben beschnitten und das Tanzpersonal entlassen. Grischa war bankrott, Katis Stübchen war ungeheizt, und sie hatte eine schwere Erkältung erwischt. In ihre Bettdecke gewickelt, hockte sie trübselig auf dem Schlafsofa; Grischa betrachtete sie mit leiser Besorgnis.

„Du siehst aus wie ein Spatz im Regen auf dem Telegrafendraht", bemerkte er.

„Genauso fühle ich mich auch."

„Komm, laß uns was tun. Wie wär's mit dem Musée Guimet?"

Kati seufzte tief. Ärgerlich über gewisse verfälschte orientalische Tänze, die in Mode gekommen waren, hatte Grischa begonnen, neue Techniken zu studieren, die Gesten geheimnisvoller Sekten zu lernen, die Mudras der Hände, die Symbolsprache fremder Gebärden.

„Wozu denn? Wir brauchen doch nicht alles zu wissen, nicht wahr?"

„Doch. Alles!" sagte Grischa unerbittlich. „Die Welt ist so weit, Katuschka, und Ballett so eng. Es gibt Länder, wo nur die Huren tanzen, und Länder, wo es nur den Prinzessinnen von königlichem Blut gestattet ist. In Indien tanzen die Götter, und so soll es auch sein. War es nicht Nietzsche, der sagte, er könne nur an einen Gott glauben, der tanzt?"

„Nietzsche! Noch einer, der zuletzt übergeschnappt ist", murrte Kati, aber sie kroch aus ihrem Kokon hervor und begann, nach ihren Schuhen zu suchen.

„Weißt du übrigens, wer in Paris ist?" sagte sie, unter dem Sofa herumfischend: „Bagoryan. Sucht auch ein Engagement."

„Oho! Woher weißt du das?"

„Traf ihn zufällig. Bei Landau."

Landau war ein Theateragent. Kati hatte bei allen die Runde gemacht.

„Soso – zufällig. Na, und . . .?"

„Und – nichts. Es sah aus, als hätte er seit Stunden im Wartezimmer gehockt – wie jeder andere."

„Der wunderbare Bagoryan. Deine große erste Liebe. Muß ja sehr aufregend gewesen sein, ihn wiederzusehen. Und was geschah dann?"

„Dann lächelte ich und sagte, ‚Bon jour, Monsieur Bagoryan'. Und er erhob seinen Hintern von seinem Stuhl wie ein wohlerzogener Herr, machte eine kleine Verbeugung und sagte ‚Servus, Milenka, comment-ça-va?'"

„Aber das war wohl nicht alles?"

„Doch. Das war alles. Ich las ein Interview, das er dem Paris-Soir gab, während du weg warst. Behauptete, das Publikum ist der Experimente und des sogenannten modernen Tanzes müde. Sagte, die Zeit für eine definitive Rückkehr zum klassischen Ballett sei gekommen."

„Aha. Leckt seinen Finger ab und hält ihn in die Luft, um zu sehen, von wo der Wind bläst, so daß er beizeiten sein Mäntelchen danach hängen kann. Ich kann Leute nicht vertragen, die wie Zwiebeln sind. Du kannst sie schälen und schälen, und wenn du zur Mitte kommst, dann ist absolut nichts da. Kein Gehäuse, kein Kern, kein einziges Samenkörnchen."

„Erwähne, bitte, keine Zwiebeln. Ich bin hungrig", sagte Katja.

„Tien! Wir können am Weg zum Guimet essen."

„Gut. Kannst du bezahlen?"

„Nein. Kannst du denn nicht?"

„Natürlich nicht. Wie steht's mit deinem Kredit bei Mère Marie?"

„Vollkommen erschöpft. Bon – laß uns hier speisen. Kannst du nicht irgendwas für uns kochen? Mit Salz und etwas Kümmel kann man eine durchaus genießbare Suppe aus Wasser und altem Brot herstellen."

„Möglich – wenn Madame Planchard nicht meine Gasleitung abgestellt hätte. Ich bin ihr ohnedies drei Wochen Miete schuldig."

„Schön. Wechseln wir das Thema. Laß uns nicht ans Essen denken. Daniels muß bald von seinem Gut zurückkommen, mit einer Ladung riesiger Schinken beladen wie gewöhnlich und diesen delikaten Würsten . . ."

„Erzähl mir nichts von Schinken und Würsten. In Gottes Namen, erzähl mir lieber etwas über Schiwa."

„Schiwa, der Erschaffende und Zerstörende – der hat's leicht. Wenn ich so viele Hände und Arme hätte wie der, Katuschka, was für ein Tänzer ich da sein könnte! Sag einmal, Kasperl, bist du wirklich mit dieser Bagoryan-Geschichte fertig oder machst du uns nur was vor?"

„Ja, komisch, wie absolut vorbei das ist. Ich war selbst erstaunt. Kein bitterer Bodensatz, nichts. Ich habe wohl die ganze Sache auf einmal ausgefressen. Gewissermaßen bin ich ihm sogar dankbar. Ich habe eine Menge von ihm gelernt."

„Zweifellos ...", sagte Grischa. Er wickelte seinen eigenen Schal um ihren Hals und kniete nieder, um ihr die alten Galoschen anzuziehen.

„Ich meine – als Tänzerin...", sagte Katja.

„Selbstverständlich. Was sonst?" sagte Grischa mit seinem versteckten Lachen. Er stellte sie auf die Füße und zog sie in die Wärme seines Körpers; so standen sie einen Moment, nah und vertraut, bis Kati sagte: „Grischa, ich bin so froh, daß du wieder da bist."

„Horch mal", sagte er, „sei still. Hörst du's, Duschka?"

„Was denn, Grischa?"

„Ist das mein Magen, der so knurrt, oder deiner?"

Kati horchte auf das unromantische Hungergeräusch. „Alle beide", sagte sie. „Ein ganz neues *pas de deux* ..."

Und dann kugelten sie sich vor Lachen, wie sie seit ihrer Kindheit nicht gelacht hatten.

Drei Monate danach saßen sie im Vorgarten des Café Flore, es war ein kühler Spätnachmittag, eher grau als silbern. Grischa und Dirksen tauschten Lao-tse-Zitate aus, und Michel, ein schöner Junge, den Grischa am Boul' Clichy aufgelesen hatte, lächelte dumm dazu und tat, als verstünde er, wovon die Rede war. Katja, tief in die Weichheit ihres teuren neuen Kamelhaarmantels verkrochen, sagte: „Euer Lao-tse macht mich schwindlig, Grischa; wie meine Brücke, weißt du – *le Pont d'Avignon* ..."

„Wie ist das?" fragte Francesco Bagliardi, ein anderer Außenseiter, der schlanke Erbe der Florentiner Bagliardi-Familie, dem Katja seit kurzem gestattete, sie anzubeten. Grischa lächelte Katja zu. „Nicht für die Öffentlichkeit", sagte er ablehnend. Er wußte Bescheid. Gleich dem *Pont d'Avignon* brach Katjas Traumbrücke in der Mitte des Flusses ab, und man stürzte hinunter in ein Nichts, eine Raumlosigkeit, die uferlos wie Grischas Zeitlosigkeit war.

„*Enfin, mon cher* Grigoryi Michaelowitsch", sagte Daniels mit ironischer Anwendung des väterlichen Vornamens, wie es die höfliche Sitte im Russischen Ballett vorschrieb, „wer in aller Welt hat dir den Schädel mit windigen orientalischen Weisheiten vollgestopft? Tanze Lao-tse, wenn du kannst, aber, zum Teufel, halte uns keine philosophischen Predigten." Er leerte sein Glas ärgerlich und zu schnell. Absinth will langsam getrunken werden, und Katja dachte: Der arme Pips, eifersüchtig auf Michel und kann sich nicht verstellen.

„Aha, da kommt er ja – hier, wir sitzen hier, Piotr Feodorowitsch!" rief Dirksen dem eben eintretenden Olycheff zu.

„Sieht er nicht aus wie ein gefährlicher Panther, von einem fünfjährigen Kind gezeichnet?" bemerkte Grischa zu Daniels. Olycheff lächelte und winkte ihnen mit großen Gebärden des Entzückens zu, aber gesellte sich zu einer andern Gruppe, die sich um Xenia Gabrilowa kristallisiert hatte. Damals war sie eine schöne Frau, Mitte der Dreißig, und auf der Höhe ihrer Erfolge als *Primaballerina assoluta* des Olycheff-Balletts.

Grischa und Katja waren in Olycheffs neu organisierte Truppe aufgenommen worden, gerade als ihre Existenz den äußersten Tiefstand erreicht hatte und es über ihre hungrigen leeren Mägen nichts mehr zu lachen gab.

Das Olycheff-Ballett, das dort fortsetzte, wo Diaghileff aufgehört hatte, war von Anfang an ein Welterfolg, und es startete Kuprin und Milenkaja in ihrem schwindelerregenden Aufstieg zur Weltberühmtheit. Obwohl sie um jeden Franc ihrer Gage handeln mußten – denn auch die berühmtesten Tänzer sind schlecht bezahlt –, hatte Grischa von seiner ersten Gage den luxuriösen Kamelhaarmantel für Katja gekauft, von dem sie in all den hungrigen Zeiten geträumt hatte. Und Katja gestattete Francesco Bagliardi, dem Florentiner Aristokraten, sie anzubeten, ihr Blumen zu schicken, sie in seinem Auto ins Bois zu fahren und ihr zu sagen – doch nicht zu häufig oder zu dringlich, daß er sie bis zum Wahnsinn liebe.

Dies aber ist das neue, langerträumte Leben: die Ballette, die Rollen, die Theater, die Städte, die Tourneen, die Dampfer, Züge, Hotels; die Metropolen, wo man für eine Saison von Wochen oder Monaten bleibt, und dazwischen die kleinen Provinznester mit einer abgehetzten und ermüdenden einzigen Vorstellung zwischen Ankunft und Abreise.

Wenn man erst berühmt ist und der Impresario gute Reklame macht, dann bemerkt das Publikum es gar nicht, wie gut oder schlecht man tanzt. Dirksen, freilich, bemerkte es, wenn sie einen schwachen Abend hatte, aber er war zu wohlwollend, um darüber zu schreiben. Francesco bemerkte nie etwas, seine Leidenschaft machte ihn blind, und er war im ganzen nicht sehr klug. Seinem Nachfolger in späteren Jahren, dem Marques de Buenavente, hingegen entging nichts; nicht die kleinste Nachlässigkeit in einer Leistung, aber auch nicht der Schwung, die vollkommene Harmonie der Linien und Übergänge, die fließende Schöneit einer besonders gelungenen Vorstellung. Der Marques war ein Kenner und Liebhaber des Stierkampfes, ein *aficionado,* und es gibt kein besseres Training für ein kritisches Verständnis auch der verwandten Kunst des Tanzes.

Selbstverständlich bemerkte es Olycheff, wenn Katja nicht ganz auf der Höhe war, und er ließ ihr nichts durchgehen. Abwechselnd streichelte er sie mit samtenen Lobesworten und rieb sie mit hartem Sandpapier ab, um sie auf den diamantenen Hochglanz zu polieren, der Olycheffs eigensten Stempel trug.

Und Xenia Gabrilowa überwacht die junge Katja Milenkaja.

Mit einer Gebärde von warmer Freundlichkeit nimmt sie Katjas Hände zwischen die ihren: „Du bist nicht zufrieden, Milenka, mit deiner Blumenverkäuferin gestern, nein? Wenn mir erlaubst, ich dir gern zeige, wie ich Rolle getanzt habe bei Diaghileff. Damals bin ich auch jung und fehlt mir Erfahrung, also, *cher* Serroschka, er erklärt mir. ,Xenuschka, mein Kind, Blumenmädel ist nicht unschuldige Maid, ist erfahrene kleine Person, *une vraie coquette*, kennt sich aus mit Flirt, mit Herren, Nachtleben.'"

Gabrilowa ist eine wahre *Assoluta*, taktvoll, gütig, großherzig; eine Königin. Wenn Katja murmelt, daß die Blumenverkäuferin eine Rolle ist, die ihr nicht liegt, gibt Gabrilowa ihr einen besänftigenden Klaps. „Aber natürlich nicht; du bist *danseuse lyrique;* wir alle sind lyrisch, wenn sehr jung sind, ist viel leichter, nicht? Braucht man bloß zu tanzen, was ist in uns, ja? Wahrscheinlich wir sind verliebt, *très romantique*, Mondschein, Träume, *le grand amour*, ist natürlich, *n'est-ce-pas?* Du wirst bald eine Primaballerina sein – doch, doch, sehr gute Primaballerina, und Primaballerina muß alles tanzen können, *alles*, du weißt? Gutes Mädchen, schlechtes Mädchen, Engel, Teufel, alles. *Cher* Serroschka, er nimmt mich mit nach Vorstellung, in die *boîtes, cafés chantants*, die *maisons*, was nennst du? Bordell? Und er sagt mir, *alors*, Xenia, mein Täubchen, schau Mädel, was Zigaretten verkauft, genau zu, das ist die Rolle, das ist Blumenverkäuferin von heute – *voilà!*"

„Das braucht man mir nicht erst zu zeigen. Ich war selbst ein Zigarettenmädel in einem Nachtklub", sagte Katja darauf. Es bringt Gabrilowa zum Lachen, sie gibt ihr einen Kuß, einen Klaps hintendrauf und nimmt sie in den Probensaal, um die ganze Rolle mit ihr durchzugehen. „Und was ist das wieder? Für wozu, wenn ich fragen darf, drehst du Kopf weg und machst Ausdruck wie Madonna mit Lilien?" schreit sie wohl; eine Bewegung und ein Ausdruck, die Katja mit großer Mühe von Grischa einstudiert waren.

„Aber Kuprin sagt . . ."

„Ffff! Kuprin! Kuprin ist Mann – was kann junger Mann wissen? Versteh mich recht, Duschka, bin ich überzeugt, Kuprin ist sehr, *sehr* guter Tänzer, habe ich große Bewunderung für ihn, aber was kann wissen von armen Mädel, was muß Blumen verkaufen? Armes Mädel muß flirten und lachen und immer schrecklich lustig sein, Tag und Nacht, oder hat nichts zu essen. Wir beide verstehen, du und ich, *n'est-ce-pas?* Und jetzt wir wollen diese kleine Szene noch einmal versuchen? Wo *Le Flaneur* auftritt."

Nachher war Grischa natürlich wütend, daß Katja auf die so freigebig angebotenen Ratschläge der Gabrilowa hörte. „Als ob's nicht schon schlimm genug wäre, daß Olycheff sich in meine Auffassung hineinmischt! Als ob ich nicht am besten wüßte, was für dich richtig ist – für uns beide!" stürmte er. „Blenden, Glitzern, grobe Effekte, der reine Zirkus! Und Stallmeister Olycheff knallt mit der langen Peitsche, Trommelwirbel: Meine Herrschaften, wir zeigen Ihnen jetzt einen unvergleichlichen Dressurakt, unsere preisgekrönte Pudelhündin, Mademoiselle Katja, wird ihre berühmten zweiunddreißig Touren auf den Hinterbeinen vorführen; worauf unser einzigartiger

Seelöwe, Grischa, sie auf seiner Nase rund um die Manege balancieren wird. Nach dieser Nummer kommt unsere Spezialdressur der berühmten Rösser von Zarskoje Selo...", er hielt inne und sagte erstaunt: „Weißt du, das ist gar nicht übel. Ich möchte ein Zirkusballett machen, eine Satire auf Olycheff und seine verdammten Kunststückchen."

Zynisch und gerieben benutzte Olycheff den Ehrgeiz und die Eifersucht seiner Stars, um sie gegeneinander zu hetzen und zu immer höheren Leistungen anzuspornen. Er selbst lancierte Gerüchte und Intrigen, um seine empfindlichen, erregbaren jungen Tänzer – zumeist in Paris geborene Russen – in der spannungsgeladenen Atmosphäre zu halten, in der die besten Leistungen gedeihen. Diese Jahre mit Olycheff formten Katja Milenkaja und verliehen ihr den glänzenden Nimbus, den die Welt mit dem Begriff und dem Bild einer Primaballerina verbindet: Die Schönheit, das graziöse, etwas abwesende und mechanische Lächeln, das Leben in scheinbarem Luxus, die Blumen, Bilder, Zeitungsartikel und Interviews; die Reisen, der Applaus, die Triumphe. Der atemlose Aufstieg zum Gipfel, verfolgt von Bewunderern, Liebhabern, Agenten, Journalisten. Doch hinter der reizvollen Fassade gab es die überhetzten, überfüllten Stundenpläne, die unerwarteten Ausgaben, Geldsorgen, Schulden, die aufgehäuften Unbequemlichkeiten der Tourneen, die mörderische Jagd, die nagenden Zweifel an sich selbst, die nie endende Angst vor dem Ungeheuer Publikum im dunklen Zuschauerraum.

Nach den vergleichsweise schläfrigen Unternehmungen des *Ballett Continental* fand Katja sich schwindlig in den Strudel des Russischen Balletts gerissen; es war eine fremde Welt mit fremden Gefühlen, wo ein unvorteilhaftes Kostüm zur Tragödie wurde, eine Rolle, die man nicht bekam, fast zum Selbstmord führte, wo Herzen unentwegt um nichtssagende Liebesgeschichten zerbrachen und die ungelösten, steten Spannungen in ernsthaften Nervenzusammenbrüchen explodierten. Andererseits besaßen diese labilen Leutchen unerhörte Reserven an Widerstandskraft, die es ihnen möglich machten, mit verrenkten Knöcheln zu tanzen, mit gebrochenen Handgelenken, leichten Gehirnerschütterungen und mit den verschiedenen Diarrhöen, Erkältungen und Fiebern, die man sich gewöhnlich auf Tourneen zuzog.

Katja erinnerte sich, wie zwei Drittel der Truppe einmal an Mumps erkrankt waren. War es in Lima gewesen, der Hauptstadt von Peru? Sie alle hatten geschwollene Wangen und keine Spur von Hals, sahen wie die Eichhörnchen aus oder wie die alte Queen Victoria. Aber die Vorstellung wurde nicht abgesagt, „Lac des Cygnes" und „Les Patineurs". Katja lachte bei der Erinnerung. Und ich trug dieses entzückende blaue Samtkostüm mit einer Toque und einem Muff aus Flamingofedern, eine Farbe wie ein Sonnenuntergang, und ich war sehr gut an dem Abend. Ich mußte gut sein, wenn ich mein steifes Genick und die Schmerzen vergessen wollte. Aber ich konnte mich nachher nicht mehr zu dem Empfang schleppen, den der Marques de Buenaventa für uns gab. Er hatte mich den Abend zuvor tanzen sehen und wollte mich kennenlernen. Nachher folgte er mir durch ganz Südamerika – nach Valparaiso, Buenos Aires, Rio. Armer Carlos – ich habe seit Ewigkeiten nicht an ihn gedacht.

Zweimal hatte Katja ihre Erinnerungen unterbrochen und war den Kiesweg hinuntergegangen bis zur Rocky Hill Lane, und dann stand sie dort, fröstelnd, wartete auf einen Wagen, den sie in der Entfernung gehört hatte, bis seine Scheinwerfer um die Straßenbiegung in Sicht kamen. Und beide Male war es nicht Teds Auto, und sie wanderte enttäuscht ins Haus zurück. Wie bin ich bloß dazu gekommen, heute abend an Carlos zu denken? fragte sie sich.

Sie blieb vor der Vitrine im Wohnzimmer stehen und nahm ein Paar Ballettschuhe heraus; die Schuhe der berühmten Taglioni, die der Marques einst als ein Geburtstagsgeschenk für sie erjagt hatte. Sie waren so klein und so unglaublich schmiegsam, an den Spitzen mit winzigen Stichen gestopft und verstärkt und aufs neue zerschlissen, genau wie ihre eigenen, wie alle Ballettschuhe. Sie erzählten von Taglionis harter Arbeit. Sie streichelte die verblaßte Seide, die den Schweiß und das Blut und die Müdigkeit von Taglionis Zehen gekannt hatte, und rollte die langen Bänder auf, die sie mit der großen Tänzerin vor hundert Jahren verbanden.

Zum tausendstenmal begann die Musik zur zweiten Szene der „Bienen" in ihrem Kopf zu pochen – ach, um Himmels willen, gebt mir doch ein bißchen Ruhe. Lieber Carlos, dachte sie, der niemals mehr verlangte, als mit tanzen zu sehen, mir Blumen, Briefe und seine eigenen unmöglichen Gedichte zu schicken und wie ein spanischer Sir Walter Raleigh seinen Mantel über so manche Pfütze zu breiten, damit ich sie trockenen Fußes überschreiten konnte.

Ein platonischer Schönheitsanbeter, nicht mehr jung, leidend, so verfeinert, daß er die vulgäre Anstrengung verächtlich ablehnte, die es ihn gekostet hätte, den spanischen Bürgerkrieg zu überleben. So war er in den Kämpfen um Segovia gefallen.

„Auf der falschen Seite. Schade", hatte Grischa dazu gesagt.

„Als ob es in einem Bürgerkrieg je eine richtige und eine falsche Seite gäbe", hatte Katja erwidert. Seine Hände waren immer kalt, erinnerte sie sich, aber die Einzelheiten seines langen, schmalen spanischen Gesichts waren ihr entfallen; nur auf seine lange, dünne, elegante Don-Quichotte-Gestalt konnte sie sich besinnen, in einer Loge im Theater, bei einem Stierkampf. Was für ein feuriger Mensch er doch war unter der kalten Außenseite, dachte sie mit einem kleinen Seufzer. Aber Feurigkeit und Ballett gehören zueinander. Schade, daß diese Art Feuer aus der Mode gekommen ist und kaum mehr existiert.

Pepito – ja, der hatte Feuer. Der brannte wie eine helle Fackel. Im Anfang zumindest.

Jedes Jahr brachte Olycheff seine Truppe für einige Wochen nach Spanien, und als Katja zum drittenmal in Madrid und Barcelona gastierte, war sie der Star und erklärte Liebling des Publikums. Sie hatte so viel Spanisch erlernt, wie sie brauchte, und dank dem Marques Buenaventa war sie eine verständnisvolle und begeisterte Zuschauerin bei den Stierkämpfen gewesen. Durch den Marques hatte sie zuerst von Pepito gehört, denn der junge Matador war Buenaventas besonderer Favorit und Schützling. Dann sah sie Pepito in der Corrida, mit der zu Ostern in Madrid die Stierkampfsaison eröffnet wird, und wenige Tage danach lernte sie ihn persönlich kennen, und zwar bei einem Wohltätigkeitsfest, wo sie tanzte und dem die bloße Anwesenheit des gefeierten neuen Sterns der Arena besonderen Glanz verlieh.

Katja war noch atemlos und naß von Schweiß, als man sie zusammen mit Pepito vor den Vorhang schob, um sich zu verbeugen. Der Anblick der beiden schönen jungen Menschen im Scheinwerferglanz ihrer Erfolge – die Tänzerin leicht wie ein windgewehtes Blütenblatt, der Mann mit seinem steilen Rücken, stolzen Nacken, schmalen Hüften, dem charakteristischen eingehaltenen Kinn des Stierkämpfers – bedeutete einen erfüllten Wunschtraum der gaffenden jubelnden Menge. Sie wußten beide, was sie ihren Impresarios, Agenten, Reklamemachern und dem Publikum schuldig waren, und sie taten automatisch ihre Pflicht, mit Verbeugungen, Lächeln, Kußhänden und Winken, kurz, mit der ganzen Pantomime entzückter Dankbarkeit.

Doch im gleichen Moment, als der junge Matador Katjas bebende nasse Hand ergriff, um sie vors Publikum zu geleiten, fühlte sie sich von einer flammenden Hitze eingehüllt, so, als wenn sie nicht durch die Öffnung in einem Theatervorhang, sondern durch eine Allee brennender Bäume gingen. Plötzlich schien Grischa, der ihre andere Hand hielt und sich mit verbeugte, nicht mehr zu existieren. Nur dieser Spanier in seiner enganliegenden andalusischen Tracht, der *traje corte,* dem traditionellen Kostüm der Stierkämpfer für halboffizielle Gelegenheiten.

Ein Tumult verworrener Wünsche zerrte an ihren Nerven; was wollte sie denn? Mit ihm tanzen? Die Hände auf sein steiles Rückgrat legen, um seine unglaublich schlanke und elastische Taille? Die harten Schenkel zu fühlen, die ganz Zucht und Muskeln waren – ganz Mann? Es gab Augenblicke in der Arena, da der Matador, der Todbringer, in einer unvorstellbaren Intimität mit dem Stier verbunden war, den er töten mußte. Woran denkst du, Katja? Hast du den Verstand verloren? Verlangt es dich danach, daß er so mit dir kämpfen möchte, so heiß und nah – und so tödlich? Und dabei lächelten sie und verbeugten sich noch immer, alle beide. Bebend vollführte sie ihre anmutigen *révérences,* und er winkte mit hocherhobener Hand, als umkreiste er nach einem triumphalen Kampf die Arena und zeigte der Menge die wohlverdiente Trophäe, ein Ohr des gefallenen Stiers.

Dann schüttelte sie die seltsame Verzauberung ab; da war Grischa, er hängte den Kamelhaarmantel um ihre feuchten, bloßen Schultern und brachte sie zu ihrer Garderobe.

„Du möchtest mit ihm schlafen", sagte er an der Tür, nicht im Ton einer Frage, sondern als die einfache Feststellung einer Tatsache.

„Ist es das, was ich möchte?" fragte Katja erstaunt.

„Das ist schwer zu übersehen."

„Und? Hast du was dagegen?"

„Warum sollte ich? Ich versteh's sehr gut. Er ist ein schönes Tier, und Grausamkeit ist sehr faszinierend – wenn man die Augen zumacht, während die Gäule der Picadores zu Tode getrampelt werden."

„Bist du eifersüchtig, Grischa? Hand aufs Herz."

Grischa antwortete nur mit einem kurzen spöttischen Auflachen, und Katja sagte zornig: „Ich weiß, ich weiß; du bist eifersüchtig auf alles und alle, nur nicht auf meine Liebhaber!"

„Aber sicher – deine Liebhaber! Wieviel Dutzend hast du denn? O Kasperl, du ahnst nicht, wie komisch du bist, wenn du versuchst, dich auf die große Kurtisane herauszuspielen."

Tatsächlich hatte es ein paar Affären gegeben, gewichtslos und unbedeutend; das gehörte zum Erfolg wie die Blumen und der Applaus. Doch als Pepito noch in derselben Nacht ihr Liebhaber wurde, entdeckte Katja, daß sie unwissend wie ein Kind war. Sie hatte nicht gewußt, was Liebe war, Leidenschaft, ein Mann, ein Geliebter – bis sie es in Pepitos Umarmung lernte.

Während des nachfolgenden Banketts in Carlos' Villa wechselte sie kaum ein Wort mit dem Matador, der ihr Tischnachbar war, und was sie redeten, war höflich und konventionell.

„Sie treten morgen auf, Doña Catalina?"

„Ja, in ‚Le Tricorne'."

„Ich werde im Theater sein, um Sie zu bewundern."

„Danke, Don Pepo. Ich werde mich bei Ihrem nächsten Stierkampf – am Sonntag, nicht? – revanchieren."

„Hoffentlich wird es ein guter Nachmittag", sagte er; drei tiefe horizontale Furchen gruben sich in seine niedere Stirn, direkt unterhalb des dichten, dunklen Haarwirbels, der dort tief hineinwuchs. Es war das erste Mal, daß Katja diese sorgenvollen Furchen sah, die ihr bald so vertraut werden sollten. Sein Haar und seine Augen hatten denselben Glanz und die gleiche Farbe; wie Auberginen, ein durchscheinendes Schwarz über dunklem Purpur. Katja dachte, daß seine Augen im Dunkeln glühen mochten wie die eines Raubtieres.

Im Lärm und Gedränge des allgemeinen Aufbruchs behielt der Marques ihre Hand einen Moment länger in der seinen, bevor er einen Kuß darauf drückte. „Gute Nacht, meine Teure, du wirst einem müden alten Caballero verzeihen, daß er jetzt sein Bett und eine Menge Aspirin nötig hat – Pepito wird dich zu deinem Hotel bringen."

„Wenn Doña Catalina mir die Ehre geben will", sagte Pepito mit dem Hut in der Hand. Sein Wagen fuhr vor, ein offener Hispano-Suiza; ein dunkelhäutiger Mann mit schweren Schultern saß gebückt am Steuerrad. Später lernte Katja diesen Paco gut kennen, er war Pepitos *peán de confianza*, sein Schwertträger, seine rechte Hand und seine tief ergebene Leibwache. Vorläufig wußte sie noch nicht, daß sie niemals mit Pepito allein gelassen werden würde, außer im Bett.

Es war eine ziemlich kurze Fahrt durch die breiten Straßen, in denen zu dieser späten Stunde ganz Madrid sich drängte. Katja fühlte sich seltsam erregt, sie hoffte bloß, daß sie nicht beschwipst war, sie war sehr durstig gewesen – in Madrid war man immer durstig –, und nach der Mischung von Champagner und Sherry sah ihr alles schimmernd, doch verschwommen aus. Der junge Fremde an ihrer Seite schien scheu und auf den Mund gefallen, nur daß er einmal seinen Schenkel gegen den ihren preßte; seine Muskeln waren hart und angespannt, und doch zitterte er ein wenig. Eine Frage und Forderung, beredsam in ihrer Stummheit. „Gefällt Ihnen Madrid, Doña Catalina?" erkundigte er sich nachher, um Konversation zu machen.

„Ich bin noch nie dazu gekommen, viel von der Stadt zu sehen. Wir haben so wenig Zeit im Ballett; immer Proben, das Training, die täglichen Übungen, das Anwärmen vor der Vorstellung – wie sagt man das auf spanisch? –, und es dauert Stunden, bis man für den Abend geschminkt und angezogen und in Form ist, ich weiß nicht, ob Sie das verstehen..."

Pepito gab ernsthaft an, daß er sie durchaus verstand. „In dieser Beziehung bestehen gewisse Ähnlichkeiten zwischen Ihrer und meiner Kunst", bemerkte er nach längerer Überlegung.

„Ist Ihnen das auch aufgefallen? Ja – das Formale, die Tradition von Jahrhunderten; und die Logik, die Gesetzmäßigkeit, mit der sich eine Bewegung aus der anderen entwickelt. Ich bin sicher, Sie wissen auch in jedem Augenblick, auf welches Bein Sie Ihr Gewicht verlegen müssen, und Ihr Gleichgewicht ist so prekär wie unsres."

Sie warf einen schüchternen Blick auf seine eisenstarken und doch ungeheuer beweglichen Handgelenke und setzte mit einem kleinen Lachen hinzu: „Noch viel prekärer, nicht? Im Ballett gibt es keinen ‚Moment der Wahrheit'. Keine Gefahr."

Er schob dies mit einer abwehrenden Bewegung beiseite, und heimlich, abergläubisch, berührte er ein Amulett unter seinem gefältelten andalusischen Hemd. Gefahr durfte nicht erwähnt werden. Man machte Witze darüber. Die Sprache der *plaza di toros* ist voll des bittern, stachligen Humors, der zu dem ständigen Wissen um den Tod gehört.

„Es muß höchst angenehm sein, seinen Partner zu kennen. Ich

weiß nie, was für ein Ungetüm aus dem *toril* auf mich lostoben wird", sagte Pepito, und da waren wieder die drei Stirnfurchen. "Ich hatte Glück mit meinem letzten Stier", sagte er, "das war ein guter Partner. Mutig. So groß wie eine Kathedrale, aber ein wirklicher Herr. Ein Señor Toro. Mit dem konnte ich alles tun, was ich wollte. Ich hoffe bloß, daß der am Sonntag, so Gott will, nicht zu schwer zu behandeln sein möge."

Der Mann am Steuer sagte etwas in einem Dialekt, den Katja nicht verstehen konnte, es klang wie: "Nur keine Sorge, Mensch, *no hay porqué*", und Pepito ließ die Stiere des nächsten Sonntags fallen und wandte seine Aufmerksamkeit wieder Katja zu.

"Mit Ihrer Erlaubnis, Doña Catalina – Ihnen ist kalt?" Er brachte ein großes schwarzes Cape zum Vorschein, um sie in ihrem ausgeschnittenen schwarzen Abendkleid darin einzuhüllen.

"Danke, nein, mir ist im Gegenteil eher zu warm. Nur die Luft in Madrid – hier bin ich immer ein bißchen zittrig. Zu schneller Puls, kurzer Atem – ich weiß nicht, was es ist."

"Die Höhenlage. Und die trockene Luft auf dem Plateau."

"Spüren Sie's auch?"

"Frage nicht. Du weißt, daß es nicht die Höhenluft ist, die mir den Atem raubt und mein Herz schlagen läßt wie toll – *taqui-taqui-tac*...", sagte er, ohne sie anzusehen, und dann lag ein langes vibrierendes Schweigen zwischen ihnen, bis der Wagen vor dem Hotel anhielt. Pepito stieg aus und hatte ein kurzes gemurmeltes Gespräch mit dem Fahrer. Katja zögerte noch, der Abend war so unvermittelt abgeschnitten, so unvollfüllt; sie mochte sich nicht von Pepito trennen, bis irgend etwas geschah, nach dem ihre Nerven dunkel verlangten: ein Gewitter, ein Wolkenbruch, ein Erdbeben, um die geballte Spannung zu lösen. "Könnten wir nicht – könnte man nicht noch – ein wenig – spazierenfahren, vielleicht? Durch den Park – oder...", versuchte sie. Aber Pepito wartete an der geöffneten Wagentüre auf ihr Aussteigen, mit der geschliffenen und dekorativen Höflichkeit, dem unverkennbaren Attribut des Matadors – und des ersten Tänzers. Sofort füllte sich das breite Trottoir vor dem Hotel mit Leuten, die ihn erkannten. Bettler und Straßenjungen, Schuhputzer, Faulenzer, Eckensteher, eine neugierige unbeschäftigte Menge, Gelächter in braunen Gesichtern, *Olé*-Rufe, Witze. Studenten unterbrachen ihr Schlendern, und eine Gruppe eleganter Herren und Damen, die eben das Hotel verließen, begrüßten Pepito. In seiner schlanken Tracht mit dem kurzen Bolero, den breitrandigen Hut in der Hand, hielt er noch eine Minute dem Wirbelsturm seiner Popularität stand, und dann geleitete er Katja in die volle Hotelhalle, wo nun auch sie mit Beifallsrufen und Geflüster empfangen wurde.

Es war unvorstellbar, daß eine geheime Liebesnacht mit einer solch öffentlichen Zurschaustellung eingeleitet werden konnte.

Doch mit der arroganten Haltung, die Katja an ihm bewundert hatte, wenn er dem Stier den Rücken kehrte und in demonstrativer

Gleichgültigkeit davonging, führte Pepito sie jetzt quer durch die summende, flüsternde Halle zum Lift. Dort verbeugte er sich, wünschte ihr eine gute Nacht und trat beiseite. „Ich werde telefonieren", sagte er noch, als der Liftjunge schon die Tür schloß.

Sie war kaum in ihrem Zimmer angekommen, als er telefonierte. „Ich muß im Vertrauen etwas fragen, was ich nicht konnte, solange mein *peán* dabeistand, mit längeren Ohren als ein Esel", sagte er, und nun schien er weder scheu noch auf den Mund gefallen. „Sagen Sie mir: Waren Sie überrascht, als der Marques de Buenaventa mir erlaubte, Sie zu begleiten?"

„Weshalb fragen Sie mich das?"

„Der Marques ist ein wirklicher Edelmann, und er liebt Sie sehr. Außerdem empfing ich von ihm viel Güte und Hilfe, als ich ein *novillero* war, ein grüner Anfänger. Er war es, der mir meine erste teure Tracht für die Arena kaufte und meinen ersten Degen. Ich bin ihm tief verpflichtet."

„Ja, ich weiß. Er hält auch sehr viel von Ihnen", sagte Katja; sie zitterte vor Ungeduld über dieses idiotische Gespräch. „Wo sind Sie? Von wo sprechen Sie eigentlich? Was wollten Sie mich fragen?"

„Ich bin unten in der Halle. Vergeben Sie mir, aber ich muß mir Gewißheit verschaffen: Gehören Sie dem Marques de Buenaventa?"

„Gehören? Das wäre ja noch schöner! Ich gehöre niemandem in der Welt. Ich gehöre mir selbst, mit Haut und Haar. Was soll das alles überhaupt?" explodierte Katja.

„Es ist eine sehr heikle Ehrenfrage, das müssen Sie verstehen. Es handelt sich um seine und meine Ehre."

Katja, die zum erstenmal gegen diesen Fetisch, die Ehre eines Spaniers, anrannte, zündete sich eine Zigarette an, bevor sie antworten konnte; das Streichholz in ihren zitternden Fingern flackerte. Zorn und drängendes Verlangen nach Pepito wollten überkochen. Trotzdem sagte sie schließlich mit wunderlicher Sanftmut: „Hören Sie, Matador; Carlos ist ein Freund, ein sehr guter und lieber Freund – sonst nichts. Ein *aficionado* des Balletts, so wie er ein *aficionado* der Arena ist. Es tut mir leid, daß ich kein besseres Spanisch spreche, aber vielleicht können Sie mich doch verstehen?"

„Gewiß. Das gleiche erklärte er mir auch. Es ist also wahr?"

„Was soll all dies eigentlich bedeuten, Señor? Ich bin es nicht gewohnt, auf diese Art über mein Privatleben ausgeforscht zu werden. Gibt's vielleicht noch mehr Dinge, die Sie mitten bei Nacht über mich wissen möchten?"

„O ja. So vieles...", sagte er. „*Tanto – tanto...*" Das Telefon atmete schwer. „*Hasta luegito*", sagte es noch. „Auf bald!" Dann hörte Katja das Klicken des Hörers. Der unverständliche Anruf war beendet, aber das „tanto – tanto..." hing schweigend in der Luft wie eine süße romantische Melodie.

Keine zehn Minuten waren vergangen, als leise an die Tür geklopft wurde, die zum benachbarten Hotelzimmer führte. Katja hatte alle

Lichter abgedreht und nur die Nachttischlampe brennen lassen. Sie hatte sich entkleidet, doch war eine zu große Unruhe in ihr, sie konnte sich noch nicht hinlegen, fast war ihr angst vor dem einsamen Hotelbett. Ruhelos wanderte sie im Zimmer hin und her, wo nur ihre zwei abgestoßenen Handkoffer ihr Gesellschaft leisteten. Sie war hundemüde und zugleich erregt und auch schon wieder durstig. Sie hatte eben eine Flasche Vichy Catalan geleert und war dabei, die Innenseite ihrer Handgelenke zur Abkühlung mit einem Stückchen Eis aus dem Kühler abzureiben, als sie das schüchterne Klopfen hörte. Erst jetzt bemerkte sie die kaum sichtbare kleine Tapetentür zum nächsten Raum. Während sie noch verwirrt darauf starrte, ungewiß, ob sie antworten oder das Pochen ignorieren sollte, öffnete sich diese Tür und ließ Pepito eintreten.

Er hatte sich seiner engen Tracht entledigt, er hatte sich sämtlicher Kleidungsstücke entledigt, er war nackt, bis auf ein Amulett, das an einem dünnen Goldkettchen in den dunklen Flaum zwischen seinen Brustmuskeln hinabhing, und ein Handtuch, das er sich wie einen Lendenschurz um seine schmale Mitte gewunden hatte.

In dem gedämpften Schein der Nachttischlampe sah er sehr dunkel aus, seltsam, nicht ganz glaubhaft, dieser Fremde, nackt und braunhäutig, der Geruch von Mann und Rasierseife und unbekannten Gewürzen in ihr Zimmer trug. Einen wilden, fremdartigen Geruch, eine wilde, fremdartige Gestalt mit einer feuerroten Narbe, die von der dunklen kleinen Brustwarze in die Achselhöhle lief.

Er sprach kein Wort. Er riß den Bademantel von Katjas Körper, er warf sie auf den Teppich und vergewaltigte sie.

Auf den höchsten Wellenkamm der seltsamen Nacht geschleudert, war es Katja, als hätte sie während all der Jahre voll feinster Ballettgrazie nur auf dieses hier gewartet: überwältigt zu werden, bezwungen, umarmt. Und vergewaltigt.

Zuweilen erinnerte sich Katja noch an bestimmte Momente aus jener Nacht. Freilich nicht so deutlich und genau, wie sie jede Choreographie, jede Note, jeden Schritt und Takt und jede Bewegung aus jedem Ballett, das sie je getanzt hatte, im Gedächtnis behielt. Der wilde Tumult von Gold und Scharlach und Trompetenstößen in der Arena, von brutalem Angriff und tiefster Zärtlichkeit, alles, was Pepito bedeutete, war zu einer verschwommenen verblaßten Episode geworden. Nur daß sie zuweilen mit einem sonderbaren Stolz zu sich sagte: Ich habe auch dies gehabt. Ja, es hat mir gehört, und niemand kann es mir nehmen, die ganze herrliche Verrücktheit. Auch ich habe einmal den Kopf verloren wegen eines Mannes, auch ich habe die ganze Narretei einer Leidenschaft erlebt, und es war wundervoll. Nicht ganz so wundervoll auf die Dauer, allerdings, und es mußte schlecht enden.

Trotzdem dachte sie noch zuweilen an Pepito – wenn auch nicht mit Dankbarkeit, so doch ohne Reue.

Eben jetzt, während sie auf die Heimkunft ihres Mannes wartete, erinnerte sie sich jener Nacht in Madrid.

Sie liegt wach im Bett, während die Straße draußen, kurz bevor der Morgen dämmert, endlich still und kühl geworden ist. Sie erinnert sich an das Tapetenmuster, eine fiebrige Halluzination von verschnörkelten Rosen und Feigen, und an ein Bild, das langsam aus der Wand hervortritt: Eine unbeschreiblich begehrenswerte Dame in rosa Chiffon liegt hingegossen auf einer Chaiselongue, eine Zigarette lässig in der Hand, ein Brief auf dem Teppich, ein weißer russischer Windhund zu ihren Füßen.

In späteren Jahren war Katja derselben Dame in verschiedenen Hotelzimmern begegnet, in Kansas City und auch in München, und das ist eines der Dinge, die in den Köpfen vielgereister Leute allerhand Konfusionen über das Wann und Wo anrichten.

„Schläfst du, Pepito?" flüsterte sie, sein Arm, der sie enger umschlingt, gibt die Antwort.

„Schläfst du denn nie, Matador?"

„Wie könnte ich schlafen, wenn ich bei dir bin? Diese Nacht ist zu kostbar, um die Stunden wegzuschlafen."

„In der Tat, Sie haben nicht viel Zeit verschwendet, Don Pepe. Ein Einbrecher, ein Bandit, ein Wilder." Sie lacht leise. Sie will das Erlebnis schwerelos machen, unwichtig, ein flüchtiges kleines Abenteuer. Nicht überschätzen, was geschehen ist, Katja, und, um Gottes willen, den Mann nicht merken lassen, daß du es nicht ertragen könntest, wenn er sich so unvermittelt aus deinem Leben verabschieden würde, wie er eingetreten ist. Und mit ihm dieser nie gekannte Rausch.

Er flüstert ihr eine Flut von Honigworten ins Ohr, von denen sie die Hälfte nicht versteht, eine richtige spanische Serenade. Zwei Fremde, zwei Liebende, es drängt sie, mehr voneinander zu wissen. Schon sind ihre Körper einander vertraut, sie wissen schon, wie ihre Haut sich anfühlt, das Zarte und das Rauhe, das Haar, die Lippen, Zähne und Zunge, die Seufzer, die Schauer, die elektrischen Ströme, die sie ineinander erwecken. Den kurzen, erlösten Falkenschrei der Frau, das wütend zurückgepreßte Keuchen in der Kehle des Mannes. Nach dem Sturm der Leiber tasten sich die Seelen durch Dunkel und Fremdheit zueinander. Das uralte Liebesspiel von Frage und Antwort, zu wachsam, um ganz aufrichtig zu sein: Wer bist du, von wo kommst du, wohin gehst du, wenn du nicht bei mir bist?

„Sag doch, Pepito, wie alt bist du?"

„Bald zwanzig."

„Aber das ist viel zu jung!" ruft sie bestürzt.

„Zu jung für was? Linda, schöne Lindita, für was zu jung?"

„Zu jung für – für all das. Zu jung für einen Liebhaber, wie du es bist – zu jung für die Arena..." Zu jung für deine vielen Narben, denkt sie mit einem heißen Mitleid, das beinahe Liebe ist. In der kühlen Morgendämmerung fühlt sie sich gereift und mütterlich, sie, mit ihren dreiundzwanzig Jahren und der stolzen Würde einer Primaballerina.

Er lacht, leise und verschlagen. „Ich glaube, in Andalusien werden früher Männer aus Buben als in anderen Ländern und Provinzen. Besonders aus armen Buben, die vom zehnten Jahr an ihre Familie erhalten müssen. Aber davon spreche ich nicht gern."

„Nein, komm, erzähl mir mehr, ich will alles von dir wissen", drängt sie.

Es ist die immer gleiche Geschichte stolzer spanischer Armut. Der Vater tot, die Mutter eine Heilige, aber abgezehrt und kränkelnd, eine Hütte voll von Kindern, und während die Politiker vor Fett platzen, sind die armen Leute, die *gente humilde*, die Demütigen, dünn wie Besenstiele vor Hunger und Tuberkulose.

„Aber jetzt verdiene ich an einem Nachmittag mehr als mein Vater in seinem ganzen Leben." Er kann sich's nicht versagen, ein wenig zu prahlen. „Ich habe fünf jüngere Brüder, und ich habe alle fünf in feine Schulen geschickt. Chucho, das ist der älteste, will ein Doktor werden. Du, *queridita*, Geliebte, weißt vielleicht nicht, daß dies das teuerste Studium ist. Aber ich kann's ihm leisten", sagt er mit Stolz. „So Gott will und mit dem Schutz und der Hilfe unserer Madonna des blutenden Herzens."

Wie er sie näher an sich zieht, gibt es ein feines Klimpern von Metall an Metall. Katja lacht heimlich in seine Schulter hinein. „Unsre Amulette machen Bekanntschaft, dein Schutzheiliger und mein Maskottchen." Seins war ein Medaillon der Muttergottes mit schwertdurchbohrtem Herzen, und Katja trug den Kinderring mit dem abgestoßenen Amethyst, den Grischa ihr in Wien geschenkt hatte. Den gleichen Fetisch, den sie noch immer am Innenfutter ihres Kostüms ansteckte, sooft sie auftrat.

„Los, erzähl mir mehr, Matador. Wie du als kleiner Bub warst."

„Sehr dreckig. Ungebärdig, eigensinnig, trotzig. Wie alle kleinen Buben." Er lacht, überlegt, bringt noch eine andere Auskunft zum Vorschein: „Meistens war ich verlaust, und ich roch immer nach dem Petroleum, mit dem meine Mutter mir den Kopf wusch – o Lindita, Lindita, ich liebe dich so, mich verlangt schon wieder nach dir ..."

„Aber wie kommt so ein kleiner Lausbub auf die Idee, ein Torero zu werden?"

„Das weiß ich nicht. Wie bist du dazu gekommen, eine Primaballerina zu sein? Man trägt's im Herzen, das Tanzen, den Stierkampf, nicht? Und von hier geht es aus, nicht wahr?" Seine Hand berührt ihren Körper, ein Nervenzentrum nach dem anderen, die Kehle, die Brüste, die Rippen, und mit einem sicheren Strich – entlang der bebenden Linie von ihrem Becken bis zu der warmen seidenen Innenseite ihrer Schenkel.

„Nein, Pepito, nicht jetzt ...", wehrt Katja ab. „Ja, ich glaube, manche Tänze gehn von dort aus. Manche; aber gewiß nicht alle."

„Noch alle Stierkämpfe. Aber die Emotion kommt von dort. Und ein Torero ohne die wahre *emoción* wird nie ein großer Matador werden."

„Leute, die nur aus ihren Emotionen heraus tanzen, bleiben blutige Dilettanten; die Ballettschulen sind voll davon."

„Nach zwei Minuten in der Arena wären sie äußerst tote Dilettanten. Sehr blutig und völlig tot. Aber das versteht sich von selbst: Training, Zucht, Haltung, Mut. Ein heißes Herz und ein kühler Kopf in der Arena – das ist das ganze Geheimnis."

„... Kunst bedeutet vollkommene Freiheit, kombiniert mit vollkommener Beherrschung..." – Sie hört Maestro Mattonis Worte durch das fremde Hotelzimmer geistern, und plötzlich fühlt Katja sich diesem Unbekannten, von dem sie noch gestern nichts wußte, enger verwandt als irgendeinem Menschen in ihrem Leben. Enger sogar als Grischa? Ach, denk jetzt nicht an Grischa. Grischa, das ist ganz was anderes. Grischa, das ist ein Stück von mir selbst.

„Du und ich, wir sind – *gemelos*, nicht, Pepito? Zwillinge", fragt sie; sie hatte gehört, wie Spanier dies als Kosewort gebrauchten.

„Zwillinge? Alles andere! Du bist eine Frau, und mich verlangt nach dir – *tanto* – *tanto*..." Und eine neue Woge schwemmt sie hinweg.

Nachher, als das Klappern der Milchwagen, das Geräusch der ersten Autobusse den erwachenden Morgen ankündigten, konnte Katja sich nicht enthalten, tiefer zu bohren. „Hast du viele Frauen vor mir gehabt? Wie viele? Sehr viele?"

„Aber sicher. Millionen Frauen. Oder zumindest tausend. O du Dumme! Diese *putas*, diese Huren, wie sollte ich mich erinnern können? Im Leben eines Toreros ist viel Gerede, aber wenig Zeit für Weibergeschichten. Zu viele Engagements während einer guten Saison. Es ist schwierig genug, sich in Form zu halten, wenn man von einer Corrida zur nächsten gejagt wird. Dazwischen fällt es Freund Toro ein, dich auf die Hörner zu nehmen und in die Luft zu schmeißen, nichts sehr Gefährliches, aber die Wochen, die man nachher im Spital liegt, sie fressen große Löcher ins Geld und ins Leben, in die Karriere. Man gibt viel Geld aus, und es kommt kein Geld herein."

Wie er so über Geld und Verwundungen sprach, klang er wie ein anderer Mensch; nüchtern, rechnend, bedrückt. Selbst in dieser trunkenen Stunde machte er sich Sorgen wegen der Stiere, der Hörner, der verlorenen Zeit, der Zeit, die zu schnell vorbeiging in einer Karriere, die jeden Tag zu Ende sein mochte. Katja berührte Pepitos feuchte Stirn; da waren wieder die tiefen Sorgenfurchen. „Nicht, nicht, sorge dich nicht. *No hay porqué*", sagte sie, wie sie es von seinem Schwertträger gehört hatte. Es wirkte. Er nahm ihre Hand und füllte sie mit einer Ernte verspielter Küsse. „Jetzt wollen wir zur Abwechslung einmal von dir sprechen", sagte er. „Wie steht's mit deinen Liebesgeschichten? Hast du viele Männer so verrückt gemacht wie mich?"

„Ach du lieber Gott, meine Liebesgeschichten! Genau die gleiche Sache. Die Engagements, die Hetzjagd, die Arbeit, die vielen Vorstellungen. Da bleibt weder Zeit noch Lust für Liebschaften. Tän-

zerinnen sind entweder zu beschäftigt oder zu müde; besonders mittwochs und sonnabends."
„Warum das?"
„Matineen. Zwei Vorstellungen am Mittwoch und Sonnabend. Nachher ist man ausgepumpt bis auf den letzten Tropfen."
Er lachte laut auf, und sie begriff zu spät, daß er glaubte, sie hätte einen groben Witz beabsichtigt.
Es dauerte Monate, bevor sie begriff, daß Pepito sich einfach nicht mit ihr auskannte. Spanische Frauen lebten noch immer in einer halborientalischen Abgeschlossenheit, und unberührte Jungfräulichkeit wurde mit mittelalterlichem Respekt behandelt und hoch bewertet. Ein Abgrund trennte Mütter, Schwestern und Gattinnen, in Klöstern erzogen, schwarz gekleidet und selten in der Öffentlichkeit ohne Begleitung zu sehen, von jenen anderen, Freiwild für jeden Mann. Pepito konnte keine Zeit an die komplizierten Formen einer spanischen Werbung verschwenden: die Serenaden vor vergitterten Fenstern, die offiziellen Besuche, die Begegnungen unter den scharfen Augen einer Dueña und Gardedame und schließlich das feierliche Verlöbnis und die untrennbare Ehe. Für den Matador gab es den eiligen, einfachen Handel mit Prostituierten, die leichte Befriedigung mit Straßendirnen, die halb betrunkenen, lärmenden Visiten, gemeinsam mit seinen Leuten, im Bordell.
Doch Katja? Heilige Muttergottes, wie sollte ein Mann wissen, wohin sie gehörte? Sie war eine berühmte Tänzerin, aber völlig verschieden von den gefeierten Zigeunerinnen und Flamenco-Tänzerinnen seiner Bekanntschaft. Sie war eine Dame, eine wirkliche große Dame, und doch hatte sie noch am gleichen Abend, da sie ihn kennenlernte, mit ihm geschlafen. *Tiene casta,* erklärte er sich das Rätsel.
Casta war, was die tollkühnen Mütter der stolzesten Stiere besaßen: Kaste, Rasse. Sie war ein hochgezüchtetes Vollblut.
Was ihn, Don Pepe, anlangte, er hatte Katja gesehen, er wollte sie haben, und er nahm sie sich. Daß er während dieser Nacht zum erstenmal gelernt hatte, eine Frau zu lieben – das war eine unvorhergesehene Komplikation.
„Aber wie hat's angefangen? Wann hast du dich in mich verliebt?" fragte Katja. Die ewige Frage der Frau an den Mann.
„Wie ich dich vor den Vorhang führte. Du warst so verschwitzt, *pobrecita,* du Arme, Kleine, ich atmete deinen Geruch ein, Schweiß, Salz, Frau, und deinen eigenen Duft, wie Muskatellertrauben, ich spürte dich zittern, es regte mich so auf, ich hatte Angst, mein enges Kostüm müßte platzen..."
„Ach du, mit deinem kleinen Handtuch und deinem großen Amulett und sonst nichts! Daß du es gewagt hast!"
„Nur weil ich solche Angst hatte."
Katja mußte lachen. „Oh, wahrhaftig?"
„Mehr Angst als je in der Arena. Aber mich verlangte so nach dir, und ich wußte, daß du mich auch haben wolltest, und..."

„Ich hoffe, das war nicht so deutlich."

„Ich bin ein Torero", sagte er. „Ich wäre ein Jammerbild von einem Matador, wenn ich solche Dinge nicht spüren könnte. Ich muß blitzschnell handeln und jede Sekunde die Überhand behalten, sonst ... Wenn ich um dich geworben hätte wie ein feines Herrchen, mit Blumen und Komplimenten und vielleicht mit Diamanten, um dich zu verführen, wenn ich dir erst Zeit gelassen hätte, mich abzuweisen – außerdem ist es sehr schwierig, sich aus einer *traje corte* herauszuschälen, schwierig und in Gegenwart einer Dame äußerst peinlich. Meine Hosen sind so eng, ich kann sie überhaupt nicht ohne Hilfe meines Dieners herunterkriegen und so ..."

Und so, die Lage beherrschend, hatte Don Pepe das Hotelpersonal bestochen, ihm das Zimmer neben Katja zu geben und, mit einem männlich-einverständlichen Zwinkern, die kleine Verbindungstür aufzuschließen. Er hatte seinem Vertrauten Paco befohlen, ihm aus seinem hautengen Kostüm zu helfen und dafür zu sorgen, daß am Morgen ein normaler Anzug zur Stelle sei, damit er das Hotel ohne indiskretes Aufsehen verlassen könne. Doch war er bei Nacht zu ungeduldig gewesen, um sich Pyjamas zu beschaffen, und er bat Katja auf den Knien um Vergebung, falls seine Nacktheit sie erschreckt haben sollte.

„O du unverschämter Bursche", kicherte Katja, „du warst einfach sicher, daß ich dir nicht widerstehen könnte, wenn du deinen Körper in seiner ganzen Glorie vor mir paradierst, nicht?"

Pepito war ehrlich erstaunt. „Aber nein, wieso denn? Ich weiß genau, wie häßlich ich bin. Nicht einmal meiner Mutter macht es Vergnügen, mich anzuschauen; nur Haut und Knochen, und meine Arme sind zu lang, was zwar von Vorteil ist, wenn ich mich mit dem Degen für den Todesstoß vorlege, aber im ganzen sehe ich dem Schimpansen im Zoo so ähnlich wie ein Bruder – und die Narben, sind sie nicht abstoßend für dich? Nur in der Arena, wenn ich meine Torerotracht anhabe und einen guten Stier zugelost kriege, mit dem ich alle meine Tricks zeigen kann, dann blende ich vielleicht die Zuschauer. *Pués,* ich muß einen Berg Gold für jedes Kostüm blechen, da kann ich zumindest verlangen, daß sie Effekt machen. Erst letzte Woche mußte ich zwei neue Kostüme anschaffen, und Sie können sich nicht vorstellen, Doña Catalina, wieviel Geld mir dieses Diebsgesindel von Schneidern wieder aus der Tasche zieht."

Da war schon wieder das Berechnen, die ständige Sorge um Geld, die Katja so wesensfremd war. Zu Anfang kam es Katja spaßig und auch ein wenig rührend vor. Nach und nach begann sie Pepes Ängste besser zu verstehen; er fürchtete zu enden wie so viele ehemalige Stierkämpfer: krank, verkrüppelt, bankrott. Menschliche Ruinen, für die immerfort in den Kaffeehäusern, wo Toreros und deren Mitläufer verkehrten, Geld gesammelt werden mußte.

Und noch später warf sie, die niemals nach Reichtum gestrebt hatte, Pepe el Cachorrito weg wie eine angestochene Frucht.

Als Katja am nächsten Abend das Theater verließ, wartete nicht Pepito an der Bühnentür, sondern ein kleiner, außerordentlich fetter Spanier, der sich als Pepe el Cachorritos Impresario, Angelo Alvarez, vorstellte.

In seiner Jugend war Don Angelo ein berühmter Matador gewesen, doch im Verlauf einer argen Verletzung in der Arena von Cadiz war ihm etwas Unabänderliches geschehen, und danach war aller Mut ihm abhanden gekommen, und er war fett geworden wie ein Kapaun. An Stelle seiner verlorenen Courage jedoch hatte er ein großes Teil Weisheit und Geschäftstüchtigkeit erworben. Wer erst Don Angelo als Impresario gewann, war sicher, eine große Karriere zu machen.

„Ein Olycheff der Arena", sagte Grischa von ihm.

Alvarez brachte Madame Milenkaja die tiefsten und ergebensten Entschuldigungen und Ausdrücke des Bedauerns von seinem jungen Matador. „Bitte meine wertlose Person für sein Fernbleiben verantwortlich zu machen", kicherte er. „Ich selbst schickte ihn zu Bett."

„Ist ihm etwas geschehen? Ist er krank?" fragte Katja geängstigten Herzens.

Aber durchaus nicht, beteuerte Alvarez, und wenn er die Ehre haben dürfte, ein Privatgespräch mit Madame...? Verwirrt und enttäuscht ließ Katja sich in sein wartendes Auto komplimentieren, worauf Don Angelo sogleich zur Sache kam. Er hatte den Jungen zu Bett geschickt, weil morgen nachmittag um vier Pepe el Cachorrito – der junge Bär – mit zwei Stieren kämpfen müßte, jeder so groß wie der Escorial. Er brauchte seinen Schlaf und gute Nerven, keinerlei Ablenkung, denn wenn ein Matador seine Nerven nicht vollkommen beherrsche, gehorchen ihm seine Beine nicht; er mochte unfähig sein, die Füße so einzuwurzeln und zu pflanzen, daß sie absolut still standen, und dies, Gott behüte, konnte sehr schlimm enden. Mit Madames Erlaubnis, und bitte um Vergebung, aber man weiß ja, was eine Nacht im Bett mit einer Frau den Nerven und den Beinen eines Mannes antut, sagte Don Angelo. Und da er nun schon von den vorgezeichneten Bahnen höflicher Formalität entgleist war, begann er gradeheraus zu reden. „Es ist klar, wenn heute nacht eine Kuh zu den Stieren gelassen würde, dann würden sie morgen ein miserables Fiasko erleiden, nicht? *Bueno* – das gleiche gilt für den Matador!"

Darauf platzte Katja mit lautem Gelächter heraus. Es geschah ihr öfters, wenn sie zornig war oder verletzt, daß etwas in ihr umschnappte und sie sich plötzlich in einer Stimmung absurden Übermuts befand. Das war ein angeborener Wesenszug, ein Schild, der sie in ihrer Verwundbarkeit schützte; und auch eine besondere Qualität, ein pikanter Wesenszug der Gestalten, die sie tanzte.

Aber Don Angelo sah keinerlei Grund zur Heiterkeit. In den wächsernen Falten seiner fetten Komikervisage konnte Katja seine abgestandene Tragödie und die nie besiegten Ängste lesen. Er zog ein feines Batisttaschentuch hervor und trocknete den Schweiß von seiner Glatze. „Ich weiß nicht, ob Madame ganz versteht, was ich auszudrücken versuche", sagte er in hartem Grenzfranzösisch, als hoffte er, sie in dieser Sprache besser erreichen zu können. Katja versicherte ihm, daß sie völlig verstünde. Schließlich stand auch sie im Beruf. „Das Leben einer Ballerina eignet sich auch nicht für leichtsinnige Abenteuer, Don Angelo – obwohl Sie dies vielleicht überrascht", sagte sie hochmütig.

Der Wagen stoppte beim Hotel; sie stieg aus und reichte Alvarez lächelnd die Hand. Er wußte nichts Rechtes mit der Hand einer Dame anzufangen, wagte nicht, sie zu schütteln, wünschte nicht, sie zu küssen. Er deutete eine Verbeugung an und murmelte etwas verlegen, ihn doch, bitte, nicht mißzuverstehen, *oh, Dios mio, no,* aber . . .

„Aber Sie denken, daß Frauen einem Stierkämpfer gefährlich sind?"

„Nicht Frauen, Madame. Frauen – das ist nichts. Ist eine Tasse Kaffee gefährlich? Ein Gläschen Sherry? Frauen – der Mann nimmt sie und geht weiter – ,Frauen'. Aber *eine* Frau, Madame – eine Frau wie Sie: da liegt die Gefahr! Ich habe Pepito noch nie in einem ähnlichen Zustand gesehen. Den ganzen Tag lang konnte er an nichts denken und von nichts reden als von Ihnen. Wenn seine Gedanken morgen nachmittag bei Ihnen wären, anstatt sich auf den Stier zu konzentrieren – es könnte übel ausgehen. Furchtbar übel, Madame."

„Danke, Don Angelo. Jetzt haben Sie mir eine wundervolle Botschaft ausgerichtet", sagte Katja. „Und wenn Sie mich entschuldigen wollen – ich bin ausgetanzt und sehr schläfrig. Gute Nacht."

Bis zu jenem Sonntag waren die Stierkämpfe nicht mehr für Katja gewesen als ein Schauspiel, dem sie meistens mit Genuß, zuweilen ärgerlich oder sogar gelangweilt beiwohnte. Doch an jenem Nachmittag, da sie mit dem Marques auf den besten Plätzen, nahe – viel zu nahe – der Barriere, saß, war sie keine Zuschauerin mehr, sondern eng und schmerzhaft an El Cachorritos Kampf beteiligt.

Insgeheim krampfte sie ihre behandschuhten Hände in das goldbestickte Gala-Cape, das Paco im Auftrag seines Herrn und als besondere Auszeichnung vor ihr über die Barriere drapiert hatte. Unter den steifen Falten legte Buenaventa beruhigend seine kalten Finger auf die ihren. Der Matador lächelte, und sie lächelte auch, so wie man fürs Publikum lächeln muß, wie immer einem zumute sein mag. Wenn er sich den Mund spülte, wurde auch ihr Gaumen trocken vor Angst, und als der Stier aus dem roten Tor des *toril* geschossen kam, lähmte sie eine verzweifelte Furcht. Er sah aus wie der größte, schwerste Stier der Welt, und auch der dümmste; er blieb stehen, starrte stumpfsinnig in die jubelnde Menge, und dann kehrte er plötzlich um und trottete steifbeinig zu dem Tor zurück, das er nun unbegreiflicherweise geschlossen fand. Katja saß so nahe der Arena, daß sie glaubte zu sehen, wie Pepitos

Halsmuskeln sich spannten, während er beobachtete, wie das Tier auf das Capeschwingen seiner Banderilleros reagierte. Buenaventa, der Kenner, schüttelte kritisch den Kopf; der Stier gefiel ihm nicht. Nun ritten die Picadores auf ihren elenden Gäulen in die Arena. Sehr deutlich sah Katja im Geist die häßliche Narbe auf Pepitos Brust, sie liebte ihn mit schmerzhaftem Übermaß in diesem Moment. Er war wunderbar, wie er die mörderische Wut des Stiers von einem gestürzten Picador und Gaul ab und auf sich lenkte. Und als er eine Kette seiner Künste mit dem Cape, die *quites* genannt werden, schön und fehlerlos wie einen Tanz aneinanderreihte, brach die Menge in *Olé*-Rufe aus.

Doch später, im letzten Teil des Kampfes, der *Faena,* begann es schiefzugehen. „Jetzt schwitzt er Tinte", murmelte Buenavente und: „Was für eine traurige Karikatur von einem Bullen haben sie ihm da gegeben?" Die Menschen in den obersten Sitzreihen der billigen Sonnenseite fingen an, ihn zu verhöhnen, Beschimpfungen zu brüllen, die Arena mit Kissen und leeren Flaschen zu bombardieren, und Katja sagte ein stummes Gebet. Es war eine primitive Beschwörungsformel, noch aus ihrer Kindheit, die sie immer betete, während sie in der Kulisse auf ihren Auftritt wartete.

Auf dem gelben Sand da unten kam die *Faena* zu einem unbefriedigenden Ende. Der Stier wollte nicht kämpfen – und nichts ist gefährlicher in der Arena als ein feiges Tier; der Matador gab seine nutzlosen Bemühungen auf, ihn zu reizen. Er tötete ihn schnell und sauber, aber er hatte keine Gelegenheit gehabt, vorher seine ganze Kunst zu zeigen. In weißglühender Wut kam er zurück zur Barriere, Schweiß lief über sein Gesicht, die Haut war ein fleckiges Gelb, schiefergrau rund um die Augen, und an seiner Schwerthand war Blut.

Sein zweiter Stier hingegen war großartig; an ihm konnte Pepito sein ganzes Repertoire vorführen. Er focht so dicht an dem dampfenden Tier und forderte die Gefahr jede Sekunde so tollkühn heraus, daß Katja versteinert dasaß, unfähig mitzujubeln, wenn die Zuschauer jubelten, zu lächeln, wenn das begeisterte *Olé* aufstieg, und *Olé!* Und wieder und wieder *Olé* Matador! *Olé!*

Das Schwert drang ein bis ans Heft, der Matador stand mit gesenktem Kopf über dem sterbenden Stier, mit Respekt, vielleicht mit Trauer, bis das Tier in den Sand sank und verendete. Es war der große Moment des Gefühls, der *emoción,* der tragische „Moment der Wahrheit". Die Trompeten schmetterten, ein Schneesturm weißer Taschentücher erhob sich in allen Reihen bis ganz hinauf zum obersten Rang, wo die bunten Wimpel festlich gegen den hitzebleichen Himmel flatterten. Vorhang! dachte Katja instinktiv. Das alles war großes Theater, und die letzte, wie aus Stein gehauene Pose des demütig trauernden Matadors mit dem stolz zusammenbrechenden Stier war der ergreifende Höhepunkt des gefährlichen Schauspiels.

Katja konnte Pepito nach der Corrida nicht sprechen. Er wurde im Jubel seiner Anhänger und auf ihren Schultern fortgeschwemmt wie zu den fernen Ufern eines unbekannten Stroms. Nach der Corrida gehörte er der Presse, der Öffentlichkeit, den Fotografen, den *aficionados* und den Bewunderern, den Freunden und Parasiten, die sich um ihn und bis in sein Quartier drängten. Er gehörte seinen Leuten, den braven Burschen seiner *cuadrilla,* er mußte sich um einen seiner Picadores kümmern, einen Mann mittleren Alters, der verletzt worden war, nicht sehr bös, dank der Heiligen Jungfrau. Auch muß ein Matador sich nach dem Kampf in den Kaffeehäusern der Plaza Calloa zeigen, wo sich die Stierkämpferwelt versammelt – eine Welt ganz ohne Frauen.

Zwei Tage und Nächte lang hörte sie nichts von Pepito. Am dritten Tag klingelte er jede halbe Stunde ihr Hotel an. Aber Katja hatte Proben. Und schließlich wäre sie fast an ihm vorbeigegangen, ohne ihn zu erkennen, wie er da in der Hotelhalle auf sie lauerte. Nicht der goldbestickte smaragdglänzende Matador, nicht der malerische junge Andalusier in seiner anliegenden Tracht; Pepito im Straßenanzug sah unelegant aus, wie es Athleten oft ergeht. Die Jacke war zu breit in den Schultern, die Knöpfe spannten, und er trug eine dunkle Brille wie Greta Garbo. Doch sowie sie in Katjas Zimmer ankamen und die Kleider abwarfen, verloren sie sich wieder in ihrer verliebten Berauschtheit, dem trunkenen Glück, so neu und einzigartig für sie beide.

Sie nannten es Liebe. Selbstverständlich nannten sie es Liebe.

Eine Leidenschaft wie die ihre wächst an Widerständen; jede erzwungene Trennung entzündet neue Flammen, und die lang erwartete Wiedervereinigung wird zum verzehrenden Brand. Und an Schwierigkeiten und Trennungen war kein Mangel.

In der nächsten Woche war El Cachorrito für zwei Kämpfe in Sevilla gebucht. „Wenn du noch nicht bei der *Féria* in Sevilla warst, hast du noch nicht gelebt, Linda! Die Aufregung, die absolute Verrücktheit! Der Lärm, die Raketen, die Prozessionen, die Hitze – und was für Stiere! Ich will dir meine Stadt zeigen, es ist wahrhaftig eine wunderbare Stadt. Ich führe dich zu den Zigeunern, zu den besten Flamenco-Tänzern, die Touristen nie zu sehen kriegen. La Imperia! Und die alte Tia Teresa – *Olé!* Vielleicht lernst du zwei meiner Brüder kennen, und ich werde dir die feinste Mantilla in ganz Sevilla kaufen, so daß alle die aufgeblasenen Schönheiten in den Logen wie abgelegte Fetzen neben dir aussehen. Ich werde so stolz auf dich sein, daß ich kämpfen werde wie nie zuvor, so daß du auch ein bißchen stolz auf El Cachorrito sein kannst; und nachher – *Ay!* – nachher können wir zwei volle Tage für uns haben, nur für uns. Wir bleiben den ganzen Tag im Bett und stehen erst am Abend auf, wenn es kühl wird; du kannst dir nicht vorstellen, wie lustig die Nächte in Sevilla sind."

„Aber – Pepito – das alles klingt wunderbar, aber ich kann nicht nach Sevilla kommen. Hast du vergessen, Pepito, geliebter Narr? Nächste Woche geht das Olycheff Ballett nach Barcelona?"

Die Narbe an seiner Schläfe rötete sich, und er knirschte mit den Zähnen. „Unmöglich", entschied er. „Ich brauche dich. Du bringst mir Glück. Du kannst mich nicht bei der wichtigsten Corrida meiner ganzen Karriere im Stich lassen. Nie im Leben kämpfte ich so gut wie letzten Sonntag mit meinem zweiten Stier. Wenn du nicht nach Sevilla kommst, werden mir überall schwarze Katzen über den Weg laufen, und mein Herz wird nicht im Kampf sein und ..."

Er sprach die Wahrheit. Nie bevor hatte Pepe el Cachorrito die ungreifbare Qualität erreicht, die den seltenen großen Künstler unter den Stierkämpfern von den übrigen trennt, den Vielverspre-chenden, den Effekthaschern, den Reklamemachern, den Mittelmä-ßigen! (Und nie wieder würde er die gleiche Höhe erreichen.) „Ich werde ein elendes Nervenbündel sein, ich werde einen schlechten Nachmittag haben, das ärgste Gesindel von Sevilla wird mich mit Kissen und Flaschen beschmeißen, und danach wird mir niemand mehr zehntausend Pesos für einen Nachmittag zahlen – und das alles nur durch deine Schuld. Du mußt, mußt, *mußt* mit mir nach Sevilla kommen", endete er seine Anklage. Die gleiche Klage, die Katja wieder und wieder zu hören bekam, solange seine Leidenschaft und sein Aberglauben anhielten. Er hatte sie zu einem seiner vielen Fe-tische gemacht. Wie ein bestimmtes glückbringendes Hemd, gewisse Knöpfe und Troddeln, die von einem Kostüm aufs nächste übertra-gen werden mußten; eine alte Münze ins Futter des Bolero ge-näht. Straßen, die auf dem Weg zur Arena vermieden, und andere, die aufgesucht werden mußten.

„Aber was kann ich tun, Pepito? Ich habe jeden geschlagenen Tag eine Vorstellung."

„Absagen!" warf Pepito hin; es war ein Befehl.

„Absagen!" rief Katja. „Du weißt nicht, was du redest!"

„Doch, du mußt absagen. Ein Ballett mehr oder weniger – was macht's dir aus?"

„Genausoviel wie dir ein Stierkampf mehr oder weniger ausmacht. Warum sagst *du* nicht ab und kommst nach Barcelona? Ich werde dich ebenso vermissen wie du mich."

„Einen Stierkampf absagen? *Eres loca, mujer?* Bist du verrückt? Meine erste Corrida in Sevilla – weißt du, was das für mich be-deutet? Ich habe darauf gewartet, seit ich meinem Vater bis zu den Knien reichte."

„*Buenos* – und ich tanze zum erstenmal beide Partien in ‚Lac des Cygnes', Odile *und* Odette!" schrie Katja über den tiefen Abgrund hinweg, der plötzlich zwischen ihnen klaffte. Wütend und ohne Verständnis füreinander zogen sie sich zurück, jeder in den Käfig seiner eigenen, kleinen, unerhört wichtigen Welt.

Im Mai focht El Cachorrito seinen Weg durch die Festlichkeiten verschiedener Städte und Städtchen zwischen Madrid und Valencia, und Katja steckte in dem ehrgeizigen Gastspiel des Olycheff Balletts in London. Einmal brachte Pepito es in dieser Zeit zuwege, für eine Nacht und einen halben Tag nach London zu kommen. Sie hatten einander für eine Ewigkeit von mehr als zwei Wochen nicht gesehen, eine Ewigkeit, notdürftig überbrückt durch Telegramme und Ferngespräche, die Pepito ein Vermögen gekostet haben mußten und an beiden Enden als ein verstümmeltes Kauderwelsch ankamen. Keine Briefe. Katja hatte den Verdacht, daß Pepito es versäumt hatte, schreiben und lesen zu lernen. Macht nichts. Solche Dinge schaden nichts bei einem wirklichen Mann – solange man ihm verfallen ist.

Abgetrennt von seinem heimischen Grund und Boden, der Arena, seinem Gefolge und der glanzvollen Popularität, war Pepito unsicher und reizbar. Obwohl ihm mit unerschütterlich guten englischen Manieren begegnet wurde, fühlte er sich zurückgesetzt, von Kellnern, Portiers, Taxichauffeuren mit ungenügender Hochachtung behandelt. Katja hatte immerfort Angst, daß es im nächsten Augenblick zu einer Rauferei kommen könnte. Er stampfte auf den Boden, wie wenn er in der Arena den Stier zum Angriff herausforderte, sein auberginefarbenes Haar glänzte von zuviel Brillantine, seine Lippen wurden wachsbleich, auf seinem Gesicht sammelten sich schwarze Gewitterwolken, und ein paar neue Stiche über der linken Braue gaben ihm ein wildes, nicht ganz respektierliches Aussehen. „Das? Ah, das ist nichts. Die gemeine Bestie, die ich in Cordoba das Pech hatte im Los zu ziehen, rieb mein Gesicht tüchtig mit Sand, und als ich wegrollte, um den Hörnern auszuweichen, landete er noch einen großen, warmen Dungfladen mitten in mein Gesicht; das war sein Trumpf. Ein schlechter Nachmittag im ganzen. El Fuertote kriegte einen Beinbruch ab, und der Chiquillo, der Kleine, mein jüngster Banderillero, hatte am Tag vorher einen solchen Blutsturz, daß ich ihn zu seiner Mutter heimschicken mußte. Ein so braver Junge, und spuckt seine Lunge aus vor Tuberkulose. Aber das ist alles nur deine Schuld. Ich habe dir's vorausgesagt; wenn ich dich nicht bei mir haben kann, geht alles schief. Aber was liegt dir dran? Du – ein berühmter Star, mit einem Lord an jedem Finger . . .“

Katja entdeckte mit kalter Bestürzung, daß Pepito Szenen nötig hatte. Er mußte stampfen, schreien, fluchen, von Zeit zu Zeit das harte Gehäuse seiner spanischen Höflichkeit in Stücke schmeißen, während „Alles, bloß keine Szene!“ zu den Grundpfeilern ihres Lebens gehörte. Sie selbst – oder Grischa – oder die Arbeit im Ballett hatten ihr unbändiges Temperament gezähmt und sie so streng gelehrt, niemals Szenen zu machen, daß sie überzeugt war, Ausbrüche jeder Art zu hassen. Aber plötzlich geschah auch in ihr ein Dammbruch, und mit Entsetzen fand auch sie sich schimpfend wie ein Fischweib, spuckend und streitend, mit Beleidigungen und zerbrechlichen Gegenständen um sich werfend. Sich dies eine Mal so gehen zu lassen, gab ihr eine unmeßbare Erleichterung, und dies erschreckte sie noch mehr. Weinend vor Scham und Dankbarkeit, landete sie zuletzt in Pepitos Umarmung.

Gegen Ende der Spielzeit in London war Katja vor Sehnsucht nach ihrem Geliebten fast unbrauchbar geworden. Sie war immer müde, geistesabwesend, und sie tanzte ohne Schwung; sie verließ sich auf ihr Gedächtnis und die Reflexe ihres Körpers, der seine routinierte Pflicht tat, auch wenn ihre Gedanken nicht dabei waren.

„Ekelhaft", sagte Grischa. „Los, geh, renn deinem Stierkämpfer nach, wenn du's so nötig hast.

„Aber Olycheff ..."

„Ich habe schon mit ihm geredet. Hab' ein verstauchtes Knie für dich erfunden, Ruhe und kalte Umschläge. Er gibt dir ein oder zwei freie Tage, bevor wir in Amsterdam eröffnen. Du brauchst nur in sein Büro zu hinken und dem guten Onkel danke schön zu sagen."

Und so, mit knapper Not, durch eine Kombination von Luftschiff, Eisenbahn und vorsintflutlichem Autobus, gelang es Katja, sich nach Burgos zu transportieren, wo Pepe um Mitternacht für die Corrida des nächsten Tages anlangte. Sie fielen einander in die Arme, explosiv wie je, und Katja, die sich Enthaltsamkeit vor jedem Stierkampf geschworen hatte, brach natürlich ihren Schwur. Am nächsten Tag focht Pepito seinen ersten Stier mit großer Kühnheit, besonders, als es zur *Faena* kam. Katja war noch immer nicht Kennerin genug, um alle Feinheiten zu verstehen, aber sie war hingerissen von der tänzerischen Schönheit, den skulpturhaften Bewegungen von Mann und Tier.

„*Olé!*" rief sie mit der Menge, und „*Olé*" und „*Olé, Olé!*"

Und dann ein plötzlicher tausendstimmiger Aufschrei, und dann die Stille in allen Rängen, als der Stier den Feind auf seinen Hörnern in die Luft schleuderte. Es sah drollig aus, der Matador mit einemmal nur wie eine mit Sägespänen gefüllte Puppe. Katja wußte nicht, ob sie geschrien hatte; aber als Pepito im Sand rollte, begann die Arena vor ihren Augen zu kreisen, und in ihren Ohren war ein hohes Schrillen wie von tausend Grillen. Automatisch preßte sie ihren Kopf zwischen die Knie, um nicht in Ohnmacht zu fallen.

Als sie es wagte, sich wieder aufzurichten, stand Pepito mitten in der Arena, bleich und wütend, mit Degen und Muleta in der Linken, befahl seinen verstörten, angstschwitzenden Leuten, ihn allein zu lassen, und stellte sich dem Stier für die *Faena*. Er hinkte etwas. Die rosafarbenen Strümpfe waren beschmutzt, und er hatte einen Schuh verloren; der lag wie ein totes kleines Tier irgendwo im Sand. Pepitos Hosen waren aufgeschlitzt; der junge Mann, den Pepito ihr zur Begleitung mitgegeben hatte, sagte halblaut: „*Cornado* – wie sagt man? Gehörnt?" und bot ihr seinen Feldstecher an. Erst jetzt bemerkte Katja die weiße Unterhose in dem Schlitz mit Blut getränkt, und nun saugten sich dunkle Flecken auch in die grün-goldene Seide des Kostüms. Das Trompetensignal für die Beendigung der *Faena* wurde bald gegeben, und Pepita tötete den Stier kaltblütig und mit arroganter Leichtigkeit – so zumindest schien es Katja. Die Musikkapelle stimmte das traditionelle *Virgen de la Macarena* an, und viele Hüte kamen in den Ring geflogen als Zeichen der Anerkennung. Doch Pepito schleuderte sie nicht in die

Ränge zurück wie sonst, er lächelte nur mit erhobenen Armen, als er zum Ausgangstor der Matadore humpelte. Im letzten Moment erhaschte Katja noch einen Blick in den dunklen Tunnel hinter dem Torbogen: Zwei Bedienstete in ihren roten Hemden standen dort mit einer Tragbahre bereit.

Selbstverständlich konnte Katja den verwundeten Matador nachher nicht sehen. Mehr als je gehörte er den Männern in seiner *Cuadrilla* und den erfahrenen Ärzten, die im Operationsraum der Arena an ihm arbeiteten. Wie immer gehörte er seinem Impresario, der Öffentlichkeit, seinen Freunden und Verehrern, der Presse und dem Publikum. Katja, eine junge Berühmtheit, die selbst der Öffentlichkeit gehörte, verstand diese Verpflichtungen; aber es war nicht leicht.

Also, das war Burgos! sagte sie resigniert; sie war allein in der fremden Stadt, allein in dem gähnenden Zimmer, unter der hohen geschwärzten Balkendecke des alten Gasthofs. Dies hätte unsere Nacht sein sollen. Pech gehabt. Sie fühlte sich krank, fröstelnd in der brütenden Sommernacht.

Alvarez hatte die Anständigkeit, ihr am Morgen zu telefonieren. Pech, sagte auch er, aber bitte sich keine Sorgen zu machen. Nichts Ernsthaftes ist geschehen, unser Matador ist in besten Händen, sauber geflickt, noch etwas benommen natürlich, der Äther, die Narkose ...

„Wo ist er? Wann kann ich ihn sehen?" fragte Katja, selbst ein wenig benommen.

Es zeigte sich, daß Alvarez ihren Besuch nicht für ratsam hielt. Weshalb nicht lieber warten, bis er vom Krankenhaus entlassen wurde, in einer Woche, in zehn Tagen spätestens. Ja, weshalb nicht warten? lachte Katja bitter. Morgen mußte sie in Amsterdam sein und die Doppelrolle Odile-Odette tanzen. Trotzdem verschaffte sie sich Zugang zu dem deprimierenden alten Hospital und sah Pepito noch für eine Minute, unter den Wächteraugen des treuen Paco und der andern.

Pepito war sichtlich verlegen. Er verbarg die Bartstoppeln an Kinn und Wangen mit seinen Händen, die kränklich aussahen, sonderbar fein und weiß wie die einer Wöchnerin. Er erinnerte sich, die Zigarre aus dem Mund zu nehmen, aber seine Leute füllten das Krankenzimmer unbedenklich mit dem Rauch und Gestank ihrer billigen Purozigarren. Das war es hauptsächlich, was Katja im Gedächtnis blieb: der Geruch von Zigarren und Branntwein und säuerlichem Schweiß und Männern; und von der Dränage in Pepitos Schenkel und von Äther in seinem Atem. Das krampfhafte Lächeln in seinem unrasierten Gesicht und in seinen Augen die Bitte, sie möchte ihn um Himmels willen verlassen, ihn nicht in diesem Zustand sehen.

Dann noch das Klappern, mit dem der Rosenkranz der jungen Salesianerin, die Katja den Kreuzgang entlang geleitete, gegen das Kreuz pendelte, das von ihrem Gürtel hing.

Katja bewahrte die gesenkten Lider der jungen Nonne in ihrem Gedächtnis, sie waren wie durchscheinendes Pergament; ihren Gang, als hätte sie keine Beine, die Art, wie sie die Hände in den unhygienischen weiten schwarzen Ärmeln verbarg. Wer weiß, vielleicht konnte man gelegentlich diese Haltung, diesen Gang und diese Hände in einem Tanz gebrauchen.

Pepitos Wunde hatte sich infiziert, wie das bei Hornwunden oft geschieht, die Heilung ging langsam vonstatten, die Geldverluste wuchsen, da alle seine Kontrakte für Juli und August abgesagt werden mußten. Und seine vielen Parasiten und die Stierkampfkritiker wurden notwendigerweise mit fetten Bestechungsgeldern abgefunden, um schädliche Gerüchte und saure Randbemerkungen zu unterbinden.

Noch immer humpelnd, mit gefurchter Stirn und in pechschwarzer Laune, füllte der Matador ungezählte Briefbogen mit mühsamen Berechnungen der Summen, die er verdient hätte, wenn ihm das nicht passiert wäre. Schließlich beschloß Don Angelo, ihn vorläufig in irgendeinem vergessenen Nest zu verstecken, wo niemand ihn kannte und er sich unbeobachtet erholen konnte. Im September nämlich häuften sich die Corridas, und der Matador mußte in erstklassiger Form sein, um die Verluste einzuholen. September ist immer ein Monat, wenn einem populären Matador wie El Cachorrito knapp genügend Zeit bleibt, um auf der Fahrt von einem Ort zum nächsten im Wagen ein wenig zu schlafen und seine Mahlzeiten im Stehen hinunterzuschlingen. Aber während die anderen Stierkämpfer diesen einträglichsten und anstrengendsten Monat mit ermüdeten Muskeln und zerschlissenen Nerven antreten würden, hoffte Don Alvarez, seinen Matador, so Gott will, in frischer Gesundheit und Kraft in die Arena zu senden.

Es war ein heißer Tag in Madrid, der Himmel zu nichts verblaßt, fernes Gewittergrollen jenseits der Guadarrama-Bergkette. „Nimm einen Hut und Handschuhe, *querida*", sagte Pepito, „und das weiße Kleid, in dem du mir so gut gefällst."

„Wozu einen Hut? Gehen wir Kirchen anschauen?"

„Nein, wir gehen ins Rathaus. Gib mir deinen Paß, wir wollen ihn dem heiligen Bürokratius zu Füßen legen. Wir brauchen seinen Schutz, wenn wir heiraten wollen."

„Heiraten – o mein Gott! Du bist wohl verrückt geworden!"

„Verrückt – mit dir – das weißt du ja. Aber was diese Zivilehe anbetrifft, bin ich die kalte Vernunft in Person. Wenn du es wünschst, Liebste, können wir später eine Hochzeit in der Kirche haben. In der großen Kathedrale von Sevilla, und alle Glocken werden läuten. Ich werde in meinem zweihundert Pfund schweren Matadoren-Kostüm schwarze Tinte schwitzen, und nicht mehr als achtundneunzig Verwandte von mir werden anwesend sein, dazu mindestens siebenhundertfünfzig Mitläufer, zweitausendsechshundert *Aficionados*, eine unbestimmte Anzahl von Straßenhuren, desgleichen Damen der besten Gesellschaft, neunhundert Pressefotografen, sechsunddreißig Reporter und am Portal sechstausend Bettler. Meine *Cuadrilla* und deine Ballettgesellschaft gar nicht zu erwähnen. Mit einem Wort, eine Hochzeit, so still und friedlich wie der Jahrmarkt von Aranjuez. Ich bin sicher, das würde dir gefallen."

„Und ob!" lachte Katja. „Aber warum überhaupt heiraten, Pepito?"

Es stellte sich heraus, daß Pepito dunkel fühlte, daß er es seiner und besonders ihrer Ehre schuldig sei, sie zu seiner Frau zu machen. Es war komisch und ungeschickt und rührend, wie das Geschenk eines Kindes, das man unmöglich zurückweisen kann. Pepito war nicht für lange Gedankengänge geschaffen: Was er dachte, das setzte er sogleich in Handlung um. Er wollte Katja besitzen, ganz allein und zu jeder Zeit. Auch wünschte er, sie zu erfreuen und zu ehren. Hauptsächlich aber wollte er mit ihr als Mann und Frau zusammenleben während dieser kurzen Ferien, und – „du kennst die Portugiesen nicht. Es sind Spießer, und wenn wir ihnen keinen gestempelten Trauschein zeigen können, werden sie uns Schwierigkeiten machen. An der Grenze, im Gasthof. Als meine Frau werden sie dich respektieren. Sonst ... Ich müßte zu viele Kerle verprügeln, die sich Frechheiten gegen dich herausnehmen würden. Und das würde dir nicht gefallen, Lindita."

Es war keine richtige Hochzeit und wurde nie eine richtige Ehe. Tatsächlich hielten sie ihre Heirat mehr geheim als ihre Liebschaft. „Laß es etwas bleiben, das nur uns beiden gehört", bat Katja. „Kannst du dir vorstellen, wie Alvarez und Olycheff es mit Pauken und Trompeten in die Öffentlichkeit bringen würden? Gute Reklame, nicht? Das könnte ich nicht aushalten."

„Du hast ganz recht. Vorläufig. Bis ich genug Geld beisammen habe, um Rancho Palanquillo zu kaufen und mich von der Arena zurückzuziehen. Nur gelegentlich in einer wichtigen Corrida kämpfen ...", sagte er, sich zu seinen eigenen Horizonten träumend: Eine Farm in der Nähe von Sevilla, wo er auserlesene Kampfstiere züchtete und seine Kinder erzog und mit Katja zusammen alt wurde. Wie sie da am Strand lag, warm in Pepitos Arm gebettet und sich so stark leben spürte in dem kräftigen Geruch von See und Klippen und geteerten Booten, erschien es Katja ganz plausibel, daß sie in einer fernen, verschleierten Zukunft auf einer andalusischen Farm Pepitos Frau sein könnte. „Ich werde sie immer splitternackt herumrennen lassen; braun und glatt wie die Haselnüßchen", sagte sie.

„Wen denn, um Christi willen?"

„Unsere Kinder", murmelte Katja, tief in diesem neuen Traum. In ihren geschlossenen Augen war ein üppiges, glühendes Farbenspiel – wie das Innere von reifen Wassermelonen.

„Ich liebe dich, Lindita, ich liebe dich so sehr, mein Herz, mein Leben ..."

„Keine Serenaden, bitte. Du bist jetzt ein verheirateter Mann."

„Ich bin ein glücklicher Mann. Und du?"

„Auch glücklich. Ich wußte nicht, daß ich so glücklich sein kann, außer beim Tanzen."

„Es ist wie beim Stierkampf. Seit ich zum erstenmal mit einem Fetzen Tuch vor einem Kalb herumfuchtelte, träume ich von einer perfekten Corrida: Jeder Torero tut das. Aber es kommt nie dazu. Ich kriege einen schlechten Stier, der nicht mitspielen will; oder, wenn der Stier gut ist, habe ich einen schlechten Tag. Vielleicht macht eine schlecht verheilte Wunde mich langsam; oder die Stammgäste ganz oben auf der Sonnenseite bringen mich mit ihrem Hohngebrüll aus der Fassung. Und wenn ich gut bin und mein Stier ist perfekt, dann kommt vielleicht am späten Nachmittag ein Lüftchen auf, zupft ein bißchen an der Muleta und – ich spüre, wie die Hörner mir die Hose zerfetzen. Ich denke mir den perfekten Stier aus, den ich noch nie gesehen oder bekämpft habe. Ich denke mir, ich will dies und das tun, ich will so und so fechten. Ich habe die grandiosesten Ideen, was El Cachorrito morgen nachmittag um vier aufführen wird. Aber morgen nachmittag um fünf, gerade wenn El Cachorrito eine erstklassige Folge von Kunststücken gezeigt und mit einer großartigen *recorte* beschlossen hat und den Bullen festnagelt, wo er ihn haben will, und mit großer Arroganz ihm den Rücken kehrt – gerade dann gibt's einen Wolkenbruch, eine Überschwemmung, die Sintflut. Schluß mit der Corrida.

Pués, als Junge träumt man ebenso von Frauen. Ich werde ein Mädchen kennenlernen, das perfekt ist – perfekt für mich, meine ich. *Meine* Frau. Ich werde mich irrsinnig in sie verlieben, und sie, Wunder aller Wunder, wird meine Liebe erwidern. Wenn wir uns küssen oder miteinander schlafen – das ist so wunderbar, daß die Welt stehenbleibt. Ich will dies und das mit ihr tun, im Bett und so und so – davon träumte ich als Junge. Aber wie ich anfange mit Frauen zu schlafen, oh, du Heilige Jungfrau, wie verschieden das von den Träumen ist! Solche Enttäuschungen, alles so ordinär, so – wie ranziges Öl. Bis ein Mann die *eine* findet, die andere Hälfte von sich, die Frau, die ein Ganzes aus ihm macht. Bis ich dich finde, mein Liebstes. Daß du gesegnet seiest und gesegnet der Leib, der dich trug. Und das ist keine Serenade, ich schwör' dir's, *querida mía.*

Am Morgen riecht das ganze Dorf nach den Fischen, die aus großen Bottichen verkauft werden, die kleine gerundete Bucht ist bedeckt mit dem Silber und Gold ihrer Schuppen; die breiten Fischweiber stehen mit aufgeschürzten Röcken und Ärmeln barfuß in regenbogenfarbigen Pfützen, und da ist dieser Geruch und die Luft, und vernachlässigte Kaskaden roter Hängenelken stürzen über die hohe Mauer am Garten der reichen Witwe.

Das warme reiche Leben, allein mit Pepito, im alten portugiesischen Fischerdörfchen! Die weißen Wolken am hohen blassen Himmel und die Windmühlen, die auf den gelben Klippen ihre rostbraunen Flügel in der Brise spannen. Weit draußen an der Küste, körperlos im Dunst, steht ein uraltes maurisches Kastell, mit Wachtürmen und

Zinnen, wie eine Fata Morgana. Noch ferner ein Filigran von Segelschiffen, das sind die Sardinenfischer. Und die Mahlzeit, Fisch und safrangelber Reis, unter dem schwerbehängten Traubendach des kleinen Gasthofs; und dann die Siesta, nackt und gestillt an Pepitos Seite im riesigen Bett, zum Summen der Bienen draußen und dem schläfrigen Stundenschlag der Kirchenuhr, während die Streifen des Sonnenlichts langsam auf den Dielen vorrücken.

Sie schwimmen, sie liegen im gelben Sand einer winzigen versteckten Bucht, Katja gräbt ihre Finger ein, bis sie die Kühle unter der sonnenwarmen Oberfläche berührt und Pepitos Hand begegnet. Bis der erste laute Ruf von der See her die Ruderboote ankündet, die täglich zum Sonnenuntergang den Fang der Sardinenkutter da draußen einbringen. Sie kommen, sie kommen! Das gesamte Dorf rennt zum kleinen Hafen, und die Fischer lachen und singen und rufen, braune Männer und Buben, sie springen aus ihren flachen Booten ins Wasser und zerren sie ans Land, die Seile über die Schultern gestrafft. Die langgezogenen rhythmischen Rufe von denen weiter draußen, sie kommen näher, sie kreuzen und jagen einander; es ist wie eine Passacaglia, auf einer immensen Orgel gespielt, und die beginnende Flut schlägt dazu ihren *basso ostinato* gegen die Holzpfähle der kleinen Mole.

Und dann dachte Katja wohl: Ich muß Grischa davon erzählen; man kann das tanzen. Grischa könnte einen wunderbaren Tanz daraus machen. Umgeben von diesem starken, einfachen Leben, bis an den Rand mit Glück gefüllt und Hand in Hand mit ihrem Geliebten, hielt sie stumme Zwiesprache mit Grischa; und dann lächelte sie schnell zu Pepito auf, als hätte sie ihn betrogen.

Dann gehen die Lichter in den blauen und grünen und rosenfarbenen Häuschen an, riesige Nachtschmetterlinge flattern um die Laterne im Laubengang; Pepito schlägt nach den Moskitos auf Katjas Arm und saugt einen Tropfen Blut von ihrer Haut; in der Schenke am Hafen beginnt jemand, auf der Gitarre zu klimpern; im Haus der übelberufenen Zwillingsschwestern wird das Radio angedreht, und über die Gartenmauer der reichen Witwe schwebt die Stimme eines Dienstmädchens, die einen traurigen *Fado* singt.

Zu wissen wie schnell diese Tage vorbei sein würden und wie endlos die Trennung nachher, gab ihnen noch eine Dimension dazu, mehr Tiefe, etwas von der Süße aller überreifen Dinge, die ihr eigenes Ende in sich tragen.

„Ich habe noch ein paar Tage Ferien. Wenn du mich bei deiner ersten Corrida haben möchtest, ich könnte mit dir nach San Sebastian kommen und gleich nachher nach Paris fliegen", bot Katja an.

„Nein, Linda. Tausend Dank, aber ich kann dich dort nicht gebrauchen. Es würde mir Pech bringen."

„Aber wieso denn? Bin ich nicht mehr dein *porte-bonheur?*"

„Nein. Du weißt ja, was man sagt: Glück in der Liebe – nein. Als du nach Burgos kamst, kriegte ich gleich diese verstunkene Wunde ins Bein . . ."

„Ich weiß schon; du willst lieber mit deinem Mannsvolk beisammen sein; rauchen und fluchen und Karten spielen und dreckige Witze machen und ins Bordell rennen, wegen der Ablenkung."

„Schau, mein Herz: Wenn ich in die Arena zurückkomme, muß ich besser kämpfen als je zuvor. Sobald ein Matador nicht jedesmal besser ist als das letzte Mal, wird er schlechter; es gibt kein Stehenbleiben. Es ist so wie mit der Liebe. An dem Tag, wo du mich nicht stärker aufregst als am Tag vorher, geht's mit uns zu Ende."

„Wo hast du deine Weisheiten über die Liebe her, Matador?"

„Du lehrtest mich alles, was ich weiß, mein teuerster Schatz, mein alles, meine eigene Frau ..."

Wann immer Katja sich jener fünf Tage erinnerte – und das geschah nur sehr selten –, war es mit einem wunderlichen Gefühl der Gehobenheit, des Triumphs beinahe. Es war ein Stück Leben, dachte sie, das wirkliche Leben, einfach und voll Saft und Süße, sättigend, durststillend wie eine reife Wassermelone. Ich tat nichts als *leben*, fast die einzige Zeit, in der ich wirklich lebte. Kein Ballett, keine Arbeit, kein Grischa, um mich zu quälen. Was ich damals erlebte, das gehört mir, und niemand kann mir's nehmen. Ich bin glücklich gewesen, glücklich – wie schäbig es auch geendet haben mag.

Solange eine solche Leidenschaft währt, erfüllt sie die ganze Welt; nichts läßt sich ihren Verzückungen vergleichen, dem Fiebern des Verlangens, der unerträglichen Sehnsucht der Trennungen, der Seligkeit der Wiedervereinigung, der totalen Abhängigkeit von Körper an Körper, Verlangen an Verlangen. Es ist wohl so, daß ein Rausch dieser Art – solange er währt – mehr wie Liebe aussieht, als wirkliche Liebe es tut. Wenn es vorbei ist – so wie ein Tornado vorbeigeht oder eine schwere Krankheit –, dann bleibt nicht mehr zurück als ein Achselzucken.

„Ich weiß, wie das ist, Kasperl. Staub und Asche. Was sonst sollte übrigbleiben, wenn das Feuer erst ausgebrannt hat", sagte Grischa voll Weisheit.

Es war Katjas erste Erfahrung mit dem eisigen Fall in die Übersättigung und müde Abneigung, in die Abenteuer dieser Art meist enden. In ihrer Ernüchterung konnte sie Pepito so sehen, wie er wirklich war: grob, unwissend, geldgierig; er roch nach Schweiß, Knoblauch und Zigarren. Wenn er Angst hatte, wurden seine Hände naß zum Auswinden – und neuerdings hatte er zu häufig Angst. Er hatte zu oft Pech, focht schlecht, das Gesindel auf den billigsten Plätzen beschimpfte ihn, beschmiß ihn mit allem, was zur Hand war, und schon wieder hatte ihn ein wütender Stier auf die Hörner genommen und in die Luft geschleudert.

„Ich fürchte, unser junger Freund kämpft nicht mehr mit ganzem Herzen", schrieb der Marques de Buenaventa an Katja.

Dann, gerade als Katja unentrinnbar in die anstrengenden letzten Proben für Grischas erstes Ballett „Orfeo" verstrickt war, erschien Pepito plötzlich und unangekündigt in Paris. Vergebens bemühte sich Katja, ihm zu erklären, weshalb sie keine Zeit für ihn fand. „Orfeo" war der wichtige Wendepunkt in Grischas Karriere, die erste Gelegenheit, seine Theorien, Ideen, Träume, Visionen in ein greifbares, sichtbares Ganzes zu kristallisieren und sich als Meister der Choreographie zu beweisen. Und in dieses Schaffensfieber, diese Explosion von ehrgeizigen Hoffnungen, platzte Pepito, rücksichtslos, ganz ohne Verständnis und mit einer völlig hirnverbrannten und absurden Forderung: Katja solle alles liegen- und stehenlassen und mit ihm für die drei Wintermonate der Stierkampfsaison nach Mexiko, Peru und Columbia gehen.

Er war ihr Gatte, erklärte er, sie war verpflichtet, mit ihm zu gehen, wann und wohin er befahl. Sie hatte ihm zu gehorchen, brüllte er mit zitternd geballten Fäusten, große Schweißtropfen auf der gefurchten, vernarbten Stirn. Sie war seine Frau! Sie *gehörte* ihm!

Bei diesem ganz und gar unerträglichen Wort fuhr Katja auf wie von einer Giftschlange gebissen. Sie stritten, sie fochten, sie fauchten einander an, Pepito stampfte und stieß um sich, er grub seine Finger in ihre Arme und Schultern, schüttelte sie, bis sie voll blauer Flecken war, er ballte die Fäuste, knirschte mit den Zähnen und war blind und taub gegen alle Vernunft. Was diesen Streit noch grausamer machte, das war die tickende Uhr auf Katjas Nachttisch. Sie hatte keine Zeit, sie mußte ins Theater hasten, ihre Glieder für die Vorstellung erwärmen, sich schminken, umkleiden, vor einem ausverkauften Haus tanzen. Sie hätte zwischen der Vormittagsprobe und der Abendvorstellung rasten müssen, und da war nun Pepito, schnaubend wie ein Zuchtbulle, als wollte er sie wieder vergewaltigen – sie besitzen, beherrschen; was fiel ihm eigentlich ein, dem stumpfsinnigen Matador?

„Aber ich gehöre niemandem, und niemand kann mir Befehle geben. Du geh nach Mexiko und sieh zu, daß du deine Stiere bewältigen kannst, Matador, so daß nicht immer zwei von drei Kämpfen mit einem Fiasko enden", warf sie ihm an den Kopf, denn sie haßte ihn in jenem Augenblick, und im Olycheff Ballett hatte sie aus Gründen der Selbstverteidigung gelernt, scharf zu zielen und zu verwunden. Sie zerrte ihren Kamelhaarmantel aus dem Schrank, warf ihn über ihre Schultern und ließ Pepito mit dem vergifteten Pfeil in seinem Stolz hinter sich.

Nach drei Tagen fortgesetzten Streitens und Hassens und Verletzens ging Katja aus reiner Ermüdung mit ihm zu Bett. Leer und ohne Empfindung, nur um den abscheulichen Szenen ein Ende zu machen. Habe meine ehelichen Pflichten erfüllt wie eine brave Gattin, dachte sie mit grimmiger Ironie. Jetzt aber Schluß damit. *Basta*. Vorhang!

Grischas „Orfeo" hatte keinerlei Ähnlichkeit mit irgendeiner früheren Fassung desselben Stoffes, überhaupt mit keinem andern Ballett. Er verwendete weder Glucks noch Strawinskijs Musik, kaum etwas, das überhaupt Musik genannt werden konnte. Nur Klänge, Geräusche, Rhythmen, Akzente, Trommeln, Klappern, Glocken, Gongs, Peitschen, Stahlbürsten, alle Arten von zischenden, schleifenden, klappernden, hämmernden und sausenden Geräten. Nur wenn Orpheus seine Leier berührte, sollte eine einsame Cellokantilene, in geisterhafte Harfenglissandi gehüllt, sich über die chaotischen Stimmen der Unterwelt erheben.

„Aber dafür kann ich keinen berühmten Komponisten gebrauchen. Die sind mir zu geistreich. Gebt mir einen Wilden, frisch aus dem Dschungel, der noch nicht vom Baum des Wissens gekostet hat", verlangte Grischa. Aber alle Dschungelwilden in Paris waren Mitglieder des Musikverbandes und spielten in Jazzbands oder quetschten Ziehharmonikas in den unechten *bal musettes* für die Touristen.

Bis Grischa einen mageren zigeunerhaften Jungen entdeckte, der in einer übelberüchtigten Kaschemme wilde Improvisationen auf einem alten Klapperkasten zum besten gab: Sandor Lazar.

Lazar war talentiert und intelligent genug, zu begreifen, was Grischa wollte. Auch genügend gerieben – und hungrig –, um nicht einzugestehen, daß er mit einem Stipendium nach Paris gekommen war, das *Conservatoire* mit Auszeichnung absolviert und den *Prix Berlioz* für ein Streichquartett erhalten hatte. Aber nun waren Stipendium und Preisgeld längst aufgebraucht, Lazar war hungrig; wenn Kuprin durchaus einen Wilden aus dem Dschungel wollte, *tant pis!* – dann mußte er eben ein Dschungelwilder sein.

Lazar besaß eine zynische Menschenkenntnis, die er sich unter den armen Einwanderern in den Arbeitervorstädten Chikagos erworben hatte, zugleich mit dem Sprachengemisch, das dort gesprochen wird. Deutsch und Jiddisch und Irisch, Italienisch und das Ungarisch seiner Eltern; Lazar war, mit einem Wort, ein echter Amerikaner. Durch die dicken Linsen seiner Brille starrte er die junge Ballerina an, sein Kopf war voll von ungesagten Worten und ungeborenen Rhythmen; unausweichlich hatte er sich in Katja verliebt.

Kuprin, Daniels, Lazar. Diese drei Namen, bald unlösbar mit allem Neuen, Gewagten, Experimentellen im Tanz verbunden, wurden in der Weißglut der Arbeit an „Orfeo" zusammengeschmiedet. Katja war dankbar für die neue Aufgabe, die neue Arbeit, in der sie ganz aufgehen, alles andere vergessen konnte: Arbeit, die Wundermedizin, das Allheilmittel.

Die ganze Truppe hatte Premierenfieber, sogar Olycheff war davon angesteckt. *„Mon cher,* unser Grigory Kuprin ist ein Genie", teilte er Dirksen mit. „Diese letzten Proben zu ‚Orfeo' – so aufregend – es ist fast wie in der großen Vergangenheit – Nijinsky – *L'après-midi d'un faune.* Bitte, mißverstehen Sie mich nicht, *mon cher,* ich sage nicht, daß Kuprin ein anderer Nijinsky ist – *ah non;* niemand, mein Freund, niemand wird jemals sein wie Nijinsky! Aber da ist etwas – ein Anfang. Morgenluft..."

Und in Olycheffs berechnenden gelben Augen war das Glitzern großer Hoffnungen. Vielleicht konnte man, mit Hilfe geschickter Reklame und einer gut vorbereiteten Claque, etwas provozieren, einen Skandal bei der Premiere. Einen jener welterschütternden sensationellen Theaterskandale wie zu Diaghileffs Zeiten? „Ein Skandal wäre einem einfachen Erfolg bei weitem vorzuziehen. Mein Lieber, jeder kann Erfolg haben – Lejeune, Bagoryan, Massine! Aber wenn man es einrichten könnte, zum Beispiel, daß Picasso und Dali sich bei der Premiere ohrfeigen würden, *hein?* Wenn Cocteau unsern Kuprin zu einem Duell fordern würde? Ah, was für ein Lärm unsere Premiere doch machen wird!"

Dank Lazar war wirklich kein Mangel an Lärm; er durchsuchte die Metallwarenhandlungen, plünderte die Abteilungen für Küchengeräte, um nie zuvor gehörte Klänge zu produzieren. Sie entstiegen dem Orchester, drangen aus der Versenkung, grausige Dissonanzen, hinter der Bühne von einer alten Drehorgel erzeugt, einer asthmatischen Ziehharmonika, einer Holzkiste, in der Hühnerknochen geschüttelt wurden. Lazar, in zu großem, geliehenem Frack und ständig seine Brille verlierend, dirigierte all diese Geräusche auf so frenetische Weise, daß er vielleicht Gelächter, und wenn auch keinen Skandal, so doch lauten Widerspruch ausgelöst hätte. Aber Daniels' zauberhafte Dekorationen und Kuprins außerordentliche Leistung als Orpheus zwangen das Publikum zu respektvoller Aufmerksamkeit.

Nein, „Orfeo" war kein Erfolg, aber auch kein Skandal; nicht einmal ein sensationeller Durchfall. Nach der dritten Aufführung wurde Grischas Werk abgesetzt und durch ein limonadensüßes und fades Ballett „Carussell" ersetzt.

An einem Regentag im Januar kam Grischa in Katjas kleine Pariser Wohnung geschlendert. „Also, es scheint, daß dein Picknick vorbei ist", sagte er. „Meins übrigens auch." Sein Haar war feucht und sein Gesicht so weiß, daß es wie eine elektrische Bogenlampe zu leuchten schien.

„Was ist jetzt wieder passiert?" fragte Katja; sie kannte die Vorzeichen von Katastrophen.

„Ich habe gekündigt. Ich hab's satt. Ich habe einen nicht sehr graziösen Abgang vollzogen. Soll doch Olycheff sehen, wo er in der Eile einen guten *premier danseur* findet, da er sich so beeilt hat, einen andern Choreographen zu engagieren. Und weißt du, wer der neue Mann ist? Ein guter Freund von dir. Bagoryan."

„Na – und?"

„Das macht es unmöglich für mich, zu bleiben. Unmöglich. Das siehst du doch ein."

„Vielleicht könntest du mir erklären, was du immer gegen Bagoryan hast?"

„Gern. Er ist charakterlos. Er läuft mit, er macht nach, er rennt hinter dem Publikum her; der ganze Mensch besteht nur aus Kompromissen. Ich kann unmöglich nach seiner Pfeife tanzen. Ohne innere Überzeugung kann ich nichts leisten. Wenn nicht das große Muß dahintersteht, das So-und-nicht-Anders . . ."

Es ist wahr, dachte Katja. Grischa schaffte, lebte, tanzte aus einer unverrückbaren Notwendigkeit, einem inneren Gesetz. Das war bewundernswert, und es machte endlose Schwierigkeiten, und sie liebte ihn dafür. „Mußt du denn immer die Schiffe hinter dir verbrennen?" fragte sie. Einen flüchtigen Augenblick lang sah sie sich selbst in ihrer ersten Rolle. Ein drolliger kleiner Mohr. („Warum hast du nicht mit dem Taschentuch gewinkt, wie's dir befohlen war? Warum nicht, warum?" – „ Ich weiß nicht – weil ich's einfach nicht konnte . . .") Sie lächelte Grischa zu. „Weißt du, Grischenka, dir fehlt diese neue Sache, von der soviel die Rede ist: sich einfügen. Mit der Majorität gehen . . ."

„Gott sei Dank. Irgend jemand muß der Schafherde den Weg zeigen."

„Eingebildet bist du gar nicht, wie?"

„Sehr eingebildet, aber schon sehr. Seht nur diesen Kuprin an, der ist ja größenwahnsinnig. Hat ein gutes Ballett gemacht und fühlt sich nicht wie ein Wurm, obwohl es durchgefallen ist. Aber ‚Orfeo‘ ist eine gute Arbeit, davon bin ich überzeugt. Kannst du mir vielleicht sagen, warum es durchgefallen ist?"

„Weil die Leute ins Ballett gehen, um etwas zu sehen, nicht, um zu denken. Sie wollen, daß es im Ballett noch immer gestern ist, nicht heute – und, Gott behüte, schon gar nicht morgen. Außerdem – vielleicht ist dein ‚Orfeo‘ zu autobiographisch."

„Aber wieso denn?"

„Ganz einfach. Wenn du dich nur ein einziges Mal umdrehen und mich ansehen würdest – ich täte tot umfallen. Wie Eurydike."

„Möchte wissen, warum du neuerdings so bissig bist", sagte Grischa.

„Weshalb kann ich mir's nicht erlauben, auch einmal nervös zu sein wie andre Leute?"

„Weil du nicht andere Leute bist. Du bist die Primaballerina", sagte Grischa. „Anders als die andern – vergiß das nicht . . ."

„Ich bin aus mehreren Gründen nervös; und einer davon ist, daß du mich gerade jetzt im Stich läßt."

„Ich lasse dich nicht im Stich. Im Gegenteil. Ich halte zu dir – wenn du zu mir hältst. Katusch! Kasperl!" rief er und rüttelte sie am Arm, wie um sie aufzuwecken. „Du mußt auch kündigen. Du kannst nicht unter Bagoryan bleiben – und noch dazu ohne mich!"

„Warum nicht? Es arbeitet sich nett mit ihm", sagte sie, sonderbar müde.

„Nett! Heilige Mutter von Kasan! Er wird ganz von vorn anfangen, dich zu verführen, der eitle Affe, und wenn du nicht mitspielst, wird er der kleinen Mirowna deine besten Rollen geben."

„Meinetwegen", sagte Katja, so unbeteiligt, daß Grischa spürte, wie weh er ihr getan hatte. Er betrachtete sie aufmerksam, ohne daß sie es merkte. Sie saß in einem Gestrüpp von zerknitterten Briefbogen, begonnenen und weggeworfenen Briefen. Auf dem wackligen kleinen Tisch drängten sich ein Aschenbecher voll halbgerauchter Zigaretten, eine vergessene Tasse mit kalt gewordenem Tee, ein halber Apfel mit dem Abdruck ihrer Zähne im braun gewordenen Fleisch, eine halbleere Flasche Vichy und eine Kritik von Dirksen. Katjas Augenlider waren gedunsen, sie trug den alten Kimono, der noch aus Budapest stammte, und sie war barfuß. Grischa rechnete all dies zusammen und machte eine stumme Diagnose: zuwenig Schlaf, Kopfschmerzen, verdorbener Magen, übermüdet, wunde Zehen – und was noch? Eine allgemeine Malaise? Unwohl?

„Willst du dich *partout* erkälten?" sagte er und holte ihre Hausschuhe aus dem Badezimmer.

„Danke, aber ich mag sie nicht. Sie passen nicht. Meine Füße sind geschwollen oder sie wachsen noch immer oder sonst irgendwas. Wo warst du die ganze Zeit? Ich hab' dich seit Ewigkeiten nicht gesehen."

„Ich hatte zu tun", sagte er und legte einen großen Briefumschlag auf das vollgekramte Tischchen. „Madame zur Durchsicht unterbreitet. Auch das Kleingedruckte."

„Du hast einen andern Kontrakt?" sagte sie etwas erleichtert und öffnete das Schriftstück. „Mit wem? Ein guter Kontrakt? Na also – da gratuliere ich dir, Grischa."

Sie begann zu lesen, holte tief Atem, fing nochmals an. Sie zündete sich eine Zigarette an und wanderte mit dem Kontrakt in der Hand zu ihrem Bett, setzte sich nieder, stand aber gleich wieder auf, und dann blieb sie, tief in Gedanken, mitten im Zimmer stehen.

„Wenn Madame mit den Bedingungen einverstanden ist, bitte zu unterzeichnen", sagte Grischa gravitätisch, seine Kehle war mit Lachen angefüllt.

Es war ein sehr anständiger Kontrakt für sie beide; eine Tournee von sechs Monaten, die in Schweden begann und die wichtige Frühjahrssaison in London mit einschloß. Das Kleingedruckte enthielt eine Option für die anschließenden sechs Monate, eine Tournee in Nord- und Zentralamerika. Als Impresario und Unternehmer zeichnete ein gewisser Stan Tedesco. „Nie von ihm gehört", murmelte Katja.

„Ich kenne ihn recht gut. Durch Reinhardt. Er kam nach Salzburg, um Stars für die Oper in New York einzufangen. *Big shot*, wie sie da drüben sagen. Und vernarrt in den Tanz. Aber kein Narr. Ernsthafte, wirklich künstlerische Tanzabende sind die große Mode. Und es ist ein ungewöhnlich guter Kontrakt, nicht? Großer Gott, endlich frei zu sein, Duschka, mein eigener Herr! Ich platze vor neuen Ideen, stell dir doch vor, Katusch, nur du und ich, kein Dreinreden, kein Olycheff mit der Zirkuspeitsche, kein Bagoryan, um dich zu triezen, kein schlampiges russisches Corps, das gegeneinander und in uns hineinbumst. Katja, meine Katja, jetzt fliegen wir zum Mond! *Allez-hop!* Und – jetzt geht's *'rauf!*" sang er, und sie fand sich zur Decke gehoben. Es war wunderbar, doch ein tiefsitzender biologischer Instinkt ließ sie aufschreien: „Nicht! Vorsicht! Laß mich hinunter!"

Kopfschüttelnd gehorchte Grischa.

„Was ist denn los? Du glaubst doch nicht, daß ich dich fallen lasse? Du bist wahrhaftig sehr nervös, Kasperl."

„Hör mich an, Grischa", sagte sie, als sie wieder auf ihrem Bett saß; der Kontrakt in ihrer Hand zitterte ein bißchen. „Siehst du – es ist schade, Grischa, aber – London geht nicht. Ich kann nur noch bis Ende Mai tanzen." Sie hob ihren Blick von dem Kontrakt und sah Grischa gerade und mit einem wunderlichen Lächeln in die Augen. Es dauerte nur ein paar stumme Minuten, dann hatte Grischa die Situation erfaßt.

„So steht's also? Verdammt noch einmal, wie kann dir etwas so Idiotisches passieren?" Er ballte die Fäuste, und sie duckte sich automatisch, aber er wollte nur auf seine eigenen Schläfen trommeln. „Verdammt, verdammt, verdammt!" wiederholte er, eher nachdenklich als zornig. „Wie kannst du bloß so unvorsichtig sein. Erzähl mir nicht, daß du dir ein Kind von deinem Matador gewünscht hast."

„Lächerlich. Wünsche ich mir vielleicht ein gebrochenes Bein, mit dem ich monatelang nicht tanzen kann?"

„Gut. Dann mußt du's eben loswerden."

„Nein", sagte Katja. „Das kann ich nicht. Das tue ich unter keinen Umständen."

Grischa forschte in ihrem eigensinnigen Gesicht und seufzte: „Soso. Du kannst nicht, du willst nicht, unter keinen Umständen! Warum nicht? Moralische oder religiöse Skrupel? Oder weißt du keine gute Adresse? Wenn das die Schwierigkeit ist, dann laß mich nur machen; ich finde dir einen guten verläßlichen Arzt. Heilige Mutter von Kasan, wir dürfen jetzt nicht über eine derartige Bagatelle stolpern."

„Ich kann's einfach nicht. Und ich kann dir's nicht einmal richtig erklären. Nehmen wir an, daß ich mich fürchte. Ich bin zu feige."

„O nein, das bist du nicht, Duschka. Feig warst du nie."

„In dieser Sache doch. Ich glaube, die Geschichte mit der Mitzi Keller damals ist schuld. Der Schock – nenne es eine traumatische Erfahrung: es ist irgendwie in mein Unterbewußtsein gerutscht, wo ich's nicht mit den Wurzeln herausreißen kann. Ich stecke im Dreck, ich hasse mich selbst, und ich hasse das Ding, das da in mir wächst, diese unappetitliche Geschwulst, und wenn's erst geboren ist, werde ich's noch ärger hassen, weil – ach was, gleichgültig aus was für einem Grund. Aber ich kann und will mich nicht auf eine Gummiunterlage legen und an mir herumschneiden lassen und nach Blut riechen, so wie Mitzi Keller damals im Taxi gerochen hat – entschuldige mich, ja?" sagte Katja höflich und zog sich hurtig ins Badezimmer zurück.

Mit grauem Gesicht und schweißbedeckt kam sie zurück. Grischa hatte inzwischen seinen Standpunkt geändert. „Komm, leg dich ein bißchen hin und laß uns die Sache vernünftig besprechen", sagte er sanft. „Wann erwartest du das Baby? Ende August? Nun, warum kannst du da nur bis zum Mai auftreten? Körperbewegung ist gut für eine Frau in deinem Zustand, und du, mit deinen Muskeln und deinem fabelhaft elastischen Becken, du wirst dein Junges so einfach werfen wie diese Frauen im Dschungel, über die man immer liest. Die arbeiten bis zur letzten Minute und sind eine Stunde nach dem glücklichen Ereignis wieder auf den Beinen."

Er legte seine Hände um ihre Mitte und bewegte die nachgiebige Struktur aus Knochen und Sehnen. Katja begann zu kichern.

„Besten Dank, Herr Professor Leistenbruch. Aber hast du in Betracht gezogen, daß eine Sylphide im sechsten Monat weder sehr reizvoll noch im Charakter der Rolle wäre?"

„Ach, Quatsch. Bei mir wirst du keine Sylphide tanzen. Daniels' Kostüme und meine Tänze werden dir eine wunderschöne Camouflage schaffen. Ich lasse mir eine Verkündigungsszene im Stil von Giotto für dich einfallen, daß die Leute das Maul aufreißen werden. Ich stecke dich in eines von diesen brettsteifen altrussischen Kostümen, als Boyarina, und wir tun einen altrussischen Hoftanz; und ich wollte immer schon eine Travestie von ‚Schwanensee' machen, ich hab's schon im Kopf beisammen: Ententeich! Je weiter dein Bäuchlein heraussteht, ein je spaßigeres Entchen wirst du sein. Ich verspreche dir einen derartigen Lacherfolg – du wirst schon sehen . . ."

Träumerisch folgte Katja den strömenden Einfällen, die Grischas fruchtbarem Gehirn entsprangen. „Ach Gott, Grischenka, wir müssen vernünftig sein, praktisch . . .", sagte sie kopfschüttelnd.

„Schön, laß uns praktisch sein. Wie fängt man das an?"

„Ich muß einen Ort finden, wo ich in Frieden entbinden kann, wo mich keine Seele kennt und kein Reporter hinfindet. Und einen Platz, wo ich das Baby in guter Pflege lassen kann, während wir auf Tournee sind. Und ich muß sehen, wie ich das Geld herschaffe, das diese Dinge kosten werden."

Grischa versuchte, praktisch zu sein. Hat nicht der junge Mann, der dich in diese dreckige Lage gebracht hat, gewisse Verpflichtungen?"

„Laß den jungen Mann aus dem Spiel. Es war *meine* Einladung, und *ich* zahle die Rechnung."

Grischa versuchte zu ergründen, was hinter ihrem bitteren kleinen Lächeln steckte, als sie mit einer abschließenden Gebärde ihren unvollendeten Brief vom Schreibtisch nahm und zu den andern auf den Boden warf. Er sah nicht die trotzige Auflehnung, nur die Resignation.

Katja zögerte einen Moment, und dann zog sie ein paar Briefbogen unter den andern hervor und reichte sie Grischa. Es war kein Brief, eher ein Dokument, in dem Señor Angelo Alvarez in eiskaltem, aber höflichem Spanisch sich die Freiheit nahm, Madame Milenkaja in Kenntnis zu setzen, daß sein Klient José Maria Raimondo Porfirio Andreo de Chavez y Andujar (bekannt als der ehemalige

Torero El Cachorrito) seine Ehescheidung von Madame anhängig gemacht habe und daß die Scheidung zweifellos bewilligt werden würde, und zwar auf Grund von Desertion ihrerseits und Ablehnung ihrer ehelichen Pflichten. Obzwar unter den zur Zeit geltenden Gesetzen der Republik Zivilehen rechtlich anerkannt wären, so sei doch solch lockere Verbindung in den Augen eines Spaniers und treuen Sohns der Kirche (wie es der Unterzeichnete sowohl wie Pepito sei) von keiner Gültigkeit. Noch weniger Gewicht schien Madame selbst besagter Ehe beigelegt zu haben; daher sähen weder er, Angelo Alvarez, noch sein Klient irgendwelche Schwierigkeiten voraus. Wenn Madame gütigst beiliegende Schriftstücke, nämlich a) eine rechtsgültige Vollmacht, b) Zustimmung zur Lösung des Ehebandes und c) Verzichtleistung auf alle und jegliche finanzielle Forderungen oder Ansprüche an seinen Klienten, den obenbenannten José Maria – etcetera, etcetera..."

Katja rauchte, während Grischa die Papiere durchlas. Dann knurrte er ein russisches Wort des Abscheus, schmiß Beilagen a, b und c in den Papierkorb und rieb instinktiv den unsichtbaren Schmutz von seinen Handflächen.

Doch Don Angelo schien nach einiger Überlegung gefühlt zu haben, daß man Katja eine Art von Erklärung schuldig sei, und so hatte er in einem zweiten Brief und in verbindlicherem Ton einen kurzen Bericht über Pepito folgen lassen, den er alarmierenderweise als den „ehemaligen Torero" bezeichnete. El Cachorrito war demzufolge von Pech verfolgt gewesen (und hinter dem transparenten Wort ahnte Katja die übliche Tragödie eines vielversprechenden Matadors, der den Ansprüchen der Arena auf die Dauer nicht gewachsen war und seinen Mut und seine Nerven verloren hatte), und zuletzt war er in Bogotá, Columbia, so schwer verwundet worden, daß man monatelang für sein Leben fürchtete. Nach dem Verlust seiner Gesundheit mußte er sich schweren Herzens entschließen, die Glorie des edlen Kampfes aufzugeben. Glücklicherweise hatte er in jenen Stunden der Verzweiflung seine Rettung in der Person von Señorita Eládia Hernandez gefunden, der liebreizenden jungen Tochter des bekannten mexikanischen Politikers und Züchters von Kampfbullen, General Sebastian Hernandez. Die Hochzeit war für den Geburtstag des Generals geplant, den 12. Februar, „aus welchem Grund wir sehr verpflichtet wären, wenn Madame die Güte hätte, die unterzeichneten Papiere postwendend, per Luftpost, zu retournieren. Mein Klient ist um das mexikanische Bürgerrecht eingekommen und hat nicht die Absicht, in das unglückliche, blutende Land seiner Geburt zurückzukehren, sondern wird in Mexiko in der Verwaltung besagter Zuchtfarm tätig sein..."

„Was für ein feiger Schuft! Rennt vor den Stieren davon, desertiert aus dem armen Spanien, mitten im Bürgerkrieg. Man kann bloß hoffen, daß dein Kind nicht dem Vater nachgerät! Graust dir nicht vor diesem Schweinehund? Möchtest du ihn nicht am liebsten umbringen?"

197

„Umbringen? Ach nein. Er heiratet Geld und Kühe und Kälber, das ist schon das beste für ihn. Nein, mir graust nicht vor ihm; natürlich bleibt ein peinlicher Nachgeschmack. Rosenöl, ranzige Brillantine. Aber sonst . . ."

„Dir fehlt irgendwas, etwas ganz Wichtiges. Menschen, die nicht wirklich hassen können, die können auch nicht wirklich lieben."

Katja dachte nach. „Der einzige Mensch, den ich manchmal hasse, bist du", sagte sie nachher; erst eine Sekunde später begriff sie, was dieser eine Satz verbarg und zugleich verriet. Aber Grischa hatte nichts gehört. Ist es denn wahr? fragte sie sich. Kann ich nicht lieben? Nicht wirklich lieben? Und ist das mein persönlicher Defekt? Oder ist es die große Krankheit unserer Zeit?

„Und wie steht's mit dir, Grischa? Hast du jemals jemanden geliebt? Du kannst eifersüchtig sein und auch grausam, und du kannst ausgezeichnet hassen. Aber ich glaube nicht, daß du fähig bist zu lieben."

Er hatte die Dokumente wieder aus dem Papierkorb geholt und las sie nochmals. „Weißt du es nicht?" fragte er, über die spanischen Formeln gebeugt, als wollte er sie auswendig lernen.

„Woher soll ich's wissen? Du bist von einer solchen Verschwiegenheit in bezug auf dein Liebesleben – und mich interessiert's nicht genug, um dich zu fragen oder zu raten oder zu spionieren . . ."

Er blickte sie nicht an, als er leichthin sagte: „Schafskopf, kleiner, weißt du denn nicht, daß ich dich liebe? Soweit ich überhaupt lieben kann . . ."

Katja horchte auf. Kein Auto. Nur die entfernten Geräusche eines Eisenbahnzugs, von der stillen Nachtluft hergetragen. Sie seufzte, als sie sich von der langen Reise in jenen Teil ihrer Erinnerungen zurückrief. Der „Ententeich", dachte sie, leise lachend. Das hat allerdings großen Lärm gemacht, als wir es zum erstenmal tanzten. In London war das, der Zitadelle der Ballettkenner. Zum erstenmal zeigten wir ihnen, daß ihr „Lac des Cygnes", ihr „Schwanensee" nicht das Alpha und Omega des Balletts war, sondern daß es noch weite, unerforschte Gebiete gab. Erst Grischas übermütige Parodie stellte alles in die richtige Perspektive. Auf einmal verstanden sie, wohin Grischa wollte; zumindest begriffen sie seine neuen Wege zum Tanz. Nachdem sie den „Ententeich" geschluckt und verdaut hatten, verstanden sie sogar „Orfeo", das sie bei der Premiere so verblüfft und bestürzt hatte. Das große *pas de deux* des Aufstiegs zur Oberwelt und Eurydikes Tod – was für ein Erfolg! Ach Gott, und wieviel Schwierigkeiten wir hatten, dieses enorme schräge Versatzstück dafür durch die ganze Welt mit uns zu schleppen.

So klar wie Katja sich der Tänze jener ersten Tournee mit Grischa erinnerte, so verwischt, in Dämmerschlaf vergraben, lag die Geburt ihres Kindes. Das kleine Mädchen kam in einem verborgenen alten Städtchen in der Dordogne zur Welt. Die Geburt ging so leicht, wie Grischa vorhergesagt hatte, das Kind war kräftig und erstaunlich häßlich. „Das ist ja ein kleines Ungeheuer", sagte Katja zu Maman Kuprin, „und wahrscheinlich bin ich ein riesiges Ungeheuer, aber ich habe keine mütterlichen Gefühle dafür."

„Sie ist ein entzückendes Engelchen", behauptete Madame Kuprin, gefühlvoll und großherzig wie immer. Maman hatte ihren ausdauerndsten Liebhaber, Serge Balyeff, geheiratet, sich mit ihm in Cagnes-sur-Mer niedergelassen und einen kleinen Handel mit Kräutern angefangen, die sie in ihrem rosmarinduftenden Gärtchen zog; Balyeff war das Versanddepartement. Katja brachte das Neugeborene bei dem alternden Liebespaar unter und ging auf die amerikanische Tournee, von allem Ballast befreit, um neue Welten mit Grischa zu erobern.

Obgleich Katja vorgab, daß sie sich nicht um die Zyklen kümmerte, die Grischas Stimmungen, Nerven, sein ganzes Leben, beherrschten, so hing doch ihre ganze Existenz davon ab. Während all der Jahre ging das hoch hinauf und tief hinunter. – „Wie auf der Riesenschaukel im Prater", sagte Katja. „Die blendend hellen Hochflüge der Euphorien und die bleischweren, bleigrauen Depressionen. Wochen und Monate mönchischer Zucht und Entsagung, und dann eine Explosion hemmungsloser Ausschweifung, gefolgt von der Flucht in fanatische Arbeit oder nach andern Weltteilen. Langsam gewann er seine Selbstachtung zurück und begann zu hoffen, daß er diesmal, diesmal bestimmt, seine Natur besiegt hatte. Die kalten, guten Zeiten inneren Friedens und ungestörter Schaffenskraft; und dann wieder der wachsende Druck, bis es ihn zum nächsten Sturz ins Dunkle trieb, immer wieder, immer wieder. Es war ein lebenslänglicher Kampf, welch hoffnungsloser, verzweifelter Kampf, das begriff Katja erst, als er einen Tanz daraus formte.

„Ein neuer Tanz? Wie willst du ihn nennen, Grischa?"

„Genesis 32."

„Ja, aber – die Leute werden nicht wissen, was du damit meinst."

„Um so besser. Sollen die Bibel lesen."

Katja nahm sich die Bibel vor. Es war Jakobs Ringkampf mit dem Engel: „... und da rang ein Mann mit ihm, bis die Morgenröte anbrach. Und da er sah, daß er ihn nicht zu überwinden vermochte, rührte er das Gelenk seiner Hüfte an; und das Gelenk seiner Hüfte ward über dem Ringen mit ihm verrenket ... und Jakobs Worte: ,Ich lasse dich nicht, du segnest mich denn!' ... und ... ging ihm die Sonne auf, und er hinkte an seiner Hüfte ..."

Das war ein großer Tanz, dachte Katja; nicht nur ein guter Tanz, sondern einer von den ganz großen Tänzen, wie nur ganz wenige in einer Generation von Tänzern geschaffen werden. Und wie wir daran arbeiteten! dachte Katja. Ich war nie stark genug für den Engel, so wie Grischa ihn wollte.

„... Aber, Grischa, dein Engel ist ein Mann; das bin ich nicht."

„Wenn du nicht auch einen Mann tanzen kannst, und auch einen Mann-Engel, dann bist du dein Brot als Tänzerin nicht wert. Also: Du mußt mit deinem Arm nach meiner Hüfte stoßen, mit aller

Gewalt vorstoßen, Herrgott, vergiß deine verdammte Ballettechnik, dein Arm hat keinen Ellenbogen, keine Gelenke, dein Arm ist Stahl, ein Schwert, eine Lanze! Stoß mich zu Boden damit! So! Du hast mich niedergerungen, ich liege auf der Erde, du springst mich an, du fliegst – ein *grand jeté* – und stößt auf mich nieder wie ein Falke – ein Adler – du hast Flügel – du bist ein Engel..."

In Katjas Kopf begann die Bachsche Toccata, die große d-Moll-Toccata, zu rauschen, zu hämmern, mit unabänderlichen Schritten den Kampf des Mannes gegen seinen Engel begleiten: den Kampf eines Mannes gegen sich selbst. Sie war so stark, diese erinnerte Musik, daß sie endlich – endlich – das witzige Pizzicato zum ersten Solo der Bienenkönigin verdrängte, das bis zu dieser Minute mit so qualvoller Beharrlichkeit in ihren Schläfen gezupft hatte.

Noch immer wußte sie jede Bewegung in „Genesis 32". Sie hätte es jetzt tanzen können, sogleich, ohne Probe – „aber ich werde nie mehr darin tanzen", sagte sie sich. Heute gibt es nicht *einen*, der einen Tanz von solcher Größe erschaffen kann; nicht einen, der ihn tanzen könnte. Ein solcher Tanz kommt aus dem tiefsten Höllenschacht, wo das Genie wohnt, der Verdammte, der gefallene Engel.

Aber zum Schluß war es nicht Jakob, nicht Grischa, sondern ich, die mit gebrochenem Hüftgelenk davonhinken mußte. Das Leben gefällt sich in diesen kleinen Späßen, die für das Opfer nicht gar so lustig sind, dachte sie mit Selbstironie, doch ohne Bitterkeit.

„Ein Psychopath, wie er im Buche steht. Der typische Zyklus der Manisch-Depressiven. Kastrationskomplex, Todeswunsch, ein klarer Fall von Selbstzerstörung", hatte Dr. Williamson erst vor kurzem erklärt. Sie hatte sich an jenem Abend verleiten lassen, von Grigory Kuprin zu sprechen, was nur äußerst selten geschah. „Kuprin als Partner zu haben – das muß die reinste Hölle gewesen sein", sagte Williamson.

„O nein, o nein", sagte Katja, die träumerisch ins Kaminfeuer gestarrt hatte. „O nein, Wills. Bei Kuprin war der Himmel dicht neben der Hölle."

„Ist das nicht immer so, Tante Käte? Ich meine – wenn eine Person eine andere Person zu gern hat?" fragte Gracie Williamson. Katja fühlte Teds Blick auf sich ruhen, nachdenklich und verschlossen. Er ist noch immer eifersüchtig auf den armen toten Grischa, hatte sie gedacht und hatte rasch abgelenkt: „Los, Gracie, du darfst nichts auf deinem Teller lassen, das nimmt McKenna übel."

„Himmel und Hölle, Quatsch! Kuprin hat dich fallen lassen und dir alle Knochen gebrochen, aus purer Gemeinheit. Aus Neid. Oder in einer seiner depressiven Phasen; um seine aggressiven Antriebe alle auf einmal loszuwerden. Die nackte Tatsache ist, daß er versucht hat, dich aus dem Weg zu räumen, und das ist ihm ja auch beinahe gelungen", dozierte Williamson mit erschreckender Direktheit.

„Das ist nicht wahr", rief Katja aus, die heißen Wellen schlugen plötzlich in ihren Halsadern. „Mein Gott, macht diese blödsinnige Geschichte noch immer die Runde? Wie kannst du bloß so schwachsinnigen Tratsch nachreden? Und das nennst du Psychologie?"

„Tja, ich weiß eben nichts, als was in den Zeitungen steht", sagte Williamson und steckte die kalte Pfeife in den Mund wie ein Rufzeichen. Katja war so wütend, daß sie keine Luft kriegte.

„Bitte um Entschuldigung – ich glaube, Guy ruft nach mir...", stammelte sie und verließ das Zimmer.

Sie war ins Schlafzimmer gelaufen, hatte das Licht im Badezimmer angedreht und ließ kaltes Wasser über ihren schnellen Puls laufen. Also haben die Zeitungen wieder einmal den alten Mist aufgewärmt; vielleicht einer von den Idioten, denen ich ein Interview gab. Ich hab's widerrufen, tausendmal hab' ich dagegen protestiert, ich hab's in unzähligen Interviews richtiggestellt, ich hab's ihnen schwarz auf weiß gegeben und hab's in die Welt geschrien, so laut ich konnte: Nein, nein, es ist nicht wahr, er wollte mir nichts Böses tun, es war ein Unfall, ein einfacher Unfall, wie er jedem Menschen auf der Bühne zustoßen mag! Aber so etwas können die Reporter nicht gebrauchen. In Eiltempo geht's zurück zum Archiv, wo sie in den uralten Zeitungen herumwühlen, bis sie die alte Geschichte finden. Grischa hat recht gehabt: Eine Legende kann man nicht umbringen.

Im Wohnzimmer unten sagte Dr. Marshall begütigend: „Was ist dir eingefallen, Wills, so taktlos zu sein? Du scheinst einen bloßliegenden Nerv getroffen zu haben. Als Familienarzt müßtest du eigentlich die empfindlichen Stellen deiner Patienten kennen."

„Als Familienarzt bin ich so verdammt taktlos, wie es nötig ist, um dem Patienten zu helfen. Höchste Zeit, daß diese gottverlassene Fixierung gebrochen wird. Wenn du sie nicht zwingst, mit sich und der Realität ins reine zu kommen, muß ich es tun. Oder denkst du vielleicht, dieser Zustand ist gesund für sie oder für dich; oder fürs Kind? Verdammt noch einmal, ich werde diesem nekrophilen Komplex, den Katja durchs Leben schleppt, ein Ende machen. Und ich werde noch viel taktloser sein, wenn's not tut, geradezu brutal werde ich sein, bevor sie überschnappt und uns über Bord geht."

„Soll ich – vielleicht sollte ich nach Tante Käthe sehen?" fragte Gracie mit mehr Takt als ihr Vater.

„Nein, Gracie, bleib hier. Gib ihr ein paar Minuten, um sich zu beruhigen." Dr. Marshall stand auf, pfiff ein paar Takte eines alten Schlagers „The Continental". Er pfiff sich dieselben Takte, wenn immer etwas im Laboratorium nicht glatt ging, wenn es mit einem Experiment nicht recht klappte. Es war sein Leitmotiv, und Gracie lächelte, als sie es hörte. Sie hatte sich überlegt, daß die banale kleine Melodie ihn wohl an seine Jugend erinnerte: Vielleicht hat er als Student dazu getanzt mit seinem ersten Mädel. Ich war noch nicht einmal auf der Welt damals.

Marshall ging bis zur Tür, und dort blieb er stehen. „Du machst den Grundfehler, Katja für neurotisch zu halten. Ich kann dir versichern, daß sie eiserne Nerven hat und gesünder ist, als die meisten Frauen heutzutage sind."

„Wie kannst du bloß eine so unfundierte Behauptung aufstellen? Wie kannst du mit solcher Sicherheit über etwas reden, das nur eine psychoanalytische Behandlung klarstellen könnte?"

„Schön, wenn du deinen überlebten Freudschen Jargon vorziehst, meinetwegen kannst du ihre Anhänglichkeit an den toten Kuprin einen Komplex nennen, eine Fixierung, was immer du willst. Aber es zeigt sich als eine völlig normale und natürliche Empfindung, wenn du in Betracht ziehst, daß Kuprin der einzige Mann war, den Katja jemals geliebt hat – und noch immer liebt."

„Wie kannst du so albern daherreden! Schämst du dich nicht?" rief Williamson verärgert aus.

Marshall lächelte, es war ein resigniertes Lächeln. „Katja weiß es bloß nicht. Aber ich weiß es", sagte er still. Williamson biß auf den kurzen Stiel seiner kalten Pfeife, biß jede weitere Erörterung ab. Gracie preßte die Hände auf ihre Wangen, ihre Augen waren blaßblau, erschrocken und voll Mitgefühl. Marshall nickte ihr freundlich zu und ging die Treppe hinauf.

Im Spiegel sah Katja, wie ihr Mann ins Badezimmer eintrat, er stand hinter ihr und legte seine Finger beruhigend auf ihre Arme. Sie lehnte sich dankbar an ihn, doch ihre Augen waren heiß, tränenlos.

„Na, Kätzchen, willst du nicht wieder zu uns hinunterkommen? Der gute alte Wills kann nichts dafür, daß er so ein Trampeltier ist. Du weißt ja, er meint's gut; verzeih ihm, bitte, und sei nicht mehr wütend auf ihn."

„Ich bin nicht wütend auf Wills, Ted. Ich bin wütend auf mich selber. Es ist alles meine Schuld. Ich selbst habe dieses verfluchte Märchen in Umlauf gesetzt mit seinem Geschrei von Mord und Totschlag. Es muß ja ausgesehen haben wie die gemeinste, niederträchtigste Reklamehascherei. Es macht mich einfach verrückt, zu sehen, daß ich diese Zeitungsente nicht totkriegen kann, die ich selbst in die Welt setzte. Ted, du weißt doch am besten, was ich damals tat und redete – du warst dabei – im Krankenhaus und..."

„Aber gewiß. Du hast den gleichen Bockmist gequasselt wie die meisten Patienten in der Narkose und in dem Ätherdusel nachher. Nicht zu reden von einer leichten Gehirnerschütterung, ein paar gebrochenen Rippen, einem kaputten Hüftgelenk plus einigen netten Dosen Demerol. Kein vernünftiger Mensch hört solchem besoffenen Quatsch zu. Nun also, mach Schluß mit diesen Faxen, sooft die alte Geschichte wieder einmal auftaucht; sonst wirst du noch bei unserer goldenen Hochzeit dein kleines Trauma mit dir herumschleppen", hatte Ted gesagt, und dann war er zwischen sie und ihr unglücklich starrendes Spiegelbild getreten und hatte sie in die Arme genommen.

Sein warmer, sicherer Griff beruhigte sie wie immer. Sie rieb ihre

Wange gegen seine Schulter, eine so liebe, beschützende Schulter zum Anlehnen. „Das war kein kleines Trauma, sondern ein sehr großes", murmelte sie in den rauhen Stoff seiner Jacke und begann zu lächeln. Einen Augenblick lang war sie wieder im Krankenhaus und wartete auf die beruhigende Abendvisite des jungen Hilfsarztes, auf sein Gesicht, wie es sich eifrig über sie neigte, seine Finger still und fest auf ihrem Puls; die kurzen Minuten, da sie fühlte, daß dieser junge Dr. Marshall der einzige Mensch war, der sie am Leben erhalten könnte, damals, als Grischa gestorben war.

„All right, Kate; aber selbst ein großes Trauma verbraucht sich nach und nach, nicht?"

„Weißt du was, Ted? Ich bin schrecklich froh, daß ich deine Frau bin", hatte sie gesagt und sich auf die Fußspitzen gestellt, um ihn zu küssen.

„Ach, du kleine Närrin – meine Frau! Na, da habe ich mir ja was Schönes angeheiratet ...", hatte Ted gesagt: „Meine Frau ..."

Sie war kurz nach Mitternacht in tiefer Bewußtlosigkeit eingeliefert worden. Die Luft war undurchsichtig, der San-Franzisko-Nebel zum Schneiden, und die Ambulanz hatte gute zwanzig Minuten vom Theater im Zentrum der Stadt bis zum Krankenhaus gebraucht. Während der Röntgenaufnahmen kam sie für einige Augenblicke zu sich, erbrach sich, wollte sich gegen irgendwelche Phantasiegebilde wehren. Kein Schädelbruch wurde gefunden, jedoch eine Gehirnerschütterung, die eine sofortige Operation des gebrochenen Hüftgelenks nicht ratsam machte. Drei geknackte Rippen wurden bandagiert, der zackige Riß in der Kopfhaut vernäht, und man legte sie in ein Einzelzimmer, wo das gebrochene Glied in einer massiven Traktion stillgelegt wurde.

Ein zweites Opfer des Unfalls jedoch, Grigory Kuprin, der bei vollem Bewußtsein war und nicht erbrechen mußte, hatte einen recht ernsten Schädelbruch erlitten und wurde sogleich in den Operationssaal geschafft und in die Hände des schnell herbeigerufenen Alten Herrn abgeliefert: Professor Abraham, einer der besten und berühmtesten Spezialisten auf dem Gebiet der Nerven- und Gehirnchirurgie.

Dr. Marshall, einer der fünf jungen Volontärärzte, die im Krankenhaus wohnten und Tag und Nacht im Dienst standen, erfuhr bei der üblichen Morgenvisite, daß sie in tiefem Schock eingeliefert worden war. Marshall hatte ursprünglich Chirurg werden wollen, aber gewisse Erfahrungen in Feldlazaretten während des Krieges hatten ihn veranlaßt, eine andere Richtung einzuschlagen. Mehr und mehr faszinierte ihn die Alchimie des Blutes, und er hatte begonnen, sich diesem speziellen Zweig der Biochemie zuzuwenden. Trotzdem interessierte es ihn noch immer, dem eminenten Chefchirurgen, Dr. Spiekmann, bei Operationen zuzuschauen, und so war er während zwanzig freier Minuten in den Operationssaal gewandert. Er beachtete nicht die in Leintücher gehüllte Gestalt auf dem Operationstisch, sondern hörte mit sachverständigem Vergnügen auf den dumpferen Ton, mit dem der Smith-Petersonsche Nagel tiefer in den Kopf des Hüftknochens gehämmert wurde. Später, am selben Tag, wurde er in Nummer 372 verlangt, wo die Patientin langsam zu sich kam; noch immer versuchte sie, sich gegen jemanden zu verteidigen, der sie ermorden wollte.

„Erzähl mir doch, was war dein erster Eindruck von mir?" hatte Katja ihn ein paar Monate später, am Beginn ihrer Liebschaft, gefragt.

„Mein erster Eindruck? Zuviel Nitrogen im Urin", neckte er sie.

„Das muß eine faszinierende Frau aus mir gemacht haben; vom biochemischen Standpunkt aus, nicht?"

„Aber keineswegs. Eines der gewöhnlichsten Symptome nach Schock."

„*Bon* – der zweite Eindruck also?"

„Laß mal sehen – ach ja, ich steckte damals tief in Amino-Säuren, und als ich dich pro forma fragte, ob ich dich intravenös mit gewissen ausgezeichneten neuen Proteinen füttern könnte, brummtest du nur: ‚Weshalb nicht mit was Gutem, Altem? Zyankali zum Beispiel.'"

„Und da tat ich dir leid, Ted?"

„Aber gar nicht. Wahrscheinlich ordnete ich der Schwester an, dir noch ein cc Demerol zu geben, damit du kein Theater machen solltest. Eine gebrochene Hüfte ist keine große Sache im Krankenhaus – nicht einmal, wenn es sich um die Hüfte einer Primaballerina handelt."

„Was für ein brutaler Bursche du doch bist! Nicht die Spur von Krankenzimmermanieren. Ich glaube, das war der Grund, weshalb du der einzige Mensch warst, auf den ich hörte. Alle anderen waren unerträglich mit ihren mitleidigen Flüsterstimmen und der verlogenen Munterkeit. Du – ach du – du könntest nicht lügen, und wenn's ums Leben ginge, du Liebes."

„Zu dumm dazu, nehme ich an."

„Ich mag deine Sorte Dummheit", sagte Katja und lächelte in seine Augen, in denen sie die stille Beständigkeit seiner Liebe fand.

Sie sprachen nie von Liebe, gaben den Kräften, die sie zueinander zogen und aneinanderbanden, nie diesen Namen. Ein zu zerbrechliches, zu vieldeutiges Wort, fühlte Katja. Zu abgenützt und sentimental, dachte Marshall. Aber wenn es nicht von Anfang an Liebe gewesen wäre, weshalb hätte Katja den jungen Dr. Marshall allen andern vorgezogen, selbst durch die Demerolschleier der bösen ersten Tage? Weshalb, in all dem Kommen und Gehen von Professoren, Kapazitäten, Krankenschwestern und Hilfsärzten, war er der einzige, dem sie zuhörte und Antwort gab? Und warum sollte Dr. Marshall in den Wehklagen der vollbesetzten Krankensäle, in der Erschöpfung endloser Arbeitsstunden, zwischen den Hunderten von leidenden Menschen und interessanten Fällen, an Katja als an *seine* Patientin denken? Er fühlte sich verantwortlich für sie, ging nie an Nummer 372 vorbei, ohne einen Blick ins Zimmer zu tun; hundemüde, wie er war, konnte er nicht schlafen gehen, ohne erst ihr Krankenjournal zu durchfliegen, Katjas Puls unter seinen Fingerspitzen zu fühlen.

Häufig quakte der Lautsprecher nach ihm, in den Gängen, in der Kantine, dem Laboratorium im Erdgeschoß, wo er über seinen Experimenten saß: „Ping-ping-ping... Dr. Marshall wird in 372 gewünscht – Dr. Marshall, dringend verlangt in 372...", und Dr. Marshall, anstatt wie sonst ein unwilliges „Ihr könnt mich..." zu brummen, legte eilig beiseite, was immer er gerade tat, und folgte hastig dem Ruf.

Schon wieder hatte Nummer 372 ihr Essen nicht angerührt oder ihr Schlafpulver nicht genommen oder die vorgeschriebene Injektion abgelehnt. Ernsthafter und besorgniserregender waren die sprunghaften Veränderungen von Puls und Temperatur, heftige Schüttelfröste, die mit plötzlichem hohem Fieber abwechselten.

„Eine hysterische Dame! Ein Ballettmädel – was willst du?" brummte Dr. Williamson, Marshalls Freund seit Studententagen, der auch jetzt die kleine Bude im Dachgeschoß des Krankenhauses mit ihm teilte. „Solche Faxen wegen einer ganz gewöhnlichen Hüftgelenkfraktur! Nur um Schwierigkeiten zu machen!"

Katja war unschuldig an den Schwierigkeiten. Die Schwierigkeiten wurden von den Reportern verursacht, die das dritte Stockwerk belagerten, von den Versicherungsbeamten und Polizeileuten, die damit betraut waren, den Unfall aufzuklären. Festzustellen, ob ihr Sturz von dem fast drei Meter hohen Versatzstück tatsächlich nur ein Unfall war oder ob etwas Böseres dahintersteckte: ein Mordversuch. Oder zumindest eine Nachlässigkeit von seiten des technischen Personals. Und hauptsächlich: Wer war verantwortlich oder strafbar, und wer mußte für die Unkosten aufkommen?

Katja beantwortete keine Fragen, sie lag nur unbeweglich da, mit geschlossenen Augen und versiegelten Lippen. Sobald die Inquisitoren sie verlassen hatten, öffnete sie die Augen und starrte auf die Zimmerdecke, auf das Nichts da droben.

Auf Tourneen geschah es zuweilen, daß eines der Mädchen im örtlichen Krankenhaus zurückgelassen werden mußte, wo immer die Truppe gerade tanzte. Mit einem verletzten Knöchel oder einem Nervenzusammenbruch. Mit einer schweren Influenza oder irgendeiner lächerlichen, aber ansteckenden Kinderkrankheit, wie es zum Beispiel die Mumpsepidemie in Lima gewesen war. Doch leider gab es auch schwerere und tragische Fälle. In Kansas City hatte die kleine Anita die Schmerzen eines entzündeten Blinddarms verheimlicht, so daß er mitten in der Vorstellung barst und sie es nur dank der Zähigkeit ihrer achtzehn Jahre überlebte. In Barrancas, Columbia, hatte Grischas bester Tänzer, der junge Grieche Stelio, einen schweren Blutsturz erlitten; nun vegetierte er in einer Lungenheilstätte dahin. Und knapp vor Beginn des Krieges, bevor sie nach Amerika gingen, hatten bei einer Wohltätigkeitsvorstellung in Manchester die Gazeröckchen von zwei Tänzerinnen Feuer gefangen. Zwei schreiende, brennende Fackeln, so waren sie aus den Kulissen und quer über die Bühne gerannt, und nachher lagen sie für Monate fest, mit Verbrennungen dritten Grades und mit Bandagen umwickelt wie die Mumien.

Die Zeitungen machten viel von Kuprins Kaltblütigkeit her, mit der er die Flammen zwischen seinen Händen erstickte, und von Katjas Tapferkeit; sie hatte unbeirrt ihr Solo zu Ende getanzt und durch ihre Haltung eine Panik im ausverkauften Theater vermieden. Und ausnahmsweise wurden sogar die Namen der schwerverletzten Corpstänzerinnen in der Presse erwähnt... Man bedauerte solche Invaliden der Ballettfeldzüge aus tiefstem Herzen, man schickte ihnen Blumen, kleine Geschenke, Zeitschriften, Genesungswünsche von unterwegs. Denn die Tournee ging weiter, die Truppe reiste ab – und was sonst blieb der Truppe auch übrig?

Und nun ist auch Katja auf der Strecke liegengeblieben...

Sie liegt flach im hohen Spitalbett, ihre Knochen zusammengenagelt und ihre Rippen mit Heftpflastern zusammengehalten, ihr Haar ist kurz geschoren wie das einer jungen Nonne, ihre Kopfhaut vernäht; an ihrem Arm ist eine Nadel befestigt, aus der eine Glukoselösung in ihre Adern tropft, aber ihre Zunge bleibt dick, trocken wie Pappdeckel, und die langsam nachlassende Gehirnerschütterung schlägt wie eine Brandung innen gegen ihre Schädeldecke.

Doch diese gehäuften Unannehmlichkeiten des Körpers sind nicht das Wesentliche, denn, wie alle wahren Künstler, verstand es Katja, dieses Gehäuse ihrer selbst zu verlassen, mit einer merkwürdig losgelösten Neugierde dieses zerbrochene zusammengeflickte Ding da im Bett und seine Schmerzen zu beobachten. Das Wesentliche, das schlimmste, ist die Erfahrung, daß sie nun völlig allein ist, unnütz, in den Mülleimer geschmissen. Ihr ganzes Leben lang hat sie zu einer Gruppe gehört, einer Truppe, einem Team; wie ist es möglich, daß die andern weiterzogen, weitertanzten – ohne Milenkaja? Katja starrt zur Decke hinauf, da sieht sie Gesichter in den Sprüngen des Bewurfs. Sie sieht Rosita, den blutigen zerfetzten Gaul des gestürzten Picadors. Auch sieht sie den greulichen Haufen verunglückter, verbogener und zertrümmerter Autos auf einem Abladeplatz, an dem sie im eleganten Cadillac vorbeisauste. Und mit einem schwachen Erbeben des Mitleids sieht sie wieder eine alte Sandale, die ein mexikanischer Indianer am Wegrand weggeworfen hat. Eine jener spaßigen Sandalen, die sie sich aus Stücken alter Gummireifen und Fetzchen und Faserschnüren zusammenstümpern. Grischa hatte das schmutzige Ding mit einem trüben Lächeln aufgelesen: „Ich hätte nicht gedacht, daß etwas so vollkommen unverwendbar werden kann, daß sogar ein indianischer Lumpensammler es wegwirft. Und weshalb hat er den Sandalenkameraden behalten? Hast du jemals etwas so Einsames gesehen wie eine einschichtige, nicht mehr zu gebrauchende, weggeschmissene Sandale am Straßenrand?"

Dies, zum Beispiel, war eine der Stunden, da Madame Milenkaja ihre Pflegerin, Nurse Capeller, durch einen Schüttelfrost und ein plötzliches Absinken ihres Blutdrucks erschreckte und der Lautsprecher dringlichst quakend nach Dr. Marshall verlangte.

In der Zwischenzeit ist Kuprin in die Liste der gefährlich Erkrankten eingerückt. Er murmelt mit vom Fieber zersprungenen Lippen, unausgesetzt und in vielen Sprachen. Seine gebrochene Schädeldecke ist zwischen schweren Sandsäcken zusammengepreßt und reagiert keineswegs zufriedenstellend auf die Bemühungen der Ärzte. Professor Abraham schüttelt den Kopf, und am dritten Tag wird der Patient nochmals in den Operationssaal geschafft. Eine neuerliche Operation zu Untersuchungszwecken zeigt, daß er schon vor dem Unfall einen Gehirntumor hatte.

Doch die Person, die mehr zu leiden schien als die beiden verunglückten Tänzer, das war ein zerzauster verknüllter Mensch, der mit der Milenkaja im Ambulanzwagen ankam, auf einem Einzelzimmer für sie bestand und der das Geld für die streng geforderte Vorauszahlung mit zitternden Händen aus allen seinen Taschen zusammenkramte. „Mein Name ist Sandor Lazar, ich bin denen ihr Musikdirektor und bester Freund, nein, die beiden haben keine Familienangehörigen. Die Krankenhausverwaltung wird sich mit mir begnügen müssen, ich trage die volle Verantwortung", hatte er erklärt, und sodann war er weiß geworden wie ein Leintuch und in Ohnmacht gefallen. Er wurde rasch wieder zur Besinnung gebracht, und nach einem kurzen Zwischenspiel von wildem und verzweifeltem Humor, gemischt mit Schluchzen, Lachen und nervösem Schluckauf, riß er sich zusammen, und von dann an besorgte er ruhig und zielbewußt alles, was getan werden mußte – oder konnte.

Er war der einzige Mensch, dem Katja gestattete, sie zu sehen, sobald ihre Gehirnerschütterung verebbt war. „Aber nicht länger als fünf Minuten, und keine Aufregung, bitte", sagte Dr. Marshall, tief mißtrauisch gegen das sprunghafte Temperament der Theaterleutchen.

„Oh, du bist's, Sandy?" sagte Katja, sehr schwach. „Wie steht's mit allem?"

„Alles steht gut. Fein. Alle lassen dich grüßen und wünschen dir baldige Besserung. Alle haben dich sehr lieb, Katja. Tut's sehr weh?"

„Nein. Nur ein bißchen, hier. Und hier. Und Kopfschmerzen, sowie ich versuche, mich zu erinnern, was passiert ist, und kann's nicht."

„Nun, was eben leicht passieren kann. Das letzte Hochheben klappte nicht ganz. Du bist oft genug viel ärger gefallen, ohne dir Schaden zu tun. Pech, daß du dir's Bein gebrochen hast. Aber das verwächst sich bald, sagt der Arzt."

„Ach, Sandy – nein, wirklich?"

Katja blickte Lazar an, und er begann zu zappeln, seine Augenbrauen auszureißen, sogar zu erröten; bei Katja nutzten die üblichen munteren Lügen nichts.

„Mußten Vorstellungen abgesagt werden? Nein? Aber wer tanzt meine Rollen? Ist Grischa wütend auf mich? Oder warum schickt er dich, anstatt selbst zu kommen?"

Noch ehe Lazar sich entscheiden konnte, was sie mehr aufregen würde: daß die Truppe sich in einem Zustand von völligem Chaos befinde und daß es niemanden gab, um für sie einzuspringen; oder, ehrlicher, daß Stan Tedesco als Retter erschienen war und alles in guter Ordnung weiterging – tauchte Miß Capeller auf und sagte, Katjas Puls fühlend, das sei nun genug für eine erste Visite, und „wir dürfen unsere Patientin nicht ermüden". Mit einem furchtsamen Seitenblick auf Katja, deren plumpes Krankenhaushemd plötzlich schweißdurchtränkt war, zog Lazar sich in heftiger Verwirrung zurück. Katjas Augen starrten wieder zur Decke hinauf. Im letzten Augenblick – er stand schon zwischen Tür und Angel – sagte sie noch: „Höre, Sandy – sag Grischa..."

„Ja, Liebling?"

„Nein. Sag Grischa nichts", sagte sie.

Auch er war schweißbedeckt, als er wieder draußen stand und zum tausendstenmal das Pappschild an der Tür las: Besuche strengstens untersagt.

„Nun, wie finden Sie sie?" erkundigte sich Dr. Marshall im Vorbeigehen.

„Großer Gott, Doktor, sie hat nicht die leiseste Ahnung, daß es mit Kuprin schlimmer steht als mit ihr. Wenn sie das erst erfährt – sie wird sterben, Herr Doktor..."

Darüber lächelte Marshall nur. „Ein Glück für uns Ärzte, daß nicht so leicht gestorben wird", sagte er; und nach einem beruflichen Blick auf Lazars erblichtes Gesicht, lud er ihn auf eine Tasse Kaffee in die Kantine ein, ehe der entnervte junge Musiker gänzlich aus dem Leim gehen mochte.

„Sie waren ja dabei", sagte Marshall nach der zweiten Tasse Kaffee zu Lazar, „wie ist die Sache eigentlich passiert? Nachlässigkeit? Oder war doch mehr dahinter, als man erfuhr? Sie wissen vielleicht, daß allerlei unfreundliche Gerüchte in der Luft liegen."

„Ja, wie ist es passiert, Herr Doktor? Das möchte ich selber wissen. Freilich, wenn der arme Teufel mit einem Gehirntumor getanzt hat – das erklärt eine Menge. Aber, sehen Sie, wenn ein normaler Mensch wie Sie und ich anfängt, Zicken zu machen, dann merkt man's, man bringt ihn zum Arzt und läßt seinen Kopf untersuchen. Aber der Grischa? – Tja! Er war ja immer ein schwieriger Bursche, und wenn er sich vielleicht ein bißchen veränderte und nach und nach immer schwieriger wurde, das haben wir kaum bemerkt. Zum Beispiel, dieses gottverdammte Versatzstück, so ein Stück Dekoration eigentlich, eine aufsteigende Rampe, ein Weg, auf einem Gerüst aufgebaut, na, ich kann Ihnen sagen, dieses eine Stück hat uns mehr Schwierigkeiten gemacht als die gesamten Dekorationen für sechs andere Ballette zusammen. Es spielte in seinem ersten

Ballett mit, im ‚Orfeo‘, und jetzt verwendete er es wieder in den ‚Metamorphosen‘, und es ist mit uns herumgereist seit meinem ersten Tag mit Grischa. Eine Art Maskottchen – schönes Maskottchen war das zuletzt: Katja – das ist Madame Milenkaja – hat den letzten Teil von diesem *pas de deux* nie gemocht, da, wo er sie diese Rampe hinaufträgt. Wie ich also vor dem ersten Vorhangzeichen in ihre Garderobe schaue, wie gewöhnlich, da ist sie so nervös, sie hat überall eine Gänsehaut. Na, ich sage also: ‚Ist dir die Milch sauer geworden, oder weshalb siehst du aus wie Apfelmus mit Spucke?‘, und noch so ein paar ermutigende Worte. Und sie sagt: ‚Diese sechzehn langsamen Takte zum Schluß – die gehen mir auf die Nerven. Ich habe immer Angst, schwindlig zu werden, da oben.‘ Aber was sie wirklich meinte, war, daß Grischa schwindlig werden könnte. Oder sonst was. Nur um sie unruhig zu machen. Er ist doch von verschiedenen Teufeln besessen, und einer davon ist seine unbegrenzte Eifersucht als Tänzer; und seit einiger Zeit wurde ihm ein paarmal schwindlig, wenigstens behauptete er es, niemand glaubte es so recht – mein Gott, ein Tänzer wie Kuprin und schwindlig! Wenn ich jetzt zurückdenke, sehe ich, daß gewisse Veränderungen sich in sein Benehmen eingeschlichen hatten, gewissermaßen. Wie er ganz hart bei seiner linken Schläfe anklopfte wie an eine Tür. ‚Was ist los? Niemand zu Hause?‘ neckte Katja ihn, und er schaute sie an mit einem Blick – einem Blick, als wenn er sie am liebsten erwürgt hätte. Und ein paarmal rannte er in Dinge hinein oder ging ab in die falsche Kulisse. Sagen wir, er nahm seinen Abgang quer durch den Ententeich – natürlich kicherte das Publikum. ‚Etwas nicht in Ordnung mit den Augen‘, sagte er: ‚Astigmatismus. Ich sehe die Dinge doppelt oder als wenn sie schief stünden oder wie durch Wasser‘, beklagte er sich, ‚und ich kann versichern, ich bin nicht betrunken.‘ – ‚Warum schaffst du dir keine Augengläser an?‘ sagt Katja. ‚Aber sicher: Augengläser!‘ schreit er sie an. ‚Und wie lieblich ich mit Augengläsern aussehen würde, in „Spectre de la Rose“ zum Beispiel oder in der „Persischen Miniature“.‘ Darauf sagt Katja: ‚Kontaktlinsen, Schafskopf. Bevor du ein Bein brich – dir oder mir‘ –, und schon ging das Streiten wieder los. Wir alle dachten, er war eben widerspenstig, eifersüchtig. Das war nicht schwer zu verstehen, denn schließlich hatte er ja alles geschaffen: die Ballette, die Tänze, er hatte alle die Ideen, er tat die ganze Arbeit. Er hatte die ganze Truppe aufgebaut, aus nichts, niemand hat ihm dabei geholfen, und dazu ist er selbst ein so großer Tänzer. Aber, natürlich, das Publikum, die Idioten, die da im Theater sitzen und für ihr Billett bezahlen, die nehmen das als etwas Selbstverständliches hin. Aber was sie aufweckt und ihnen das Wasser im Mund zusammenlaufen macht und weshalb sie ins Ballett gehen und wem sie applaudieren – das ist immer nur die Primaballerina. Die Milenkaja ist eine von den drei Besten, daran ist kein Zweifel; und sie ist die erste, die zugeben wird, daß Kuprin sie zu dem gemacht hat, was sie ist. Nein, ich meine nicht, was sie jetzt ist, das arme Häufchen von gebrochenen Knochen, das man im Schnupftuch davontragen könnte, wie man in Wien sagt. Sondern die Milenkaja, die den großen Kuprin überholt hatte; und glauben Sie mir, Doktor, er ist einer von den ganz wenigen großen Schöpfern im Ballett. Eifersüchtig auf Katjas Erfolge beim Publikum; ja, aber trotzdem ein großes Herz. Gekränkt über die Geschichten, die man mit ihr machte, und trotzdem sehr stolz auf sie. Aber er fühlte sich in den Schatten gedrängt, wo er nicht hingehört. Es nutzte nichts, ihm zu erzählen, daß das Publikum nicht absichtlich so rüde ist. Die sind eben gedankenlos und konventionell, und die Primaballerina ist und bleibt fürs Publikum die Hauptsache. Ein paarmal war Grischa selber rüde zu Katja. Schlechte Manieren auf der Bühne – und Manieren sind sehr wichtig in der Balletttradition. In einem *Adagio,* zum Beispiel, steht er gelangweilt da, anstatt Hingerissenheit zu markieren, während sie tanzt. Oder er stützt sie nicht so, wie sie es verlangen kann. Oft handelt es sich ja nur um einen Zentimeter beim Stützen, und die ganze Variation der Ballerina ist versaut. Ja, wenn ein grüner, unerfahrener Tänzer seine Schulter im falschen Moment ein bißchen zurückzieht und sie aus dem Gleichgewicht bringt; oder sie so ungeschickt hochlüpft, daß es aussieht, als wenn sie zentnerschwer wäre – ach, es gibt viele solche Fehler –, das kann jedem Anfänger passieren. Aber doch nicht einem Kuprin, um Himmels willen! Kuprin wußte, was er tat, und es waren ziemlich niederträchtige Tricks. Der ganze Bursche wurde im letzten Jahr so niederträchtig. Nicht die ganze Zeit, nur in Anfällen – mein Gott, wenn wir bloß gewußt hätten, daß er ein kranker Mensch war. Wenn Katja das gewußt hätte – es gibt ja nichts in der Welt, was Katja nicht für ihn täte. Und nun – bitte, sagen Sie mir die Wahrheit, Herr Doktor: Nach der Operation – wenn der Tumor draußen ist – wird er wieder in Ordnung sein? Und die Milenkaja – wird sie imstande sein, so zu tanzen wie vorher?"

„Tanzen? Mein lieber Mr. Lazar! Wenn sie Glück hat, wird sie imstande sein zu gehen, ohne sehr merklich zu hinken", erwiderte Dr. Marshall. Aber er bereute sogleich diese spontane und unvorsichtige Antwort und setzte schnell mit dem vorgeschriebenen ärztlichen Optimismus hinzu: „Was Kuprins Operation anbelangt – Professor Abraham ist einer der besten Hirnspezialisten in der Welt, und die Statistiken über Extirpation von Gehirntumoren sind recht günstig. Noch ein Täßchen Kaffee? Ich fürchte, ich kann nur noch ein paar Minuten bleiben."

„Und ich habe Ihnen noch nicht erzählt, wie es eigentlich passiert ist. Aber Sie würden es nicht verstehen, wenn ich Ihnen nicht erst den Hintergrund beleuchte. Ich meine, Kuprin machte einige kleinere Ballette, in denen er sich selbst die Hauptrolle gab und die Milenkaja nur so nebenbei verwendete – oder überhaupt nicht. Er hat sich's nicht leicht gemacht, das muß ich sagen; er studierte die gesamte alte Kunst der Pantomime, nur damit er ein kleines Tanzdrama allein tragen konnte. Aber das Publikum verlangte eben Milenkaja. Er war elender Laune und zeigte das vor dem Publikum; zweimal verging er sich aufs schwerste gegen die Etikette, er brachte Katja nicht für ihre Hervorrufe heraus, wie es sich gehört, sondern ließ sie allein vor den Vorhang trotten; und ein anderes Mal ging er weg und ließ sie da stehen mit ihren Knicksen und Kußhändchen und Lächeln, während das Publikum nach ihm rief. Katja sah, daß es so nicht weiterging, und schlug ganz vernünftig vor, daß sie nach Ende der New Yorker Spielzeit lieber getrennte Wege gehen sollten.

‚Paßt mir ausgezeichnet‘, sagte darauf Grischa. Aber ich wußte, daß er bis ins innerste Herz getroffen war. ‚Wenn dir nichts dran liegt, ohne Kontrakt dazustehen.‘

‚Mach dir keine Sorgen. Bagoryan will mich als Star engagieren.‘

‚Gratuliere. Ich dachte, sein Star ist die dritte Mrs. Bagoryan, die junge Jelena Mirowna?‘

‚Du bist um einige Bagoryan-Gattinnen zurück in der Weltgeschichte. Es ist Jelena Mirowna, die seit der Scheidung ohne Kontrakt dasteht.‘

‚Um so besser. Dann nehme ich die Mirowna als Ersatz für dich‘, sagt er – und, bei Gott, das tat er auch! Sie ist noch immer bei uns, augenblicklich ist sie sogar für unsere arme Katja eingesprungen. Eine recht brave Ballerina, aber natürlich keine Milenkaja. So stand es also, und zwei Monate lang läßt Kuprin die Mirowna alle Milenkaja-Rollen tanzen, und dann geschieht etwas Komisches.

Kuprin, nämlich, kommt zu Katja und bittet sie, bittet sie buchstäblich auf den Knien, zurückzukehren. Hat ein neues Ballett komponiert, nennt es ‚Zueignung‘, ganz was andres als seine übrigen Werke. Keine Satire, kein verschleierter Pazifismus, Sozialismus, Symbolismus, nichts von seinem messerscharfen Humor. Sehr einfach, sehr menschlich. Mir macht es Vergnügen, die Musik dazu zu schreiben – meist so was wie eine verstimmte Straßenorgel, ein paar Kinderlieder. Er hatte es als ein Solo für sich allein geplant, und dann fand er heraus, daß er es ohne Katja nicht machen konnte. ‚Wieso? Kann die Mirowna es nicht tanzen?‘ fragt sie ihn.

‚Nein. Ich brauche dich. Ich nenne es „Zueignung“. Es ist dir gewidmet, Duschka‘, sagt er. ‚Es spielt in einem kleinen Park. Ein Rasenrondeau, weißt du ...‘ Darauf beginnt Katja zu lächeln: ‚Und persischer Flieder ...?‘

‚Ja. Und zwei Kinder wachsen auf ...‘, sagt er.

Also gingen wir zu Grischa zurück. Ich meine, als Katja seine Truppe verließ, war ich mit ihr gegangen.

‚Zueignung‘ war ein großer Erfolg. Die Leute trockneten sich die Augen, als nachher das Licht im Theater anging. Sentimental, kitschig vielleicht, wenn‘s wer andrer als Katja und Grischa getanzt hätten. Aber die zwei haben eine solche Grazie, so viel Stil, Charme, wissen Sie, ja, und dann ist da diese spaßige Qualität in Katja, noch immer: Unschuld. Katja wird noch mit siebzig ein unschuldiges junges Mädchen sein. Ich meine echte Unschuld – das Gegenteil von kacknaiv und niedlich.

Schön, und alles scheint in bester Ordnung, wenn Grischa mit seinen ,Metamorphosen' daherkommt. Grischa in seiner ganzen Glorie. Er ist Zeus, er ist überhaupt alles; ein Stier mit Europa, eine Wolke mit Jo, ein goldener Regen mit Danae, ein Krieger mit Alkmene, ein Schwan mit Leda. Er macht es mit Masken und Kostümen, aber noch mehr durch den Stil, die Bewegungen, die immer neue Charakterisierung. Es ist eine enorme Leistung. Es ist die größte Rolle, die ein Tänzer je darstellte, aber für Grischas Appetit ist es nur ein Krümchen. Er will ja immer alles sein und alles tanzen und alles aus sich heraus erschaffen. Ein Mann und eine Frau, ein junger Liebhaber und ein alter knickebeiniger Pedant, ein heiliger Franziskus und ein Wüstling und hundert Gestalten mehr.

Das ist also das neue Ballett, und während Zeus-Kuprin in allen seinen Metamorphosen schwelgt, hat er sich einen bitteren kleinen Spaß mit all den Weibern erlaubt, die er verführt. Es ist nämlich immer dieselbe Frau. Sie trägt auch eine Maske, ein hübsches, leeres, lächelndes Gesicht, trägt immer dasselbe, und sie tanzt immer in dem gleichen konventionellen Ballettröckchen, und in welcher Gestalt immer der Gott sie besucht, die Frau hat immer nur die gleichen sechs langweiligen stereotypen Ballettschritte und Bewegungen; immer das gleiche. Kein Wunder, daß Katja die Rolle haßte, und sie haßte die hohe Rampe, als ob sie eine böse Vorahnung gehabt hätte. In der letzten Szene war sie Semele – und im Falle Sie ebenso unwissend in griechischer Mythologie sind, Doktor, wie ich es war, bis ich mit Balletten zu tun kriegte: Semele ist das törichte Blondinchen, das den Zeus nicht in Ruhe läßt, bis er sich ihr in seiner vollen olympischen Macht und Glorie zeigt. Aber wenn er das tut, mit Blitz und Donner, fällt sie um und ist tot.

Also, für diesen Schluß denkt Kuprin sich etwas sehr Wirkungsvolles aus. Er hebt sie auf, als wäre sie nur ein Häufchen Asche, und trägt sie auf hochgestreckten Armen weg, und so schreitet er diese Rampe hinauf, sie ist fast drei Meter hoch, dort, wo sie in der dritten Gasse in den Kulissen verschwindet. Auf der Bühne sind drei Meter so hoch wie der Himmel, müssen Sie wissen. Nun denn, im üblichen Hochheben benutzt die Ballerina natürlich ihre eigene *elevation*, ihre Sprungkraft, ebensosehr wie der Tänzer seine Muskeln. Ihre Muskeln sind ebenso gestrafft wie seine, bis er sie wieder niedersetzt. Was vom Parkett aus wie ein bißchen federleichter Schaum aussieht, ist eine Angelegenheit der äußersten Beherrschung und Anspannung. Aber nicht so in diesen teuflischen letzten sechzehn Takten von ,Metamorphosen'. Der armen Katja wurde befohlen, sich völlig zu lockern, nicht ein Zentimeter ihrer Muskeln durfte gespannt bleiben. Kuprin zischte und schrie und fauchte sie an: ,Wie ein alter Strumpf mußt du dich hängen lassen, verdammt noch einmal, kannst du dich nicht wie ein alter Strumpf benehmen? Nicht die

Zähne zusammenbeißen! Das Rückgrat lockern, keine Runzeln, bitte, alte Strümpfe haben keine angestrengten Augenlider!' Es war wohl die schwierigste Sache für eine Ballerina, und ein paarmal gab's Katja einfach auf und rannte von der Probe.

Nicht, als ob Kuprin sich's leicht gemacht hätte. Einen ganz schlaffen Körper von hundert Pfund mit ausgestreckten Armen hochzustemmen, so daß es ganz leicht ausschaut – das brächte kein starker Mann im Zirkus zustande. Aber da haben Sie Kuprin! Das war die Vision, die ihm vorschwebte, und wenn Zeus persönlich vom Olymp gekommen wäre und ihm befohlen hätte, es anders zu machen, hätte es nichts genützt. Darin besteht eben Grischas Stärke und seine Schwäche auch. Er kann keinen Kompromiß machen.

Jetzt also kommt es dazu; im Orchester haben wir Semele mit einem Höllenlärm totgekiregt, die Schlagwerker hauen drauf wie toll, und dann hebt Kuprin sie vom Boden, und wir spielen eine Art Trauermarsch dazu, und die Beleuchter nehmen das Weiß aus der Fußrampe und kommen mit Blau und Violett hinein, und sie projizieren Sturmwolken auf den Hintergrund – was einen jeden schwindlig machen kann. Und Kuprin beginnt aufwärts zu schreiten, er sieht majestätisch und großartig aus, ein Tausend-Watt-Scheinwerfer leuchtet ihm direkt ins Gesicht – oder eigentlich auf die Maske; unter der Maske laufen Bäche von Schweiß herunter, denn es ist, wie wenn man gegen die blendenden Wagenlichter eines entgegenkommenden Autos fährt. Und im elften Takt von den sechzehn merke ich, daß er ein wenig schwankt, und ich dirigiere etwas schneller – vielleicht wissen Sie nicht, Herr Doktor, daß jede Bewegung im Ballett um so schwieriger ist, je langsamer sie ausgeführt wird – aber die zweiten Geigen schlafen wieder einmal, das Orchester schmeißt, und wie ich sie wieder beisammen habe und auf die Bühne schaue, sehe ich grade noch, daß Kuprin stolpert. Aber ein so eigensinniger visionärer Narr wie er einer ist, hält er Katja noch immer hochgestreckt in die Luft, und ich bin in einer Panik, wie wir sie erleben, sooft etwas auf der Bühne schiefgeht, und ich drücke auf den Knopf am Pult, der im Notfall das Zeichen zum Fallen des Vorhangs gibt, aber es vergehen ein paar Sekunden, bis der Idiot am Vorhang meinem Signal gehorcht. Und ich sehe noch, wie Kuprins Knie einknicken, und er fällt nieder, und, bei Gott, er hält Katja immer noch hoch wie eine Schüssel mit Früchten oder so was Ähnliches, es sieht komisch aus, auch sein Gesicht ist komisch, denn die Zeusmaske ist verrutscht, und auf einmal hat er zwei Gesichter, eins ist ein Gott und das andre ein bleicher, auf den Tod geängstigter Balletttänzer. Dann fällt endlich der Vorhang, und die Leute applaudieren wie toll. Deshalb – wenn Sie mich fragen, Doktor, wie's eigentlich passiert ist – ich weiß es nicht. Ich denke, das Gewächs in Grischas Hirn ist die Antwort. Jedenfalls – als ich auf die Bühne gerast kam, war das Unglück schon geschehen. Im Augenblick, wo sein Halt an Katja erschlaffte, war sie hinuntergestürzt, unglücklicherweise nicht glatt auf die Matratze, die vorschriftsmäßig auf der Bühne unten ausgelegt war, sondern sie schlug erst gegen das Gerüst, das die aufsteigende Rampe stützte. Und Grischa war bewußtlos, mit dem Kopf voran, die Leiter hinabgerumpelt, die in der Kulisse für seinen Abgang bereitstand.

Also besten Dank für den Kaffee und für die Erlaubnis, mich einmal auszuquatschen, und jetzt muß ich ins Theater rennen, denn die gottverfluchte Vorstellung geht allem andern vor. Möchte bloß wissen, warum?"

Soweit Sandor Lazar. Was Grigory Kuprin anbetrifft, er wurde am folgenden Morgen operiert. Es war eine ausgezeichnete Operation, und drei Tage danach starb er an einer Gehirnblutung; während Katja noch nicht einmal wußte, daß Grischa sich bei dem Unfall auch verletzt hatte.

Zu den verschiedenen Anhängseln des Krankenhauses gehörte unter anderm ein kleiner buckliger Italiener, der zu bestimmten Stunden die linoleumbelegten Korridore entlangglitt und den Kopf in Krankensäle und Einzelzimmer steckte, um die letzten Zeitungen anzubieten. Das Schild mit „Besuche strengstens untersagt" an der Tür von Nr. 372 hatte ihn bisher von Katja ferngehalten. Doch während Nurse Capeller nur schnell mal auf eine Tasse Kaffee in die Kantine gelaufen war, bewerkstelligte er es, in aller Unschuld Katja ein Abendblatt zu verkaufen.

Dieses Abendblatt enthielt einen detaillierten Bericht über Grigory Kuprins Tod und sein Begräbnis.

Als Nurse Capeller zurückkam, fand sie ihre Patientin bewußtlos, wieder in tiefem Schock, mit verglasten Augen und fast ohne Pulsschlag. Der Blutdruck war bis zu einem gefährlichen Tiefstand gefallen, wo ein Leben verlöschen mochte wie eine Kerze, aus Gründen, gegen die eine Bluttransfusion oder eine das Herz stimulierende Injektion nicht immer hilft.

„Ping-ping-ping – Dr. Marshall wird in 372 gebraucht – dringendst. P.K.Z." – Dies war der Krankenhauscode für „Patient in kritischem Zustand".

In jener Nacht, wenn alle vorgeschriebenen Mittel versagten, hielt Dr. Marshall sie am Leben, und zwar durch gänzlich unorthodoxe, ja selbst verbotene und höchst unwissenschaftliche Behandlungsmethoden. Er nahm sie in seine Arme, deckte sie mit seinem eigenen Körper zu, um sie zu erwärmen; er rieb ihre Glieder, versuchte, ihre Blutzirkulation mit scharfen kleinen Klapsen in Gang zu bringen, er legte seinen Mund auf den ihren und blies ihr seinen eigenen Atem ein, er liebkoste sie wie ein Kind, redete ihr zu, überredete sie, aus den unbekannten Fernen zurückzukehren, zu denen sie geflüchtet war. So teilte er mit ihr eine Stunde der tiefsten Intimität, wie sie – ganz selten – zwischen dem Kranken und dem Heiler, dem Sterbenden und dem Priester geschieht.

Der junge Arzt brachte aus dieser Stunde das Gefühl eines leuchtenden Sieges mit, einer Leistung weit über seine Pflicht hinaus;

dunkel vermischt mit dem nachklingenden zärtlichen Mitleid für das zarte Geschöpf, dessen feine Knochen, dessen Herzschlag er in seinen Händen gehalten hatte. Er war ein Arzt. Er hatte helfen können, wo Hilfe nötig war.

In Katja, so schwach ihr Wunsch zu leben auch sein mochte, blieb die Erinnerung an die Sicherheit, die Ruhe, die menschliche Nähe, mit der er sie festgehalten hatte. Das Gefühl des Geborgenseins, das für immer bedeuten würde: Ted. Mein Mann, meiner.

In jener Nacht begann ihre langsame Genesung, noch verzögert durch die negative Haltung, die Marshall ihr vorwarf. „Schauen Sie, Miß Milenkaja, Sie brauchen ja nicht gesund zu werden, um *mir* einen Gefallen zu tun. Oder Dr. Spiekman, oder unserer Miß Capeller. Wenn Sie ein halber Invalide bleiben wollen, nun, das ist Ihre Angelegenheit. Aber Dr. Williamson kann Ihnen erklären, daß eine sogenannte Versicherungsneurose ein sehr häufiges und recht unsympathisches Leiden ist. Wenn Sie wünschen, fortan im Rollstuhl zu sitzen, sich leid zu tun und von Versicherungsgeldern und sozialer Fürsorge zu leben – das geht mich nichts an. Aber nicht in unserm Krankenhaus, Miß Milenkaja. Wir brauchen unsere Betten für Leute, die wirklich krank sind."

Anstatt sich von solcher Anrede zerschmettert zu fühlen, lächelte Katja ihn an. Es war das erste Mal, daß Ted sie lächeln sah, und es ging ihm durch und durch. Sie lächelte gar nicht wie eine Balletteuse, sondern wie ein Kind; wie ein pfiffiger Straßenjunge, mit ihrem kleinen abgemagerten Gesicht und dem geschorenen Kopf, von dem er schon die Bandagen und Fäden entfernt hatte. Ein lausbübisches und dennoch rührendes Lächeln, dem man schwer widerstehen konnte.

„Los, Herr Doktor, schimpfen Sie nur mit mir, nennen Sie mich eine Laus, eine Wanze, die nichts in diesem hygienischen Bett zu suchen hat."

„Ganz richtig", sagte er lachend, aber noch immer mit Strenge. „Sie machen's uns hart arbeitenden Leuten, die es gut mit Ihnen meinen, recht schwer. Sie haben wieder Ihr Essen nicht angerührt. Sie haben Ihre Vitaminpillen nicht eingenommen. Wollen Sie, daß wir Sie wieder auf intravenöse Glukose setzen? Und warum haben Sie Ihre kleinen Fußübungen nicht gemacht, wie? Ich frage Sie – warum nicht?"

Katja schaute auf ihre Füße, sie waren weit weg, am Ende ihrer steifgestreckten Beine, sie schienen gar nicht zu ihr zu gehören. Seit man sie vom Streckapparat und Gipsverband befreit hatte, waren ihre Füße immer kalt und leblos, trotz der Wärmflaschen und behutsamen Massagen. „Warum? Weil's keinen Sinn hat, Herr Doktor", sagte sie nur.

Marshall ging um das Bett herum und faltete seine Länge zusammen, um sich über ihre Hüfte zu beugen und den Verband zu erneuern. Er hatte eine angenehme Art, sich zu bewegen, geräuschlos. Es war immer etwas Beruhigendes um ihn, selbst wenn er zankte, und er hatte gute Hände, lange, warme, trockene Hände, deren Berührung sie nicht scheute. Und sein Geruch war Katja angenehm, sauber und frisch; er erinnerte sie an den Abend, da er sie aus dem dämmerigen Nichts zurückgeholt hatte, wohin sie versucht hatte, Grischa zu folgen. Der Schock hatte den Unfall und die brutale Erkenntnis von Grischas Tod in ihr Unterbewußtsein verdrängt, wo es sich den Schrecken der Kindheit und den Tiefseeungeheuern ihrer Vergangenheit zugesellen mochte. „Partielle Amnesie, Patient heile dich selbst", kommentierte Dr. Williamson.

Dr. Marshall wartete nicht auf Nurse Capellers tugendhafte Hände, um die Patientin zuzudecken, sondern schob das formlose Krankenhemd hinunter und die Bettdecke hinauf, in einer einzigen geschickten Bewegung, die fast eine Liebkosung war. „Wie groß Sie sind, Herr Doktor", sagte Katja, leicht erstaunt. Sie bemerkte es zum erstenmal. Tänzer sehen auf der Bühne größer aus, als sie sind, weil sie sich gut halten und proportioniert gebaut sind und ihre Köpfe hoch auf steilen Nacken tragen, aber die Mädchen sind gewöhnlich klein und die Jungen höchstens mittelgroß. Eine Sekunde lang stellte sie sich im Geist den jungen Doktor neben Grischa; er würde wie ein Turm erscheinen mit seinen langen Linien eines gotischen Münsters. Es geschah zum ersten Mal, daß sie Ted als einen Menschen sah, einen Mann, einen anziehenden Mann. Marshall nahm ihren kalten linken Fuß zwischen seine Finger und begann, ihn zu rotieren, zu üben. Katja biß die Zähne auf die Unterlippe, der Schmerz schoß von der Hüfte bis zum Knie, so heftig, daß eine Übelkeit ihr in die Kehle stieg.

„Macht nichts, wenn's auch ein bißchen weh tut. Sie wollen doch bald wieder auf sein und laufen können, nicht wahr?"

„Nein", sagte Katja; sie ging bis ans Ende ihrer Gedanken, und dann sagte sie nochmals: „Nein, Herr Doktor."

„Natürlich nicht sofort; aber wenn Sie in, sagen wir, fünf, sechs Monaten wieder tanzen wollen, dann fangen Sie lieber jetzt schon an, Ihre Füße zu bewegen."

„Ich werde nie wieder tanzen", sagte Katja. Sie wendete ihren Kopf ab und schaute zur Zimmerdecke hinauf.

Wieder tanzen? Ohne Grischa? Mit Schenkel und Hüfte zusammengenagelt, als wenn's zwei Bretter wären? Brave Tischlerarbeit, Dr. Spiekman, aber unbrauchbar für eine Primaballerina. Milenkaja sollte zu tanzen versuchen und versagen? Eine von tausend Mittelmäßigkeiten werden? Unmöglich. Tanzen, ohne meinen Körper vollkommen zu beherrschen? Lieber tot. Sie beneidete Grischa, und sie wünschte bitterlich, dort zu sein, wo er war. Der Tod war so einladend, ein so sanftes Sich-Aufgeben, Alles-Aufgeben, und sie war schon unterwegs gewesen. Besten Dank für die unerwünschte Lebensrettung, Dr. Marshall, teilte sie der Zimmerdecke mit. Und wieder einmal ging das Tablett mit ihren Mahlzeiten unberührt zurück, lehnte sie es ab, ihr Schlafmittel zu nehmen, lag sie bis zur Morgendämmerung wach, konfuse Gedanken spinnend, mit sonderbarer Neugierde den ungestillten Schmerz in ihrer Seite bewachend. Am Morgen gab es wieder erhöhte Temperatur.

„Ich hoffe bloß, daß wir keine Komplikationen kriegen", sagte Marshall zu seinem Zimmergenossen Williamson. „Eine septische Nekrosis oder sonst was."

„Ach was, Quatsch", erwiderte Williamson. „Sie benimmt sich wie ein widerspenstiges Gör. Infantil. Eine Frau von fünfunddreißig – sie sollte sich schämen!"

Doch Katja in ihrem Krankenbett, wenn sie an die endlosen Jahre dachte, die ohne Tanzen vor ihr lagen (... wenn ich leben sollte, bis ich fünfzig bin – fünfundsiebzig – dreiundachtzig? dachte sie entsetzt), sah nur die Hoffnungslosigkeit ihrer Lage. Meine negative Haltung? Möchte sehen, wie positiv Sie an meiner Stelle wären, mein lieber Doktor Marshall, dachte sie. Sie wußte nicht, daß ihr Wunsch, sich mit ihm zu streiten, ein wichtiger erster Schritt in ihrer Genesung war.

„Brav. Wir sind überm Berg", sagte Dr. Spiekman zwei Tage darauf. „Sie können die Fäden 'rausnehmen, Marshall. Keine Angst, kleines Fräulein, der Doktor wird Ihnen nicht weh tun."

Da war es wieder, seine Wärme, seine Ruhe, die gewandten Finger, der konzentrierte Blick. Der saubere, angenehme Geruch – Seife, Franzbranntwein, irgendeine unbekannte Chemikalie und eine schwache Spur von Tabak. Etwas erwachte in ihr, ein Wunsch, dessen Ziel sie mißverstand. „Herr Doktor, darf ich rauchen?" fragte sie beengt.

„Ich habe nichts dagegen", sagte Ted, und nachdem er den letzten Faden entfernt und die Pinzette in die Instrumentenschale geworfen hatte, brachte er ein zerknittertes Päckchen mit zwei übriggebliebenen verbogenen Zigaretten zum Vorschein. „Wenn Sie damit vorliebnehmen wollen – ich bin mehr an meine Pfeife gewöhnt." Und dann schaute er zu, wie sie den Rauch tief einzog und durch ihre gerundeten porzellandünnen Nüstern ausströmen ließ.

„Ist etwas falsch?" fragte sie beunruhigt unter seinem Blick. Ach! Alles war falsch, das plumpe Krankenhemd, die vorschriftsmäßige Gummiunterlage unter dem Leintuch – wie Mitzi Keller. Wie abstoßend, wie unappetitlich und Gott weiß, wie ich rieche, dachte sie in plötzlicher Scham.

„Schauen Sie mich nicht an, Herr Doktor, so wie ich aussehe – und der geschorene Schädel – wie ein Sträfling ..."

„Unsinn. Wissen Sie, wie Sie aussehen? Wie ein hübsches, schlaues, kleines Nönnchen."

Die ersten Anzeichen der Genesung sind bei jeder Frau die gleichen, und Katja wurde wieder zur Frau. Sie verlangte einen Handspiegel, Lippenstift, Rouge, Puder, Parfüm. Dann kam der Rollstuhl, und dann die Krücken und schließlich die ersten Schritte, schwer an Dr. Marshalls Arm gelehnt. Aber auch die Schmerzen, das Hinken, die verzweifelte Entdeckung, daß es noch schlechter mit ihr stand, als sie gefürchtet hatte. Und hinter allem die heimliche Angst vor dem Tag, an dem sie das Krankenhaus verlassen mußte. Verlassen – aber wie? Noch immer im Rollstuhl? Oder im Ambulanzauto? Oder würde man sie zu einem Taxi tragen und sie hineinheben? „Was ist der Dame ihre Adresse?" – „Bedaure, Chauffeur, ich habe keine Adresse. Ich wohne nirgends, ich habe nichts, wofür es sich zu leben verlohnt." Da war wieder die Brücke, die erschreckende Traumbrücke, die in einem bodenlosen Nichts endete.

„Also, spätestens am Sonnabend schicken wir Sie heim", verkündete Dr. Spiekman mit befriedigtem Händereiben. Er hatte breite, weiße Chirurgenhände. Wäscht sich die Hände über den Fall Milenkaja, dachte Katja dazu. Es ist möglich, daß Dr. Marshall in ihren Augen ein Flackern der Furcht erhaschte, über die sie nie sprach. „Wo wohnen Sie denn, Miß Katja?" fragte er sie nachher.

„Ich weiß wirklich nicht; ich – sehen Sie, wir waren doch auf einer Tournee, als das passierte..."

„Nun, Sie müssen doch irgendwo wohnen, nicht? Wenn Sie nicht unterwegs sind, meine ich."

„Nein, eigentlich nicht; wir sind so – ein bißchen – fahrendes Volk, wissen Sie. Ich meine, während der New Yorker Saison wohne ich gewöhnlich in einem schäbigen kleinen Hotel in der 48. Straße – aber Grischa dachte, wir sollten wieder nach Paris ziehen, sobald die Franzosen sich ein bißchen erholt haben. Oder vielleicht nach London. London ist eine Ballettstadt und..."

„Wahrhaftig?" Für Marshall war das eine überraschende Ansicht. Das London, das er als Militärarzt kennengelernt hatte, bedeutete Erste Hilfe für die Opfer von Brandbomben und Einstürzen.

„Ich glaube, ich bin noch nicht recht imstande, allein zu reisen; was halten Sie davon?" Katja war unfähig, ihr Zittern zu unterdrücken, als sie in ein drohendes Chaos von Stufen und Treppen starrte, Rampen, die zu Eisenbahnzügen und Flugzeugen führten, Hotelhallen, die überquert werden mußten, endlose Hotelkorridore, die entlangzuhinken waren, gefährliche Straßenkreuzungen und schlüpfrige Badezimmer, all die hinterlistigen, bösartigen Einrichtungen des täglichen Lebens, die sie zu bezwingen haben würde – untauglich und allein, wie sie war.

„Vielleicht wär's keine schlechte Idee, wenn Sie noch ein Weilchen zur Erholung in San Franzisko bleiben könnten? Ich würde Sie gern noch etwas beobachten, damit wir keine Komplikationen kriegen. Und vielleicht würde Nurse Capeller bereit sein, bei Ihnen zu bleiben, bis Sie Ihre volle Beweglichkeit wiedergewonnen haben?"

Was Dr. Marshall unter voller Beweglichkeit verstand, das bedeutete offensichtlich für eine Milenkaja, daß sie verkrüppelt war fürs ganze Leben. Trotzdem fühlten Arzt und Patientin sich viel besser nach diesem Aufschub der endgültigen Trennung; und Nurse Capeller sagte, sie hätte von einer kleinen möblierten Wohnung gehört, und nur keine Sorge, sie würde schon nach allem sehen, und Miß Katja würde es so gemütlich haben wie ein Kaninchen im Kleefeld.

Du heilige Einfalt! Nur keine Sorge! dachte Katja. „Und wovon soll ich leben?" fragte sie Stan Tedesco, der unerwarteterweise mit vier Dutzend roter Rosen und einer lauten Vorspiegelung heiterer Unbesorgtheit bei ihr auftauchte – was sie übrigens nicht darüber täuschte, daß er einzig und allein erfahren wollte, wie bald sie wieder auftreten konnte. Sie fühlte die zwölf Zentimeter Stahl in ihrer Seite brennen wie flüssiges Feuer, aber sie sagte bloß: „Vorläufig ist es am wichtigsten, daß ich meine Behandlung fortsetze: Übungen, Massagen, Hydrotherapie, damit ich meine volle Beweglichkeit wiedergewinne. Aber womit soll ich das bezahlen? Und wovon leben?"

„Schon recht, Liebchen, dafür sorgt die Versicherung noch weitere sechs Wochen. Sie glauben wohl, Onkel Stan hat diese enormen Versicherungssummen für Milenkajas kostbare Beine nur zum Jux ausgebuttert?" deklamierte Stan. Wie alle großen Impresarios war Tedesco ein Enthusiast mit einem gespaltenen Herzen; er konnte dicke Tränen weinen über eine gute Leistung, sich vor Lachen schütteln, in Verzückung geraten. Er liebte Kunst, er liebte seine Künstler. Mit derselben Intensität liebte er das Geld, das sie ihm einbrachten; und ebenso gründlich kühlte er ab im Moment, da sie ihre Zugkraft verloren.

Sein Besuch ließ Katja in einem Zustand tiefster Erschöpfung zurück. Nurse Capeller schlug eine kühle Abreibung vor. Selbst die vier Dutzend Rosen ließen die Köpfe hängen und füllten das Zimmer mit einem Geruch wie der säuerliche Atem eines Weintrinkers. Katja starrte zur Decke hinauf. Das Krankenhaus verlassen – es war ein bißchen wie damals, als sie von Wien fortrannte. Das Leben noch einmal von vorn anfangen? War es der Mühe wert? Darauf wußte sie noch keine Antwort. Sie fühlte nur, daß sie Dr. Marshall zumindest den Versuch schuldig war. Bon – laß uns von einem Tag zum anderen leben. Mach dir keine Sorgen, Katja, predigten ihr alle Leute. Aber wenn ein Pferd ein Bein bricht, schickt man es nicht auf die Weide. Man erschießt es.

Nach ihrer Entlassung aus dem Krankenhaus schrumpfte Katjas Welt ein. Da ist die eng umgrenzte Sicherheit ihrer Stube, ihr kleiner Balkon mit der Aussicht über die Bucht. Ihr Bett, ihr Rollstuhl. Sie hat den Wind zur Gesellschaft, die ziehenden Nebel, den Wechsel der Farben im Sonnenlicht oder Regen, Flug der Möwen, nachts tasten die Scheinwerfer den dunklen Himmel ab. Dann kommen die Tage, die damit hingehen, daß sie lernt: zu stehen, sich zu setzen, quer durch das Zimmer zu gehen, ihr Gewicht zu verteilen. Und auf Dr. Marshalls Anruf oder seine Visite zu warten.

Katja erfuhr niemals, wie schwer es für einen jungen Volontärarzt war, sich von den kurzen Stunden, die ihm zum Essen, Schlafen, Studieren vergönnt waren, die Zeit zu stehlen, die er mit ihr verbrachte. Während er sie in den weichen Kokon seiner Fürsorge einspann, schien er noch länger, noch gotischer zu werden, so viel Gewicht verlor er.

„Wie heißt das Parfüm, das Sie benutzen, Katja?" fragte er sie, nachdem einige Wochen so dahingegangen waren. Die Frage unterbrach eine der stummen, gespannten Pausen, die sich neuerdings in ihre Gespräche einschlichen.

„Das? Ach – *Eau Verveine*. Es ist eigentlich kein Parfüm. Mehr ein Toilettenwasser."

„Ich mag es gern. Es ist – sozusagen – es paßt gut zu Ihnen. Sie dürfen nie etwas anderes benützen, ja?"

„Nein, gewiß nicht. Ich benutze es seit vielen Jahren."

„Komisch, im Labor kann ich alle Sorten von Gestank vertragen, aber so richtige Parfüms, mit *sex appeal* und Gott weiß was, sind mir zuwider. Dieses da – es ist nicht so süßlich. Großmutters Garten nach einem Frühlingsregen – oder so etwas Ähnliches, was Frisches – wo kann man's kaufen?"

„Man kann nicht. Ein kleiner Mann in Grasse macht es seit Jahren für mich. Ausschließlich für mich."

„Ach so. Und Sie könnten nicht ein paar Tropfen für mich aufsparen? Nur, was so in einem Fläschchen übrigbleibt, vielleicht?"

„Doch – aber wozu? Es ist eine sehr persönliche Sache, mein Toilettenwasser", sagte Katja. Es war ein unbehaglicher Gedanke, daß jemand andres ihr höchsteigenes Parfüm benutzen sollte.

„Ich dachte bloß – ich könnte es vielleicht analysieren – versuchen, es zu synthetisieren", sagte Marshall; er flunkerte so unbeholfen, daß seine Stirn und Kopfhaut, sogar sein sandblondes Haar zu erröten schienen, während seine Wangen zugleich etwas erbleicht waren. „Wie ich Ihnen erzählte, ich bin dabei, zur Biochemie überzugehen, und wenn ich unter Zechlin in New York arbeiten will, wie ich hoffe, dann muß ich meine Kenntnisse in praktischer organischer Chemie ein bißchen auffrischen, und da dachte ich...", sagte er noch, sich immer mehr verheddernd.

Katja erhob sich, und indem sie sich bemühte, nicht zu hinken, ging sie ins Badezimmer und kam mit einem noch ungeöffneten Parfümfläschchen zurück. „Da", sagte sie; „meine besten Empfehlungen an die junge Dame."

Ted war zugleich mit ihr aufgestanden. Er nahm das volle Fläschchen und setzte es unsanft hin. „Sie haben nicht zuviel weibliche Intuition mitgekriegt, Katja, scheint mir", sagte er aufgebracht.

„Nicht mehr als die normale Portion weiblicher Bosheit, nehme ich an", erwiderte Katja, gleichfalls geärgert. Um Himmels willen, was ist mit mir los? Bin ich eifersüchtig? Besitzerisch? Dachte ich denn, daß ich ein Monopol auf den jungen Mann habe? Zu verdammt gewöhnt an ihn, Kati? Verwöhnt, das ist es, zu abhängig von meinem Doktor, das ist los mit mir.

„*All right*, Katja – wenn Sie's ganz genau wissen müssen: Ich möchte etwas behalten, das mich an Sie erinnert – ein kleines Andenken, wie die Touristen das nennen, nicht? Dieses *Eau* – was immer es ist – Verveine? – es wird Sie mir zurückbringen, wenn Sie nicht mehr hier sind. Es ist – eben Katja. Es ist diese Stube und die

Aussicht von diesem Balkon und diese letzten Wochen und unsere Gespräche und... Ich nehme an, Sie haben keine deutliche Erinnerung an den Abend, als – als es nicht gut um Sie stand, aber ich werd's nicht vergessen. Sie waren so klein und zart, und – Sie waren wie Chip, habe ich Ihnen nie von Chip erzählt? Ich fand ihn auf dem Schulweg, und ich mußte mich um ihn balgen, ihn den großen starken Raufbolden aus den Oberklassen wegnehmen, ich habe noch immer die kleine Narbe da neben dem Auge, aber, Herrgott, wie lieb ich meinen kleinen Chip hatte! Es war ein kleiner Goldfink, hatte sich den Flügel gebrochen. Ich kann noch heute spüren, wie schnell, schnell sein Herzchen in meiner Hand klopfte, ein so winziges Herz, aber tapfer. Ich machte eine kleine Schiene und legte den Flügel still. Ich glaube, damit fing es an, daß ich ein Chirurg werden wollte. Na, das habe ich ja inzwischen aufgegeben. Möglich, daß ich kein ganz schlechter Chirurg geworden wäre, aber auch kein sehr guter, und ein mittelmäßiger Chirurg schläft selten ruhig. Ja, also Chip heilte recht sauber, und sobald er wieder fliegen konnte, setzte ich ihn frei. Deshalb bitte ich um ein paar Tropfen von Ihrem Parfüm, Katja. Sentimental, nicht? Aber nun werden Sie bald ganz heil sein und wieder in der Welt herumfliegen, und ich fange nochmals von Grund aus an mit meiner Biochemie und – und Sie werden mir so entsetzlich fehlen, Katja, ich bin so – so ..."
Er sagte nicht: so verliebt in dich. „Ich bin so – so sehr an dich gewöhnt ...", endete er unvermittelt. Katja stand vor ihm, sie zitterte ganz schwach unter dem plötzlich hervorbrechenden Katarakt von Teds zurückgehaltenen, aufgespeicherten Gefühlen.
„Ich habe gehört, daß kein Arzt seine Patientin jemals als eine Frau betrachtet ...", versuchte sie noch.
„Bist du sicher?" hatte Ted gesagt, und dann hatte er sie in die Arme genommen und endlos geküßt.

Der Tee in Katjas Tasse war kalt geworden, die Aschenschale voll von Zigarettenenden, der Inhalt der Schachtel – *La Samaritaine,* Paris – in ärgerer Unordnung als zuvor. Topper, der unter dem Tisch geschlafen hatte, seufzte tief und begann im Traum zu rennen. Dann stieß er plötzlich einen hohen Freudenlaut aus und raste davon, quer durch das Wohnzimmer und in die Vorhalle, wo er sich an der Tür aufstellte, kratzend und keuchend wie nach einer Hetzjagd.
Und da war nun der Wagen. Der Hund hatte ihn wohl vor Katja kommen hören. Er stand drunten, wo die Zufahrt von Rocky Hill Lane abzweigte. Katjas Herz schlug ein wenig schneller und lauter. Es war nett, daß ihr Herz das noch immer tat, wenn sie Ted erwartete, es war ein so angenehmes Gefühl. Sie schaufelte hastig alles zurück in die Schachtel, zog ihren Sweater zurecht, kämmte mit den Fingern durch ihr Haar und rannte mit dem Hund ins Freie. Sie hörte die Wagentür zufallen und eine Frauenstimme „Auf Wiedersehen, Schnucks" rufen. Das Auto jammerte ein biß-

chen, spuckte sich in den ersten Gang, wurde ziemlich ungeschickt gewendet und fuhr zurück zur Stadt.

„Ach so – Sie sind's", sagte Katja enttäuscht zu McKenna, die den Weg heraufkam. Der Kasten, in dem sie ihre Posaune schleppte, war groß und schwarz wie ein Sarg.

„Weshalb ausgerechnet eine Posaune?" hatte Katja ihren Mann gefragt. „Phallus Symbol! Dieselbe Sache wie ein Cadillac", hatte er geantwortet. „Groß. Stark. Potent. Prahlerisch. Absolut männlich." Macs Posaune war ein Gegenstand steter Heiterkeit zwischen ihnen, und selbst in ihrer Enttäuschung hatte Katja Mühe, bei dem Anblick nicht zu lachen.

„Ja, Frau Doktor, was tun Sie denn hier? Wir haben Sie nicht erwartet", äußerte McKenna in ihrem näselnden Klageton. Armes Ding, warum hat man ihr als Kind nicht die Nasenrachenmandeln herausgenommen? dachte Katja.

„Ich warte, bis mein Mann heimkommt, Mac", sagte sie beschwichtigend.

„Oh, ist er noch nicht zurück?" sagte McKenna. Sie stellte ihren Posaunenkasten mitten in die Zufahrt, marschierte mit zielbewußten langen Schritten zur Garage und schloß sie auf.

„Aber sein Wagen ist ja da."

„Ja. Der ist da", sagte Katja verblüfft. Ihr war diese einfache Schlußfolgerung nicht in den Sinn gekommen; übrigens hatte sie den Schlüssel zur Garage verloren, und außerdem war sie nie imstande gewesen, das Tor aufzukriegen. Katja befand sich in lebenslänglichem Kampf gegen solch böswillige Objekte des täglichen Lebens wie Schubladen, die sich klemmten, Schraubdeckel, die nicht aufgingen, Handkoffer, die an Kinnbackenkrampf litten. Aus diesem Grund reiste sie durch die Welt, umgeben von unverschlossenen Koffern, weit geöffneten Schmuckkassetten und schlecht zugeschraubten *Eau-Verveine*-Flaschen. „Weshalb sich das Leben mit Schlüsseln und Schlössern schwer machen?" sagte sie wohl. „Ich zeige den Leuten, daß ich ihnen vertraue, und – *voilà* – mir ist noch nie etwas gestohlen worden!"

„Ich denke, Dr. Marshall macht noch einen späten Spaziergang", sagt sie, McKenna ins Haus folgend.

„Ohne Topper? Tut er nicht. Warum hat Frau Doktor uns nicht wissen lassen, daß Sie kommen? Ich hätte wenigstens etwas zum Essen hergerichtet."

„Danke, Mac. Es war ja noch kaltes Huhn im Eisschrank. Schmeckte ausgezeichnet."

McKenna spreizte ihre Spinnenhände in bestürzter Abwehr. „Sie haben unser Huhn gegessen? Aber das hätten Sie nicht tun sollen, Frau Doktor! Ja, was gebe ich denen jetzt morgen zum Lunch? Ich habe doch dem Kind ein Sandwich mit Hühnersalat versprochen, das hat es doch so gern. Nein, nein, Mrs. Marshall!"

„Tut mir leid, daß ich Ihr Menü verpfuscht habe. Ich war hungrig. Nächstens müssen Sie eben Tabuzeichen auf Ihre Fleischreste machen, wie die Wilden in der Südsee", sagte sie verärgert. Niemand ging Katja so unerträglich auf die Nerven wie diese Pest McKenna, und sie kämpfte mit Mühe die Lust nieder, Mac einen festen Tritt in den Hintern zu versetzen.

„Nun, nun, wenn Frau Doktor schlechter Laune ist, weil wir nicht wissen, wo sich der Herr Doktor spätnachts herumtreibt, dann müssen Sie's nicht an mir auslassen. Vielleicht hat er den Zug nach Philadelphia genommen. Er war diese Woche schon zweimal drüben. Möglich, daß sie morgen früh eine Sitzung haben. Jetzt fällt mir auch ein, er hat doch gesagt, ich soll nicht für ihn aufbleiben."

„Ja, möglich...", sagte Katja und ging die Treppen hinauf, um Macs Stimme und eventuellen psychosomatischen Anfällen ihrer diversen Allergien zu entgehen. Ja, wahrscheinlich war er nach dem nahen Philadelphia gefahren, wo die F.S.H.-Gesellschaft ihre Zentrale hatte. Sie erinnerte sich zwar, daß die Sitzungen gewöhnlich am Mittwoch stattfanden, aber das war vielleicht geändert worden. Was für ein absolut versauter Abend! Verflucht und zugenäht, warum ich nicht in New York geblieben, warum bin ich jetzt nicht in einem netten Hotel und schlafe mich aus? Gott weiß, ich habe Schlaf nötig.

Mitternacht war lange vorbei, und selbst wenn es ihr gelingen sollte, sofort einzuschlafen, blieben ihr doch höchstens noch sechs Stunden Nachtruhe, und: Himmel, Herrgott, ich kann unmöglich so ausgelaugt auf der ersten Bühnenprobe erscheinen. – „Bitte, drehen Sie die Lichter ab, Mac. Ich lege mich nieder. Du bleibst unten, Topper, gute Nacht", sagte sie streng.

Doch es war nicht so leicht, McKenna abzuschütteln. „Wenn Frau Doktor schon einmal hier ist, da gibt's doch ein paar Sachen im Haus, und ich will doch Herrn Doktor nicht belästigen", sagte sie, Katja ins Schlafzimmer verfolgend. „Wegen der neuen Leintücher, die brauchen wir dringend. Soll ich ein Dutzend bei Pringles bestellen? Oder wird Frau Doktor uns welche in New York besorgen?"

„Kann die alte Preston sie nicht stürzen? Ich weiß, wie man zwei gute Leintücher aus drei zerrissenen machen kann", schlug Katja vor. Sie hatte gelegentlich solche Blitze praktischer Weisheit, noch von Tante Mali her, und sie war stolz darauf.

„Ich weiß das auch. Aber ich tät' mich schämen. Gestürzte Leintücher mit einer Naht in der Mitte! Ich wette, das täte dem Herrn Doktor nicht passen. Und wenn Mrs. Bradley uns übers Wochenende besucht, na, da kriegten wir ja was Schönes zu hören!"

„Also gut. Ich werde neue Bettlaken kaufen. Aber jetzt bin ich müde, Mac."

„Nur noch wegen der unteren Toilette, aber vielleicht hat das Zeit bis morgen."

„Nicht morgen, Mac. Ich muß mit dem Sieben-Uhr-zwanzig-Zug zurück in die Stadt."

„Schade, nicht?" sagte McKenna ohne jedes Mitgefühl. „Aber,

Frau Doktor, wir müssen etwas wegen der Toilette tun, und Herr Doktor hat seine Gedanken woanders und ..." Ach, da geht's wieder los! Mac hatte sich ins Jammern hineingeredet, sie schnaufte, räusperte sich, schniefelte, nieste. „Es ist unhygienisch, das ist es nämlich, und Everett sagt, es wird nie recht funktionieren, weil doch die Senkgrube oberschichtig ist statt unterschichtig, und ich sage immer, Gesundheit ist mehr wert als Gold und Silber, wenn auch der Herr Doktor sagt, wir können's uns jetzt grad nicht leisten, aber ich sage immer ..."

Katja zog ihren Sweater über den Kopf, zugleich mit dem Büstenhalter. Es war die einzige Methode, McKenna loszuwerden; beim Anblick von Katjas fehlerlos schönen, entblößten Brüsten zog sie sich hastig und vorwurfsvoll zurück.

Keine Minute zu früh. Die Anstrengung der letzten Tage, das unverzeihliche Benehmen ihrer Freunde, die Enttäuschung dieses einsamen Abends zu Hause und nun auch noch McKennas hirnloses Geschwätz: das alles ballte sich in ihren Nerven zu einer harten heißen Kugel des Elends, einer würgenden Wut. Außer sich, suchte sie nach etwas, woran sie diese Wut auslassen konnte. Sie streifte ihre Schuhe ab und schmiß sie hinter der abgehenden McKenna gegen die Tür. Sie hörte ihren eigenen schweren Atem, ihr sinnloses Geflüster: „Ha, ein Huhn in jedem Topf, ein Auto in jeder Garage, eine stinkende, dreckige Senkgrube unter jedem Heim! Nein, ich gehöre nicht hierher, ich wollte, ich wäre nicht gekommen, ich wollte, ich wäre weit fort — auf Olivias Gesellschaft, oder — ich wollte, ich ... Ted, o Ted, ich wollte, wir hätten nie geheiratet!"

Je weiter die ersten Jahre ihrer Ehe von ihr fortrückten, je unwirklicher schienen sie Katja.

Nachdem der Unfall ihre Laufbahn als Tänzerin abgeschnitten und Grischa ausgelöscht hatte, war diese Ehe die einzige gewesen, das ihrem zerbrochenen Leben neuen Inhalt zu geben vermochte. Sie mußte erst lernen, eine verheiratete Frau zu sein, es hieß eine ganz neue, ganz andere Technik zu erwerben, und das war die Art von Herausforderung, auf die Katja am stärksten reagierte. Verheiratet sein verlangte dieselbe unnachgiebige Anstrengung, Geduld und Ausdauer, für die das Ballett sie trainiert hatte. Höflichkeit und willige Zusammenarbeit, Gleichgewicht und gute Haltung, Witz und Liebenswürdigkeit, das Lächeln unter allen Umständen, die Kunst, Schwierigkeiten leicht erscheinen zu lassen, und schließlich die feineren Künste der Täuschung — all dies ist nötig, um das knifflige *pas de deux* von Ehemann und Gattin erfolgreich auszuführen.

„Wir sind doch eigentlich schon eine ganze Weile ein bißchen verheiratet, nicht? Es wird doch nichts zwischen uns ändern?" fragte sie Ted, als er darauf bestand, daß sie seine Frau werden müsse.

„Leider bin ich ein hoffnungslos monogamer Mensch — wird dir das auf die Dauer nicht langweilig werden?"

„Und ich bin so hoffnungslos mit dir verwachsen. — O Ted,

unsere Ehe wird wunderbar sein, ein Tag wie der andere, gar keine Aufregung, keine Katastrophen", hatte sie geantwortet.

Ihr schwebte eine Ehe vor, die das absolute Gegenteil ihres ersten fehlgegangenen Abenteuers auf diesem Gebiet sein sollte. Nicht Hitze, sondern Wärme, nicht wilde Leidenschaft, sondern zärtliches Gernhaben, nicht der blinde Drang im Blut, sondern die klare destillierte Essenz echter Zuneigung. Und tatsächlich baute sich auf diesen Grundmauern eine ungewöhnlich gute, glückliche Ehe auf: geräuschlos, zuvorkommend, voll von gegenseitigem Respekt und voller Rücksichtnahme auf die Unabhängigkeit des andern – Eigenschaften, die auf harte Proben gestellt wurden, nicht nur einmal, sondern immer wieder.

Zum Beispiel, als Ted sich entschloß, nach New York zu ziehen, um dort unter dem großen Zechlin seinen Übergang von reiner Medizin zur Biochemie zu vollenden. Sie lebten von dem wenigen, das von Katjas Versicherung und Teds Ersparnissen noch da war, ein Studentenleben, nur daß sie älter und nicht so sorglos waren wie die anderen Studenten. „Macht nichts", lachte Katja. „Dadurch fühle ich mich viel jünger, als ich bin – du nicht?"

In der Vergangenheit war sie zu lange und zu oft arm gewesen, als daß sie nicht gern auf einer höheren Stufe gelebt hätte; aber sie hatte gelernt, sich in beschränkten Verhältnissen zurechtzufinden, und im Grund waren Geld und Besitz unwesentlich für sie. „Geld macht schwer – wie bleierne Schuhe", sagte sie; „Geld muß man arrogant behandeln, sonst kriegt's einen unter. Mir macht's großen Spaß, mit wenig auszukommen – dir vielleicht nicht?"

Was ihr in den ersten Monaten weniger Spaß machte, war Teds Besessenheit mit seinem Studium; er ertrank in der Arbeit an dieser, seiner zweiten Dissertation, versank, ging unter wie in einem Meer. Sie sprach zu ihm, und er hörte sie nicht. Er schaute sie an und sah sie nicht. Er vergaß die Mahlzeiten, die sie mit viel Liebe und ökonomischer Erfindungsgabe herstellte. Plötzlich war er gegangen – wohin? Ins Laboratorium der Universität? Auf die Bibliothek? Ins städtische Krankenhaus? Oder zu einer Vorlesung, einer Demonstration des eminenten Zechlin? Fortgegangen von ihr, auf jeden Fall, und verschwunden in dem abstrakten Gebäude seiner Wissenschaft, zu dem sie keinen Schlüssel besaß.

„Erzähl mir doch ein bißchen über deine Arbeit, Ted. Um was handelt sich's in deiner Dissertation?"

„Wie? Ach so – na ja – also, es handelt sich um die Möglichkeit, physikalischer Absorbierung lösbarer cytoplasmischer Enzyme in mitochondrialen Membranen", antwortete er, tief in seinem Zettelkatalog und einer Wildnis von Exzerpten, Katja verschluckte ein kleines Lächeln und eine große Konfusion.

„Was bedeutet das denn: mitochondriale Membranen? Kannst du's nicht in einer Übersetzung für Schwachsinnige wie mich ausdrükken?" fragte sie mit einem ernsthaften Versuch, nicht über die schwierigen Worte zu stolpern.

„Mitochondriae – ja, die haben eben keinen anderen Namen", sagte er mit der leidenden Geduld eines Lehrers für ein unbelehrbares Kind. „Das sind einfach winzige Gewebspartikeln, eingebettet in das Cytoplasma von Pflanzen- und Tierzellen. Ungeheuer faszinierend – wir haben noch eine Menge darüber zu lernen."

Katja seufzte und gab es auf, die Festung zu erstürmen.

„Warst du auch so, als du ein Chirurg werden wolltest?"

„Nein, da gab's mehr – mehr zu tun, sozusagen. Nicht so viel und so tief nachzugraben. Ich bin aber mehr fürs Graben bestimmt, glaube ich. Ich weiß nicht recht, wie ich es ausdrücken soll: Ich war kein geborener Chirurg, siehst du."

„Und du bist ein geborener Biochemiker?"

„Ich glaube, ich tauge am besten zum Forschen, wenn du verstehst, was ich meine."

Katja nickte. Wer sollte eine Besessenheit besser verstehen als Milenkaja? „Manchmal wünsche ich mir, daß ich noch ein bißchen krank sein könnte, dann würde Dr. Marshall vielleicht auf eine Abendvisite kommen und sich ein wenig um mich kümmern."

„Wenn du etwa irgendeinen psychosomatischen Schwindel vorhast, mein Kleines, dann mach dich darauf gefaßt, daß ich deine niedliche Hinterseite versohlen werde, um dich zu kurieren", beantwortete er die leise Sehnsucht in solchen Scherzen; er lächelte ihr zärtlich, wenn auch geistesabwesend zu und versank schon wieder in seinem Ozean von Notierungen, Zetteln, wissenschaftlichen Zeitschriften, Statistiken und schwarzem Kaffee.

Katja hingegen, ausgeruht und genesen, fühlte sich stark und gesund, und ihr Körper schrie nach Tätigkeit. Automatisch, fast ohne es zu merken, entwickelten sich die vorgeschriebenen Übungen für das beschädigte Glied zu *battements,* weiteten sich aus und wurden schließlich zu der täglichen Morgenarbeit, ohne die das Leben einer Tänzerin undenkbar ist. Nicht die berühmte Milenkaja oblag diesen Übungen, sondern eine steife, verängstigte Anfängerin, keuchend über eine Stuhllehne gebeugt oder an den Handtuchhalter, anstatt einer *barre,* geklammert. Es gab Schmerzen, Schluchzen, Verzweiflungsanfälle, strenge Bestrafungen des widerspenstigen Körpers und reichliche Nahrung für den Masochismus, der in jedem Tänzer steckt. Aber es gab auch die kleinen Belohnungen; die langsam wiedergewonnene Beherrschung ihrer Glieder, das kurze Aufleuchten nach einer gelungenen Bewegung, die Freude und den Stolz über ein einigermaßen gut geratenes *enchainé en pointe.* Es hatte nichts mit Tanzen zu tun, davon war Katja überzeugt; jede Frau war sich's schuldig, auf ihre Figur zu sehen, nicht wahr?

Das ging so bis zu dem Tag, da sie vor der Carnegie Hall stand und das Plakat einer neuen Tanzgruppe studierte, von der sie noch nie gehört hatte. Jemand rief ihren Namen. Es war ein rundlicher kleiner Mann mit riesigen Eulenbrillen, er rief: „Katja! Katja!" Er stand noch ein paar Sekunden lang wie festgeschraubt, dann stürzte er sich auf sie und erdrückte sie beinahe mit seinen kurzen Armen und einer Lawine von deutschen, französischen und englischen Worten freudiger Überraschung.

„Elkan!" rief Katja, gleichfalls überkommen von einer närrischen, grundlosen Freude. Sie hatte ihn nicht gleich erkannt. Zu viele Jahre waren seit den Zeiten von Numero 27, Rue Vert-Vert, vergangen. Oh, *mon Dieu*, wie weit zurück lag doch das Ballett Continental und ihre Freundschaft mit der unglückseligen Olivia und ihrem Mann.

Doch schon nach wenigen Minuten, während sie die 57. Straße entlangschlenderten, war es so, als hätte sie den Jugendfreund erst gestern gesehen. Sein viel zu kurz geratener Körper, sein Gesicht einer kleinen, gescheiten und humorvollen Eule, seine enormen Augen, die tief in sie und durch sie schauen wollten, neugierig, ironisch, doch gut und weise.

Als er sie zwölf Minuten später an einem Tisch in der versteckten Gaststube eines Delikatessenladens untergebracht hatte („Frau Schwerdtfeger ist die einzige Person in New York, wo der Sauerbraten mit Spätzle so schmeckt wie bei meiner Mutter", vertraute er ihr in seinem vergnügten Schwäbisch an), hatte er alles erfahren, was er über Katja wissen wollte.

„Und Olivia? Wie geht's ihr denn?" fragte Katja.

„Ah, Olivia! Nun, du wirst ja selbst sehen. Sie wird in einer Minute hier sein", sagte Elkan, der seine Frau sofort per Telefon zur Stelle beordert hatte.

Reichtum, Macht und die völlige Ergebenheit eines Gatten sind hervorragende kosmetische Mittel. Olivia, die wie auf dem Kamm einer hohen Welle hereingesegelt kam, hatte sich, wie es reizlosen jungen Mädchen häufig ergeht, in eine recht gut aussehende Frau mittleren Alters verwandelt. Sie steckte tief in der Verwirklichung ihres alten Traumes, eine Tanzgruppe zu gründen, zu leiten. Endlich hatte sie ihr eigenes Ballett, das Manhattan Ballett, dessen Plakat Katjas Aufmerksamkeit erregt hatte.

„Oh, *mon Dieu*, Katja, ich habe überall nach dir gesucht, aber kein Mensch konnte mir sagen, in welche Versenkung du gefallen bist. Wie kann man nur so gänzlich verschwinden? Und zu denken, daß ich dich bei Schwerdtfegers finden soll, wo du dich mit diesen gräßlichen Spätzle vollstopfst – nein, wahrhaftig, nur Elkan kann solche Wunder wirken. Aber zur Sache! Ich habe nicht vergessen, *mon ange*, daß du meine Primaballerina sein mußt, erinnerst du dich noch? Es ist mein ganzer Stolz, daß ich die erste war, die La Milenkaja entdeckt hat!"

Katja erinnerte sich mit einer hauchdünnen Sentimentalität; wie ein vergessener Duft war das. „Aber, Olly, Liebe, ich werde nie mehr tanzen, weißt du das nicht? Ich kann nie mehr auftreten. Sie haben mir ja einen ganzen Metallwarenladen in die Hüfte getan, und außerdem..." Außerdem ist Grischa nicht mehr da, dachte sie, sprach es aber nicht aus. Sie nahm sich zusammen, setzte sich gerade. „Ich bin verheiratet, sehr glücklich verheiratet, vollkommen zufrieden und ausgefüllt", sagte sie; aber sie wußte, daß dies eine Lüge war. Und Olivia wußte es auch.

„Nie mehr tanzen? Du? La Milenkaja? Was für absoluten Unsinn redest du da! Was für eine grenzenlose Faulheit! Katja, das glaubst du doch selbst nicht, das bist ja gar nicht du. Du willst doch nicht deine besten Jahre verfaulenzen und vertun und versäumen! Was hat Verheiratetsein damit zu tun? Alle Welt ist verheiratet, unsere Mädels heiraten immerfort, das schadet doch nichts. Wie? Die Pawlowa war verheiratet, die Gabrilowa war verheiratet, nicht nur einmal, sondern dreimal hintereinander, vorläufig. Ich bin verheiratet und sehr glücklich – nicht wahr, Elkan? Wenn du deine innere Berufung für einen Mann aufgibst, dann muß es unweigerlich dazu kommen, daß du ihm eines Tages die Schuld daran gibst, und du wirst ihn dafür hassen und von ihm wegrennen. Aber dann wird's zu spät sein, dich wieder in eine Karriere zu lancieren, während jetzt gerade der richtige Moment dafür ist. Schön, schön, wir wollen jetzt nicht mehr davon reden. Aber du mußt unbedingt sofort mit mir kommen und sehen, wie wir arbeiten. Du wirst allerhand alte Freunde bei uns finden – Maestro Mattoni, zum Beispiel –, und ich habe die besten Mädels von Kuprins Gruppe eingefangen, und – aber das muß vorläufig ganz unter uns bleiben – Bagoryan hat mir sein nächstes Ballett versprochen . . ."

Vier Monate danach stand Katja Milenkaja wieder als Primaballerina auf der Bühne.

Sie war von Olivia angestachelt und bearbeitet worden; mit strenger Geduld und liebender Härte vom Maestro gepeitscht, gequält und angetrieben; von Bagoryan mit Schmeicheleien geschoben und überredet. Und dann hatte man sie vorsichtig, ganz ohne große Fanfare und in einer nicht zu anspruchsvollen Version von „Les Sylphides" zunächst einmal in New Orleans und Mexiko herausgestellt. In Städten, die nicht viel von Ballett verstanden und wo es nichts ausgemacht hätte, wenn sie mittelmäßig tanzte.

Aber in einem Aufruhr von Lampenfieber, Schmerzen und tödlicher Angst tanzte sie ausgezeichnet.

Erst nach diesem Versuch wurde sie unter freudigem Lärm und mit großer Reklame dem ausverkauften Theater in New York serviert. Niemand in der Welt konnte sich einen rechten Begriff davon machen, durch welche Todesqualen Katja in diesen Monaten ging, bis sie ihren Körper so weit hatte, daß er ihr wieder diente und gehorchte wie zuvor. Das Publikum, gedankenlos wie immer, applaudierte, die Presse begrüßte sie mit Herzlichkeit und guten Kritiken, und Bagoryan war stolz auf sie. Am wenigsten von allem verstand Ted, um was es bei der ganzen aufgeregten Angelegenheit ging.

Er hatte Schwierigkeiten, seine eigene Frau zwischen all den luftigen Sylphiden in ihren weißen Tüllröckchen herauszufinden; ihm schien die ganze Sache zwar recht hübsch, aber kindisch und auf die Dauer langweilig. Er freute sich zwar über den Applaus und die Blumen für Katja, aber es machte ihn auch etwas eifersüchtig und verlegen, daß seine Frau, seine Kate, sein Kleines, so zur Schau gestellt wurde. Und als Olivia ihn nachher in Katjas Garderobe brachte und er Katja außer Atem vorfand, erschöpft und schwitzend wie ein Rennpferd, machte er sich leise Sorgen.

Katjas Rückkehr zur Bühne war die zweite Belastungsprobe für ihre Ehe, und diesmal hatte Ted sich damit abzufinden, daß er es war, der sich ein wenig vernachlässigt fühlte: zur Seite geschoben durch diese Beauchamp, die er vom ersten Moment an nicht leiden konnte. Diesmal war er der Ausgeschlossene, der keinen Schlüssel fand zu Katjas besonderer Welt und ihren lächerlichen Problemen, Wichtigkeiten und Aufregungen. Aber da er ein besonnener, guter und gerechter Mensch war und da er Katja liebte und es ihn glücklich machte, sie ausgefüllt, heiter und in ihrem Element zu wissen, und da er außerdem bis über die Ohren in seiner eigenen Arbeit steckte, fühlte er sich zu keiner Klage berechtigt. „Siehst du, jetzt fangen wir beide wieder ganz von vorne an, nicht wahr?" sagte Katja wohl, wenn sie nach einer Vorstellung in ihr Studentenquartier nach Hause kam, leergetanzt und mit einem kleinen Schmerz in der Hüfte, und Ted über seinen Papieren eingeschlafen vorfand.

Aber die wirkliche, die große, die ernsthafte Ehe begann erst, als Katja entdeckte, daß sie schwanger war. Es gelang Dr. Marshall, auf des großen Zechlin Empfehlung und mit seinem Segen, sich eine Stellung an einer mittelgroßen Universität im Westen zu verschaffen. Als Dozent für einige unwichtige Biologiekurse, aber hauptsächlich, um an einem von Zechlin angeregten und von der Regierung unterstützten Forschungsprojekt mitzuarbeiten.

Dies war nun die Feuer- und Wasserprobe ihrer Ehe, und späterhin wunderte Katja sich oft, daß sie das Ballett ein zweites Mal und leichten Herzens aufgegeben hatte, um mit ihrem Mann zu gehen; wie Ruth in der Bibel, dachte sie, ein Nest zu bereiten und ihr Kind auszutragen.

Sie wunderte sich darüber in dieser späten Nachtstunde, übermüdet und enttäuscht, wie sie war, von all den Kleinlichkeiten des täglichen Lebens bedrängt; es gab ihr das alte Gefühl von Platzangst, an dem sie in der beengten Luft von Tante Malis Küche gelitten hatte. Aber ich war ja so glücklich damals, dachte sie, niemals war ich so glücklich wie während unserer kurzen Ferien, nachdem Ted seinen zweiten Doktor gemacht hatte, und dann, als wir in das kleine Professorenhaus einzogen, und ich war Doktor Marshalls Frau, die ein Baby erwartete. Glücklich, in einem Leben, das so gar nicht meine Art Leben war? fragte sie sich. Doch ja, Katja, glücklich. Sehr, sehr glücklich. Wenn auch ein bißchen wundgerieben von der Beschränktheit der Mittelstadt.

Obwohl Corona eine gute Universität besaß, war es keine eigentliche Universitätsstadt. Es war eine Stadt für alte Leute, Würdenträger in Pension, und die toten Millionen von Petroleumbaronen, deren fürstlich angelegte Gärten und scheußlich entworfene Villen auf den Hund kamen, weil keine Dienerschaft mehr zu finden war. Es war ein Ort, der sich durch den besonderen Mangel an Takt und Geschmack auszeichnete, den nur ganz dicker Reichtum sich leisten kann.

Ohne die Seligkeit, zu beobachten, wie aus ihrem Baby ein kleiner Mensch wurde, ohne den Stolz, eine gute Hausfrau und Mutter sein zu können, ohne die Neuheit dieser Existenz, wäre Katja in der toten Luft, die über der Stadt hing, erstickt. Aber sie hatte das Kind, sie spielte und lachte mit Christopher, sie hielt das Haus sauber, ging auf den Markt, kochte die sparsamen Mahlzeiten, die sie von Tante Mali gelernt hatte. Sie wusch Geschirr und Windeln, schwätzte und lachte und schlief mit Ted, und sie verbrauchte eine Menge Ehrgeiz in dem Versuch, das Haushaltsbudget mit dem mageren Gehalt eines Dozenten in Einklang zu bringen. Sie erfüllte ihre täglichen Pflichten, erdgebunden in den bleiernen Schuhen einer braven Ehefrau. Und träumte im Schlaf, daß sie nicht nur tanzen, sondern fliegen konnte. Und träumte vom Kind auf der abstürzenden Brücke. Und träumte, daß Grischa sie aufhob – hoch – noch höher.

Niemand in jener Stadt machte sich das geringste aus einer gewissen Katja Milenkaja, die einmal eine Berühmtheit gewesen war. Vielleicht gab es Geflüster und hochgezogene Augenbrauen unter den Professorenfrauen, weil es hieß, daß Dr. Marshall eine Balletteuse geheiratet habe. Eine Balletteuse? Nein, denken Sie nur, meine Liebe. Und die Marshalls sind eine so gute alte New-England-Familie, höre ich. Es heißt ja, daß sie ein bißchen komisch ist; eine von diesen Russinnen – ich kenne sie nicht persönlich, aber mein Geflügelmann erzählte mir, daß sie einen komischen Akzent hat – und die Faxen, die sie mit ihrem Baby macht! Ja, daran ist auch nur der Krieg schuld, da haben sich unsere jungen Leute an alle diese Ausländerinnen gewöhnt.

Zwei Damen in Hüten und Handschuhen erschienen und luden sie ein, sechs Mädelchen einen Tanz für eine Schulvorstellung einzustudieren. „Die Kinder sollen Sonnenblumen vorstellen, wissen Sie, Mrs. Marshall, und ein kleines Vögelchen hat uns verraten, daß Sie diese Art Sachen früher einmal gemacht haben ...“

An diesem Punkt ihrer Erinnerungen wurde Katja von einem Schüttelfrost überfallen, es war die übliche Reaktion ihrer übermüdeten Nerven. Ich brauche eine heiße Brause, sagte sie sich, aber da stieß sie auf ein andres chronisches Leiden des Hauses. Der Heißwasserofen im Keller war zu klein. Wahrscheinlich hatte McKenna ihre nächtlichen Waschungen vorgenommen, und für Katja war nur ein laues Getröpfel übriggeblieben.

Das Bett war viel zu groß ohne Ted. Es fühlte sich an wie Zugluft, wie der leere Ärmel eines einarmigen Invaliden. Katja machte sich mit einem dünnen Lächeln klar, daß sie nie zuvor allein in

230

diesem Bett gelegen hatte. Und McKennas Stimme geisterte noch durch das Zimmer, gewisse Obertöne, unausgesprochene, unaufrichtige Andeutungen. Warum mußte Ted dreimal in einer Woche in Philadelphia sein? Warum am Sonntagabend? Und wenn er nicht in Philadelphia war – wo sonst?

Da war die Musik schon wieder, hartnäckig wie ein Moskito. Der Auftritt der Königin, die Ankleideszene, ihr Verführungstanz für die Drohnen. Katja drehte das Licht ab, und dann lag sie ganz still, ließ diese kleine Ratte von einem Schmerz an ihrer Hüfte nagen und wartete auf den Schlaf. Ihre Augen waren auf die Decke gerichtet, eine Krankenhausgewohnheit. So viele Zimmerdecken, dachte sie verwischt. Und so viele Katjas. „Hör auf, dich um deine Identität zu sorgen", hatte Grischa ihr gesagt. Aber da war noch immer die alte Jedermannsfrage: Wer bin ich? Die eine, die immer wandern will, fortfliegen? Oder die andre, die danach verlangt, still und sicher zu Hause zu bleiben?

Eine halbe Sekunde lang trieb sie weich dahin, aber wer auf den Schlaf wartet, findet ihn selten. Jetzt fing sich das Licht einer Straßenlaterne von Rocky Hill Lane an der Decke, mit der Silhouette eines nackten Ahornzweiges hineingezeichnet. Japanisch, subtil, ein zartestes Vibrieren in seinen Fingerspitzen. Ah, wenn man das könnte: so zart vibrieren – und doch so, daß ein volles Theater es bis zur letzten Reihe versteht. Die Pawlowa konnte das – warum nicht ich? Weil ich die Milenkaja bin und viele Dinge tun kann, die die Pawlowa nicht konnte. Gut: Also wer bin ich? Alle die Rollen, die ich getanzt habe? Und was noch? Immer noch das Mädchenkind im Park von „Zuneigung"? Das romantisch-überspannte Geschöpf unter Bagoryans Oberlicht? Die zügellose Geliebte der verfieberten Nächte in Madrid? Die Frau, gestählt und geschmiedet in der Jagd nach Erfolg? Oder die brave Professorengattin? Du änderst dich, aber du wirfst die vielen Ich nicht weg, du streifst sie nicht ab wie Schlangen ihre Häute, du sammelst sie und behältst sie durchs Leben. Ich bin eine ganze Versammlung von Menschen, die oft miteinander in Streit geraten. Eines Tages wird noch eine alte Dame dazukommen. Eine nette alte Dame mit einem tapferen Lächeln und arthritischem Rückgrat und resignierten Augen? Oder eine alte Hexe mit Giftzähnen, Falltüren in der Seele – eine verflossene Ballerina, mit einem Wort? Bitte, lieber Gott im Himmel, laß mir das nicht passieren.

Ein Rad begann sich zu drehen, eine Lichtspeiche, als ein Wagen in der Rocky Hill Lane vorbeifuhr. Der Zweig an der Decke zitterte, Katjas Augen fielen zu. Da war Ted, lieber, lieber Ted, immer ...

Katja wickelte sich in ihre eigenen Arme, wärmte die Haut ihrer Schulter mit der Haut ihrer angeschmiegten Wange. Gute Nacht, Ted. Unvermittelt verließ die letzte Spur von Dr. Peels kleinen Pillen ihren Blutkreislauf, und sie fiel in Schlaf wie in eine Brunnentiefe ohne Ende.

DRITTER TEIL

Ted Marshall erwachte; er fühlte sich steif und unbequem im Bett, das zu schmal für zwei war und zu kurz für seine langen Beine. Das geisterhaft leuchtende Zifferblatt seiner Armbanduhr besagte zehn Minuten vor drei. Wie ein Soldat in fremdem Gebiet versuchte er zunächst, sich zu orientieren. Eine schräge Decke, zwei Dachfenster, weiße Mullvorhänge, die mit den silbernen Nebeln der schwindenden Nacht draußen zusammenflossen. Ein altmodisches Jung-Mädchen-Zimmer, unschuldig, sauber, rührend. Er hätte sich gern umgedreht, aber er wollte das schlafende Mädchen neben sich nicht stören. Er hielt den Atem an und horchte. Er wußte immer, ob Katja schlief, denn ihre langen Wimpern bürsteten mit einem kleinen, hastigen Geräusch gegen das Kissen, wenn sie wach lag. Ein empfindsamer Mensch, wie er war, schien es ihm unrecht, sich gerade jetzt an dieses eheliche Geheimnis zu erinnern. Unrecht gegen Kate und unrecht gegen Gracie. Vorsichtig atmete er die zurückgehaltene Luft aus, und jetzt bewegte sie sich.

„Ted? Habe ich dich geweckt?"

„Nein, Liebling. Ich habe mich selbst geweckt. Es ist Zeit, daß ich verschwinde."

„Noch fünf Minuten", sagte sie, sich an ihn schmiegend. Sie war warm, jung, weich. Es war eine Überraschung gewesen, ihren Körper so reich und bereitwillig zu finden – so nährend hatte er verwischt gedacht –, sonst immer verborgen unter dem Laboratoriumskittel oder der üblichen Studentinnentracht von formlosen Sweatern und plissierten Tweedröcken. Er hielt die Rundung ihrer Schulter in seinen Händen wie eine sonnengereifte Frucht, und sie heftete ihren Mund an seinen Hals in einem langen, saugenden Kuß.

„Achtung! Leicht entzündlich", warnte er. Sie lachte, ein wenig stolz, ein wenig schockiert. „Sind wir glücklich, Teddybär?" flüsterte sie. Ein bißchen Geduld wird nötig sein, dachte er, um ihr die neckischen Klein-Mädchen-Manieren abzugewöhnen, die sie in die neue Vertrautheit mitbrachte, als ob sie noch das Kind wäre, das er seinerzeit auf seinen Knien geschaukelt hatte. „Ich bin glücklich, wenn du glücklich bist, Liebling. Glücklich – und dankbar", sagte er.

„Dankbar? Was für ein Unsinn. Zwischen uns ist es Geben und Nehmen, nicht wahr? Nicht – wahr, Ted?"

Sie setzte sich auf und verschränkte die Hände um ihr Knie. „Willst du es Vater erzählen oder soll ich?" fragte sie ernsthaft.

„Er kommt in einer Woche zurück."

„Ich wollte, du tätest es, Gracie. Für mich ist es einigermaßen peinlich, verstehst du das? Meinem besten Freund zu beichten, daß ich seine einzige Tochter verführt habe . . ."

„Ach was. Weißt du nicht, daß Verführungen ganz aus der Mode sind? Bilde dir nur nichts ein. Wenn einer von uns den andern verführt hat, dann war ich's."

„Wirklich, Fräulein Casanova? Und ich armer Teufel, der einen heiligen Eid geleistet hat, niemals etwas mit Studentinnen zu tun zu haben oder mit hübschen Laborantinnen, Assistentinnen und ganz besonders nicht mit Jungfrauen."

Ihr Scherzen und Necken war immer noch etwas krampfhaft. Sie kannten einander, seit Gracie zur Welt gekommen war, der Erwachsene und das Baby, der ältere Herr und die Vierzehnjährige, ihre oberste Autorität im Labor, ihre erste Schwärmerei, an der sie eigensinnig festgehalten hatte – es war so viel Kameradschaft in alldem, daß die Intimität ihrer wenigen Liebesnächte die beiden noch etwas verlegen machte.

„Darf ich Ihnen mitteilen, daß Jungfrauen ebenfalls aus der Mode gekommen sind, Dr. Marshall? Geradezu eine ausgestorbene Tiergattung."

„Wirklich? In der Praxis oder bloß in der Theorie?"

„Wenn das eine persönliche Frage sein sollte – beides. Ein paar kleine Experimente – das ist nur natürlich, nicht? Haben die Mädchen das nicht getan, als du . . .", sie verschluckte das Wort „jung" und endete hastig: „ . . . als du ein Student warst? Meine Generation läßt ihrer gesegneten Libido freien Lauf; das ist normal und gesund, nicht wahr? Ich habe einmal gehört, wie Tante Kate sagte: ‚Alle amerikanischen Girls sind *demi-vierges*.' Es klang ungut, und ich dachte, lieber geh' ich aufs Ganze, als daß ich etwas bin, wofür die Franzosen ein dreckiges Wort haben." Sie legte die Arme um seinen Hals. „Es ärgert dich doch nicht?"

„Nun . . .", sagte Ted und überlegte, mit wem sie aufs Ganze gegangen war; wahrscheinlich mit Bill Rose, dem netten jungen Assistenten in seiner Bande. „Nun – nicht wirklich. Ein bißchen, vielleicht. Ein kleiner Atavismus: daß man der erste sein will."

„Aber du *bist* der erste. Ich habe es niemals im Bett getan. Mit *niemandem!*" sagte Gracie mit so unangebracht unschuldigem Stolz, daß Ted Mühe hatte, das Lachen zu verbeißen.

„Du bist unbezahlbar, Liebling, und ich habe dich sehr lieb."

„Sag's noch einmal. Daß du mich liebst, Teddybär, und ich liebe dich auch so unbändig, und ich habe so lange gewartet, und ich habe immer gewußt, einmal wird es mit uns beiden dazu kommen", flüsterte sie, ihre Lippen heiß und feucht auf seiner Haut. Vor ein paar Minuten noch hatte er die heitere Gelassenheit des befriedigten Mannes genossen, Kopf klar, Nerven entspannt; aber unter ihren neugierigen Händen überkam ihn eine neue Welle der Erregung. Es waren große, aufs peinlichste gepflegte Hände; er kannte sie gut, diese Hände, die er gelehrt hatte, ihm im Labor zu assistieren, die er oft und mit einem gewissen Vergnügen bei der schwierigen Aufgabe beobachtete, mikroskopische Maße zu wägen, Kulturen zu färben, allerfeinste Fasern und Zellen zu separieren: die festen und zuverlässigen Hände einer getreuen Schülerin. Noch immer war

Marshall einigermaßen überwältigt von der Entdeckung, daß Gracie die gleiche Willigkeit und eifrige Wißbegier mit ins Bett brachte. Es war gut, sich noch einmal in ihr zu verlieren, gut, so gut, so jung, so gut, so anders. Anders? Ja, anders. Auf dem Höhepunkt der Umarmung schwebte, uneingeladen, Kates Schatten durch das saubere Jung-Mädchen-Zimmer. Kate, zart, kapriziös, launisch, aber diszipliniert, ein Irrwisch, ein Kobold, die Heiterste, die Traurigste, eine Frau, die man niemals bis auf den Grund kannte. Hinweg mit dir, zierliches Gespenst, dachte er, als Gefühle wieder Gedanken geworden waren. Aber er wußte bereits jetzt, daß die Erinnerungen einer langen, liebeerfüllten Ehe sich nicht so leicht verscheuchen lassen. Kate war ewige Unruhe. Gracie würde Ruhe sein, friedlicher Besitz. Groß, mit ihren vollen reifen Brüsten, ihrer robusteren Sinnlichkeit – in der kühlen Minute nach der Erfüllung und in der derberen Sprache der Kasernen und Feldspitäler dachte er: Gracie ist eben hier. Sie wird dasein – immer. Und Kate ist niemals wirklich da.

„Immer...", sagte er laut, und es schien eine befriedigende Antwort auf eine Frage Gracies zu sein, die er überhört hatte.

„Sag's noch einmal, mein Liebling – Liebling! Wir werden glücklich sein?"

„Ja, sehr glücklich, Kind. Wenn du versprichst, nicht eifersüchtig zu sein."

„Ich – und eifersüchtig? Auf was? Auf deine Arbeit? Da bin ich doch mit dabei, das ist ja das Wunderbare."

„Eifersüchtig auf Kate. Daß sie meine Frau ist – war..."

Gracie lachte ihn aus. „Warum sollte ich auf Tante Kate eifersüchtig sein? Was für ein Unsinn! Was hat Tante Kate damit zu tun? Ich bewundere sie, ich habe immer für sie geschwärmt. Früher malte ich mir oft aus, wie sich's eines Tages herausstellen wird, daß sie meine wirkliche Mutter ist; habe ich dir das nie erzählt?" Unwillkürlich tat sie einen tiefen Atemzug, der ihre Brüste hob. Sie waren jung, stolz, weich, nicht so streng gemeißelt wie Katjas, frauenhafter. Marshall wendete seine Augen ab, um diesen hartnäckigen Vergleichen zu entgehen. Etwas in Gracies unbekümmerter Selbstsicherheit irritierte ihn.

„Schließlich kommt es vor, daß man auf die Vergangenheit eifersüchtig ist, Kind", sagte er, „auf die andere Frau..."

„Aber das bin ja ich im Augenblick, die andere Frau! Hör mal, Teddy – du glaubst doch nicht, daß Tante Kate Schwierigkeiten machen wird?"

„Kannst du dir vorstellen, daß Katja an jemandem festhält, der von ihr weg will? Katja Milenkaja? Niemals", sagte Marshall, und Gracie griff schnell nach seiner Hand, wie um ihn zurückzuholen.

„Das meine ich auch. Was wir haben, das wird doch so ganz verschieden sein von allem, was zwischen dir und Tante Kate war. Ich liebe dich, und du liebst mich, und ich liebe deine Arbeit; Tante Kate aber liebt nur ihr Ballett und ihre Erinnerungen und ihren

Grischa – das hast du doch selbst gesagt. O Gott, Teddybär, wir werden heiraten und immer beisammen sein, und später werden wir Kinder haben, und wir werden so glücklich sein, unglaublich glücklich. Wirklich – Tante Kate könnte eher auf mich eifersüchtig sein. Bloß, daß sie viel zu hoch über solchen kleinlichen Gefühlen steht und viel zu beschäftigt ist. Weißt du, was ich glaube? Sie ..."

Die Weckuhr unterbrach sie. Gracie hatte sie vorsorglich auf halb vier gestellt.

„Das ist die schrillste, widerlichste Uhr, die ich jemals gehört habe. Einmal werde ich sie noch erwürgen", brummte Ted, und Gracie stellte das durchdringende Geräusch schnell ab.

„Tut mir leid, aber ich schlafe so fest, daß es einen tüchtigen Lärm braucht, um mich zu wecken", sagte sie. Ted, ein Veteran der Schlaflosigkeit, seufzte. Er ging in die Knie und lugte unter das Bett. „Zum Teufel, wo sind sie denn?" murmelte er.

„Wo ist was, Liebling?"

„Meine Socken. Sie müssen doch irgendwo sein."

„Plag dich nicht, ich werde sie finden", sagte Gracie, während sie verschiedene Stücke Unterwäsche aufhob. („Zum Teufel, wo sind meine Notizen? Der gestrige Bericht von Philadelphia? Dr. Yonosukes Artikel über Schocktherapie?" hatte er im Laboratorium gefragt. Und: „Hier, Doktor Marshall, und das Diagramm der vierten Kontrollgruppe habe ich auf Ihren Schreibtisch gelegt", würde Gracie ihm eifrig zu Diensten stehen.) „Hier haben wir den Innenmenschen", sagte Gracie jetzt lachend, als sie ihm sein verknülltes Hemd reichte, in das sie diskret seinen Supporter eingefaltet hatte.

„Du sollst das nicht tun", sagte er verlegen. „Es ist, als ob wir seit zwanzig Jahren verheiratet wären."

„Das ist gerade das Schöne daran!" antwortete Gracie fröhlich. In der Nacht hatte Gracie ihre Kleider über eine Stuhllehne gehängt, methodisch und ordentlich, wie sie alles tat, während er die seinen in heißer Ungeduld hatte fallen lassen, wohin es ihnen gefiel. Jetzt schlüpfte sie in ihren tugendhaften, verwaschenen Flanellschlafrock; Ted war immer noch auf der Diele, sein leicht angesilbertes Haar verrauft, eine eigensinnige Strähne über der Stirn.

„Jetzt siehst du genau wie ein kleiner Bub aus. Herrgott, Ted, wie jung du bist!" sagte sie entzückt, als er zu ihr aufblickte. „So jung und so stark und sehr, sehr unverschämt, und ich habe dich so entsetzlich lieb, daß ich platzen könnte ..."

Ted, noch kniend, fühlte im Augenblick alles, was sie ihm sagte: Er fühlte sich jung, stark, gefährlich und geliebt. Es war der alte Sirenengesang, der dem Mann über Vierzig Wiedergeburt verheißt, Nahrung für seine hungrige Eitelkeit, neue Kraft, neues Leben für seine längst totgeglaubten Träume und Hoffnungen.

„Aber wo, zum Teufel, sind meine Socken?"

„Laß doch sein. Du brauchst keine Socken im Wagen. Später werde ich sie finden."

„Und wenn du sie nicht findest? Wenn sie statt dessen der alte Tiger findet? Das wäre ein netter Skandal."

„O Gott!" seufzte Gracie und begann, die Kissen und Decken auszuschütteln, während Ted seine Sachen zusammenraffte und sich auf den Weg ins Badezimmer am anderen Ende der Vorhalle begab.

Der alte Tiger, Mary Mae Watson, gehörte zu der beinahe ausgestorbenen Gattung der treuen Bediensteten. Sie war immer dagewesen, dunkelbraun und pockennarbig, sie war schon die Kinderfrau von Gracies Mutter gewesen und hatte ihre hübsche junge Herrin verzogen und verwöhnt, bevor und auch noch nachdem sie Doktor Williamsons Frau wurde. Aber als alles in Skandal und Scheidung untergegangen war, hatte die Kränkung und Enttäuschung die sanfte schwarze Dienerin in den alten Tiger verwandelt. Sie beschloß, bei dem verlassenen Mann und seinem Kind zu bleiben, und so hatte sie Gracie mit spartanischer Strenge aufgezogen, mit massivem Aberglauben, alten Familienlegenden und einer Blutreinigungskur in jedem Frühjahr.

Es war von einer gewissen Komik, daß Doktor Marshalls geheime Liebschaft mit Gracie von der Furcht vor dem alten Tiger in diesem Haus, von McKenna in dem seinen, reguliert wurde. Was immer sie während der Nacht angestellt haben mochten, am Morgen mußten ihre Haushälterinnen sie keusch in ihren eigenen Betten vorfinden. Doktor Marshall hatte sich eine Menge Ausreden ausgedacht, im Fall McKenna herausfinden sollte, daß er erst gegen Morgen heimkam. Zwar wohnte Mary Mae zusammen mit ihren Töchtern und deren Brut im Negerviertel, doch erschien sie erbarmungslos um sechs Uhr früh bei den Williamsons, und da mußten alle Spuren nächtlicher Unordnung sorgfältig ausgelöscht sein.

Ted kam vom Badezimmer in Hemd und Hose und ziemlich umwölkt zurück. Er hatte nicht gewagt, ein Handtuch zu benutzen oder feuchte Fußspuren zu hinterlassen, und sich davon überzeugt, daß kein einziges graues Haar im Waschbecken klebengeblieben war; er hatte seine Strähne mit den Fingern gekämmt, sich den Mund ausgespült, aber nicht die Zähne geputzt; das war die ernüchternde, schäbige Seite geheimer junger Liebe. Müßte eine Zahnbürste in meiner Hemdtasche mit mir herumtragen wie ein richtiger Vagabund, dachte er. Er fühlte sich unrasiert, und im übrigen war er vor seiner ersten Tasse Kaffee nie ganz auf der Höhe. „Ich weiß nicht, was ich dafür gäbe, wenn wir jetzt miteinander frühstücken könnten", platzte er heraus. Gracie strahlte ihn an. „Wie lieb, daß du das sagst, Teddy. Das alles kommt noch, Liebling. Eine Million Frühstücke zusammen. Bald!"

„Nicht ganz so bald. Da müssen zuvor noch ein paar Hürden genommen werden", sagte er und tätschelte geistesabwesend ihre Hand. Verdammt hohe, unangenehme Hürden, dachte er dabei. Dem alten Will die Situation erklären. Kate erklären, was passiert ist. Das heißt: wenn Kate einmal Zeit hatte, zuzuhören. Auf keinen Fall vor dieser verwünschten Premiere. Wie wird sie es hinnehmen? Leichtherzig, wie Ballettleute alles hinnehmen, was nicht mit Ballett zusammenhängt? Wahrscheinlich würde sie sich über ihn und über das Ganze lustig machen. Aber eine Scheidung war eine ernsthafte Angelegenheit. Vielleicht wäre es besser, sie durch einen langen, vernünftigen Brief vorzubereiten. Solche Dinge lassen sich leichter schriftlich erklären, dachte er in einem Anfall männlicher Feigheit und augenblicklicher Erleichterung. Er ließ Gracies Hand los und begann im Geist, einen solchen Brief zu skizzieren.

„... als mir Gracie ganz plötzlich und unerwartet mitteilte, sie habe sich entschlossen, mich zu verlassen und in Heidelberg für ihren Dr. chem. zu studieren, wurde mir mit einemmal klar, wieviel sie für mich und meine Arbeit in dieser entscheidenden Phase bedeutet, und ich versuchte, sie zu überreden, noch ein paar Monate bei mir zu bleiben, weil ich unmöglich einen andern Techniker finden könnte, der mit allen Details des Problems so vertraut war wie sie; und warum diese Eile und weshalb, um Himmels willen, Heidelberg? Ich könnte verstehen, daß sie nicht ewig Laborantin bleiben, sondern ihren Doktor machen wollte; aber warum gleich den Ozean zwischen uns legen, und was dachte ihr Vater darüber? Und sie erwiderte, wenn *ich* den Grund nicht wüßte, dann würde sie ihn mir auch nicht sagen, aber ihr Vater verstand sie, ohne daß sie es ihm erst erklären mußte. Wir wurden beide gereizt, ein Wort gab das andere, und Gracie lief hinaus, weinend und schluchzend, und ich ging ihr nach. Sie stand vor dem Käfig von Peter, das ist eine unserer weißen Versuchsratten; er ist ein wilder kleiner Kerl, und Gracie versuchte zu lachen und sagte: ‚Hör bloß, was für Töne er von sich gibt, wenn er in Brunst ist. Ich glaube, er hält sich für einen brüllenden Löwen', und dabei liefen ihr die Tränen über die Wangen, und plötzlich wußte ich, wie es mit ihr und mir steht. So hat es angefangen, aber das ist natürlich nicht alles ..."

Nein, entschied Doktor Marshall, das klang ja wie von einem Tertianer, so konnte man nicht schreiben, und im Geist begann er einen anderen Brief: „Liebe Katja, unser gemeinsames Leben war auf Vertrauen und Aufrichtigkeit gegründet, auf einer Freundschaft, die über vergängliche Dinge wie Liebe, Leidenschaft und gegenseitige Abhängigkeit hinausgeht. An diese Freundschaft appelliere ich heute, in der Hoffnung, daß du verstehen wirst, wieso ... warum ..."

Klingt ja wie Katjas homosexueller Freund, dieser alberne Affe Dirksen, dachte Marshall und verschob den schicksalschweren Brief. Mit Williamson hingegen mußte er persönlich sprechen. Eine schwere Aufgabe. Mal sehen, wie treu der alte Will zu seinen Freudschen Theorien hält, wenn es sich um die Libido seiner eigenen Tochter handelt – und um meine. Und dann die Anwälte und alle die juristischen Formalitäten einer Scheidung. Aber, Herrgott noch einmal, schließlich lassen sich jeden Tag Leute scheiden, es kann nicht gar so kompliziert sein. Einer von uns wird nach Reno müssen, zu dumm, daß Katja gerade auf Tournee sein wird, sie wird gar keine Zeit haben und ich auch nicht, jedenfalls mich zu konzentrieren und zu schlafen und . . .

Er sah eine Unzahl friedlicher Morgen vor sich und Gracie immer zur Hand, Tag und Nacht, daheim und im Labor, und Doktor Marshall war nicht länger das unwichtige Anhängsel einer meist abwesenden Frau, sondern das Sonnenzentrum, um das Gracies junges Leben kreiste.

Als er endlich bereit war zu gehen, hatten seine Phantasien einen Punkt erreicht, an dem es ihm gelungen war, den bisher imaginären Faktor, Junior genannt, zu isolieren, diese unbekannte chemische Substanz, deren Vorhandensein im menschlichen Organismus von einer zunehmenden Anzahl Biochemiker und Biologen für eine physiologische Tendenz zu Geisteskrankheiten verantwortlich gemacht wurde. Er sah schon seinen Namen in medizinischen Zeitschriften aller Länder, Schlagzeilen in exotischen Buchstaben und Sprachen, ein Auditorium, zum Bersten gefüllt mit mehr oder weniger glatzköpfigen, aber durchweg hervorragenden Wissenschaftlern; einen internationalen Kongreß, der ihn durch Erheben von den Sitzen begrüßte; und, weit weg, aber seltsam klar, sah er sich selbst, in einem gemieteten Frack, wie er den Nobelpreis entgegennahm. Aber an diesem Punkt befahl er sich scharf, Schluß zu machen und: „Hast du meine Socken gefunden, Liebling?"

„Noch nicht. Aber mach dir keine Sorgen wegen der dummen Socken." Gracie folgte ihm, drehte alle Lichter ab, in der Vorhalle, im Badezimmer. Draußen war es immer noch dunkel, warm, alles in eine feuchte Kompresse von Nebel gepackt. Das Sohlenfutter seiner Schuhe rieb gegen die nackte Haut seiner mageren nackten Füße. „Geh lieber durch die Hintertüre in die Garage", warnte Gracie. „Ich bringe den Wagen herum. Die Stewards können unsere Zufahrt sehen, und wenn Magde dich um diese Zeit hier bemerkt, gibt's ein endloses Gerede."

Sie hatten vermieden, sich in Ted Marshalls Haus zu treffen, aus Angst, der kleine Guy könnte sich eines Nachts ins Schlafzimmer verirren – von McKennas Spürsinn für Unmoral gar nicht zu reden. Abgesehen davon hatte Marshall das unbehagliche Gefühl, er könnte in dem Bett, das er mit Katja geteilt hatte, versagen.

Einmal hatten sie in einem neuen Motel an der Peripherie von New Brunswick übernachtet. Mr. and Mrs. Wainbridge – der Name von Gracies Familie mütterlicherseits. Es war kein Erfolg gewesen. Schäbig und unruhig, verdorben durch die Angst, zufällig anderen Sündern ihres Bekanntenkreises zu begegnen. Heute war die dritte Nacht, die er in Gracies Zimmer verbracht hatte, und da Gracie nicht wollte, daß er seinen Wagen in der unmittelbaren Umgebung parkte, war er voriges Mal den ganzen Weg zurück nach Rocky Hill Lane zu Fuß gegangen. Das aber hatte ihn so ermüdet, daß er den ganzen nächsten Tag zu nichts zu gebrauchen gewesen war, und

Gracies strahlend junge Fröhlichkeit war ihm ein wenig auf die Nerven gefallen. „Du vergißt, daß ich ein alter Herr bin, du Küken", hatte er gesagt.

„Ich wäre nicht so vernarrt in dich, wenn du auch nur um einen Tag jünger wärst", hatte sie entgegnet. „Du bist gerade, was ich brauche. Eine Vatergestalt. Weißt du nicht, daß ich einen Vaterkomplex mit leicht inzestuösem Einschlag hatte, ehe ich ihn zum Glück auf dich übertragen konnte?"

Das abgenützte psychologische Vokabular, mit dem die jungen Leute beständig um sich warfen, hatte Doktor Marshall leicht zusammenzucken lassen. „Höre, Kind, Psychoanalyse ist nichts als eine Modesache mit ein paar Körnchen Wahrheit darin. Später wird man darauf zurückblicken als auf eine kuriose Episode in der Geschichte der Psychologie, wie etwa Lavaters Physiognomie oder Lombrosos Phrenologie es seinerzeit waren. Darüber sind wir längst hinaus. Und wer sollte das besser wissen als du – nach unseren letzten Experimenten..."

„Natürlich. Ich habe bloß Spaß gemacht", sagte Gracie, ihre Augen auf die Straße geheftet, aber mit einem Lächeln, das den biochemischen Forschungsergebnissen galt, in die er sie eingeweiht hatte.

Der Wagen glitt sachte durch den Nebel dahin, die Stadt lag still, leer, schlafend, und Gracie nahm das Gespräch wieder auf, das die Weckuhr unterbrochen hatte. Sie besaß die Hartnäckigkeit eines Hühnerhundes, der eine Spur, die er gefunden hat, nicht wieder aufgibt. „Weißt du, was ich glaube? Sie – Tante Kate – wird wahrscheinlich eher froh sein, sich scheiden zu lassen. Eine Frau wie sie, die braucht doch ihre Freiheit. Sie ist eine zu große Künstlerin und zu berühmt, um sich auf die Dauer zu binden. – Sie gehört der ganzen Welt. Jetzt kann sie nach Südamerika gehen und nach Japan und wohin immer sie will, ganz ohne Gewissensbisse – glaubst du nicht?"

„Mag sein", sagte Marshall lakonisch. „Ja, Liebling. Hoffentlich hast du recht."

„Weißt du, was ich immer gefühlt habe? Du hättest sie niemals heiraten sollen. Es war ein ganz großer Fehler", erklärte Gracie. „War es das?"

„Absolut. Du kannst einen Schmetterling nicht festnageln oder eine arme Nachtigall in einem Käfig halten", bemerkte Gracie mit einem ihr ungewohnten Schwung ins Allegorische – vielleicht der letzte, schwindende Widerhall gewisser Märchen, die Katja ihr vorgelesen hatte, als sie ein Kind gewesen war. „Sie ist einfach nicht dazu geboren, irgend jemandes Ehefrau zu sein; und am wenigsten deine. Tante Kate ist..."

„Hör mal, Kind, wenn's dir nichts ausmacht, sprechen wir nicht über Kate. Du mußt verstehen, daß ich sie immer noch sehr gern habe... immer gern haben werde..."

„Aber natürlich. Ich doch auch. Es ist bloß, daß ich niemals spürte, daß du mit ihr verheiratet bist – oder daß wir... daß ich ihr etwas wegnehme. Ich meine, es ist nicht so, als ob wir sie hintergehen würden. Du kennst mich, Liebling, ich könnte nicht lügen oder betrügen, und wenn's um mein Leben ginge! Du wirst sehen, was es heißt, eine richtige Frau und eine richtige Ehe zu haben... Warum lächelst du?"

„Nichts. Ich habe mir ausgemalt, wie es sein wird..."

Es war die hauchzarte Vision einer Sekunde gewesen: Er war verheiratet mit Gracie, die so gut war wie frischgebackenes Brot, und zugleich hatte er eine geheime Liebschaft mit Katja, die kam und ging, wie sie wollte, frei, flüchtig, *eau verveine,* und die doch ihm gehörte. Es war eine tief befriedigende Vision gewesen, alles an seinem rechten Platz, während jetzt alles auf dem Kopf stand.

„Willst du, daß ich an der Ecke halte, falls McKenna spioniert?" fragte Gracie. Der Nebel hatte sich zu einem sanften Sprühregen verdichtet.

„Zum Teufel mit McKenna", sagte Marshall. „Ich habe keine Lust, naß zu werden."

„Gut. Das erste, was wir tun werden, ist, McKenna entlassen", entschied Gracie.

„Und wer wird das Haus führen? Und Guy – ich will nicht, daß er aus seiner Ordnung geworfen wird, der arme kleine Kerl. Ich bin sicher, Katja wird damit einverstanden sein, daß er bei uns bleibt – außer in den paar Wochen, wenn sie Ferien hat."

„Aber sicher. Mach dir keine Sorgen, überlaß all diese Dinge mir. Ich bin sehr praktisch, und ich habe mir schon alles ausgerechnet. Wir werden sparen müssen...", sagte Gracie, die bei Heller und Pfennig wußte, wieviel Dr. Marshall verdiente. Nicht viel, selbst wenn man die fünfundsiebzig Dollar ihres Wochengehaltes dazunahm. „Natürlich wird Katja ihr Enkelkind selbst erhalten wollen. Später, wenn wir eigene Kinder haben und er ein bißchen älter ist, sollte er ja doch in eine gute Boardingschool kommen. So machen es die Engländer, und die verstehen es, ihre Buben zu erziehen."

Marshall lächelte bei dem Gedanken an ihre künftigen Kinder; er wünschte sich eigene Kinder, wünschte sie sehr. Das gehörte zu den großen Dingen, die Gracie ihm geben konnte und Katja nicht. Aber gleichzeitig wünschte er, daß Gracie weiterhin seine Assistentin bliebe, nicht eine abgehetzte Hausfrau und Mutter würde. Nun, diese modernen jungen Frauen haben ja eine ganz erstaunliche Fähigkeit, Familie und Beruf zu verbinden, dachte er bei sich.

Während er so seine Gedanken schweifen ließ, hatte Gracie schon eine ganze Anzahl praktischer Fragen gelöst; McKenna entlassen, dem alten Tiger den Haushalt übertragen, mit einem Wort: die beiden Haushalte vereinigt, Marshalls Haus verkauft, die Zimmer im Williamsonschen Haus umrangiert, Vater und Vatergestalt unter einem Dach vereinigt. „Wird das nicht großartig sein, Ted? Als ob du und Vati noch Studenten wärt. Ihr werdet miteinander Schach spielen und diskutieren und streiten und euch versöhnen, mehr als je ..."

Plötzlich überfiel Marshall eine tiefe Müdigkeit. Es hatte nichts mit seinen dreiundvierzig Jahren zu tun. Auch gegen Liebesspiele am Morgen war nichts einzuwenden, wenn man sich nicht zu eilen brauchte. Zehn Minuten ausruhen, nicht gerade schlafen, aber ausruhen, die junge Geliebte warm und weich im Arm ... Und keine schrägen Wände und Jung-Mädchen-Zimmer und drohende alte Tiger, bitte ...

„Da sind wir", sagte Gracie und hielt den Wagen an. „Hast du ein bißchen gedöst, Liebling?"

„Ach Gott, nein. War bloß in Gedanken", sagte er eilig und verlegen. „Also, vielen Dank fürs Heimbringen – und für alles. Seh dich bald – im Labor – auf der Galeere ...", sagte er und kletterte aus dem Wagen.

„Warte", sagte sie; sie stieg an ihrer Seite aus, lief ihm nach, und in dem kalten Sprühregen preßte sie ihren Mund auf den seinen für einen langen, saugenden, tiefverbotenen Kuß. Das war ein Teil des Rituals, ebenso wie ihre Abschiedsworte, das ewig wiederholte Leitmotiv der sehr Jungen: „Sag, daß du mich liebst, Liebling, ich liebe dich so sehr ..."

Wie das jedem gelegentlich geschieht, hatte Katja geglaubt, wach zu sein, als sie Topper unten bellen hörte, zugleich mit dem gedämpften Zuschlagen einer Wagentür, das sie in Wirklichkeit geweckt hatte. Sie eilte ans Fenster, noch halb im Schlaf, und rannte mit der Zehe gegen einen Stuhl an. Der scharfe Schmerz weckte sie vollends auf, und sie schaute hinaus in das halbdunkle, ungewisse Treiben des nebligen Regens. Der milchige Lichtkegel der Wagenlichter lag über der Straße, und der Mann, der in seinen Schein trat, war Ted. Lächelnd, ein wenig verwundert, erkannte Katja Gracies kleinen Chevrolet. Da haben sie also doch noch gearbeitet, dachte sie. Ted sollte das junge Ding wirklich nicht bis spät in die Nacht hinein wach halten. Siehst du? sagte sie zu sich mit dem guten Gefühl ihrer inneren Kraft: Du kannst es tun, du kannst sie rufen und erreichen. Es war ein Überfluten, ähnlich dem Kontakt mit einem vollen Zuschauerraum. Williamson hat große Worte dafür, Empathie, Telepathie – aber es kommt bloß darauf an, diese besondere Kraft projizieren zu können. Ich habe auf dich gewartet, ich wollte, daß du nach Hause kommst, und du bist gekommen.

Dann blieb Ted stehen, blickte nach dem Wagen zurück, und gleich darauf eilte Gracie in dem Lichtschein in seine Arme. Die beiden Körper verschmolzen in einer endlosen Umarmung, achteten nicht auf die Wagenlichter und nicht auf den Regen.

Seltsamerweise fühlte Katja sich zunächst verlegen, beschämt, als wäre sie beim Spionieren am Schlüsselloch ertappt worden. Hastig trat sie vom Fenster zurück, ein erstauntes Lächeln auf ihrem Gesicht. Sie konnte dieses Lächeln in der Dunkelheit fühlen, es spannte sich, steif und kalt, um ihre Augen und ihren Mund. Wie damals, als eine Gipsmaske ihres Gesichts gemacht wurde. Man hatte ihr ein kleines Glasröhrchen in den Mund gesteckt, durch das sie Mühe hatte zu atmen. „Es ist nichts, es hat nichts zu bedeuten", sagte sie laut. „Es ist zu idiotisch. Ted würde niemals ... und ganz gewiß nicht mit Gracie ..."

Ein heftiges Zittern überfiel sie, und sie schlüpfte hastig zurück ins Bett. Wieder fiel die Wagentüre zu, Schritte am Gartenweg; unten wurde die Haustüre aufgeschlossen. Plötzlich kam es ihr zum Bewußtsein, daß sie nackt war. Als ihr Mann die Tür öffnete, saß sie aufrecht im Bett, die Decke bis ans Kinn hinaufgezogen.

„O mein Gott!" sagte er und fror an der Stelle fest. Sein Gesichtsausdruck war in schneller Aufeinanderfolge erst verblüfft, dann entsetzt, dann einfach dumm.

„Guten Morgen, Ted", sagte Katja, sie fühlte die lächelnde Maske steif auf ihrem Gesicht.

„Ich – ich habe dich nicht erwartet ...", sagte Ted.

„Offenbar nicht. Aber willst du nicht hereinkommen?"

Ted blieb in der Türe stehen. Katja griff nach dem Schalter, der das Deckenlicht anknipste, und Ted zuckte zurück. Mit dem unbeirrbaren Blick der Ehefrau sah sie alles auf einmal: seine langen, mageren Füße nackt in den Schuhen, während eine Socke schmählich aus der Tasche seines Regenmantels hing; das Hemd am Hals offen, keine Krawatte, der Rock schief zugeknöpft, die ergrauenden Haare zerrauft, die Stirn gerötet über dem erblaßten Gesicht und um die Augen die Schatten einer befriedigten Müdigkeit, die sie von anderen Morgen so gut kannte. „Was ist los mit dir? Warum muß dich Gracie um diese unmögliche Zeit heimbringen?" fragte sie.

„Wir waren ... Ich habe so lange gearbeitet ..."

Bis dahin war Katja benommen gewesen, verlegen, abgestoßen. Aber bei dieser plumpen Ausrede schoß ein wütender Schmerz in ihr auf, sie war erstaunt über seine Gewalt, er brach durch wie ein kochender Geiser.

„Komm herein oder geh hinaus, steh nicht da wie der Mann in einer französischen Farce, den man in Unterhosen erwischt hat. Und bring keine so idiotischen Entschuldigungen vor!" rief sie gepreßt. „Ich habe dich nicht gefragt, was du mit Gracie getan hast, und ich will es gar nicht wissen, also beleidige mich nicht mit schwachsinnigen Lügen! Wahrscheinlich bist du betrunken, jedenfalls siehst du so aus ..."

„Ich bin müde, und man sieht es mir wahrscheinlich an. Ich brauche Schlaf – und du vermutlich auch", sagte er mürrisch. Wie jeder irrende Ehegatte, der von seiner Frau ertappt wird, nahm er es ihr zunächst einmal übel.

Sie studierte sein Gesicht mit tiefer Aufmerksamkeit. „Du glaubst doch nicht, daß du dich hier in unser Bett legen und neben mir schlafen kannst, fünf Minuten nachdem du dieses Mädel geküßt hast – und so, wie du sie geküßt hast...", sagte sie.

Eifersucht kann wie ein vergifteter Aphrodisiakum wirken, und Katja preßte die Hände auf ihre Augen, um das Bild ihres Mannes in leidenschaftlicher Umarmung mit einer anderen zu verscheuchen; aber es blieb, und da war ein seltsamer Stachel, eine krankhafte Erregung, ein Augenblick leidenschaftlichen Verlangens, wie sie es in vielen Jahren nicht gefühlt hatte. Mit bebenden Fingern griff sie nach dem ewigen Ersatzmittel, der Zigarette. Ted hatte ein Kissen unter den Arm genommen, einen Überwurf von der Chaiselongue gezerrt und schleppte beides zur Tür. „Warte, was tust du? Wohin gehst du?" rief sie heftig aus.

„In meine Bude unten. Ein paar Stunden schlafen...", murmelte er. „Es tut mir leid, Kate, aber es hat keinen Sinn, ich kann jetzt nicht darüber sprechen. Morgen früh..."

„Wenn du jetzt imstande bist zu schlafen, beneide ich dich. Ich kann es jedenfalls nicht, und morgen früh muß ich mit dem ersten Zug zurückfahren. Es ist die wichtigste Probe meines Lebens!"

Das brachte die Bitterkeit vieler Jahre in ihm hoch. „Also, da sind wir ja wieder! Die wichtigste Probe, die wichtigste Rolle, das wichtigste Ballett! Als ob nicht von allem Anfang an jeder verdammte Mist in jedem schwachsinnigen Ballett die wichtigste Sache in deinem Leben wäre!" schrie er.

„Aber Ted – wenn es mir nicht wichtig wäre, dann wäre doch alles nur ein Schwindel, alles falsch! Dann wäre ich nicht, was ich bin. Das haben wir doch längst erledigt. Kein Grund, mich anzuschreien – und bleiben wir beim Thema: Was geht vor zwischen dir und diesem – diesem dummen Ding?"

„Du verlangst wohl nicht, daß ich dir einen detaillierten Bericht über etwas so Offensichtliches liefere, nicht wahr? Überhaupt – wenn's dir nichts ausmacht, wollen wir nicht über Gracie reden." („Wir wollen nicht über Kate reden", hatte er kaum eine Stunde vorher gesagt.) Er hielt an seinem Ärger gegen Katja fest. Es war ihre Schuld, daß sie ihn in einer Situation ertappt hatte, die seine glorreiche Wiedergeburt als etwas Schäbiges, Unwürdiges und Alltägliches erscheinen ließ. Er war müde, schläfrig, in einem unangenehm verkaterten Zustand. Sein heftigster Wunsch war im Moment, sich die Zähne zu putzen, einen reinen Pyjama anzuziehen und ins Bett fallen zu können.

„Schämst du dich denn nicht, Ted? Dich herumzutreiben – und mit deinem eigenen Patenkind! Eine Knutscherei – im Wagen – Pfui! Wie ein Schulbub, ein geiler Tertianer! Oh, geh weg, mir wird schlecht, wenn ich dich nur sehe. Nein – bleib hier, renn mir nicht davon. Sprich dich aus, erklär mir, wie das passieren kann. Los, zitiere die biologischen Bedürfnisse des Mannes und daß sie nichts zu bedeuten haben... aber weshalb, um Himmels willen, Gracie? Dieses öde, langweilige Geschöpf – so schwerfällig –, wenn sie durchs Zimmer geht, klappert jedes Stück Porzellan. Schön, ich weiß – es ist meine Schuld, nicht wahr? Ich war drei Wochen nicht zu Hause, und du bist ein Mann, und für einen Augenblick hast du den Kopf verloren, und ich mache viel Lärm um nichts. Das willst du mir doch erzählen?"

Es war, was Katja von Ted hören wollte. Hilf mir doch, belüge mich, das ist ja unerträglich, flehte es in ihr, es tut mir so weh, daß ich es nicht aushalten kann, ich hätte nie gedacht, daß so eine dumme Geschichte mir so weh tun könnte – und immerfort sah sie Gracie in Teds Arme stürzen, sah die endlose Umarmung. Das Bild hatte sich in ihre Augen, in ihren Kopf eingebrannt und ließ sich nicht auslöschen. Lüg mich an, nimm es leicht, sag, daß nichts geschehen ist, flehte sie stumm.

Aber Marshall war weder gewillt noch imstande, ihr die Lügen zu erzählen, die sie mit solcher Dringlichkeit erwartete.

„Nein, Kate, du hast da eine ganz falsche Vorstellung. Das zwischen Gracie und mir ist eine sehr ernsthafte Sache", sagte er still. Er stand da, zerzaust und traurig und ein wenig lächerlich, und er war ihr so sehr lieb, trotz ihres Widerwillens, und er sprach behutsam, abgewogen, aber ohne Unaufrichtigkeit. Sie erinnerte sich an den Ton seiner Stimme, an diese Traurigkeit, diese sanfte, aber entschlossene Bereitschaft, der Wahrheit ins Gesicht zu sehen. Wie damals in San Franzisko, als er ihr gesagt hatte, daß die gefürchtete Komplikation eingetreten war – eine aseptische Nekrose – und daß nichts dagegen zu machen sei, als die Hüfte von jedem Gewicht zu entlasten und wieder die Krücken zu benutzen – für wie lange? „Ich weiß es nicht, Kate. Vielleicht nur ein paar Wochen, vielleicht ein paar Monate, vielleicht auch ein ganzes Jahr. Wir müssen Geduld haben, mein Kleines, wir beide..."

Und so hatte er ausgesehen, und so hatte er gesprochen, damals, nach der Konsultation mit den Ärzten im Spital, in das sie den kleinen Christopher gebracht hatten. Der Korridor in der Abteilung für Kinderlähmung, wo die Eltern auf das Urteil warteten, alle sehr still, so verzweifelt ihre Haltung bewahrend, während die Wände selbst zu schluchzen schienen. „Steht es schlecht?" – „Ja, Kate, sehr schlecht." Sie hatte gebetet und mit Gott gerungen, eine ganze Nacht lang, und seither war sie nie mehr imstande gewesen zu beten.

Es war nicht gut, daß Teds sanfte Traurigkeit diese Erinnerungen gemeinsamen Unglücks heraufbeschwor; was er ihr jetzt zu sagen hatte, war, damit verglichen, so dumm und frivol, daß sie eine zerflatternde Sekunde lang ihn am liebsten geohrfeigt hätte.

„Ich suche nicht nach Entschuldigungen. Du kennst mich, Kate, ich bin kein Schürzenjäger, ich war nie auf kleine Abenteuer aus. Und Gracie, wie du weißt, ist nicht die Sorte Mädel, die man in einer Bar aufliest und am nächsten Morgen vergessen hat. Ich liebe sie, und ich will sie heiraten."

Jetzt war die lächelnde Gipsmaske auf Katjas Gesicht hart geworden. Und ein verhängnisvoller Fehler war geschehen. Sie hatten das kleine Glasröhrchen herausgenommen, sie konnte nicht mehr atmen, und sie mußte ersticken.

„Du? Gracie heiraten? Aber das ist doch unmöglich. Du bist doch mein Mann", flüsterte sie, immer noch mit demselben kranken Lächeln.

„Es tut mir leid, Kate, ich wollte es dir nicht so abrupt mitteilen. Ich wollte dir einen langen Brief schreiben, dir alles erklären und dich um eine Scheidung bitten."

Was geschieht mir denn? Ich sterbe ja – fühlte Katja. Sie fühlte ganz deutlich, wie ihr Herz zersprang – so wie heißes dünnes Glas gegen heißes Gestein geworfen und in tausend Scherben zersplitternd.

„Scheidung? Du gibst mich auf?"

„Eine ruhige, freundschaftliche, zivilisierte Scheidung. Du mußt doch einsehen, es ist für uns alle das beste. Du wirst nicht beschwert mit einem Haushalt und einem Mann sein, der dir nur eine Last ist, und ich – nun, vielleicht komme ich mit meiner Arbeit weiter, wenn ich eine Frau habe, die etwas davon versteht und mir dabei hilft. Siehst du, Gracie glaubt an mich, sie ist begeisterungsfähig und jung und . . ."

Aber auf dieses verhängnisvolle Wort hin sprang Katja aus dem Bett, gepeitscht von einem wütenden Schmerz. Instinktiv flüchtete sie sich ins Badezimmer, wo sie weinen und schluchzen konnte, mit den Fäusten gegen ihr Spiegelbild schlagen; und nach dem Ausbruch Puder und Schminke auftragen, die Kleider sammeln, die sie, wie gewöhnlich, zu Boden hatte fallen lassen, und sich Frau Doktor Marshalls korrekten Wollrock und Sweater anziehen. Ted pochte besorgt an die Türe.

„Keine Sorge, ich bringe mich nicht um. Nicht wegen eines lächerlichen Esels, wie du es bist", sagte sie und öffnete. Ted stand da, immer noch Kissen und Decke gegen seine Brust geklemmt.

„Du kannst das Bett für dich allein haben und von deiner jungen Dame träumen. Ich gehe", sagte sie verächtlich und marschierte an ihm vorbei.

„Warte – wohin willst du, mitten in der Nacht? Und es regnet . . ."

„Kümmere dich nicht um mich. Ich muß den Zug erreichen."

Ted holte sie vor der Tür zu Guys Zimmer ein. „Unsinn. Ich lass' dich nicht so weggehen. Es gibt noch stundenlang keinen Zug, und die Station ist geschlossen." Er zwang ihre Hand von der Türklinke. „Geh nicht hinein, du willst doch nicht das Kind alarmieren. Komm, wir gehen hinunter, ich mache dir einen Tee, deine Hände sind eiskalt. Mein Gott, ich hatte keine Ahnung, daß du es so schlimm aufnehmen könntest – das sieht dir gar nicht ähnlich, Kate . . ."

„Sieht es dir etwa ähnlich?" sagte sie bitter. „Hoffnungslos monogam bist du – ja? Und ich soll das Kind nicht alarmieren, wenn doch du es bist, der ihm den Boden unter den Füßen abgräbt und ihn entwurzelt und ihm das bißchen Heim zerstört, das wir ihm gegeben haben... und McKenna wird unten aufwachen und spionieren", vollendete sie, ganz ohne Zusammenhang.

Ted nahm sie beim Ellenbogen, und mit einem seltsamen Gefühl momentaner Erleichterung ließ sie sich in die Küche steuern. Sie tat ihm leid. In dem kalten fluoreszierenden Licht sah sie schlecht und alt aus, erschreckend alt für den Blick eines Mannes, der in ein fünfundzwanzig Jahre jüngeres Mädchen verliebt war. In den letzten zehn Minuten war ihr Gesicht magerer geworden, dreieckiger, sie hatte das Rouge in zu hastigen Flecken aufgelegt, auf der einen Seite etwas höher als auf der anderen, und von den wütenden Tränen, die sie im Badezimmer geweint hatte, waren blasse Spuren geblieben, als ob Würmer durch die Schminke gekrochen wären. Betroffen wandte er sich ab und beschäftigte sich mit dem Teekessel.

„Wie dumm ich euch vorgekommen sein muß", sagte sie zu seinem Rücken, „ich habe dir vertraut, es fiel mir niemals ein, daß du ..."

Beim Theater, dachte sie, ja, da weiß man, daß man niemandem trauen kann, man ist beständig auf der Hut; vor seinen besten Freunden, seinem Impresario, seinem Partner, den anderen Tänzerinnen; man weiß, daß sie mit dem Dolch in der Hand bereitstehen, sie alle, ihre Mütter, ihre Lehrer, ihre Agenten, ihre Liebhaber, die Ballettjungen, die sie immerfort heiraten und austauschen. Aber schwachsinnig, wie ich war, meinem Mann habe ich vertraut.

„Ich habe dir vertraut, Ted. Dir habe ich vertraut...", sagte sie.

„Und mit Recht. Ich habe dich niemals betrogen. Ich habe dir die Wahrheit gesagt, sogar heute nacht, wenn es so viel leichter gewesen wäre, Ausflüchte zu gebrauchen. Kein Fehltritt in mehr als zehn Jahren – ich glaube, wir waren beide viel zu tief in unsere Arbeit verstrickt. Die Frage einer Untreue kam gar nicht auf. Unsere Ehe, Kate, war sehr altmodisch, wenn man den Statistiken von heute glauben kann."

Von alldem hörte Katja nur das „war", den Imperfekt, die Vergangenheit. Keine Gegenwart, keine Zukunft. „Keinen Nachruf, Ted, wenn ich bitten darf", sagte sie scharf.

„Was Vertrauen betrifft – ich habe dich auch niemals nach allen diesen Männern gefragt, die um dich scharwenzeln und dir Blumen schicken und dir Gott weiß was für Anträge machen."

„Weil du weißt, daß ich keinen Mann auch nur angesehen habe, seitdem ich dir begegnet bin."

„Du meinst, seitdem Grischa tot ist", sagte Dr. Marshall bösartig, denn in solchen Auseinandersetzungen ist es das Schicksal jeden Wortes, zu verwunden, anstatt zu heilen. „Daß ich zur gleichen Zeit in dein Leben kam, war reiner Zufall."

Bei diesem Angriff begann Katja zu lachen. „Was ist da so komisch?" fragte Ted.

„Nichts. Ich habe mich bloß gefragt, warum jeder Mann, der je behauptete, mich zu lieben, eines Tages kehrtmacht und eine andere heiratet. Sogar mein eigener Gatte."

„Weil du nicht gerade ein Gattinnentyp bist", sagte Ted. Aber falls dies als ein Kompliment gedacht war, verfehlte es jetzt seine Wirkung.

„Und du glaubst, daß dieses... diese Gracie eine ideale Ehefrau sein wird? Mit ihren Studentenallüren... Ich bin überzeugt, sie kann kein Ei kochen", sagte sie, blind um sich schlagend, bloß, um nicht zu ersticken. Ted spülte den Teekessel mit heißem Wasser, maß Tee zu. Katja beobachtete die präzisen Bewegungen seiner Finger, und das war noch einmal wie Sterben: Unausdenkbar, daß diese lieben, langen Hände sie nie wieder liebkosen sollten. Schlimmer als dieses „Nie wieder": daß sie einen anderen Körper halten und streicheln würden. Gracies grobknochigen Körper, ihr derbes Gesicht, ihre breiten Hände, die für Katja immer nach dem Seziersaal zu riechen schienen. Formaldehyd, Kaninchen, Ratten.

„Hier, trink deinen Tee, du zitterst vor Kälte. Und, bitte, Kate, laß uns nicht von Gracie sprechen."

Automatisch hatte Ted die üblichen zwei Würfel Zucker und eine Scheibe Zitrone in ihre Tasse getan. Es war eine so tief verheiratete Geste, daß Katja mit Mühe ein Schluchzen mit dem ersten heißen Schluck herunterwürgte. Ted saß ihr gegenüber mit seinem Glas Milch, und für einen Augenblick war es, als wäre nichts geschehen, als wäre diese Küche noch immer das weißgekachelte Paradies von vor dem Sündenfall.

„Schau, Kate, ich bin ein gewöhnlicher Durchschnittsmensch, und was ich brauche, um richtig zu funktionieren, ist ein ruhiges, durchschnittliches Leben", begann er, nach einer Erklärung seiner selbst tastend. „Alles, was ich will, ist: so zu leben wie alle anderen Leute. Am Morgen aufstehen, baden, mich rasieren, mit meiner Familie frühstücken. Ich will eine Frau haben, die mir über den Tisch zulächelt, die mir erzählt, daß die Milch und das Fleisch wieder teurer geworden sind und daß sie mehr Wirtschaftsgeld braucht, und darüber streiten wir uns ein bißchen, und zum Schluß gebe ich nach und bekomme einen netten Kuß dafür, und es ist ein gutes Gefühl zu wissen, daß ich sie und die Kinder erhalte, und deshalb arbeite ich mehr und besser, damit ich bald eine Gehaltserhöhung bekomme und eine prozentuale Beteiligung, falls mir etwas Großes gelingt. Wissenschaft um der Wissenschaft willen ist gut und schön, aber laß dir von niemandem erzählen, daß die Aussicht auf ein gutes Einkommen nicht ein starkes Stimulans ist. So stell' ich mir das vor, und ich werde mich den ganzen Tag wohl und warm fühlen in dem Wissen, daß meine Frau hinter mir steht, ich werde während der Arbeit an sie denken und manchmal zu Hause anrufen, bloß, um zu wissen, daß sie da ist, und zu fragen, ob alles in Ordnung ist; und kein ‚vielleicht' und kein ‚möglicherweise'. Nicht dieses aufreibende Warten und Hoffen: Wann werde ich sie wiedersehen? Wird sie diese Woche nach Hause kommen oder erst nächste. Wird sie vier Wochen lang auf Tournee sein oder acht oder zwölf. Meine Frau wird hier sein, zu Hause, und auf mich warten.

Wir würden vor dem Nachtessen zusammen einen Cocktail trinken, hier in der Küche, denn sie würde das Essen zubereiten, während ich über alles sprechen kann, was im Labor passiert ist, damit sie sieht, was für ein großartiger Biochemiker ich bin, und sie würde mich bewundern, und so werden wir zu Tisch gehen, und vielleicht wird Williamson nachher herüberkommen oder einer meiner Kollegen, und später gibt es noch einen kleinen Whisky und noch ein kleines Gespräch mit meiner Frau, und an anderen Abenden würden wir beide lesen oder ab und zu einmal ausgehen, und zum Schluß hätten wir einen kleinen Imbiß – so wie wir beide jetzt – und dann ins Bett. Keine Schlaflosigkeit mehr für den alten Ted Marshall, keine nächtlichen Waldspaziergänge, nicht mehr nach kaum fünf Stunden Schlaf aufstehen müssen mit einem erstklassigen Schlafmittelkater und mit Kopfweh und nichts Besseres zum Frühstück als McKennas Stinkbombe von einem Gesicht. Da, Kate, da hast du's. Ich will bloß ein durchschnittliches bißchen Glück und Zufriedenheit, nichts Außergewöhnliches. Aber gerade das kannst du mir nicht geben. Schau, Kate, ich will den Torschluß nicht versäumen, ich bin dreiundvierzig Jahre alt, und ich will etwas erreichen, ehe ich zu alt dazu bin . . ."

„Aber Ted – warst du nicht glücklich mit mir? Nie? Das ist ja nicht wahr! Denk doch zurück alle die Dinge, die wir miteinander erlebt haben . . ."

„Natürlich waren wir glücklich – gelegentlich. Aber, Kate, vierhundert kleine Flitterwochen machen keine Ehe aus. Ich hatte nie das Gefühl, eine Frau zu haben."

Nicht einmal in Corona, wo ich mich so sehr zusammengenommen habe? Nicht, als ich das Tanzen aufgab und mit dir in dem atembeklemmenden Nest lebte? Nicht einmal, als wir Christopher hatten? Nicht einmal, als wir ihn verloren? dachte Katja in verzweifeltem Schweigen. Sie faltete die Hände in ihrem Schoß. Es war eine ausdrucksvolle Gebärde tiefster Resignation. Sie kam aus den „Schwestern", einem der weniger erfolgreichen Ballette, die Bagoryan während seiner Martha-Graham-Periode geschaffen hatte.

„Schön, Ted", sagte sie schließlich, „wenn du glaubst, daß Gracie die Frau deiner Träume ist, was kann ich da sagen? Oder tun? Wenn du brave, immer gleiche Langeweile willst, dann ist sie genau die Richtige. Aber bist du ganz sicher, daß es das ist, was du willst?"

Sie hätte ihn gern geschüttelt, ihn aufgerüttelt aus dieser unverständlichen Verzauberung mit der Aussicht auf stumpfe Mittelmäßigkeit jahraus, jahrein. Das ist nicht der Ted, den ich kenne, dachte sie, er ist unter einem Bann, und bevor er sich frei macht, wird es zu spät sein. Er wird das Dach über unseren Köpfen niedergerissen, er wird mich und Guy verloren haben und mit dieser langweiligen Kuh Gracie übrigbleiben. Sie hat scheußliche Beine, zu kurz, die Knie sind zu tief angesetzt, so groß wie Suppenteller, dachte Katja, die davon überzeugt war, daß alle kurzbeinigen Menschen gewöhnlich träge und unintelligent sind. Ihr Hinterteil hängt bis auf den Boden, keine ordentlichen Muskeln drin. Und sie wird bei jeder Mahlzeit Geschichten mit ihrer Diät machen, und wenn sie dreißig ist, wird sie trotzdem aussehen wie ein Faß. Katjas hochentwickeltes ästhetisches Gefühl war beleidigt bei der Vorstellung von Teds gestreckter Schlankheit neben Gracies derber Schwere; und doch eilte Gracie wieder und wieder in seine Arme, und er hielt sie umschlungen in endloser Umarmung . . .

Es war lächerlich, ein Bann. Die alten Ballette waren voll von Zauberern, Hexenmeistern und bösen Feen, und Katja war vertraut damit, solche magischen Verzauberungen auszuüben, zu erleiden, zu brechen. Prinzen und Prinzessinnen wurden in wilde Tiere oder Vögel verwandelt, Puppen in lebende Menschen, und zum Schluß, durch die triumphierende Macht der Liebe – und nach einem gleichermaßen triumphierenden *pas de deux* –, in ihre wahre Gestalt zurückverwandelt: die Königstochter, der junge Prinz, die liebenden liebenswerten menschlichen Geschöpfe. Nur Märchen, aber geboren aus jahrtausendealter Weisheit und Mitleid. Immer war es Liebe, die den bösen Zauber besiegte – aber, dachte sie traurig, in Teds ödem Fall praktisch nicht anwendbar.

Vielleicht, wenn meine Liebe stärker wäre oder wenn ich sie besser ausdrücken könnte? Aber das kann ich nur im Tanz, dachte sie in flüchtiger Erkenntnis, und dann hörte sie Ted sagen: „So, Kate, das ist alles. Sie liebt mich; sie gibt mir das Gefühl, daß ich ein großartiger Kerl bin. Ich glaube, das ist es, was jeder Mann immerzu hören will. Du, Kate – du warst immer zu stark für mich, zu berühmt, zu überlegen. Ich habe mich immer anstrengen müssen, deiner wert zu sein, und konnte nicht mit dir Schritt halten. Meine Schuld, gewiß, aber . . ."

Also, so liegt die Sache, dachte Katja verächtlich. Nach fünfunddreißig Jahren beim Ballett konnte sie ohne weiteres erkennen, wenn ein Mädchen mit den ältesten und billigsten Mitteln darauf aus war, einen Mann einzufangen oder auszunutzen. (Sie hat ihn mit dem nassen Fetzen eingefangen, nannte man das in den Garderoben von Wien, Budapest und Belgrad.) Triefend dicke Schmeicheleien, Honig um den Mund geschmiert – das liegt mir nicht, das ist nicht auf meinem Niveau. Wenn du darauf hineinfällst, dann verdienst du's nicht besser.

„Wie lang – seit wann geht diese Geschichte schon?" fragte sie mit plötzlicher Kälte.

„Seit – es hat begonnen, nachdem du letztes Mal hier warst. Es war kein sehr – sehr geglückter Besuch, erinnerst du dich? Und letzten Donnerstag – als ich dich bat heimzukommen, und du kamst nicht – ich hatte gehofft, du würdest mir vielleicht helfen, die Dinge wieder gradzubiegen. Ich war ziemlich aus der Fassung gebracht, weil Gracie beschlossen hatte, nach Heidelberg zu gehen – sie sagte, sie könne nicht länger so weitermachen – aber ernst wurde es erst, als du mir so deutlich zeigtest, wie wenig dir an mir liegt."

„Ted, schau mich an: Wie ernst kann eine Liebe werden zwischen Donnerstag und Sonntag? Du und ich – wir haben uns nicht so blind hineingestürzt. Erst als wir beide völlig sicher waren, daß keins von uns ohne den anderen leben konnte und wollte, haben wir den großen Sprung gewagt – und selbst dann, so scheint es jetzt, war es ein Fehler. Was ist bloß mit dir los, daß du von mir davonläufst, wie wenn Feuer am Dach wäre? Wie kannst du nach drei, vier Wochen wissen, daß Gracie im Bett und Gracie beim Frühstück, beim Mittag- und beim Abendessen das ist, was du für den Rest deines Lebens haben willst. Ted, hast du den Verstand verloren? Du benimmst dich ja wie ein Achtzehnjähriger, dem es in allen Gliedern juckt. Kannst du nicht in Ruhe bedenken, was du uns allen antust – und dir selbst? Warum diese Eile? Kannst du denn nicht ein bißchen warten, bis wir uns alle etwas beruhigt haben?"

„Es sind nicht drei Wochen. Ich kenne Gracie, solange sie lebt, und – du mußt doch schließlich gefühlt haben, daß unsere Ehe schon längst in die Brüche gegangen ist. Über meine Beziehung zu Gracie kann ich nicht sprechen. Da ist viel mehr dahinter, als du verstehen könntest. Aber das betrifft nur mich und Gracie."

„Ted – du hast doch das Mädel nicht in die Hoffnung gebracht?" rief Katja so laut, daß Topper in der Vorhalle erwachte; und sein einziges Kunststück vorführend, öffnete er die Küchentüre, trottete hastig zu Katja, stemmte seine Pfoten gegen ihre Brust und leckte ihr Gesicht. „Ja, Topper, du bist ein guter Hund, wo sind deine Augen?" sagte sie geistesabwesend und vergrub ihre Stirn in seinem dicken Fell, dankbar für die tröstliche Wärme.

Marshall blickte verärgert auf ihren schmalen Nacken. „Natürlich! Das ist das erste, woran du denkst! Die Antwort ist: Nein. Nichts dergleichen. Aber das ist eben die dumme Kolportagementalität, die ich am Ballett hasse. Für dich ist Liebe ein *pas de deux*, und ein *pas de trois* bedeutet Konflikt. Was für ein Kitsch, was für ein Unsinn! Und so falsch – so unecht. Jetzt willst du mich dafür verantwortlich machen, daß es soweit gekommen ist, aber du bist's ja, die mich immer und immer wieder im Stich gelassen hat. Bloß um dich noch ein Jahr an all das dumme Geflitter und Geflatter zu klammern. Kurzes Tuturöckchen und falsche Wimpern – in deinem Alter! Aber du wirst mit Nägeln und Zähnen daran festhalten, bis deine Madame Beauchamp den letzten Tropfen Saft und Kraft aus dir herausgepreßt hat und dich auf den Misthaufen wirft zu all den anderen ausgewerkelten alten Ballerinen."

„Schweig, du, und laß mich reden!" schrie Katja in brennender Wut, nun, da er den innersten Kern ihres Lebens angegriffen hatte. „Rede nicht daher wie der Idiot, der du bist, wenn es sich um Tanzen handelt; beleidige nicht etwas, wovon du nichts verstehst. Jesus, Maria und Josef, ich könnte es für dich tanzen, aber ich weiß nicht, wie ich es in Worte fassen soll, niemand kann das. Was soll ich sagen, damit du verstehst, was hinter diesem Geflitter und Geflatter steckt? Jahrhunderte, Ted, Jahrtausende! Tanzen ist so unvergänglich wie irgend etwas auf dieser Welt. Es ist ein Urinstinkt wie Essen, Kopulieren oder Singen. Ich wollte, Ted, ich könnte dir erklären, was Tanzen für einen Tänzer bedeutet. Die Hingerissenheit, die Verzückung, die Seligkeit, die wir erreichen können – jaja, du wirst mir erzählen, daß es nichts ist als auf die Spitze getriebener Narzißmus –, nein, laß mich's dir einmal erklären. Schau, warum besteht gerade jetzt so ein Zug nach dem Ballett? Überall ausverkaufte Häuser, überfüllte Tanzschulen, jedes kleine Mädel eine künftige Ballerina – warum gerade jetzt? Warum in einer Zeit, wo alles häßlich und maschinell und verstunken und lärmend ist, mit Atombomben und Angst – warum sind gerade jetzt die Menschen so hungrig nach dem, was wir ihnen geben können? Vielleicht, weil wir das Gegenteil von diesem ganzen verrückten Getriebe und Geschiebe sind? Nein, ich will dir sagen, warum, Ted: Weil wir schön sind. Wir geben ihnen, was sie brauchen: ein paar Stunden Erholung, Nahrung für ihre Augen, Nahrung für ihre sentimentalen Seelen, die sich eingekapselt und verkalkt haben wie eine feuchte Stelle in der Lunge, etwas Ungesundes, etwas, dessen man sich schämen muß. Als ob Gefühle eine garstige Krankheit wären. Wir geben ihnen einfache Dinge, Märchen, Vögel, Schmetterlinge; und da sitzen sie wie die Kinder, verzaubert. Es ist ein Ausruhen, ein Augenblick der Entspannung. Wir sind ewig wie die Berge, altmodisch wie Großmamas Sonntagskleid, altehrwürdig wie die Bibel – wir sind etwas Beständiges in einer blutenden Welt von Aufruhr und Wechsel. Wir tanzen den Stoff, aus dem das Leben besteht, hier und in Timbuktu, jetzt und überall und immer. Mann und Frau. Die Begegnung, die Vereinigung, die Trennung; Lieben und Töten, Lachen und Weinen, Kämpfen und Siegen – oder Unterliegen. Und Sterben. Von diesen Dingen erzählt der Tanz, und alles andere ist – Grischa nannte es Petersilie. Wenn ich oben auf der Bühne bin und tanze, dann will ich geben und geben und geben, etwas, was nur ich ihnen geben kann, und manchmal kommt es zu mir zurück von den Menschen da unten – so eine Kraft, so eine warme Welle –, sie sind glücklich, Ted, ich hab' sie aus sich herausgeholt; das ist es, was ich für sie tun kann. Wenn ich auch nur ein winziges Körnchen zu der Gesamtsumme menschlichen Glücks beitragen kann, dann habe ich getan, wozu Gott mich bestimmt hat – und das ist nicht etwas, das man verachten darf, nicht wahr?"

Sie stand zitternd auf, schob die Teetasse zur Seite und ging hinaus. Topper, der Unglück wittern konnte, trottete mit einem tiefen Seufzer hinter ihr her.

Doktor Marshall hatte ihr mit verwundertem Lächeln zugehört. Mein Gott, dachte er, sie glaubt wirklich, daß sie eine Mission zu erfüllen hat. Es ist eine Besessenheit, eine größenwahnsinnige Besessenheit, das kommt von Herrn Dirksens überschwenglichen Abhandlungen über sie; der Unsinn ist ihr zu Kopf gestiegen.

Achselzuckend stellte er seine Milch hin und folgte ihr.

In der Vorhalle hielt Katja das Telefonbuch unter die schwache elektrische Birne. „Wissen Sie Hamptons Nummer auswendig? Den Taxichauffeur? Ich möchte, daß er mich an den Zug bringt. Ich kann die Nummer nicht finden, das Telefonbuch ist so schlecht gedruckt", sagte sie. Einen Augenblick lang fühlte Marshall die alte belustigte Zärtlichkeit, sie war so komisch, so kindisch; nie würde sie zugeben, daß sie Brillen nötig hatte. Er nahm ihr das Buch weg und warf es hin. „Unsinn. Der Bahnhof ist noch geschlossen. Wenn es Zeit sein wird, bringe ich dich an den Zug", sagte er und ging ins Wohnzimmer. Während der Nacht war es kalt im Haus geworden, und er beschäftigte sich mit dem Thermostat, der niemals richtig funktionierte, und dann stand er am Fenster und sah hinaus in das schwärzliche Geriesel.

„Ein Körnchen Glück beisteuern – das ist es, was du willst?" sagte er und wußte gar nicht, ob Katja ihm gefolgt war und ihn hörte. „Aber wer weiß denn, was Glück ist? Ein so flüchtiger Stoff, und immer unreine Elemente beigemischt – chemisch gesprochen. Aber wie wäre es, die Gesamtsumme menschlichen Unglücks um ein Körnchen zu vermindern? Scheint das letzten Endes nicht wichtiger? Nun also: Das ist es, was ich zu tun versuche."

„Kannst du es? Wie? Mit deinen Enzymen oder wie das Zeug heißt? Mit Biochemie und besserem Aspirin?"

„Siehst du? Für dich ist es immer ‚deine Enzyme oder wie das Zeug heißt'. Das ist genauso beleidigend, wie wenn ich dein Ballett dummes Geflatter nenne."

„Es tut mir leid, Ted, wenn ich daherrede wie ein Idiot, aber du sprichst niemals mit mir von deiner Arbeit."

„Du hörst ja niemals zu."

„Jetzt höre ich zu. Es handelt sich um die Verminderung der Gesamtsumme menschlichen Unglücks", sagte Katja mit einer kaum merklichen Spur von Ironie.

„Warst du jemals in einer Irrenanstalt? Hast du jemals Schizophrene gesehen? Leute, die an Verfolgungswahnsinn leiden? Menschen in der Hölle?"

„Ich habe einige davon getanzt ...", sagte Katja.

„Ja. Aber in Wirklichkeit gehen sie nicht herum wie Ophelia, mit Blumen im Haar. Wenn's gut geht, sind sie still, in sich versperrt, katatonisch; sie bauen unsichtbare Mauern um sich. Es ist eine Art chronischer Selbstmord, und manchmal versuchen sie durchzurennen und vor dem unbekannten Terror, der sie peinigt, davonzulaufen, und dann sind sie gefährlich, tobsüchtig. Sie kümmern sich um nichts, sie sind schmutzig, sie gebrauchen gemeine Worte, sie stinken, sie können Blase und After nicht kontrollieren, sie onanieren wie Affen in der Gefangenschaft. So ist das, und wenn du dich jemals für etwas anderes als dein verdammtes Ballett interessiert hättest, so wüßtest du, daß es zwei grundverschiedene Methoden gibt, um ihnen zu helfen."

„Da ich nicht taubstumm bin, habe ich das aus deinen Diskussionen mit Williamson entnommen."

„Laß unsern guten alten Williamson mit Psychologie herumspielen, wenn das die Patienten heutzutage von jedem einfachen praktischen Arzt erwarten. Was mich betrifft, ich glaube an reine Wissenschaft, sonst wäre ich nicht zur Biochemie umgeschwenkt. Selbst Freud hat ja gesagt, daß hinter jedem Psychiater der Mann mit der Spritze steht – und das bin ich. Das sind wir – die Biologen, die Organiker. Wir glauben, daß wir die biologischen Wurzeln des Irrsinns finden werden. Vielleicht bald, und vielleicht erst in zwanzig oder in fünfzig Jahren, werden wir imstande sein, einem großen Teil der Unheilbaren zu helfen, zumindest der völligen Entartung vorzubeugen, sie im Gleichgewicht zu halten."

„Womit? Mit mehr oder stärkerem Chlorbromazin? Was kannst du tun? Irre in Rauschgiftsüchtige verwandeln? Das ist keine Kur", sagte Katja mit unverhohlenem Hohn, und Ted begriff mit Erstaunen, daß sie, trotz allem, etwas über diese Probleme gelesen haben mußte.

„Darum handelt es sich eben. Die Entdeckung, daß man einen tobenden Irren mit gewissen chemischen Substanzen beruhigen kann, ist nichts besonders Neues, das haben sogar die Wilden im Dschungel schon immer gewußt. Heute kann der Psychiater seine Schizophrenen mit den neuen Ataraxics aus den schlimmsten Zuständen herausbringen. Mehr noch, man kann normale Menschen mit gewissen Alkaloiden vorübergehend zu Schizophrenen machen. Aber das ist alles altes Zeug. Verstehst du das soweit?"

Katja hatte sich an den Eßtisch gesetzt, ihre Arme um die Schachtel gelegt, deren Unordnung so viel von ihrem Leben enthielt. „Weiter. Bisher ist es kinderleicht", sagte sie und zog heftig an einer neuen Zigarette. Ted verließ das Fenster, und während er sprach, begann er, in der Stube auf und ab zu gehen. Eine Gewohnheit aus dem Klassenzimmer, dachte sie. Es regnete immer noch, aber das Dunkel draußen war dünner geworden. Bald würde es Morgen sein. Katja wünschte, daß sie eine Armbanduhr hätte oder einen Blick auf die Küchenuhr tun könnte. Aber es war unmöglich, Ted zu unterbrechen, jetzt, da er ein innerstes Fach für sie öffnete. Ich werde meinen Zug versäumen – was wird geschehen, wenn ich nicht zur Probe zurechtkomme? dachte sie. Es war ein entfernter Gedanke, und sie antwortete sich selbst: Zum Teufel mit der Probe. Unsere Ehe steht auf dem Spiel. Flüchtig fiel ihr eine Bambusbrücke ein, die sie einmal in einem Reisefilm gesehen hatte, ein schwingendes Spinngewebe von einer Brücke; vielleicht war diese Stunde aus ähnlich hauchdünnem Stoff gemacht, und wenn sie mit äußerster Vorsicht Schritt vor Schritt setzte, mochte sie doch noch das andere Ufer erreichen, wo Ted seine biochemischen Studien machte und Gracie sich dabei mit ihrem schweren Busen über seine Schulter lehnte.

„Nun denn. Ich glaube, ich bin den anderen um einen Schritt

voraus. Zumindest habe ich mir zu meiner Zufriedenheit bewiesen, daß Irrsinn mit gewissen Veränderungen des Grundumsatzes innerhalb des Enzymgebietes zusammenhängt. Versuche – vorläufig mit Affen – haben ergeben, daß Serum-Injektionen mit dem Blut Schizophrener vorübergehend Irrsinn in den Tieren hervorriefen. Nicht immer, verstehst du, aber in einem überzeugenden Prozentsatz von derartigen Experimenten", dozierte Doktor Marshall in trockener Eintönigkeit zu der schwindenden Dunkelheit vor dem Fenster. Sein Rücken, seine Schultern sahen todmüde aus, die Nacht war endlos gewesen, der gestrige Tag lag um ein Leben zurück.

„Nun also ist die Zeit gekommen, um von Tierexperimenten auf Menschen überzugehen. Auf Freiwillige. Das heißt – auf mich selbst. Meine Bande weiß nichts davon, weil – nun, ich habe gute Gründe, diese Sache nicht zu einem Industrieprojekt zu machen, sondern mir persönlich die Gefahren und den Lohn einer möglichen Entdeckung vorzubehalten." Er verließ das Fenster und kam an den Tisch, er bohrte seine Augen in die ihren, als er sagte: „Als ich mein Serum bereit hatte, bat ich Gracie, es mir zu injizieren, die eventuelle Wirkung abzuwarten und Notizen zu machen. Wir taten das nachts, es war ein Geheimnis zwischen ihr und mir und ist es noch immer."

„Ja? Und was ist geschehen?" Katja rührte sich nicht, aber ein Schauer lief ihren Rücken entlang. Sie hörte das armselige Signal des Verbindungszuges, der von der kleinen Station abfuhr. Meinen Zug versäumt, zu spät zur Probe – kann's nicht ändern. Es ist der Mühe wert.

„Nun, ich habe jedes Symptom entwickelt, das zum Syndrom der Schizophrenie gehört", sagte Ted, drehte sich um, setzte sich an den Tisch und sah ihr in die Augen, um zu ergründen, ob sie die volle, enorme Tragweite seines geglückten Experimentes begriff.

„Du hast dich gespalten – bist nicht mehr du selbst gewesen? Wie war es? Oder erinnerst du dich nicht? Aber das ist ja ungeheuer faszinierend, Ted", sagte Katja erregt.

„Ich erinnere mich an das meiste, und vor allem sind Gracies Aufzeichnungen ganz ausgezeichnet. Sie notierte alles, was ich gesagt und getan habe, obwohl das meiste davon unverständliches wirres Zeug für das arme Kind gewesen sein muß. Schließlich ist sie eine Technikerin und kein Psychiater, und wie ich apokalyptisch wurde – das, zum Beispiel, habe ich gesagt, daß ich apokalyptisch bin –, hat sie es aufgeschrieben, Minute für Minute, und auch meinen Puls, meine Pupillenreflexe, Gesichtsfarbe, Schweißausbrüche und alle anderen klinischen Begleiterscheinungen, die ich sie zu beobachten bat – manche davon nicht gerade zimmerrein. Diese Aufzeichnungen sind von ungemeiner Bedeutung für den Bericht, den ich zu machen beabsichtige, denn ich könnte niemals beschreiben, wie es war. Wenn Schizophrene ihre Zustände beschreiben könnten – aber

257

das können sie eben nicht, die armen Teufel! Es gibt keine Worte für diese Erlebnisse. Es sind Erlebnisse in einer anderen Welt und deshalb... Kannst du einen Traum erzählen? Nicht wirklich. Es ist eine völlige Divergenz zwischen Wahrnehmung und Denken. Die klügsten Dinge, die man im Traum sagt, stellen sich als sinnloser Unsinn heraus. Andererseits bist du unglaublich klar, du verfolgst nicht nur einen, sondern drei und vier Gedankengänge gleichzeitig. Zum Beispiel, wenn ich sagte: ‚Geh auf den Bahnübergang und gib acht auf die Züge‘, schien es mir völlig klar, daß ich die Aussicht von einem ganz bestimmten Bahnübergang meinte, von dem Gracie meine Gedanken verfolgen konnte, die wie Eisenbahnzüge auf all diesen Geleisen liefen – solche und ähnliche Dinge. Farben – es gibt keine solchen Farben, folglich haben wir keine Namen dafür. Oder Leute – du kennst sie, und du kennst sie nicht; das heißt, sie verwandeln sich ununterbrochen in jemand anderen. Auch Orte. Man ist hier, dort, überall. Ich erinnere mich, ich machte eine wunderbare Colostomieoperation an mir selbst, und als ich in meine eigene Bauchhöhle schaute, sah ich ein Meisterwerk der Architektur – Gebäude und Säulen und Tore und Treppen. Aber was ich sagte, war: ‚Fledermäuse in den Karlsbader Höhlen.‘... Du willst wohl nicht noch mehr von diesen Dingen hören, was?"

„Nicht fragen – erzählen!" rief Katja ungeduldig.

„Es ist zum größten Teil ein Erlebnis der Intensität. Es geht weit über die Intensität hinaus, die normale Leute empfinden oder verstehen können. Gracie hat eine Kurve meiner Empfindungen aufgezeichnet – ein höchst aufschlußreiches Diagramm. Es begann mit recht angenehmen Sensationen, wie wenn man sich beschwipst und einen kleinen Rausch bekommt. Alles sehr heiter, sehr komisch, sehr leicht. Dann die Geräusche, Lärm, die Stimmen, die Angst, Verlust von Zeit- und Raumgefühl. Dann das Zurückziehen in sich selbst; laßt mich in Ruhe, das ist wichtiger. Und die Verwirrung, Verstörung, und das: Mir ist alles gleichgültig. Und die Intensität steigert sich, steigert sich bis zum Unerträglichen. Unerträgliche Augenblicke von... ich weiß nicht, wie ich es ausdrücken soll: Seligkeit? Erleuchtung? Größenwahnsinnige Gefühle von gottähnlicher Gewalt? Das *ego* so hoch getrieben, daß es bersten will. Dann die höllischen Visionen, die Verfolgung, die Hetzjagd, der Absturz von ungeheuren Höhen, das Versinken im Treibsand... Nein, es gibt keine Worte dafür. An diesem Punkt verlor ich entweder das Bewußtsein oder die Fähigkeit, mich mitzuteilen. Arme Gracie – ich muß sie zu Tode erschreckt haben."

Ach, kannst du Gracie nicht weglassen? flehte Katja stumm, aber es war klar, daß er das nicht konnte. Hätte er mich weglassen können aus dem Erlebnis jener Nacht, als er mich vom Rand des Nichts zurückbrachte? Es war wohl eine ähnliche Intimität gemeinsamen Erlebens gewesen, was Doktor Marshall und Gracie zu Partnern gemacht hatte. Und man muß eine stumpfe, dumme Kuh wie sie sein, um danebensitzen und Aufzeichnungen machen zu können, während ein Mann wie Ted um seiner Wissenschaft willen seinen Verstand aufgibt.

Er hatte seine Pfeife aus der Tasche gezogen, sie angezündet und sich in die ziehenden Rauchschwaden eingehüllt. „Immerhin", sagte er, „immerhin bin ich nicht gewalttätig geworden. Es war starker Tabak für einen pedantischen Burschen wie mich. Aber, als echte Schizophrenie besehen, würde ich sagen, es war nur ein mildes Musterchen der wahren Sache, und nach acht Stunden und achtzehn Minuten war ich wiederum völlig normal. Bloß schauerlich schläfrig. Beinahe so schläfrig wie jetzt."

„Wie ich dich beneide!" rief Katja impulsiv. „Was für ein Erlebnis!"

„Ich würde es kein zweites Mal erleben wollen. Es ist eine Sache, die du deinem schlimmsten Feind nicht wünschen würdest. Aber jemand mußte es eben versuchen."

„Aber, Ted – genau das ist es, wofür wir alles, *alles* geben – diese Intensität! Dieses Aus-sich-Hinausgehen. Diese Erleuchtung, dieser Augenblick höchster Macht und Klarheit – siehst du: Nur dafür lebt jeder Künstler. Jetzt weißt du, was mir das Tanzen bedeutet."

Doktor Marshalls Antwort war ein zorniges Stöhnen. „Da hast du's. Da sind wir wieder einmal bei deinem verdammten Tanzen. Wie darfst du es wagen, euren romantischen Kleister mit meiner exakten Wissenschaft zu vergleichen? Begreifst du denn nicht, was mein Experiment bedeutet? Ein grundlegender Schritt auf dem Weg, die Ursache und vielleicht die Heilung für Geisteskrankheiten zu finden. Wir wissen jetzt, daß eine chemische Veränderung im Blut da ist. Jetzt müssen wir den schuldigen Stoff isolieren – synthetisieren . . ."

„Wirklich? Setzen wir mal voraus, du kannst beweisen, daß das alles chemisch oder biologisch ist – nimm an, daß sich diese Sache, dieses X, im Blut aller Schizophrenen findet: Dann weißt du noch immer nicht, was zuerst kommt, die Henne oder das Ei. Du weißt immer noch nicht, ob sie verrückt sind, weil ihr Blut anders ist, oder ob ihr Blut sich verändert, weil sie verrückt sind", sagte Katja, tiefe Falten konzentrierten Nachdenkens in die Stirn gegraben.

Einen Augenblick zuvor waren sie einander näher gewesen als in Jahren. In ihrer Erschöpfung, in dem Aufruhr ihrer ehelichen Krise hatten sie sich voreinander aufgeschlossen, über sich selbst gesprochen, über ihre Arbeit, ein Thema, das sie für gewöhnlich vermieden oder bloß flüchtig berührten.

Es hatte Teds Experiment gebraucht, seinen Ausflug über die Grenzen strenger Wissenschaft hinaus, um ihm eine Ahnung von der Intensität zu geben, die Katjas Lebenselement war.

Sie mühte sich, seine Probleme zu verstehen; sie hoffte, daß er die ihren verstehen würde. Und plötzlich war alles vorüber. Sie hatte ihren Zug versäumt und auch den Anschluß an ihren Mann, sie begriff gar nicht warum und wieso.

Er hieb mit der Faust auf den Tisch, daß die alten Fotos in der Schachtel hüpften. „Herrgott, halt lieber den Mund! Du bist zu dumm und unwissend, als daß ich mit dir reden könnte. Sie sind verrückt – verrückt! Das ist alles, was du weißt!" schrie er, voll Überdruß über ihre unwissenschaftliche Ausdrucksweise.

„Schön – ob sie nun verrückt sind oder schizophren –, warum läßt man sie nicht in Ruhe? Es ist ihr einziger Ausweg. Es befreit sie von jeder Verantwortung für sich selbst und für andere; das wollen sie, und wenn sie für ihre Freiheit mit allerlei unangenehmen Halluzinationen bezahlen müssen, so ist das ihre eigene Sache. Niemand wird irrsinnig, der nicht im Tiefsten irrsinnig sein will!" rief Katja aus. Grischa ist nicht irrsinnig geworden, dachte sie, der war streng mit sich, der hatte Selbstdisziplin. Nijinsky wurde irrsinnig, er war verwöhnt, innerlich verrottet, aber nicht Grischa ... Und ich auch nicht, obwohl es manchmal der nächste Notausgang gewesen wäre, das Leichteste, plädierte eine Stimme in ihr.

Doktor Marshall, gewöhnt an Gracies bedingungslose Gefügigkeit und ihren gehorsam untergeordneten Verstand, der sauber registrierte, was immer er ihr diktierte, war wütend über Katjas wilde Gedankensprünge. Wer war sie eigentlich, daß sie es wagte, ihre eigenen Schlußfolgerungen zu ziehen, alle wissenschaftlichen, ja alle rationalen Gedankengänge durcheinanderzuwirbeln und sein eigenes epochales Experiment herabzusetzen? Er stand auf, stieß seinen Stuhl zurück und ging zur Tür, ohne einen anderen Blick für sie. „Zeit für deinen Zug. Ich telefoniere um ein Taxi", sagte er und ging hinaus.

Es war, als hätte er Katja geohrfeigt. Sie folgte ihm, verblüfft, bestürzt. „Mein Zug ist fort. Sie werden die Probe ohne mich anfangen müssen. Aber Ted, was habe ich schon wieder falsch gemacht?"

„Denk nicht darüber nach. Meine Schuld! Ich hätte dir nichts erzählen sollen. Ich hätte wissen müssen, daß du irgendeinen Mist daraus machen wirst. Ich habe es dir bloß erzählt, damit du verstehst, was Gracie für mich und meine Arbeit bedeutet. Sie ist das, was ich brauche: ein Kamerad, keine Primaballerina, die für eine Nacht auf Gastspiel kommt. Unsere Heirat war ein Fehler, wir wollen ihn korrigieren und als Freunde auseinandergehen – Zentrale? Ja, Fräulein, bitte, was ist die Nummer von Hamptons Taxi? Können Sie mich verbinden? Danke. – Hier Doktor Marshall! – Können Sie Mrs. Marshall gleich abholen?"

Noch vor wenigen Stunden hatte Katja gegen alles gewütet, gegen dieses Haus, ihre fraulichen Pflichten. „Ich gehöre nicht hierher, ich hätte niemals heiraten sollen!" hatte sie gesagt. Plötzlich fiel ihr der Junge im Märchen ein, dem eine Fee jeden Wunsch gewährt und der immer das Falsche wünscht. „Aber Ted, ich bin dieselbe, die ich immer war. Warum hast du darauf bestanden, mich zu heiraten?"

„Weil du mir leid getan hast. Vergiß nicht, in welchem Zustand du warst – so hilflos, so verloren, so ... Du hast mir schrecklich leid getan und ..."

„Leid getan? Ich habe dir leid getan!" schrie Katja. Es war ein heiserer, wilder, zügelloser Schrei: „Du hast mich aus Mitleid geheiratet – mich? O mein Gott, mein Gott ..."

Es war das Äußerste an Schmerz und Beleidigung. Bis zu diesem Augenblick hatte sie versucht, sich zivilisiert zu benehmen – wie Ted es ausdrückte –, jetzt aber brach jeder Damm in einem wilden Anprall von allem, was sie zurückgehalten hatte. Weggeschwemmt war die Höflichkeit ihrer gesitteten Ehe; es wurde ein Kampf, in dem Beleidigungen hin und her flogen; ein Orkan, der das Dach vom Haus riß, ein *dies irae*, an dem alle Skelette sich aus ihren Gräbern erhoben und einander die klappernden Knochen unvergessener Kränkungen und Vorwürfe an die Schädel schmissen. Sie kämpften grausam und erbarmungslos, wie es nur Menschen tun, die genau des anderen Schwächen und geheime Wunden kennen; wie nur Mann und Frau oder Liebespaare oder vielleicht Eltern und Kinder gegeneinander kämpfen. Alles Brüchige und Gebrochene, jede kleinste Scherbe wurde ans Licht gezerrt. Teds Gedankenabwesenheit und Katjas Abwesenheit, punktum. Wie er damals vergessen hatte, sie von der Pennsylvania-Station abzuholen, und wie sie ihm nicht eine Zeile von Buenos Aires aus geschrieben hatte.

Wie oft er seine jungen Chemiker zum Nachtessen geladen hatte an dem einzigen Abend, an dem sie heimkommen konnte; und wie oft sie – wie vor ein paar Tagen – ihr Versprechen gebrochen hatte, ein paar Tage mit ihm zu verbringen. Alte Unstimmigkeiten über Guys Erziehung; ärgerliche Vorwürfe über Katjas Unfreundlichkeit gegen Margreth und Teds rüdes Benehmen gegen Olivia. Über Preston, den Ted einen faulen Strick nannte und den Katja zu hoch bezahlte, nur weil sein lockerer Gang und desgleichen seine Syntax ihr Spaß machten. Und den sie überhaupt nicht brauchten, wenn Ted so tüchtig wäre wie alle anderen Männer und die kleinen notwendigen Dinge in Haus und Garten täte. Und diese unentbehrliche Pest McKenna, die ein Vermögen kostete und die Ted ertragen mußte, damit Milenkaja sich benehmen konnte, als ob es keinen Haushalt gäbe, keinen Mann, kein Kind. Und hinunter zu den Fundamenten all solcher Kämpfe: Geld. „Du hast keinen Respekt vor Geld!" schrie Ted. „Was ist da zu respektieren?" schrie Katja zurück. „Ich verdiene es, ist das nicht genug?"

„Du verbrauchst mehr, als du verdienst! Mit deinem Leben in New York, und wie du in der ganzen Welt herumkutschierst!"

„Ich lebe nicht von Kaviar und Champagner. Ich esse ein Sandwich, wo ich es gerade erwische, ich trage fünf Jahre lang dieselben Kleider, ich wohne in diesem grausigen Latham-Haus, nur um ein Hotel zu sparen!" schrie Katja empört.

„Tut mir leid, daß ich nichts bin als ein armer Schlucker, ein Wissenschaftler. Du hättest eben einen reichen, alten Geldsack heiraten sollen, der dir alle die teuren Dinge kaufen kann, die dir zukommen. Nun, ich ziehe mich zurück. Es ist immer noch Zeit ... Ich bin überzeugt, daß euer dicker Schatzmeister, dieser protzige Mr. Bramble, mit Vergnügen einspringen würde!" brüllte Marshall, außer sich.

Schreien und Fluchen, zugeschlagene Türen, Toppers entsetztes Winseln über diese ungewohnten Töne zwischen den beiden Menschen, die er über alles liebt. Der Lärm bringt Guy aus seinem Zimmer, er steht in seinem kleinen Pyjama am Treppenkopf und reibt sich die Augen, will nicht zeigen, daß er sich fürchtet. Katja küßt ihn leidenschaftlich, Ted schickt ihn streng ins Bett zurück. Die Hausglocke klingelt, und da ist Hampton mit dem Taxi, McKenna erscheint, ihre Haare in Lockenwicklern und ihr knochiger Körper im geblümten Flanellschlafrock. Sie hustet und stöhnt und niest und hat tränende Augen, und aus unverständlichen Gründen schießt sie giftige Blicke auf Doktor Marshall und legt ihren Kopf auf Katjas Schulter, um zu schluchzen, als wäre es ihre eigene Ehe, die daran ist, in die Brüche zu gehen.

Es gab einen abscheulichen Augenblick, als Katja sich an ihre leere Geldbörse erinnerte und Ted bitten mußte, ihr zwanzig Dollar zu leihen, und als Ted, verwirrt, etwas Kleingeld zum Vorschein brachte, insgesamt zwei Dollar und sechsundzwanzig Cents. Und als Katja sich an McKenna wenden mußte und McKenna ihr siebzehn Dollar vom Wirtschaftsgeld gab und drei von ihrem eigenen. Und Hampton läutete nochmals und sagte, es täte ihm leid, aber wenn Mrs. Marshall den Zug erreichen wollte, dann wäre es höchste Zeit. Und Ted, der plötzlich seine Meinung geändert hatte, rief von oben, er selbst wolle Mrs. Marshall zum Zuge bringen, er würde in einer Minute so weit sein. Und Katja sagte von unten, besten Dank, nein, sie zöge das Taxi vor.

Ted tauchte wieder auf; er hatte Socken angezogen, sich die Zähne geputzt, die Haare gebürstet. „Aber Kate, wir haben die wichtigsten Dinge nicht besprochen", sagte er vernünftig. „Die nächsten Schritte – was geschieht mit dem Kind, dem Haus? Und da werden so viele Formalitäten sein – ich dachte, wir könnten das im Wagen besprechen."

„Zwischen hier und dem Bahnhof?"

„Nun, ich könnte dich bis New York fahren."

„Danke, nein. Ich werde Allingham beauftragen, sich mit dir in Verbindung zu setzen."

„Allingham? Wer ist Allingham?" Einen Augenblick lang ging der phantastische Gedanke durch Marshalls Kopf, daß Katja eine heimliche Liebschaft mit diesem Allingham betrieb, dessen Namen er zum erstenmal hörte. Aber Katja sagte kurz:

„Er ist mein Anwalt."

„Ich habe gar nicht gewußt, daß du einen Anwalt hast", sagte Ted erstaunt, daß in ihrem Schmetterlingsleben etwas so Rationelles wie ein Anwalt seinen Platz hatte.

„Er ist eigentlich Olivias Anwalt, aber er kümmert sich um alle unsere Kontrakte und ähnliche Dinge ..."

„Natürlich! Diese lesbische Hexe ist ja in alles verwickelt, was mit dir schiefgeht!" sagte Ted mit der völlig unvernünftigen Gehässigkeit, Eifersucht und Verachtung eines nachgiebigen Mannes gegen eine willensstarke, geschlechtslose Frau, die ihn in einem Wettkampf geschlagen hat.

Katja verließ das Haus, den Mann, das Kind, den Hund, ohne Abschied zu nehmen. Nur McKenna klopfte sie auf den Rücken und empfahl ihr, alles in guter Ordnung zu halten. Sie wußte, daß ihre angestrengte Beherrschung nahe daran war, in einer Flut von sentimentalem Mitleid mit sich selbst unterzugehen, und das wäre ein Schauspiel, das sie Ted nicht bieten durfte. Schlimm genug, daß sie sich in der abscheulichen Szene mit Ted hatte gehenlassen. Aber seltsam, sie war erfrischt und gestärkt daraus hervorgegangen.

Es hatte zu regnen aufgehört, die Sonne kam heraus, Silber lag auf den Bäumen, Gold auf der schimmernden Landstraße.

Konzentration jetzt! befahl sie sich, kaum daß sie einen Sitz im Zug gefunden hatte. Erster Auftritt der Königin ... Tirra-tirra-tabang. – *Und* – los!

Sie war eingeschlafen, noch ehe der Zug in Bewegung kam, und sie erwachte erst, als er schon zehn Minuten lang in der Pennsylvania-Station gestanden hatte und der Mann, der die Waggons nach vergessenen und verlorenen Gegenständen inspizierte, sie aus ihrem erleichternden Nichtdasein wachrüttelte.

In späteren Jahren pflegte Olivia zu sagen, daß nächst Pearl Harbor dieser Montag der katastrophenreichste Tag ihres Lebens gewesen sei.

Daß das Bühnenbild für den Hochzeitsflug nicht fertig war und daß Alouette nicht, wie versprochen, die Kostüme für die Königin und die Drohnen geschickt hatte, waren bloß zwei der geringeren Ärgernisse, wie sie vor jeder Premiere zu erwarten sind. Aber daß Katja nicht rechtzeitig auf der Probe erschien, war höchst ungewöhnlich, und Olivia verbarg ihre Besorgnis hinter einem stählernen Lächeln. „Was tun wir, wenn Katja überhaupt nicht kommt? Wenn sie sich's überlegt hat? Könnte Joyce einspringen?" fragte sie Bagoryan flüsternd.

„Sie könnte, aber ich würde es nicht zulassen", entgegnete er mit Entschiedenheit. „Los jetzt, wir fangen an. Gwendolyn kann für den Augenblick einspringen."

Bagoryan war an diesem Montagmorgen nicht der liebenswürdige, unbekümmerte Mensch wie sonst, und Olivia wußte ziemlich gut, was ihn noch zappliger machte, als es vor großen Premieren selbstverständlich ist. Es war Joyce. Joyce und Big Ben. Bei der gestrigen Party hatte das Mädel ihre ganze Aufmerksamkeit an den Produzenten verschwendet. Ein wenig zu deutlich. Bender ist kein Dummkopf, hatte Olivia gedacht. Wenn der große Bender, wie er versprochen hatte, auf die Probe kam und wenn Joyce ihm gefiel – und sie mußte ihm ja in der Bombenrolle des Suchbienchens gefallen, und wenn er ihr ein Angebot für seinen Film machte, wo blieb dann der arme Mirko? *Sans amour, sans sa dernière jeunesse.*

„Und wo bleibe ich und meine Gruppe?" hatte Olivia ihren Mann gefragt. „Aber so geht's eben immer mit diesen jungen Leutchen. Ich entdecke sie, ich stelle sie heraus, hier kriegen sie ihr Training, ihre Ausbildung, ihre Bühnenerfahrung. Und sobald sie wirklich gut sind, sehen sie sich nach größeren Möglichkeiten um, und ich bleibe mit den Gabrilowas, den Milenkajas, den Masuroffs zurück.

„Wenn Joyce dem großen Bender so gut gefällt, kann sie ihn leicht überreden, die ganze Gruppe für seinen Film zu engagieren", hatte Elkan erwogen.

„Als ob du Joyce Lyman nicht kenntest! Sie wird über nichts sprechen als über Joyce Lyman, denn das ist das einzige, was sie interessiert. Was ist jetzt wieder los, Rowly?"

Miß Rowland, die in den Ballettsaal geschickt worden war, um Gwendolyn zu holen, berichtete achselzuckend, daß Gwendolyn natürlich nicht zur Morgenklasse erschienen sei. Das war heute besonders sträflich. Das Anschlagbrett hatte besondere Aufmerksamkeit darauf gelenkt, daß an diesem Morgen die Übungsklasse in der *Met* stattfinden und der Maestro selbst mit ihnen arbeiten würde, anstelle von Tanja Stepanowna, die am Krankenbett der armen Gabri festgehalten war.

„Schön – ich werde mit den Jungens anfangen, bis Mesdames Milenkaja und Gwendolyn zu kommen belieben", kündigte Bagoryan an, verdrießlich die lückenhafte Reihe der Drohnen musternd, die sich in der Kulisse aufstellten. „Wo ist Klotzky? Wo, zum Teufel, ist Cecil? Was, um Himmels willen, ist los? Ist die Untergrund mit meiner halben Truppe steckengeblieben?"

Gwendolyn hatte sich an diesem Morgen in einer peinlichen, wenn auch nicht ungewohnten Situation befunden: Bei hellem Tageslicht stand sie in dem langen, sehr tief ausgeschnittenen Abendkleid von gestern nacht an einer Straßenecke und versuchte, ein Taxi zu kriegen. Sie hatte diese einladende und kleidsame Toilette zu Ehren Herrn Benders angelegt, aber sie hätte ebensogut in einem Mehlsack stecken können. Diese Klapperschlange, diese Joyce, hatte ihn völlig mit Beschlag belegt, ganz abgesehen von den Faxen, die die Alte, diese Beauchamps, mit ihm machte, wenn er einen Augenblick lang frei war. Aber Gwendolyns weibliches Selbstbewußtsein war viel zu gesund, als daß sie mit dem Gefühl einer Niederlage heimgekrochen wäre; sie war gerade in der Laune gewesen, irgendeine Dummheit anzustellen. „Gehen wir los, Larry, wir wollen irgendwo was trinken!" hatte sie gesagt.

Das hatten sie getan, und zwar so gründlich, daß sie den Rest der Nacht miteinander auf einer der beiden schwarzen Couches in der Bude der Jungen zubrachten.

„Mein Gott, aber wenn Cecil heimkommt, wird's da nicht einen gräßlichen Stunk geben?" hatte sie gefragt.

„Er kommt nicht heim. Er bleibt über Nacht bei der Gabrilowa, um Tanja abzulösen. Und überhaupt – ich habe keine Angst vor ihm. Soll nur heimkommen!" hatte Larry gesagt, im erhebenden Bewußtsein seiner neuentdeckten Mannheit.

In dem Taxi, das sie nun in ihre eigene Wohnung brachte, lachte Gwendolyn über sich selbst. Meine gute Tat für heute habe ich getan. Aus einem schwulen Jungen einen Mann gemacht.

Aber baden, umkleiden und mit zwei Herren telefonieren, nahm einige Zeit in Anspruch, und als sie gemächlich in den Ballettsaal der *Met* kam, wurde die Klasse gerade entlassen, und die Truppe reihte sich für die übliche Verbeugung vor dem Maestro auf. Um so besser, dachte Gwendolyn und versuchte, sich unsichtbar zu machen. Aber der Maestro hatte sie bereits gesehen. Er schob die anderen Mädchen zur Seite und stürzte sich auf sie, er blies Luft durch seine falschen Zähne, zischend wie eine losgeschossene Harpune. Ein Schwall italienischer Flüche und Schimpfworte kam über seine bläulichen Lippen, sein Gesicht war purpurfarben, und die Haut unter seinem dünnen weißen Haar war flamingorot verfärbt.

Plötzlich stolperte er, noch vorstürzend griff er in die Luft nach einem Halt und fiel hin. Die erste Katastrophe des schwarzen Montags hatte das Manhattan Ballett getroffen.

Das Taxi, das Katja zum Theater brachte, schwenkte zur Seite und stoppte vorschriftsmäßig, um einem sirenenheulenden Gefährt Platz zu machen. „Bitte, ich bin in Eile", sagte Katja. Ein großer dunkler Daumen wies nach hinten; „Ambulanz", sagte der Chauffeur kurz. Es war das Krankenauto, das den Maestro ins Krankenhaus brachte, aber das konnte Katja nicht wissen.

In ihrer Garderobe wartete Louisa, Gott sei Dank, mit starkem, schwarzem Kaffee; hier war, in einer zusammenstürzenden Welt, ein kleiner Unterschlupf. Der Spiegel, die Lichter in ihren Draht-käfigen zu beiden Seiten, die Schminktiegel, die Schäbigkeit, der Geruch – und das dicke Trikot, warm und fest um ihren zitternden Körper. „Hab' den ersten Zug versäumt", erklärte Katja. Louisa lächelte ihr zu, mit schlauem weiblichem Verständnis. „So was tut gut, nicht?" bemerkte sie.

„Möglich . . .", war alles, was Katja dazu sagen konnte.

Auf der Bühne war die Probe in vollem Gang, mit Gwendolyn als Bienenkönigin. Olivia hatte strengen Befehl gegeben, die schlimme Neuigkeit von Maestros Herzanfall bis zum Schluß der Probe vor Katja geheimzuhalten, und Katja war zu tief mit dem Weltuntergang ihres persönlichen Lebens beschäftigt, um das Nordpolklima zu bemerken, das Gwendolyn von den anderen isolierte. Sie wußte bloß, mit einer Dringlichkeit wie nie zuvor, daß Tanzen das einzige war, was ihr jetzt helfen, was sie retten konnte. Sie wollte, sie mußte tanzen, jetzt, sofort, oder zusammenbrechen. Sie ging schnell auf die Bühne, wünschte Bagoryan mit lauter Stimme guten Morgen, grüßte die Gruppe und schob Gwendolyn mit einem befehlenden „Danke, meine Liebe. Von hier an übernehme ich's" beiseite; was sie denn auch tat, und zwar mit einer so tranceartigen Hingerissenheit, daß Olivia alle Vorwürfe hinunterschluckte und nicht einmal Bagoryan gegen ihre unerwarteten und eigenwilligen Primaballerina-Allüren protestierte. Im Orchester hob Lazar gerade seinen Blick von einem Notenblatt, auf das er kritzelte, und er lächelte ihr zu, das Licht der Dirigentenlampe lag weiß auf seinem Gesicht.

Es war die Rede davon gewesen, daß es diesmal ausnahmsweise wirklich genügend Orchesterproben geben würde, aber niemand hatte das ernst genommen. In dem gähnenden Orchester mit den leeren Notenpulten hatte Chuck am Klavier seinen Spaß mit der Wagnertravestie des Drohnenauftritts. Das gab Katja Zeit, Atem zu schöpfen und zu sehen, daß Joyce in der Kulisse sand, in voller Maske und Kostüm, unwiderstehlich jung und frisch und frech; während sie selbst im dicken schwarzen Wolltrikot die Szene durchführen mußte, in der sie königlich für den großen Hochzeitsflug herausstaffiert werden sollte.

Tanzen ohne erwärmte, gelockerte Glieder, frierend bis ins Mark, mit zerrütteten Nerven und nichts als Louisas schwarzem Kaffee zur Stärkung – sie hätte sich leid tun können, aber statt dessen machte es sie wütend. Es war eine Herausforderung. Ihr ganzer Körper erhitzte sich an dieser Herausforderung, diesem Drang der Abwehr, des Kämpfens; ganz Frau sein, ganz Geschlecht, Verführung, Eroberung – sie, der ihr eigener Mann gerade den Abschied gegeben hatte . . .

Es war eine gänzlich neue Rolle für sie, noch nie versucht, weder im Charakter noch in den strengen Anforderungen der Choreographie. Ab und zu versagte ihr Gedächtnis, und sie mußte schwimmen und improvisieren. Gwendolyn, die gutmütige Nutte, soufflierte ihr, wenn immer sie unsicher war, und im Hintergrund zählte die treue, unfehlbare Iris McGuire für sie die Takte und den Rhythmus. Und wieder einmal wirkte der Tanz seine Magie: Katja ließ sich selbst und alles, was geschehen war, weit zurück, in der Wirklichkeit, wo Senkgruben überlaufen, Rechnungen niemals stimmen und Ehemänner auf Abwege geraten.

Aber als sie begann, die Gruppe der jungen Männer zu sich heranzuziehen mit der unerklärlichen magnetischen Kraft, die großen Tänzerinnen innewohnt, gab es eine Störung, ein plötzliches Abbrechen. Bagoryan schlug in die Hände, Chuck hörte auf zu spielen, und Katja stürzte vom Mond zurück auf die Erde.

„Wo, zum Teufel, ist Cecil?" rief Bagoryan, denn Cecil war der Führer der Drohnen, die Spitze der Gruppe, die in Dreieckformation heranrückte und die nun durch Cecils Abwesenheit abgestumpft war. Der Ruf wurde weitergeleitet durch die Kulissen und Korridore, und schließlich war es nicht Cecil, sondern Larry, der auf die Bühne geschoben wurde. Er war nackt bis zum Gürtel, aber er hatte die schwarz-goldenen Epauletten an und die langen engen Ärmel, die zu seinem Kostüm gehörten. Von der Mitte abwärts war er noch immer Larry Klotzky, in Straßenhosen, karierten Socken und Schuhen. Er war außer Atem und schwitzte heftig. Er beschattete seine Augen gegen das grelle Rampenlicht und suchte den verärgerten Bagoryan im Parkett.

„Ja, Meister? Sie haben mich rufen lassen?"

„Verflucht, wo ist dein siamesischer Zwilling?" bellte Bagoryan ihn an. „Wo, zum Teufel, steckt Blaine?"

„Leider, Mr. Bagoryan, er ist nicht ganz wohl; er wird ein ärztliches Zeugnis beibringen. Ich denke, morgen wird er wieder in Ordnung sein."

Ein wissendes Kichern erhob sich unter den Tänzern, und Miß Beauchamp rief aus der Loge, in der sie die Probe verfolgte: „Was ist los mit ihm? Doch nicht wieder derselbe alte Tanz?"

„Es tut mir leid, Miß Beauchamp – aber es geht schon wieder. Die Ärzte in Bellevue haben ihn in Ordnung gebracht", sagte Larry hartgesotten, die Aktion einer Magenpumpe andeutend.

Die Truppe war belustigt. Wann immer Cecil – mit Recht oder Unrecht – glaubte, daß Larry ihn betrog, verübte er Selbstmord; er schluckte dann eine große – obwohl niemals genügend große – Dosis sorgfältig zusammengesparter Schlafmittel und ließ sich von Larry sterbend auf einer der schwarzen Couches entdecken. Weder Larrys abgehärtete Haltung in solch hochdramatischen Situationen noch die peinliche Prozedur im Spital und der nachfolgende Katzenjammer hielten Cecil davon zurück, sein kleines Tänzchen aufzuführen, wann immer er eifersüchtig war. „Eine Fixierung. Magenpumpe – neuestes phallisches Symbol", erklärte Lazar, ohne von den Noten, an denen er schrieb, aufzusehen. Olivia sagte nachdrücklich: „Ich fürchte, auf die Dauer wird der junge Blaine zu anfällig für uns sein. Wir können keinen Tänzer brauchen, der so leicht seine Balance verliert...", und dann, als sie einen kleinen Tumult ganz hinten im leeren Haus bemerkte, verließ sie plötzlich ihre Loge: Denn jetzt wurden Herr Bender und sein Gefolge von Miß Rowland und Manny Bernheimer hereingeleitet.

Cecil Blaines Nichterscheinen verursachte bloß eine kleine Welle von Schwierigkeiten und Abänderungen. Bagoryan hatte die Achseln gezuckt, war mit zwei weichen Katzensprüngen auf der Bühne gelandet und, Chuck seinen Einsatz gebend, übernahm er selbst die Rolle als Führer der Drohnen. Sofort rückte die Gruppe mit neuem Elan vor, und sofort fühlte Bagoryan die Kraft, mit der Katja ihn anzog wie in ein Netz elektrischer Ströme. Überrascht leistete er Widerstand; er unterbrach, korrigierte, der nüchterne, strenge Choreograph. Aber – *già!* – wie gut fühlte es sich doch, mit einer erfahrenen Ballerina zu tanzen, die von ihrer eigenen Kraft hergab, anstatt einen leerzupumpen wie alle diese vielversprechenden talentierten Mädels, die er geleitet und geformt und schließlich geheiratet hatte – und die er zum Schluß von sich gehen ließ.

Er klatschte in die Hände. „Die ganze Szene noch einmal!" befahl er, denn er wollte dieses Vergnügen nicht so schnell beenden. „Ling, beobachte mich genau. Wenn Cecil morgen früh nicht auf der Höhe ist, übernimmst du die Rolle." Er lächelte dem jungen Chinesen zu, der auf diese Weise plötzlich aus der Anonymität der Gruppe herausgezogen wurde. „Chuck, bitte – von Tsu-Tsu-daran-baram-ching – Und!"

In der Kulisse bemerkte Bagoryan den Maler Daniels in ernstem Gespräch mit dem Chefelektriker. Aber Joyce war verschwunden. Anstatt ihrer stand jetzt Masuroff dort und mimte aus Leibeskräften. Er nickte bezaubert, applaudierte lautlos Beifall und Entzücken, blies Katja Küsse zu. Wie der loslegt, der Esel! dachte Bagoryan und stoppte. „Das ist vorläufig genug für euch Burschen. Jetzt die Suchbienchen-Szene – Miß Lyman, bitte!"

Ohne hinzusehen wußte er, daß Joyce sich zu dem Menschenknäuel in der sechsten Parkettreihe gesellt hatte, um Mr. Bender zu begrüßen und in ihrem verlockenden Kostüm vor ihm zu paradieren. Aber sie kam gehorsam auf die Bühne gelaufen, stellte sich in der Kulisse bereit für ihren Auftritt. Katja ging auf der anderen Seite ab, ihre Knie zitterten ein wenig, und der kleine Schmerz nagte in ihrem linken Bein, nun da sie ihrer jungen Rivalin Platz machen mußte.

„Was ist heute morgen in dich gefahren, mein Schatz?" fragte Lazar, hinter ihr auftauchend. „Wie du diese Rolle angepackt hast – das ist ja Brandstiftung."

„Hallo, Sandy", sagte sie gedankenabwesend.

„Nicht interessiert an Miß Honigbienchens Szene?" fragte er spöttisch.

„Oh, *fichez-moi la paix!* Ich muß mich konzentrieren."

„Aha, nun, hier ist das kleine *Fugato*, um das du mich sekkiert hast. Letztes Zeichen meiner ewigen Ergebenheit. Frisch von der Füllfeder. Habe es gestern mit Mirko besprochen."

„O Sandy, du bist doch der Beste! Und? Hat es ihm gefallen? Hat er ja gesagt?"

„Er hat zumindest nicht nein gesagt. Du kennst ja unseren Mirko", begann Lazar, aber Katja hatte ihm die Noten bereits aus der Hand gerissen, überflog sie beim Licht des Scheinwerfers, versuchte mit geschlossenen Augen, sich sie einzuprägen, dann eilte sie zurück zur Bühne, wo Joyce gerade an der Fußrampe vorbeiwirbelte. Unsichtbar zwischen den Kulissen, völlig hellwach jetzt, versuchte Katja die Figuren, die sie Joyces Variationen entgegenstellen wollte, wenn bloß Bagoryan... „Laß das, Sandy. Bist du verrückt?" zischte sie, belästigt durch zwei Hände, die ihre Brüste umspannten, und den erregten Körper eines Mannes, der sich von hinten an den ihren preßte.

Sie wirbelte herum, bereit ihn zu ohrfeigen – mehr weil er sie gestört hatte als wegen der Frechheit. Aber es war nicht ihr alter Freund, sondern Masuroff, der Männliche, der Leidenschaftliche, Masuroff, der große Liebhaber. Er mimte eine Gebärde aus dem alten Russischen Ballett, wunderbar anzusehen in ihrer allumfassenden Ausdruckskraft: „Nehmen Sie denn mein Leben hin, Majestät, wenn Sie dieses liebende Herz verschmähen!" Es lag Ergebenheit darin und Gockelstolz, die Bitte um Verzeihung und die Gewißheit des Eroberers und endete mit einer kleinen Arabeske der Hände, die ausdrückte: „Ich kann mir nicht helfen, du bist so unwiderstehlich – aber, nicht wahr, ich bin es auch." Eine Geste, die Masuroffs geflüsterte Worte überflüssig machte und Katja zum Lachen brachte. Es war dumm, schlimmste, veraltete russische Pantomime, viel zu theatralisch, aber es pulverte sie auf. Ich bin eine aufregende Frau; für diesen Mann bin ich es. Ich brauche bloß zu wollen, um zu wirken – auch wenn mein eigener Mann ein Mädchen vorzieht, das so reizvoll ist wie ein Sack voll Kartoffeln.

Aber dieser Gedanke tat zu weh. Denk nicht daran, Katja, nicht jetzt, jetzt ist nichts wichtiger, als den Kampf um das *Fugato* zu gewinnen. Unterirdisch war da ein kleiner Funke, eine wärmende kleine Versuchung: Und warum nicht mitspielen? Warum nicht mit Masuroff? Sie lächelte mit gesenkten Wimpern, und als er einen Kuß auf ihren Nacken drückte, antwortete sie mit einem feinen Zittern.

In der Zwischenzeit hatte Joyce ihren Tanz mit einer witzigen Übersteigerung und sechsunddreißig *fouottés* entlang der Fußrampe beendet. Aus der sechsten Reihe kam Applaus, und Stan Tedesco, der Herrn Bender begleitete (zweifellos in Erwartung von Verhandlungen für irgendeinen Filmvertrag), ließ ein gedämpftes Bravo hören.

Joyce kam jetzt nach vorn, lächelnd, sich verneigend, schwer atmend, auf etwas wartend, das nicht geschah; Chuck streckte seine Finger in der Pause, Lazar war verschwunden. Dann erschien von irgendwo Miß Rowland im Proszenium und winkte Beauchamp: Telefon. In ihrer Abwesenheit betätigte sich Elkan als Hausherr, verlangte nach den Hauslichtern, bot Zigaretten an, produzierte sogar Pappkartons mit Kaffee und Milch. Auf der Bühne stand das Ballettkorps erwartungsvoll auf seinen Plätzen, bis Bagoryan fragte, auf was sie warteten. „Gehen wir weiter, um Himmels willen! Miß Lyman, bitte. Chuck, der Bienenflug. *Und...*"

Mit dem unentbehrlichen *Und* formte sich der Bienenschwarm und folgte Joyce in einer wirbelnden *bourrée* von der Bühne, während Miß Beauchamp, vom Telefon zurückgekehrt, einen Moment lang in dem dunklen Gang hinter den Logen zögerte, bis das Zittern ihres marmornen Kinns nachließ.

Sie hatte soeben erfahren, daß der Maestro gestorben war, ohne das Bewußtsein wiedererlangt zu haben.

Obwohl Olivia den großen alten Mann tief betrauerte, war sie bereits dabei, die Stundenpläne der Klassen im Geist umzuorganisieren. Würde die Gabrilowa damit einverstanden sein, ihn als Ballettmeisterin zu ersetzen? Oder würde Bagoryan sich dazu bewegen lassen, Ballettmeister zu werden, so daß man neue Choreographen heranziehen könnte? Neues Blut, neue Ideen – und das Begräbnis darf unter keinen Umständen vor der Premiere stattfinden, die Hälfte der Mädchen wird sich auf dem Friedhof erkälten, und einige werden Nervenzusammenbrüche bekommen. Und Dr. Peel hatte berichtet, daß es der alten *Assoluta* nicht gut ging, gar nicht gut. Wollen hoffen, daß zumindest Katja mich nicht im Stich läßt, aber Gott allein weiß, wie nahe ihr Maestros Tod gehen wird. Was soll geschehen, wenn sie nicht imstande ist, diese *tour de force* durchzuhalten, sobald sie davon erfährt?

Olivia zwang ihr Gesicht zu einem flachen Lächeln, putzte sich die Nase und marschierte tapfer auf die Bühne. Marschierte in eine neue Krise von erheblichem Ausmaß.

Mr. Bender hatte die Mädchen im Bienenschwarm mit den geübten Augen eines professionellen Sklavenhändlers geprüft. Nach ihrem Abgang hatte er eine Flüsterkonferenz mit seinen Leuten gehalten, und dann war er in die vorderste Reihe zu Bagoryan gegangen, der resigniert darauf wartete, daß ein plötzlich auf der Bühne ausgebrochener Höllenlärm sich wieder lege.

Dies hätte der dramatische Augenblick sein sollen, da der Bienenstock sich öffnete und zu dem blauen, sonnendurchfluteten Himmel des Hochzeitsflugs wird.

Doch da die Dekoration nicht fertig war, ging der große Augenblick in Geschrei und Gehämmer unter, in Streitereien zwischen Bühnenarbeitern und Technikern, mürrischen Stimmen vom Schnürboden und wirkungslosen Befehlen des Inspizienten Lebaron. Als schließlich der Zwischenvorhang aufging, war da anstatt eines tiefblauen Himmels die nackte Ziegelwand des Theaters mit den Eingeweiden von Röhren und Drähten und Kabeln. Schwitzende Männer in Overalls, die bemalte Versatzstücke herumschoben, und Schreie von „Achtung! Achtung!" – und mittendrin, wie ein Felsblock in der Brandung, Philipp Daniels, der Schöpfer der ganzen heillosen Wirrnis und Konfusion.

Sie hatten genau sechzehn Takte für den Szenenwechsel, und während dieser Takte hatte Katja die Drohnen heranzulocken, heraus und hinauf; höher und höher in die Freiheit des selbstmörderischen Wettkampfes, bis acht von den Jungen in Posen völliger Erschöpfung auf dem Boden liegenblieben. Wonach Cecil, Larry und Axel in ihre Variationen voll von *jetés* und Ballonsprüngen und *entrechats* gingen.

Aber es kam nicht zu dieser Nummer.

Nachdem Katja, inmitten des ganzen Chaos, die Gruppe zweimal in den nichtvorhandenen Himmel gelockt hatte und Daniels brüllte, es sei lächerlich, zu erwarten, daß man Bühnenbilder so schnell wechseln könne; und Chuck die sechzehn Takte zum drittenmal begann; und Bagoryan, an der Spitze der Drohnen sein „Und" kommandierte: sank Katja plötzlich nieder, legte ihren Kopf auf ihr Knie und flüsterte mit bleichen Lippen, daß es zuviel war, zuviel, sie konnte nicht weiter, so schade, aber sie konnte einfach nicht...

Daniels hob sie auf, als wäre sie ein Requisit, das ein schlampiger Bühnenarbeiter da liegengelassen hatte, und während eines verworrenen Augenblicks fühlte sie sich warm und sicher, mit geschlossenen Augen an die breite Brust ihres alten Freundes gebettet. Aber Daniels, ärgerlich über die Unterbrechung, suchte bloß nach einem Platz, wo er sie deponieren konnte, und fand Masuroffs bereitwillige Arme. Er übergab sie dem Tänzer, und Katja gestattete sich einige Minuten des Ausruhens wie in einer schwingenden Hängematte: Es war Sommer, sie war ein Kind, ein kleines Mädchen, schwach und hilflos, Bienen summten im Gras, der Flieder stand in Blüte, und... „Dutschka", flüsterte Masuroff, „mein Golubka, Liebling, Täubchen, armes Vögelchen..."

Während dieser paar Minuten wurden die sechzehn Takte noch zweimal wiederholt. An Katjas Stelle schwang Gwendolyn ihre lockeren, gehorsamen Hüften zweimal durch die kurze Verführungsszene, und Mr. Bender beobachtete sie, er stand in der vordersten Reihe in gieriger Aufmerksamkeit. Als Katja sagte, daß sie bereit sei, weiterzutanzen, hatte er seinen Entschluß gefaßt. Er winkte seinen Leuten, sie steckten in kurzer Beratung die Köpfe zusammen und entfernten sich, gefolgt von Olivia. Auf einen Wink Olivias hin verschwand auch Bagoryan. Die Hauslichter verloschen. Dann kam Rowly zurück, wisperte Gwendolyn etwas zu und nahm sie mit sich.

Fünf Minuten später wußte die ganze Truppe, daß es Gwendolyn war, die Bender für seinen Film gewählt hatte. Nicht Joyce Lyman, die eine großartige Tänzerin war, ein aufgehender Stern, sondern Gwendolyn, die unordentlichste, faulste, sinnlichste, das am leichtesten zu fotografierende und das zugänglichste von allen Mädchen. Diese aufgeregt diskutierte Geheiminformation wurde bald vervollständigt durch eine noch erstaunlichere Neuigkeit: Mr. Bender hatte darauf bestanden, daß Gwendolyn sofort freigegeben werde, denn sie müßte noch am selben Abend mit ihm nach Venedig fliegen.

Das verbreitete sich natürlich wie ein Waldbrand durch das Labyrinth des alten Gebäudes, mit dem Geflacker empörter Bemerkungen, achselzuckendem jungem Zynismus, glühendem Neid, amüsierten und eindeutigen Schlußfolgerungen. Chuck am Klavier bemerkte, ohne eine einzige Note auszulassen: „Der Mann hat Courage – und, Mensch, wird er sie oft gebrauchen!" Aber als die Nachricht bis zu Larry auf die Bühne drang, war er völlig vernichtet.

Es war zuviel für den armen Jungen. Nach den Offenbarungen der letzten Nacht, nachdem diese verführerische Priesterin ihn in die Mysterien heterosexueller Liebe eingeweiht hatte – wie war es möglich, daß sie ihn verließ? Wie konnte er ohne sie weitermachen? Im ersten Ansturm seiner Bekehrung kam es ihm gar nicht in den Sinn, daß es noch andere Mädels gab, die ihn möglicherweise auch fühlen lassen konnten, daß er ein Mann war. Und bestimmt konnte er nicht mehr zurückkehren zu dem, was er noch gestern gewesen war.

Am Morgen hatte es die schrecklichste Szene mit Cecil gegeben. „Tut mir leid, Cil, aber so steht's nun einmal. Und schließlich ist es eine natürliche Sache. Du sollst froh sein, daß ich aufrichtig mit dir bin und dir die Wahrheit sage. Es ändert nichts zwischen uns, nicht wahr? Nicht viel, meine ich. Wir behalten das Studio, und ich werde mich um alles kümmern wie bisher, und wir werden immer die besten Freunde sein, Cil. Kein Zähneknirschen, bitte."

Cecil aber war ins Badezimmer gegangen und hatte gekotzt. Das tat er immer, wenn ihm etwas gegen den Strich ging, der verwöhnte Bengel, und Larry hatte es aufwischen müssen, und er hatte ihn ein Schwein genannt, und sie hatten auf dem dreckigen Boden miteinander gerauft. Aber Cecil kämpfte niemals wie ein Junge, er biß, und er kratzte, bis er Blut sah, denn, um die Wahrheit zu sagen, Blaine war ein bißchen ein Sadist, und Larry hatte ihm die Rasierklingen weggenommen und war ins Badezimmer gegangen, um sich zu rasieren, es war ohnedies spät für die Klasse, und während er sich anzog und fertigmachte, hatte Cecil, Gott weiß, wie viele rosa Pillen geschluckt. Er blubberte und stöhnte, und Larry hatte sich ihn über die Schulter nehmen und ihn die steilen Treppen hinuntertragen und in ein Taxi laden müssen wie einen Besoffenen, und dann noch das übliche Theater im Krankenhaus. Aber die ganze Zeit hatte er gedacht, Herrgott noch einmal, es ist der Mühe wert; mit Gwendolyn zu schlafen, ist alles wert. Und jetzt, nachdem sie alles auf den Kopf gestellt hatte und der arme Cecil allein war mit seinem armen, ausgepumpten Magen und all das, jetzt geht sie auf und davon, wer glaubt sie denn, das sie ist? Marilyn Monroe? Und was geschieht mit mir, was soll ich jetzt anfangen, wie soll ich weitermachen...? Plötzlich war seine hervorragende *élévation* weg, seine Sprünge welkten, seine Pirouetten verkümmerten zu nichts. Als er Katja hochhob und sie fragend zu ihm hinunterblickte, sah sie die klaren, kindlichen, dicken Tränen seine polnische Stupsnase entlangrinnen. Während sie irgendwie durch diesen Teil des *pas de quatre* tanzten, ging im Hintergrund das Gehämmer weiter, entferntes Donnern von Daniels' französischen Flüchen, und einen Augenblick konnte Katja den Maler sehen – ein Riese, der seinen ungeheuren Schatten auf eine große weiße Leinwand warf, die auf dem Boden lag. Er stemmte einen Farbeimer hoch über seinen Kopf, und mit einem brüllenden „*Merde!*" goß er Kaskaden purpurner Farbe über den künftigen Hintergrund aus.

Es hatte etwas Phantastisches. Katja fühlte, wie sie selbst sich gefährlich von der Wirklichkeit entfernte, und dann kam ein Crescendo schriller Stimmen hinter einer Barrikade der abgebauten Bienenkorbkulissen hervor.

Dies aber war, unverkennbar, eines der seltensten Vorkommnisse innerhalb der strikten Disziplin des Balletts: eine Szene. Ein Wutausbruch. Eine Explosion: Joyce Lyman außer Rand und Band vor Eifersucht und Enttäuschung.

Es hatte *sotto voce* angefangen, nachdem Bagoryan Olivia mit Mr. Bender und Tedesco im Künstlerzimmer zurückgelassen hatte, um die Details des Handels auszuarbeiten. Er war in großer Eile herausgekommen, um nicht eine Minute der kostbaren Probezeit zu verlieren, aber Joyce hatte draußen wie eine Schildwache auf ihn gewartet.

„Nun, wie ist es ausgegangen?" fragte sie, Gleichgültigkeit vortäuschend.

„Es ist so ausgegangen, daß du heute abend Gwendolyns Rolle in ,Carnaval' übernehmen mußt, mein Liebchen. Die Dame gehört ab jetzt zu Big Bens Harem oder Stall oder Zirkus. Ein bißchen plötzlich, aber gut, daß wir sie los sind, wie?"

„Oh . . .", war alles, was Joyce sagte. Es war der Todeslaut eines Zugvogels, in vollem Flug abgeschossen.

„Ich bin froh, daß es Gwendolyn ist und nicht du, die uns verläßt, und wenn du dir nur das mindeste aus mir machst, wärst du auch froh. Oder zumindest würdest du deine Enttäuschung nicht so offen zeigen, meine Süße. Es ist nicht besonders taktvoll, weißt du, und . . ."

„Du bist *froh!* Ist das nicht einfach zu, *zu* nett von dir! Jetzt kannst du mich unter deiner Fuchtel halten, bis ich zu alt für den Film und die großen Gagen bin. Mich würde es nicht wundern, wenn du selbst mich Herrn Bender ausgeredet hättest, bloß damit du mich an der Leine behalten kannst."

Nach so vielen Scheidungen, plus verschiedenen außerehelichen Scharmützeln, hörte Bagoryan mit Nachsicht auf solche Ausbrüche, eher belustigt über den niederen Siedepunkt der Frauen. Er nahm Joyces Gesicht zwischen seine Hände und küßte ihren ärgerlichen Mund. Und tatsächlich hätte sie sich vielleicht beruhigt, wäre nicht gerade in diesem Augenblick Gwendolyn auf einer Woge des Triumphes aus dem Künstlerzimmer gesegelt.

„Joyce, hast du die großartige Neuigkeit gehört? Ist es nicht sensationell? Willst du mir nicht gratulieren?" krähte sie, und ohne Joyces gequältes Lächeln zu beachten, überschüttete sie Bagoryan mit Dankesbezeigungen. „Wie kann ich Ihnen jemals genug danken? Wenn Sie nicht auf meiner Seite gewesen wären, Miß Beauchamp hätte mich niemals freigegeben. Ich weiß ganz genau, wieviel Mühe das für Sie bedeutet, und die arme Joyce muß jetzt alle meine Rollen übernehmen! Wirklich, es ist zu wundervoll, daß Sie mir diese Möglichkeit geben, die nur einmal im Leben daherkommt. Gott, aber jetzt muß ich packen und allen möglichen Leuten

273

adieu sagen. Wiedersehen, Kind, nur nicht die Hoffnung aufgeben, es findet sich immer mal ein Dummer!"

„Bon voyage – und glückliche Reise – und vergiß nicht, deine Büstenhalter einzupacken – die hast du sehr nötig ..."*, rief Joyce ihr nach, und noch ehe Gwendolyn außer Hörweite war, fiel sie über Bagoryan her. „Da haben wir's ja! Du hast ihr den Job verschafft. Diese Schlampe wird alles haben, und ich bleib' im Dreck sitzen. Sind Sie nicht wundervoll, Mr. Bagoryan? Aber ich habe es gewußt, ich hab's gespürt, daß du mir's versauen wirst. Was hast du Bender erzählt? Daß ich schwer zu behandeln bin? Daß ich mich schlecht fotografier? Daß meine Mutter eine Furie ist und seine ganze Produktion aufhalten wird? Weißt du, was du bist? ..."

„Ich bin dein Ballettmeister, der dich gleich ein bißchen verhauen wird, wenn du nicht den Mund hältst, Baby. Und, im Fall, daß du es vergessen haben solltest, ich bin der Mann, der dich aus einem schlechten Tingeltangel herausgeholt und eine Tänzerin aus dir gemacht hat und der dich in drei Wochen heiraten wird. Und jetzt genug, ich kann Olivia nicht noch mehr Überstunden aufpacken."

Doch an diesem Punkt war Joyce, Bagoryan nachrennend, schrill geworden. „Du bist ein egoistischer, berechnender Dreckskerl, mehr nicht! Ich kenne dich, du klammerst dich an mich, weil ich jung bin und du alt wirst! Ein alter Ballettmeister, der sich in die Hosen macht aus Angst, daß niemand ihn mehr will ..."

Ihre Kleinmädchenstimme hatte die künstliche Fröhlichkeit verloren und war schrill und durchdringend metallisch geworden („Die Stimme Amerikas", kommentierte Elkan flüsternd), und der Wortschatz der billigen Kneipen und Spelunken, in denen sie ihre jungen Jahre zugebracht hatte, kam hoch und spülte alle ihre netten kleinbürgerlichen Manieren fort. Unsinnige Wut war in diesem Ausbruch, ein Zwang, auf irgend etwas, irgend jemanden loszuschlagen. Aber da waren zugleich, in einen schmerzenden, brennenden Klumpen geballt, alle die häßlichen Erfahrungen, die Niederlagen, die vergeblichen Anstrengungen ihrer Jugend. Die Bewerbungen, das Vortanzen, wo man eine von zweihundert, fünfhundert, achthundert dünnen Mädels war, schwitzend vor Angst bei dem hoffnungsvollen Versuch, in einer schlüpfrigen Revue unterzukommen; und die Operette, die nach drei Abenden schließen muß; und die Augen, die Zigarren, die Hände und die Manieren der Männer in diesem Geschäft; da waren Geldgeber, Produzenten, Agenten, Kunden, Lebemänner und Hochstapler. Auch das Kleid, das sie für die gestrige Party gekauft hatte, war in diesem schmerzenden Knäuel, ein Siebzig-Dollar-Cocktailkleid, um Herrn Bender zu gefallen, und das Lächeln und die Schmeicheleien und die witzigen Bemerkungen, die sie an ihn verschwendet hatte. Und was ihre Mutter dazu sagen wird und die harte Arbeit und der lange, schwere Weg und Bagoryan, der weiterhin ihre Jugend ausnutzen wird, während er

älter und älter wurde, und den sie am Hals haben wird, wie . . .
wie den Albatros in diesem ekelhaften Gedicht, das sie in der
Schule hatte aufsagen müssen . . .

Gründe genug für die zärtliche Sympathie, die Bagoryan gewöhnlich für talentierte junge Tänzerinnen verspürte. Aber während
er von ihr weg und auf die Bühne eilte, unfähig, sie abzuschütteln,
gepeitscht von ihrer Stimme, erniedrigt durch ihre Gewöhnlichkeit,
haßte er sie. Er haßte sie so wütend in diesem Augenblick, daß
er sie gern erwürgt hätte, bloß damit sie das Maul hielt.

Immer gab es Augenblicke, in denen er sie haßte, jedes dieser
jungen Geschöpfe, die er unterrichtet, geliebt, geheiratet und verloren hatte. Wegen ihrer Macht über ihn hatte er sie gehaßt, wegen seiner geschlechtlichen Abhängigkeit, seines Bedürfnisses, geliebt
zu werden und zu lieben. Aber all das war vergraben in einer zu
tiefen Schicht, als daß seine leichtherzige, liebenswürdige Natur
es verstehen konnte.

Trotzdem war es Bagoryan, der den Tag rettete. Innerhalb von
fünf Minuten hatte er das heillose Durcheinander auf der Bühne
in Ordnung gebracht, Joyce für ihren Zornausbruch bestraft, Katja
besänftigt, die Zügel der Disziplin gestrafft und überdies auf der
Stelle ein witziges Stück Choreographie geschaffen. In diesem kritischen Augenblick bewies er die außerordentlichen Fähigkeiten,
die ihn zu einem großen Choreographen machten und ihn noch
für lange künftige Zeiten auf der Höhe halten würden.

„ . . . alle Arbeiter 'raus! Bühne frei! Wir brauchen Ruhe da oben!
Daniels, Angelmann, Bitroff – wenn wir um Punkt ein Uhr aufhören zu probieren und die Bühne räumen, wann könnt ihr die
letzte Dekoration aufgebaut haben? Drei Uhr? Gut. Mittagspause
für alle Bühnenarbeiter bis eins. Klotzky, Johansson und Masuroff –
ich brauche euch jetzt nicht, es hat keinen Sinn, den Hochzeitsflug
ohne Dekorationen zu probieren. Aber Punkt drei müßt ihr zurück
sein, und dann wird's Ernst, ja? Niemand sonst darf abgehen – ich
brauche das gesamte Corps – nein, Miß Lyman, Sie können nicht
nach Hause gehen, wollen Sie freundlichst Hut und Handschuhe
wieder ablegen und Ihr Arbeitstrikot anziehen, sofort, *pronto!* Tut
mir leid, aber das ist kein Sonntagsausflug, wir sind bei der Arbeit.
Achtung jetzt: Wir wiederholen die Bienchenszene, es gibt einige
Änderungen. Ich hatte da ein paar neue Ideen, und Mr. Lazar
war so freundlich, uns ein wenig neue Musik zu schreiben, sehr
reizend, es wird euch allen gefallen – was gibt's, Miß Lyman?
Kümmern Sie sich nicht drum, es handelt sich nicht um Sie; von
Ihnen erwarte ich nicht, daß Sie drei Tage vor der Premiere etwas
Neues erlernen. Sie machen es einfach wie bisher, und um alles
andere kümmere *ich* mich. Chuck, hast du das neue *Fugato* durch-
gesehen? Gut. – Alle auf die Plätze – die letzten vier Takte vor
dem Auftritt der Suchbiene. – *Und . . .*"

Er stellte sich vor Katja auf und demonstrierte den amüsanten
Kontrapunkt der Königin für sie zum Nachtanzen. Katja, hinter

ihm, war bereits dabei. Ihre Lippen waren halb geöffnet in dem eifrigen, verwunderten Lächeln eines sechzehnjährigen Mädchens, Kati Milenz. Sie hatte Joyce Lyman vergessen, die auf der andern Seite der Bühne lustlos ihr Solo tanzte, das kein Solo mehr war. Beim drittenmal wandte sich Bagoryan mit einem zufriedenen Kopfnicken nach Katja um und überließ sie ihrem eigenen Tanz, während er die Bewegungen des Corps umarrangierte.

Diesmal fehlte der höfliche Applaus, den das Corps gewöhnlich seiner Primaballerina nach dem Ende eines neuen Tanzes spendet. Die Mädchen verliefen sich, der Asbestvorhang kam herunter. Mit dem bohrenden Gefühl eines niederschmetternden Mißerfolgs verließ Katja als letzte die leere Bühne. In ihrer Garderobe angelangt, streckte sie sich auf die Couch, die viele Jahre lang dem massiven Fleisch von Opernprimadonnen gedient hatte und klumpig einsackte. Sie versuchte, an nichts zu denken – was ein unerreichbares Nirwana ist; aber nach einer Weile sank sie doch in tiefen, heilenden, traumlosen Schlaf.

Sie erwachte, weil sie Guy weinen hörte. Es war finster, und sie brauchte ein paar Sekunden, um die Garderobenluft zu erkennen, den ewigen Geruch von Schminke und Coldcreme, Leim und frischgebügelten Kostümen, *Eau Verveine*, Kampfer, Perücken, Staub und altem Schweiß. Aber das kindliche Weinen hielt an. Katja schaltete die Spiegellichter an, horchte, und dann klopfte sie leise an die Verbindungstür.

„Ja? Wer ist da?" fragte Joyce.

„Ich – Katja. Was ist los, Kind?"

„Nichts. Es ist bloß . . . ich habe Nasenbluten. Aber es hört schon auf."

Katja versuchte die Türklinke, die Tür war nicht versperrt, sie trat ein. „Kann ich was für dich tun? Komm, rühr dich nicht, das kommt wahrscheinlich von der Erkältung. Hast ein kleines Blutgefäß gesprengt."

„Nein, Madame. Es kommt von der allgemeinen Keilerei, die Mr. Bagoryan aus meinem Solo gemacht hat. Irgendein Ellenbogen ist mir an die Nase gebumst, es ist ein Wunder, daß sie nicht gebrochen ist. Wenn er glaubt, daß ich heute abend Gwendolyns Rolle übernehme, mit einer Nase wie eine rote Rübe, irrt er sich ganz gewaltig, der Herr Ballettmeister!"

Katja betrachtete mitfühlend das tränenüberströmte junge Gesicht. Sie verstand ausgezeichnet die Absicht des Mädels, Schwierigkeiten zu machen, und sie respektierte Joyces Stolz, der sie nicht zugeben ließ, daß sie mitten im Heulen war. Um ihr Zeit zu geben, tauchte sie ein Handtuch in kaltes Wasser und bedeckte das tränengedunsene Gesicht damit. Unter der Kompresse schluchzte Joyce ein paarmal tief auf wie ein ausgeweintes Kind. „Komm, komm, Kind, es ist genug", sagte Katja, „solche Dinge sind nicht wert, daß man ihretwegen weint. Glaub mir, sie sind es nicht wert . . ."

„Oh, lassen Sie mich in Ruhe, was wissen Sie denn . . ."

„Ein Job, den man nicht bekommt, eine verpatzte Probe, ein Streit mit Bagoryan – das ist alles so unwichtig, glaub mir . . .“

Joyce riß das feuchte Tuch weg und blickte mit heißen, bösen Augen auf Katja. „Wer sagt, daß ich weine? Ich darf doch wohl noch Nasenbluten haben – nein? Sie glauben doch nicht, ich werde Tränen vergießen, weil ich gegen diese Dreckschlampe Gwendolyn verloren habe oder weil Bagoryan einen Misthaufen aus meinem Solo gemacht hat? Ich weine über den alten Herrn, und wenn Ihnen das nicht wichtig genug ist, um zu weinen – mir genügt's!“ Und nachdem sie so einen ehrenhaften Grund für ihre Tränen gefunden hatte, ließ Joyce das Handtuch wie einen Vorhang über ihr Gesicht fallen und überließ sich hemmungslos ihrem Kummer.

„Hat der Maestro dich gekränkt? Hat er dich angeschrien: ‚Puzza! Du stinkst?‘“ fragte Katja, ein wenig erheitert. „Mach dir nichts draus, das kriege ich seit dreißig Jahren zu hören, und in fünf Sprachen!“

Joyce sprang auf und starrte Katja an. „Um Himmels willen, Katja, weißt du denn nichts? Hat dir's niemand erzählt? Es gibt keinen Maestro mehr. Er ist tot, tot, und sie hat ihn umgebracht, diese Hure, diese Gwendolyn – aber es wird ihr noch heimgezahlt werden – nur Geduld –, sie wird zur Hölle fahren, und nicht in einem Cadillac!“

Es geschah auf diese Weise, daß Katja den Tod ihres alten Lehrers erfuhr. Sie ließ die Nachricht in sich einsinken, da war ein steifer, eingefrorener Schmerz und Schock, aber irgendwie verloren in dem größeren Schmerz und Verlust dieses Morgens. Sie stand vor dem Mädchen, mit einem brütenden Lächeln, aufrecht in der *arrogancia* der Primaballerina und des Matadors, und dachte: Und wer bist du denn, daß du über unseren Maestro weinst – über Grischas und meinen Meister? Was weißt *du* von dem alten Herrn, was verstehst *du* von seinen Lehren?

„Es hat seine Ordnung“, sagte sie. „Er war sehr alt, und er ist in den Sielen gestorben, was sonst kann ein Mensch verlangen? Ich möchte wetten, er hat eine gute Morgenklasse gegeben und hat *Basta!* gesagt und *mille grazie*, ehe er starb.“

Joyce starrte sie wütend an: „Herrgott, wie können Sie so darüber sprechen? Das ist herzlos! Wenn er Ihnen nicht abgeht, uns jungen Tänzerinnen wird er fehlen. Er hatte noch die große Tradition in seinen armen, alten Knochen. Jetzt ist niemand mehr da, um uns das Wichtigste zu lehren.“

„Sag nicht, daß niemand mehr da ist. *Ich* bin noch da. Und wenn du sagst: wir jungen Tänzerinnen – bloß, um auf nette Weise etwas bissig zu sein –, ich kann dir versichern, wir alten Tänzerinnen können ein paar Dinge, von denen ihr Jungen nichts wißt. Schließlich und endlich, was ist Tradition, was ist das Wichtigste? Stil, Linie, das Gefühl hinter der Technik. Maestro hat es von Cecchetti gelernt, der es von einem Schüler des großen Blasis lernte, und so zurück bis zum Sonnenkönig oder vielleicht zu Giovanni von Bologna, einem Bildhauer der Renaissance, der seinen Merkur auf eine Fußspitze stellte, eine sehr gelungene *attitude* – und weiter zurück bis zu den Tänzern, von anonymen griechischen Töpfern auf ihre Vasen geträumt . . ."

„Nein, so was . . .", sagte Joyce beeindruckt.

„ . . . und so habe ich die Grundlagen vom Maestro gelernt – und viel mehr als die Grundlagen –, sie zu bewahren und weiterzugeben. Also – wenn du mich ein wenig mit dir arbeiten ließest . . ."

„Gott, das ist aber lieb von dir, wirklich. Und wo du doch immer gesagt hast, lieber sterben als unterrichten – und –, aber ich fürchte, Bagoryan würde es nicht gern sehen. Du weißt ja, wie er ist . . ."

„Richtig. Bagoryan hatte ich ganz vergessen. Aber an deiner Stelle würde ich heute abend keine Schwierigkeiten machen. Miß Beauchamp wird ohnedies nicht wissen, wo ihr der Kopf steht."

Nachdem sie das Mädchen verlassen hatte, stand Katja verloren vor dem Spiegel in ihrer eigenen Garderobe. Was jetzt? Was zunächst? Und was nachher? dachte sie, die volle Schwere dieses neuen Verlustes und Kummers ermessend. Das große pas de deux mit Masuroff, Gipfel und Krönung ihrer Rolle – sie hatten kaum begonnen, daran zu arbeiten. Sie hatte darauf gezählt, daß der Maestro es mit ihnen in der Stille des Ballettsaals, fern vom fieberhaften Getöse der Bühne, studieren würde, bis es ganz fertig war – ein vollkommenes Stück Tanzkunst, mit seinem Höhenflug, dem Aufwärts; aufwärts, höher und höher, sich steigernd mit all seinen Sprüngen und Hebungen und *tours en l'air* und Wundern der *élevation*. Dunkel fühlte sie, daß es unrecht vom Maestro war, ihr vor der Premiere wegzusterben, sie so im Stich zu lassen. Aber zugleich wußte sie, daß es eine tiefere, gesetzmäßige Richtigkeit damit hatte und nicht anders sein konnte; daß es so sein mußte und nicht anders, so wie eine Komposition, eine Architektur, ein Tanz seine Form und Ordnung haben mußte, um ein Kunstwerk zu sein. Ein schwarzer Tag, der unabänderlich die schwarze Nacht, den unseligen Morgen ergänzte. Es war das Ende eines Kapitels. *Addio, piccolina, good-bye*, Mrs. Marshall. Vorbei und Schluß. Jetzt bin ich noch ich übrig. Ich selbst.

Sie warf ihre Zigarette weg, richtete sich auf, marschierte zur Bühne hinunter. Und marschierte direkt in einen Angsttraum.

Da stand, stieg empor, überragte alles andere: die Rampe. Das turmhohe Stück Dekoration, auf dem Grischa sie einst zu ihrem Absturz und seinem Tod getragen hatte.

Für die Zuschauer eine Illusion von blauer Luft, mit dem blauen Himmel des Hintergrunds in eins verschmelzend. Von rückwärts gesehen aber ein verspreiztes Gerüst, unzuverlässig durch grobe Kulissenbohrer zusammengehalten, drohend und gefahrenschwanger. *„Magnifique, n'est-ce-pas, Madame?"* sagte Masuroff an ihrer Seite. Philipp Daniels stand stolz bei seinem Werk. Sie alle waren sehr stolz, der Bühnenmeister, seine Gehilfen, die Bühnenarbeiter.

Punkt drei Uhr, und die Dekoration war fertig aufgebaut. Angstgelähmt suchte Katja Hilfe bei ihren guten alten Freunden, Daniels, Bagoryan, Olivia.

„Pips – wie kannst du mir das antun? Du weißt doch – ich kann nicht da oben tanzen – du weißt, daß ich es nicht kann – Mirko – ich – du kannst mich unmöglich da hinaufschicken – mir wird schlecht, wenn ich bloß hinsehe – zum Umfallen schlecht – Olivia – da oben – ich werde draufgehen – willst du denn, daß ich mir das Genick breche ...?"

In diesem einen wahnsinnigen Augenblick stiegen alle die vergrabenen Ängste geisterhaft auf und durchbrachen die Mauer des gnädigen Vergessens, das Dr. Williamson partielle Amnesie nannte. Die Dunkelheit teilte sich, und plötzlich konnte sie sich mit erschreckender Klarheit an jeden Augenblick des verhängnisvollen letzten Tanzes mit Grischa erinnern; der Streit mit ihm, vorher in der Garderobe, seine konfusen geflüsterten Drohungen, während sie in den Kulissen warteten, und der Ausdruck mörderischer Raserei in seinen Augen, eine Sekunde ehe er die Maske des Gottes über sein Gesicht zog. Während des Tanzes hatte er unablässig auf russisch gemurmelt, und er hatte sie als Semele zerschmettert und getötet, mit einem barbarischen Aufschrei, der weit über die Grenzen eines Balletts hinausging. Er hatte gesungen, als er sie aufhob, auf seinen Armen hochstemmte und begann, die Rampe zu ersteigen – dieselbe Rampe, die Daniels, Olivia und Bagoryan in böser Verschwörung hier noch einmal aufgebaut hatten.

Inmitten des schwindligen Dröhnens in ihren Ohren hörte Katja wieder die dunkle, fremde, byzantinische Melodie, die abgebrochen war, als sie spürte, daß Grischas Arme zitterten und daß seine Beine ihren Halt verloren hatten und daß seine Knie einsackten.

Automatisch hatte sie sich verkrampft, und das machte ihren Sturz, den Anprall ihres Körpers an den scharfen Ecken des Gerüsts und dann auf dem Boden um so schlimmer.

Sie hatte damals nicht gewußt, und sie würde niemals wissen, ob Grischa sie über Bord geworfen hatte, um sie zu retten oder um sie zu ermorden.

Katja fühlte sich krank, schwindlig; Schweiß lief ihren Rücken entlang, sie fürchtete, sich übergeben zu müssen, sie, die Primaballerina, so schwindlig, daß sie sich mitten auf der Bühne übergeben mußte, mitten in Daniels' verfluchtes Bühnenbild. Sie hörte Stimmen: Daniels, der seinen Entwurf in ärgerlichem Französisch verteidigte; Olivia, sie verspottend, aufreizend mit dem alten Köder einer Herausforderung anstelle einer Schmeichelei und Bagoryans strenges „Höchste Zeit, daß du diese dumme Höhenangst einmal überwindest, Schatz!"

Dann wurde sie von starken Armen ergriffen, leicht emporgehoben und gedreht, bis sie sicher gegen Masuroffs muskulöse Arme und Schenkel ruhte. „Fürchte dich nicht, Golubka", murmelte er ihr leise ins Ohr, „mit mir mußt du dich niemals fürchten. Wassja gibt gut acht auf kleine Frau, arme, kleine Duschka, so wenig Schlaf, so viel Arbeit, so viel Aufregung – du vertraust mir, ja? Du so süß, so wunderbar, wir tanzen sensationelles *pas de deux* zusammen, Madame wird sehen..."

Es war gut. Es war sehr gut, so gehalten zu werden, noch einen Augenblick so zu ruhen und auf das Wiegenlied zu lauschen. Sie richtete sich auf und öffnete die Augen. „Danke. Jetzt bin ich wieder in Ordnung", sagte sie.

Masuroff ließ sie aus seinen Armen, aber er behielt ihre Hand in der seinen, als ob er sie vor den Vorhang führen wollte, um einem Hervorruf Folge zu leisten. Sie lächelte ihm zu, dankbar für seine Unterstützung, und er lächelte zurück, als ob sie ein Geheimnis teilten. Als hätten sie miteinander geschlafen oder würden in der nächsten Nacht miteinander schlafen. Katja erkannte dieses Lächeln, diese Stärke, diese einfache, selbstsichere Männlichkeit.

Ein anderer Pepito? fragte sie sich. Eine dumpfe Stimme im Hintergrund ihrer Gedanken antwortete: Und warum nicht? Was immer es ist – was immer es sein mag, wenn es mir bloß hilft, zu vergessen.

„Wie geht es ihr?" fragte Katja, als Cecil Blaine ihr die Türe von Gabrilowas Wohnung öffnete.

„Heute morgen hat es recht schlimm ausgesehen, aber seit Doktor Peel ihr einige Injektionen gegeben hat, scheint sie sich besser zu fühlen. Ich bin froh, daß Sie kommen konnten, Miß Katja, sie fragt beständig nach Ihnen."

Cecils Augen waren rotgerändert, entweder von Mangel an Schlaf oder weil er geweint hatte. „Wo ist Tanja?" fragte Katja und bückte sich, um die weiße Angorakatze zu streicheln, die sich seidig an ihre Knöchel schmiegte.

„Ich habe ihr zugeredet, sich ein wenig hinzulegen. Sie braucht es. Gabri läßt keine professionelle Krankenschwester in die Nähe kommen und so..."

„Sie sind ja eine richtige Florence Nightingale, Cecil", sagte Katja, dem Jungen zulächelnd, gerührt über seine Anhänglichkeit an die kranke, alte *Assoluta*.

„Geben Sie acht, es ist ein bißchen dunkel hier", sagte er und lenkte sie an zwei Sauerstoffzylindern vorbei, die den dunklen Korridor versperrten. „Wir hatten vor einer Weile den Priester hier, interessante Type mit so einem russischen Bart, wie ein tiefer Baß aus dem Chor von ‚Boris Godunow'", sagte er halblaut, in einer armseligen Bemühung, amüsant zu sein, und dann öffnete er die Tür zu Gabrilowas Schlafzimmer.

Nichts konnte der Düsterkeit russischer Kirchen oder Opern unähnlicher sein oder auch dem Krankenzimmer einer alten Dame. Eine angenehm frivole Atmosphäre, noch gesteigert durch das Sonnenlicht, das mit der frischen Luft des Frühlingsnachmittags durch die weit geöffneten Fenster hereinströmte. Vorhänge und

Möbel waren ein warmes königliches Rot, die Wände elfenbein-
farben, abgesehen von der einen, dem Bett gegenüber, wo ein
fröhliches *trompe l'œil* einen Ausblick, wie von einem Balkon,
über Paris mit dem Eiffelturm vortäuschte.

In dem niederen weiten Bett, das in schimmerndem weißem Atlas
ausgeschlagen war, thronte Xenia Gabrilowa, gestützt von Kissen
aller Größen und Formen. Ihr schwarzes Haar war geölt und
glänzte, sauber gescheitelt und aufgesteckt, als ob sie bereit wäre,
sogleich Giselle zu tanzen; ihre eingefallenen Wangen waren geschminkt, sie trug ein bezauberndes Nachthemd und Negligé aus
Crêpe de Chine und Alençonspitzen, und sie sah entsetzlich aus, eine
zusammengeschrumpfte elegante Mumie. Sie kämpfte um Atem,
aber nicht ärger als während eines anstrengenden *Adagios,* und sie
lächelte Katja heiter oder vielleicht auch verfiebert entgegen.

„Wie nett von dir, unnütze, kranke Gabrilowa zu besuchen", sagte
sie, keuchend, aber ganz *grande dame.* „Ich dir muß danken, liebe
Katuschka. Ich behalte mir keine Blumen für Gesellschaft, du siehst?
Ich sage, Tanja, mach mir nicht Begräbnishalle hier, schmeiß alle
anderen Blumen hinaus, laß nur, was liebste Milenkaja mir geschickt hat . . ."

Mit einer graziösen Ballettgebärde wies ihre schwache Hand auf
eine Laliquevase (und wie diese Vase sie einordnete in die lang-
vergangenen Tage von Diaghileff und sezessionistischer Kunst), aus
der blasse Cymbidiumranken hingen. In all der Hitze und dem
Fieber der Probe hatte Katja natürlich vergessen, Gabri Blumen zu
schicken, aber Louisa, Gott segne sie dafür, hatte daran gedacht.
Katja fühlte sich ein wenig beschämt; sie kniete neben dem Bett
nieder und küßte Gabrilowas Hand. Sie hatte das regelmäßig in
Paris getan, es war die höfliche Ehrenbezeigung der Anfängerin
für die Primaballerina. Gabrilowas kalte, trockene Hand zuckte,
und sie sagte pfiffig: „Wozu diese *Jeune-fille*-Manieren? Die alte
Gabri noch älter machen?" Sie kämpfte um Luft, sie leckte mit vertrockneter Zunge ihre vertrockneten Lippen.

„Ich schlecht riechen, ja? Ich ausschauen wie Teufels Großmutter?"
keuchte sie.

„Du riechst nach *muguets* wie der Mai in den Wäldern von Com-
piègne – und du siehst aus wie die Garbo als ‚Kameliendame',
und ich glaube, du solltest nicht so viel sprechen, wenn es dich
anstrengt."

„*Tiens* . . . Du rede! Du erzähl mir: wie geht Probe ohne mich?"
„Miserabel, wie du dir ja denken kannst. Olivia hätte die Premiere
verschieben sollen, bis du wieder gesund bist. Ich habe ihr zugeredet, aber du weißt ja, wie eigensinnig sie ist."
Man konnte Gabri nicht wissen lassen, daß sie entbehrlich war.
Tatsächlich schien Katjas Antwort sie zu stärken, leichter atmen
zu lassen. „Es ist gut von dir, daß du meine Rolle übernimmst,
und so schnell. Wenn ich kann wieder tanzen, wir wollen alter-
nieren, ja? Ich werde Olivia vorschlagen. Du bist wirklich gute

Freundin, kommst hier am Mittwoch sogar, wenn zwei Vorstellungen hast . . ."

„Oh, das ist nicht so schlimm. Lyman tanzt am Nachmittag, ich am Abend."

„Lyman zu jung für Odile und Odette – keine *Finesse*. Und ihre *fouettés, oh, mon Dieu*, nichts als Ellenbogen. Scheußlich."

„Selbstverständlich hat Mirko ,*Lac des Cygnes*' abgesetzt, bis du zurück bist. Wir geben nur den Gemischten Salat heute, das ist leicht." Den Gemischten Salat nannte die Truppe ein Programm von kurzen beliebten Tanznummern, das in dringenden Notfällen und gelegentlich in kleinen Städten aufgeführt wurde. Gabrilowa fühlte sich sichtlich wohler durch Katjas Andeutung, daß ihre Abwesenheit solch einen dringenden Notfall verursacht hatte. Es war genau, was Katja wollte, denn Katja besaß alle *Finesse*, die Lymans rauher Jugend noch fehlte. Vielleicht aber auch war Gabrilowas *Finesse* noch um einen Grad feiner, und sie reagierte bloß aus Höflichkeit. Sie versuchte, sich etwas höher zu legen, mit dem Atem geizend, der ihr so viel Mühe machte. Katja half ihr rasch, aber sie glitt bald wieder in die Kissen hinab.

„*Tout de même*, Katja, du brauchst Ruhe vor Vorstellung."

„Ich kann nicht ruhen. Ich bin zu nervös. Ich bin sehr froh, daß du mir erlaubt hast zu kommen", sagte Katja, die seit Montag in einem *horror vacui* lebte, in Furcht vor jeder freien Minute, die ihr Zeit zum Denken lassen konnte. Sie war Gabrilowas Wunsch, sie zu sehen, so gierig gefolgt, wie sie wahllos nach jeder anderen Ablenkung griff. Proben Tag und Nacht. Anproben, Interviews, alle die beschwerlichen Äußerlichkeiten ihres Berufs. Theatergespräche mit Olivia, Kaffee und Theatergespräche mit Mirko, Tee, Kultur und noch mehr Theatergespräche mit Dirksen; sie hatte die Jungens vom *pas de quatre*, inklusive Ling, den jungen Chinesen, in die russische Teestube ausgeführt, und, erschöpft von der Arbeit, sie hatte Kaviar, Champagner und Küsse von Masuroff akzeptiert, der offensichtlich eine Verführung im großen Stil vorbereitete.

„Angst, Duschka? Lampenfieber?"

„Schreckliche Angst. Halb tot vor Lampenfieber", antwortete Katja. Sie nahm eine Zigarette, erinnerte sich im letzten Augenblick, sie nicht anzuzünden, und hielt sie bloß in ihren ruhelosen Fingern.

„Ich weiß. Ich möchte . . . wenn mir gestattest, bißchen Rat geben! Ich habe die Rolle genau studiert; ist dir recht, wenn ich dir kleine Tip gebe?"

„Wenn du das für mich tätest! Wie wunderbar!" rief Katja aus, und da sie selbst einen falschen Ton in der überströmenden Dankbarkeit hörte, verbesserte sie sich schnell: „Erinnerst du dich noch, wie du mir immer geholfen hast, als ich bei Olycheff anfing? Das Blumenmädchen! Wie gut du immer warst – und bist", setzte sie hastig hinzu. Gabrilowa schöpfte Atem und versuchte, ihre Lippen anzufeuchten, aber ihre Zunge war zu vertrocknet. Mit einem entschuldigenden Lächeln deutete sie nur mit den Augen auf das niedere Tischchen, wo Katja ein dünnes Taschentuch fand, das sie in eine Waschschüssel tauchte. „Darf ich, Liebste?" sagte sie, und mit tiefem Mitleid für die unendliche Schwäche der alten Tänzerin wischte sie ihr zart übers Gesicht und tröpfelte ein wenig Feuchtigkeit auf ihren Mund.

„*Spasibo bolschoi* – nun höre: In Solo mit den Burschen – ich tue diese Pantomime – wende Kopf über rechte Schulter – gehe drei Schritte – linker Arm ausgestreckt – dann *glissade* nach rechts – *petit plié* – *pirouette* – und schließe mit *arabesque effacé*. Ist sehr effektvoll. Hab' ich so in ‚Scheherezade' gemacht, war sehr effektvoll. Fokine war begeistert..."

Aus einer verborgenen Quelle hatte sie die Energie geschöpft, dieses hoffnungslos veraltete mimische Detail zu erklären, auszudrücken, anzudeuten.

„Jaja, ich verstehe. Aber das ist ja großartig! Ich werde es versuchen – danke, danke vielmals, daß du mir's gezeigt hast!" rief Katja. Gabrilowa ruhte mit geschlossenen Augen von der Anstrengung.

„Das *pas de deux*?" flüsterte sie dann. – „Wie...?"

„Wir arbeiten daran. Ich versuche mein Bestes."

„Wie verträgst du dich mit Wassja Akimowitsch?"

„Sehr gut, danke. Ich habe lange keinen solchen Partner gehabt. Nicht seit – erinnerst du dich an Kuprin? Es ist aufregend..."

„Aufregend – ja? Ist guter Tänzer. Stark. Verläßlich. Verläßlicher Tänzer. Unverläßlicher Mann."

„Übrigens, er hat mich herbegleitet. Er möchte dir gern guten Tag sagen, er wartet unten in der Halle. Darf er heraufkommen?"

„Auf gar keinen Fall. Ich bin nicht in Verfassung für Herrenbesuch", keuchte Gabrilowa in plötzlicher Erregung.

„Bitte, bitte, Gabri, kein Grund, dich aufzuregen. Wassja Akimowitsch kann warten, bis du dich wohler fühlst. Er dachte bloß, als dein alter Freund und Partner..."

„Er gefällt dir? Ja?" fragte Gabrilowa im Konversationston, wieder ganz *grande dame*. Und auch lebhafter, wie sie es immer in Gegenwart von Männern – von einem Mann – gewesen war. Katja sah mit Erstaunen, daß die bloße Erwähnung von Masuroff wie ein Elixier auf die alte, kranke Frau wirkte.

„Du hast mit ihm geschlafen?" fragte Gabrilowa.

„Nein. Warum sollte ich?"

„Aber du wirst schlafen mit ihm." Das war keine Frage.

Katja zuckte die Achseln. Sie hatte die ungeraucht Zigarette zwischen ihren Fingern zerkrümelt und ließ den losen Tabak in ihren Schoß fallen. „Ich weiß nicht, Gabri. Ich glaube, eher nicht."

„Ich glaube, ja. Sagt er dir nicht, er kann nur gut tanzen mit Frau, die er im Bett gehabt hat? Muß ihren Körper kennen. Muß Liebschaft mit ihr haben. Frau, die er nicht kann verführen, verdirbt seinen Stil – hat er dir nicht erzählt?"

Katja lachte leise. Irgendwie, ohne sich zu bewegen, hatte die alte kranke Gabrilowa es zustande gebracht, eine flüchtige Parodie von Masuroffs eitler und doch einschmeichelnder Männlichkeit anzu-deuten. „Wassja Akimowitsch ist sehr attraktiv, und er weiß es auch", sagte Katja; sie benutzte die höfliche russische Namensform, um Distanz zwischen sich und ihn zu legen.

„Jetzt ist eingebildeter Esel! Aber ah, was für schöne Mensch, wenn er war jung! Zehn Jahre mit ihm, ich war glücklichste Frau auf die Welt. Cheetah ich habe ihn genannt. Cheetah, du kennst dieses Tier? Wie kleine Leopard, solche lange *grands jetés* – hat Augen wie Feueropal, kostbare Edelstein..."

Gabrilowa schloß die Augen und faltete die Hände. Sie streckte sich ein wenig und hielt ihren Atem an, wie um eine Stimme aus der Vergangenheit besser zu hören. Oder um zu rasten von der qualvollen Anstrengung, Luft in ihre bedrängten Lungen zu pumpen.

Doch als Katja aufstand und auf Fußspitzen zur Türe ging, um sie schlafen zu lassen, sagte Gabrilowa in der liebenswürdigen Stimme einer Gastgeberin bei einem Gartenfest: „Bitte, noch nicht fortgehen, Milenkaja, ist so selten, wir haben Zeit zu plaudern. Möchte ich dir so gern alles sagen für die Rolle... aber jetzt, ich habe vergessen. Siehst du, Bienenkönigin ist *femme fatale,* und du immer noch so braves Mädchen – romantisch – lyrisch –, vielleicht wird dir guttun, wenn Verhältnis mit Wassja anfängst. Du mußt aufpassen in *pas de deux,* er hat schlechte Gewohnheit, gibt zur nicht genug Zeit für Vorbereitung in langsame Pirouette – stellt sich zu nahe."

„Ja, das habe ich bemerkt. Danke, daß du mich aufmerksam machst. Ich dachte – ich dachte, er drängt sich aus persönlichen Gründen so sehr an mich – wie ein kleiner Junge: Fühl mal meinen Bizeps, weißt du?"

Sie wechselten ein verständnisvolles, weibliches Lächeln; es spielte seltsam um Gabrilowas trockenen Mund und zeigte eine Sekunde lang ihre schönen, großen, russischen Zähne, und dann sagte sie nachdenklich: „Ist eine Bagatelle – zu Bett gehen mit Mann – nicht zu Bett gehen. Laß dich von ihm verführen, wird so gut sein für pas de deux."

Gabrilowas Glaube an Sexualität als glückliche Quelle von künst-lerischen Eingebungen war so abgenützt und veraltet, daß es Katja verstimmte – um so mehr, als sie selbst sich keineswegs unempfind-lich gegen Masuroffs speziellen Magnetismus fühlte. In ihrem Kör-per war ein rebellisches Drängen, seit sie gesehen hatte, wie Ted dieses Mädchen umarmt hatte. Und in ihren Gedanken ein rebelli-sches Bedürfnis, ihm zu zeigen, wie leicht und wie schnell sie sich einen andern Mann zu eigen machen konnte. Sich in eine Liebes-geschichte mit Masuroff zu stürzen, war sicherlich eine angenehmere und gesündere Art der Ablenkung, als sich zu besaufen oder sich mit Morphium zu betäuben oder einfach verrückt zu werden.

Außerdem, dachte sie mit scharfer Selbstironie, außerdem würde ich den Alkohol herauskotzen, anstatt betrunken zu werden – und Betäubungsmittel machen mich zu lethargisch zum Tanzen. Masuroff hingegen, der unten in der Halle auf sie wartete, versprach ihr neuen Schwung als ihr Partner – und mehr noch als ihr Liebhaber.

„Ich glaube, ich gehe jetzt lieber", sagte sie, sich hastig erhebend. „Der arme Wassja, er wird so enttäuscht sein, daß er dich nicht sehen durfte. Aber in ein paar Tagen wird's dir viel besser gehen, und es wird dich nicht ermüden, mit ihm zu plaudern. Darf ich nach der Premiere kommen und dir berichten?"

Zu geschwätzig, zu verdammt munter, ermahnte sie sich selbst. Aber das Gesicht der alten Tänzerin hatte sich während ihres kurzen Besuchs verändert, es sah jünger aus, weniger eingefallen. Katja hatte nicht genug Erfahrung, um zu wissen, daß die gedunsenen Gewebe, die bläuliche Verfärbung um die gemalten Lippen, Notsignale des Organismus der überarbeiteten Lunge und des Herzens waren.

Gabrilowa lächelte und sagte etwas auf russisch. Katja erwartete das übliche *Ni puka, ni pera*, und erst, als die drei ausgestreckten Finger das archaische Symbol des russischen Kreuzes über sie schlugen, verstand sie, daß Gabri sie segnete. Bei Olycheff hatte es vor jedem Solo viele Segnungen und gegenseitige Bekreuzigungen gegeben. Aber dies war etwas ganz anderes.

„Warte, Katja, da ist noch etwas – bitte, die Klingel läuten ... Ich will dir kleines Souvenir geben, kleines Maskottchen – Tanja ...", sagte sie zu Stepanowna, die auf Zehenspitzen und mit einem festgefrorenen Lächeln auf ihrem guten welken Gesicht eintrat: „Gib mir die Schachtel ... *tu sais* ... *l'étui* ..."

Sieh mal, Gabri hat also auch eine Schachtel, dachte Katja lächelnd. Aber das dicke, altmodische Lederfutteral mit den verzierten Goldinitialen hatte keine Ähnlichkeit mit ihrer eigenen alten *La-Samaritaine*-Schachtel. Tanja stopfte einen Berg von Kissen hinter Gabrilowas Rücken, um sie aufzusetzen, und dann, mit betontem Takt, ließ sie die zwei Ballerinen allein.

Die unverkennbare Atmosphäre eines Zeremoniells lag in dem Abgang der alten Lehrerin, und in der Art, wie Gabrilowas ausdrucksvolle dünne Finger das Etui – und die Spannung – noch einen Augenblick lang festhielten. Dann ließ sie das Schloß aufschnappen: Auf ihrem Bett von schwarzem Samt ruhte eine kleine glitzernde Krone, mit dem gedämpften Schimmer von altem *pierrede-strasse*.

„Hübsch, nicht? Ist die kleine Krone, die Legnani für die Premiere von ‚Lac de Cygnes' getragen hat, 1894, unter dem großen Pepito persönlich. Als Legnani sich zurückzog, schenkte sie sie der Kschesinkaja, und von Kschesinkaja hab' ich sie bekommen, als ich Odile und Odette zum erstenmal tanzte. Jetzt gibt Gabrilowa das Krönchen an Milenkaja weiter. Ein kleines Souvenir, damit man manchmal an mich denkt. Nicht danken, Duschka – *il n'y a pas de quoi* – ich brauche kein Maskottchen mehr, und du hast es vielleicht nötig, für meine Rolle zu übernehmen – genug – kein Wort mehr." Aber Katja hätte auf keinen Fall sprechen können. Ritual und Tradition waren ein wesentlicher Teil ihres Lebens, und die Feierlichkeit dieses Augenblicks erfüllte sie mit einem durchdringenden, doch melancholischen Stolz. Nirgendwo als im Ballett können solche Dinge geschehen, fühlte sie; niemand als ein Tänzer konnte es verstehen – oder vielleicht noch die Königin von England, wenn sie in Westminster Abbey gekrönt wird.

Ich werde versuchen, der kleinen Krone Legnanis und Kschesinkajas und Gabrilowas Ehre zu machen, versprach sie, unfähig, es laut zu sagen. Sie kniete noch einmal nieder, um die Reliquie zu empfangen und Gabrilowas Hand zu küssen und, in einer plötzlichen Regung, auch die fiebrigen Wangen. Aber Gabri war wiederum zur großen Weltdame geworden. „Nein – nein – ich bin unappetitlich, *tans pis!* Warte, bis ich stark und gesund bin. – Geh jetzt, heb deine Küsse auf für Wassja. *Au revoir*, Kind, *à bientôt* ..."

Nachdem Katja gegangen war, lag die Gabrilowa sehr still, sehr erschöpft, atmete nur flach und mit äußerster Vorsicht. Die Sonne stand tiefer, ihre Strahlen malten eine schräge goldene Straße von der Place de la Concorde der Tapete zum Eiffelturm. Ein kleiner Windstoß bewegte die Vorhänge, und auf dem Fenstersims draußen stolzierten und gurrten Tauben, machten eine Menge Unfug, teils verliebter, teils verdauender Natur. Da waren Fieber, Verwirrung, etwas Schmerzen. „*Assez, assez*", wisperte Gabrilowa und begann zu lachen. Es tat sehr weh, und es klang häßlich – wie der betrunkene Halunke von einem Kutscher, dieser Aljoscha, erinnerte sie sich, denn jetzt fuhr sie in einer Droschke mit ihrem Vater, und sie konnte nicht aufhören zu lachen. Tanja kam herein, erschrocken, auf Zehenspitzen. „Was gibt's, Xenuschka? Bitte, o bitte, reg dich nicht auf! – Soll ich den Arzt rufen? Er gibt dir noch eine Injektion? Oder vielleicht Sauerstoff?"

„Laß mich in Frieden, laß mich lachen, wenn ich will. Es ist so lächerlich. Eine Farce ..."

„Was, im Namen des Erlösers?"

„Alles. Alles – *une blague*. Eine wichtige Rolle? Ein ernstes Drama? Idiot – wenn's vorüber ist, hast du in einer Farce gespielt – und hast es nicht gewußt ... eine Posse ... Mach nicht so dunkel ... Mach das Fenster nicht zu ... Schieb die Vorhänge zurück ... Wie spät ist es? ... Ich will Luft ... Wenn ich bloß schwitzen könnte, dann würde ich wieder gesund ... Mein Leben lang hab' ich soviel geschwitzt ... ganze Seen von Schweiß ... Schwanenseen ... und jetzt kann ich nicht ..."

Erschrocken lief Tanja hinaus, um Doktor Peel zu telefonieren.

„Cecil – gehn Sie nicht fort ... Lassen Sie mich nicht mit ihr allein ... Vielleicht brauchen wir Sie ... Ich kann nicht alles machen ...", flehte sie den Jungen an, der blaß und erschüttert an der Tür horchte. Er hatte seinen Regenmantel malerisch über die Schultern geworfen, und er war noch nicht ganz erholt von seiner Begegnung mit der Magenpumpe. „Jetzt wird sie ruhiger", flüsterte er. „Kopf hoch, Tanja. Sie ist stark wie ein Baum. Sie wird sich durchbeißen. Ich muß rennen – Disziplin! Wenn ich zu spät ins Theater komme, schmeißt mich die Alte hinaus", sagte er tragisch und ging. Tanja rief Doktor Peel an, und dann lugte sie durch die Spalte der Schlafzimmertüre.

„Laß mich allein. Ich brauche nichts", sagte Gabrilowa, ohne die Augen zu öffnen, und Tanja zog sich zurück.

Die Katze – sie hieß Mimi und hatte die Tänzerin auf vielen Tourneen begleitet – war an Tanjas kleinen Füßen vorbei ins Zimmer geschlüpft und sprang lautlos aufs Bett. Als Gabrilowa sich nicht rührte, äußerte sie die kleinen Klagelaute des verwöhnten Schoßtierchens.

Gabrilowa lächelte und streckte eine Hand aus. Mimi verließ das Fußende und fand einen Platz auf dem weißen Atlas für das sinnliche Vergnügen des Tappens und Schnurrens. Die Sonne lag gelb wie Messing auf dem gemalten Hintergrund von Paris, aber vor Gabris geschlossenen Augen zogen schwarze Schleier vorüber, Wolken, Chiffon, Dunkelheiten, und in ihren Ohren war ein rhythmisches Summen und das Rasseln ihres Atems, unerträglicher als irgendein Schmerz sein konnte. Sie tastete nach der Katze, zog sie an ihre Seite und hielt sie eng an sich.

„Maintenant, Mimi – maintenant on va mourir ..."

„Nach der Premiere, Arthur, wenn ich nicht vorher verrückt werde!" schrie Olivia ins Telefon, ohne zu bedenken, ob sie Mr. Brambles wertvolle Gefühle verletzte.

Den ganzen Morgen war sie in komplizierte unvermeidliche Formalitäten verstrickt, um die Überreste des Maestro gemäß seinem Letzten Willen nach Mailand überführen zu lassen. „Zumindest werden so der Truppe die Aufregungen vor der Premiere erspart", sagte sie und spülte eine Beruhigungspille mit einem Glas Wasser hinunter, das Elkan ihr reichte. „Wir müssen dankbar sein, daß wenigstens Gabris Begräbnis bis nachher warten kann", setzte sie etwas ruhiger hinzu. „Der Kopf zerspringt mir. Ich hatte alles so gut eingeteilt, und jetzt ist alles *bouleversé* – alles geht drunter und drüber – o Elkan, Liebling ..."

„Mein armes, kleines Mädchen", sagte er. Niemand außer Elkan hatte Miß Beauchamp jemals ein kleines Mädchen genannt. Sie preßte die Hände gegen ihre Schläfen, wie um eine Explosion da drinnen zu verhindern. „Ich hatte alle meine Pläne fix und fertig. Maestro würde sich zurückziehen, und Gabri würde aufhören zu tanzen und seine Arbeit übernehmen. Ich wollte Milenkaja noch eine Saison lang behalten und indessen Joyce Lyman als unsere neue Ballerina herausstellen. Jetzt muß ich versuchen, die Irina aus Braslinks russischem Ballett wegzulocken, und Katja ist so abgearbeitet, daß sie wahrscheinlich als Bienenkönigin durchfallen wird, und Joyce macht passive Resistenz ..."

Joyce war seit ihrem Streit mit Bagoryan verstockt und mißmutig, und er beobachtete ihr lustloses Tanzen mit verkniffenen Augen.

„Paßt Ihnen etwas nicht, Miß Lyman?"

„Meine Nase. Ich kann kaum atmen. Ich glaube, mein Nasenbein hat bei der Keilerei am Montag einen Bruch abgekriegt. Ich muß sie röntgen lassen."

Doktor Peel stellte fest, daß Joyce sehr erkältet war – aber das waren sieben von den anderen Mädels gleichfalls. „Psychosomatisch", erklärte Dr. Peel. „Herabgeminderte Widerstandskraft." Die Truppe war überarbeitet, aufgewühlt durch den Tod der zwei verehrten Gestalten und das wachsende Lampenfieber, das jeder Premiere vorangeht. Welche anderen, mehr persönlichen Gefühle Joyce aufwühlen mochten, blieb dahingestellt.

„Danke, Lyman, wenn Sie keine Lust haben, sich ein bißchen anzustrengen – wir brauchen Sie nicht. Los, Kinder, wir überspringen die Soloszene und gehen gleich zum Ausschwärmen der Bienen über – also – buzzara – buzzara – buzzara – *Und!*"

Joyce hockte gedemütigt und verärgert in einer dunklen Ecke und hielt schweigend Zwiesprache mit sich. Katja, während sie ihre Schuhsohlen im Kolophoniumkistchen abrieb, winkte Bagoryan zu sich.

„Ja, Süße?"

„Weißt du, Mirko – ich hab' mir's gut überlegt. Wir müssen das *Fugato* doch wieder herausnehmen. Streich mich aus Lymans Solo, bitte, laß alles so, wie es zuvor war. Joyce hat recht, und ich hatte unrecht. Es war vorher viel besser. Jetzt ist es ein großes Kuddelmuddel. Viel zu unruhig ..."

„Hör mal, Katinka, seit wann hast du Primaballerinenlaunen?"

„Es tut mir leid, Mirko, daß ich Geschichten gemacht habe ..."

„Die viele Zeit, die wir verschwendet haben, um die neue Version zu proben – und was wird Lazar sagen? Und Olivia wird außer sich sein, alle die Überstunden, die sie dem Kopisten zahlen mußte, und ..."

„Und die nette Genugtuung, dich ein wenig an Joyce zu rächen, was Mirko? Aber du weißt, daß es nicht gut ist, und ich weiß es auch, und ich will nichts verpfuschen. Ich will dem talentierten netten Mädel nicht ihr großartiges Solo verderben."

„Woher diese plötzliche *noblesse oblige*, die mich wie einen Bösewicht erscheinen läßt?"

„Vielleicht hat es etwas mit meinem Rang zu tun? Ich bin in diesen letzten Tagen weise und alt geworden; da ist Gabrilowas Tod und – noch verschiedene andere Dinge. Verstehst du nicht? Plötzlich bin ich die älteste überlebende Primaballerina, abgesehen von Ulanowa, und wer sonst noch vielleicht hinter dem eisernen Vorhang steckt. Das legt mir gewisse Verpflichtungen auf. Gabri hat mir ein paar Dinge überantwortet, die ich den kommenden

288

Tänzern, den jungen, weitergeben muß – damit die Kette nicht abreißt. Zum Beispiel, daß man ehrgeizig sein kann, ohne neidisch zu werden."

„Sag, Katuschka, meine kleine Milenka, fürchtest du dich immer noch vor der letzten Dekoration?"

„Natürlich; warum fragst du?"

„Das habe ich mir gedacht. Abergläubisch! Besänftige die Götter oder die bösen Geister, die acht Fuß hohe Rampen errichten; verbrenne Weihrauch zu ihren Füßen und opfere ihnen einen guten, großen Klumpen Egoismus. – Habe ich recht?"

„*Oh, fichez-moi la paix*, Mirko! Mach weiter mit der Probe! Da ist Joyce. Sie ist diejenige, die besänftigt werden muß."

Es gab nur kurze Ruhepausen zwischen den langen Proben und den Abendvorstellungen, in denen Katja und Joyce tanzen mußten, nicht nur ihre eigenen, sondern auch Gabrilowas und sogar Gwendolyns Rollen. Katja streckte sich auf dem Lathamschen Himmelbett aus und starrte auf den Baldachin, zu ruhelos, um zu rasten. Häufig pantoffelte Louisa ins Zimmer. „Telefon für Madame – oder soll ich antworten?"

Leise stöhnend nahm Katja den Hörer. Es war Margreth, die nicht wußte, ob sie kondolieren oder gratulieren sollte, Humor oder ernsthaftes Mitgefühl zeigen. „Da ich selbst geschieden bin, kann ich dir versichern, eine Scheidung hat ihre Vorteile, du wirst schon sehen. Aber wer hätte je gedacht, daß mein kleiner Bruder auf Abwege gehen würde – aufrichtig gestanden, ich bin keineswegs entzückt darüber, diese Miß Williamson in die Familie zu kriegen..."

„Bitte, Margreth, wenn's dir nichts ausmacht, laß uns nicht darüber sprechen bis nach der Premiere."

„Oh, Verzeihung, ich hatte ganz vergessen, daß das Manhattan Ballett eine Premiere hat – ,Die Bienen' nicht? Also Hals- und Beinbruch, und du wirst mich anrufen, ja?"

War es möglich, daß in dieser Stadt Millionen Menschen lebten, die sich nichts aus einer Premiere machten, die für die Mitglieder des Manhattan Balletts den Nabel des Universums bedeutete? Katja, im besonderen, konnte über dieses Datum nicht hinausdenken. Jenseits lag eine kalte Leere.

„Telefon für Madame."

Es war McKenna, schnupfend, schluchzend, heulend. Sie wollte Madame bloß davon verständigen, daß sie gekündigt habe, sie sei zu alt, um sich herumkommandieren zu lassen von einem jungen Ding wie Gracie, die nichts vom Haushalt verstand, und sie würde nicht warten, bis man ihr zu verstehen gab, daß man sie nicht haben wollte, und, du meine Güte, wie unser Herr Doktor sich verändert hat, nervös wie ein Heuschreck, alle Männer sind gleich, das muß wahr sein. Und dann, was soll ich bloß unserem kleinen Jungen erzählen, und Preston läßt herzlichst grüßen...

Jedesmal, wenn das Telefon läutete, blieb Katjas Herz stehen, ihr

Mund wurde trocken, ihr Puls klopfte mit einem kleinen Schmerz an ihren Ohren, ihren Schenkeln, ihren Nieren. Aber niemals war es Ted.

Anstatt dessen – was für eine unglaubliche Frechheit – rief Gracie um sieben Uhr früh an: „Bitte, Tante Kate, sei nicht böse, daß ich dich mitten in der Nacht aufwecke, aber es scheint die einzige Zeit zu sein, wo man dich erreichen kann – du bist so beschäftigt, du Arme! Ich wollte Ted nicht damit belästigen, außerdem geht es eigentlich dich an. Ich meine, es handelt sich um unseren kleinen Jungen, du weißt, wie lieb ich ihn habe und wie gut ich immer mit ihm ausgekommen bin, aber jetzt ist er auf einmal so widerspenstig, hat Wutanfälle, will nicht essen, und weißt du, was er gemacht hat? Er hat Margreth angerufen und sie gebeten, ihn zu holen – was sie auch prompt gestern abend tat. Natürlich hatte ich eine kleine Auseinandersetzung mit ihr, und sie wurde sehr unangenehm, nun, du kennst ja Margreth besser als ich. Ich wollte dich bloß warnen, daß sie wahrscheinlich den Jungen bei dir ablagern und dir dazu ein paar erfundene Geschichten über mich erzählen wird. Was ich jetzt wissen will: Beabsichtigst du, ihn vorderhand bei dir zu behalten, oder sollen wir, Ted und ich, ihn holen kommen? Allerdings ist Ted gerade furchtbar beschäftigt, und ich erwarte Vater jeden Tag zurück..."

„Ich bin genauso beschäftigt wie Ted! Will irgend jemand freundlichst zur Kenntnis nehmen, daß ich am Freitag Premiere habe? Um Himmels willen, laß mich in Frieden, ruf mich nicht an, das ist das wenigste, was du tun kannst, und laß deine Finger gefälligst aus meinen Angelegenheiten, verstanden?" rief Katja und warf, zitternd vor Wut, den Hörer zu Boden. Louisa hob ihn kopfschüttelnd auf.

Stan Tedesco rief an, und Allinghams Kanzlei rief an, und Katja befahl Louisa, ein für allemal zu sagen, daß Madame unter keinen Umständen vor der Premiere gestört werden durfte.

„Nicht einmal, wenn Ihr Mann anruft?" fragte Louisa.

„Nein! Der Teufel soll meinen Mann holen!" schrie Katja und jagte zur Generalprobe.

Für eine Generalprobe ging es gar nicht so schlecht. Sogar das große *pas de deux* und das Virtuosenstück des Hochzeitsflugs bis zur Spitze der drohenden Rampe hinauf liefen ohne Stocken, ohne Zittern ab. Masuroffs Stärke gab ihr Sicherheit, und er hatte ihre letzten Sprünge und Hebungen mit ungeheurer Geduld geprobt und wiederholt, bis alles schließlich einfach Routine geworden war. Um ihre Kräfte für die morgige Premiere zu sparen, hatten beide den Abend frei bekommen, und sie verließen das Theater in einem so offenbaren Zustand der Verliebtheit, daß Bagoryan bedeutungsvoll pfiff und Joyce zu Axel Johansson sagte: „Sieh dir die beiden Turteltäubchen an, zu niedlich, nicht? Wetten, daß sie zusammen über hundert Jahre alt sind?"

„Nicht ganz fünfundneunzig", antwortete Axel, der, humorlos und pedantisch wie immer, sechsundvierzig und neunundvierzig addiert hatte.

Und niemand war gefaßt auf die Bombe, die das Lathamhaus vom Keller bis zum Dach erschütterte, als am Freitagmorgen Wassja Masuroff erklärte, daß nichts und niemand ihn dazu bringen würde, die Premiere als Madame Milenkajas Partner zu tanzen.

Fünf Uhr dreißig, drei Stunden vor Beginn der Vorstellung, und schon begann der ehrwürdige alte Kasten, die Metropolitan Opera, sich zu rühren, sich mit den Geräuschen und Vorbereitungen für das neue Ballett zu füllen.

Bagoryan kam aus dem Regiezimmer, und, begleitet von der Theaterkatze, durchstreifte er wachsam die Gefilde von Bühne und Kulissen, um sich zu überzeugen, daß alles in Ordnung war. Was getan werden mußte, war getan, und von jetzt an mußte man den Dingen ihren Lauf lassen. Möchte wissen, ob der liebe Gott auch so ein bißchen ein steifes und schmerzhaftes Genick hatte, als er am Abend des sechsten Tages auf seine Schöpfung sah, überlegte Bagoryan, halb belustigt, halb resigniert. „Und siehe da, es war *sehr gut*", heißt es in der Bibel. Aber der liebe Gott hatte keine Ballettgruppe im Zaum zu halten, und was seine Schöpfung betrifft, so fragt es sich noch, ob sie wirklich *sehr* gut genannt werden darf. Kein unbestreitbarer Erfolg, meiner Ansicht nach, manches bezaubernd, manches weniger gelungen. Und manches ein großer Mist.

Schön, sagte er sich, es ist mein siebenundzwanzigstes Ballett, und man wird ja sehen, wie's ausgeht. Er war die eiserne Sprossenleiter zur Beleuchtungsbrücke hinaufgeklettert, und von da oben erspähte er Katja, die auf der großen, stillen und armselig beleuchteten Bühne ihre Übungen zum Anwärmen und Auflockern machte. Sie arbeitete wie eine Besessene, und es rührte ihn, wie klein, zart und zerbrechlich sie aus dieser Vogelperspektive aussah. Sie trug ein dickes, handgestricktes, enganliegendes Trikot und einen Sweater, wie Boxer sie tragen, wenn sie sich schnell ein paar Pfund abtrainieren müssen. Geräuschlos lief er das Gitterwerk hinab zur Bühne, und nun konnte er die scharfgeschnittenen Parathesen um ihren blassen Mund sehen und die senkrechten Falten der Konzentration auf ihrer Stirn. Ihr Atem ging laut, als sie ein paar *tours en l'air* machte, und kleine Fontänen glitzernden Schweißes sprühten bei jeder Drehung von ihrem Gesicht. Dann, leicht auf die gegenüberliegende Kulisse gestützt, als wäre es die Schulter eines Partners, glitt sie in eine *arabesque penché*, eine von den unvergleichlichen und berühmten Arabesken der Milenkaja.

Plötzlich fiel Bagoryan jener Morgen ein, an dem der kleinen Kati in ihrem unschuldigen weißen Batiströckchen vor seinem Spiegel ihre erste vollendete Arabeske gelungen war. In Wien, laß mal sehen, wie lang ist das her? Sie war gerade sechzehn geworden und ich beinahe dreißig. Es ist also wahr, wir werden alt, Mirko, sagte ihm die kleine angespannte Gestalt auf der Bühne. Was denn, ich habe mich nicht verändert, ich sehe gut aus, bin gesund, stark, potent. Was, zum Teufel, bedeutet es dann, daß man älter wird? fragte er sich, nachsichtig lächelnd. Du genießt alles genau wie früher, Mirko, mein Junge. Ja, aber du kannst nicht mehr so leiden wie in der Jugend. Das ist's, wo der Schuh drückt. Man kann auch gar zu ausgeglichen sein.

Tatsächlich war er außerstande gewesen, sich wirklich ehrlich über die Premiere heute abend aufzuregen, und es hatte ihn nur sanft melancholisch gestimmt – und auch das bloß für einige Stunden –, als er den Gedanken an eine Heirat oder selbst eine Liebesaffäre mit Joyce Lyman aufgegeben hatte. Wenn sein Ballett heute abend durchfiel, *eh bien,* dann würde er eben an das nächste denken. Wenn Joyce von einer anderen Gruppe weggeschnappt wurde, *bon voyage,* Baby, er würde ein anderes begabtes junges Ding finden. Da war zum Beispiel diese freche kleine Göre im Corps, Anita, man konnte vielleicht eine gute Tänzerin aus ihr machen –; und als er sich Anitas keckes Gesicht, ihre noch unbeholfenen jungen Arme und vielversprechenden langen Beine vorstellte, verblaßte der kleine Schrecken, mit dem er plötzlich seines Alters gewahr wurde.

Auf ihren harten Ballettschuhen von der Bühne knatternd, stieß Katja in den dunklen Kulissen auf Bagoryan. „Oh, du bist's, Mirko?" sagte sie ohne Überraschung. Er sah, daß sie leicht zitterte, was vor einer neuen Rolle ganz in Ordnung war.

„Mirko, was wird geschehen? Ist es wahr, daß Masuroff schließlich doch tanzen wird?"

„Natürlich wird er tanzen. Nachdem Olivia ihm einen Vortrag über die schlimmen Folgen eines Vertragsbruchs gehalten hat, wird er tanzen. Verlaß dich drauf, er wird sich von seiner hinreißendsten Seite zeigen, und euer *pas de deux* wird die Sensation der Saison sein."

Er schob seinen Arm in ihren, und während er sie über die Bühne begleitete, konnte er spüren, daß ihr Zittern stärker geworden war. Ihre Augen waren beinahe weiß vor Angst.

„Was ist los, Süße? Lampenfieber?"

„Ja. Nein. Nicht bloß Lampenfieber. Ich fürchte mich vor ihm. Was er mir antun kann . . ."

„Unsinn. Er ist ein viel zu guter Tänzer, um das *pas de deux* aus reiner Bosheit zu verpatzen . . ."

„Das meine ich nicht. Du weißt ja nicht, Mirko, er ist so wütend auf mich, es ist nicht auszudenken, was er mir antun mag, um sich zu rächen."

Bagoryan verbarg ein Lächeln. „Was ist passiert, Katinka? Ein Krach zwischen euch Liebesleutchen?"

„Aber du ahnst nicht – wir hatten eine schreckliche Szene – er hat mich gestoßen, geschlagen, beinahe hätte er mir mein Bein nochmals gebrochen – du weißt, ich habe einen Nagel drin – es schmerzt noch immer – und er hat geschworen, daß er mich umbringen wird."

„Mon Dieu, mon Dieu", sagte Bagoryan wie zu einem Kind, „ist's wirklich so arg? Und erst gestern habt ihr geturtelt wie zwei Tauben, die ganze Truppe hat ihren Spaß daran gehabt. Was hast du ihm denn angetan?"

„Ich habe mich sehr schlecht benommen, Mirko. Ich... weißt du, er hat mir sehr gut gefallen. Ich hatte – wie nennen es die Mädels – ich bin auf ihn geflogen, und ich war gerade in der Laune für ein kleines Abenteuer, weil... nun also, das tut nichts zur Sache. Aber als es zum *moment suprême* kam – ich schwöre dir, so hat er es genannt –, da konnte ich's nicht durchführen. Ich habe zu lachen angefangen, ich konnte mir nicht helfen. Bin ihm davongerannt. Ich kann ihm gar keinen Vorwurf machen, aber, Mirko, wenn du ihn gesehen hättest in seiner Wut..."

„Du meinst, du hast einen Russen gekratzt, und der Tatar ist zum Vorschein gekommen?" sagte Bagoryan sehr belustigt.

Während der Masuroff-Krise am Morgen hatte Olivia ihn beschworen, seinen Charme, seinen Einfluß, seine Überredungskunst an dem störrischen *danseur noble* zu versuchen, und bei dieser Gelegenheit hatte er schon Masuroffs Version der gestrigen Ereignisse zu hören bekommen.

„Mein lieber Mirko – *entre nous* –, wir sind doch Männer von Welt, wir kennen die Frauen und alle ihre Schwächen und Launen und Kapricen, ihre Koketterien und – *oh, mon Dieu,* wenn ich dir einige meiner Erlebnisse erzählen wollte –: aber so etwas ist mir noch niemals passiert. *Imagine toi,* sie ist also bei mir, in meiner Wohnung, auf meiner Couch, in meinen Armen! Madame ist eine Frau *entre deux ages,* und du weißt, wie aufregend und leidenschaftlich Frauen Mitte Vierzig sein können. *Gospodin,* wenn ich an meine Affäre mit der Prinzessin Bilencu denke – oder an Lady Brinbourne, hast du sie gekannt? Geborene Französin, mit dem alten Sir Derek verheiratet... *et bien,* alles ist vorbereitet, wie es sich gehört, guter Champagner, gedämpftes Licht, Schallplatten aus dem ,Rosenkavalier', die Farucca aus ,Le Tricorne' – nebenbei bemerkt, einer meiner größten Erfolge – Ravels ,Bolero' – mit einem Wort Musik, die ein Eskimo-Iglo schmelzen könnte. Stimmung, verstehst du! Schließlich ist Madame nicht eines von diesen amerikanischen Mädels, die du in einer Bar mit Whisky anfüllst und im Auto haben kannst, und wenn du den Chauffeur bezahlst, hast du schon genug von ihr. Madame ist eine Europäerin, kosmopolitisch. Ich habe von ihr die Vorstellung einer *grande amoureuse,* ich bebe vor Verlangen, und ich fühle, es geht ihr genauso. Ich bin völlig entflammt, aber ich überstürze nichts, ich verführe sie Schritt für Schritt, wir küssen einander, lange, leidenschaftlich, ich halte sie in meinen Armen, ich trage sie auf mein Bett, ich beginne, sie zu entkleiden, zu liebkosen, du verstehst? Und weißt du, was passiert? Was sie mir antut? Mir – mir, Wassja

Akimowitsch Masuroff, der mit der *crème de la crème* geschlafen hat – mit den Damen vom Diplomatischen Korps, mit Frauen der Hocharistokratie und mit drei der größten Schauspielerinnen Frankreichs . . ."

„Ja? Sag doch. Was ist passiert?" hatte Bagoryan gefragt und atemlose Spannung gespielt, um die grenzenlose Eitelkeit des Tänzers zu befriedigen. Masuroff, der große Liebhaber, der Meister der *ars amandi* – oh, du dummes Arschloch! hatte er gedacht, wenn auch nicht ohne einen kleinen Stich unangebrachter Eifersucht. Irgendwo, über all die Jahre guter Kameradschaft hinweg, gemeinsamer Arbeit, täglicher Gewohnheit, hatte er das zarte Bild der sechzehnjährigen Milenka bewahrt, ein unschuldiges Pastell, auf dem dieser Idiot nicht seine schmutzigen Fingerabdrücke lassen sollte.

„Ich kann mir nicht vorstellen, was sie getan haben kann, um dich so außer sich zu bringen?" fragte er und versuchte, den schlechten Geschmack hinunterzuschlucken.

„Was keine Fünf-Kopeken-Hure in Odessa einem Mann in einem solchen Augenblick antun würde! Sie hat mich beleidigt, tödlich beleidigt! Sie hat mich fortgestoßen. Sie hat gesagt, es wäre lächerlich. ,Mais, c'est ridicule', hat sie gesagt, nicht etwa einmal, sondern viermal, fünfmal. Sie hat Tränen gelacht. Kannst du dir vorstellen, was für einen Schock mir das gegeben hat? Ich sage dir, die Frau ist pathologisch, verderbt, frigid, hysterisch. Wie kann ich ihr nach diesem Affront in die Augen sehen? Wie kann ich mit ihr tanzen?"

„Wahrscheinlich war sie ein bißchen überreizt. Vielleicht hat sie gefühlt, daß du ein zu starker Mann für sie bist. Soviel ich weiß, hat sie keine einzige Liebesaffäre gehabt, seit sie mit diesem verschlafenen Professor verheiratet ist. Vielleicht hat sie gefürchtet, es würde tiefer gehen, als sie wollte. Ich brauche dir nicht zu sagen, daß eine treue Gattin viel schwerer zu verführen ist als eine Jungfrau", hatte Bagoryan die verwundete Eitelkeit des Tänzers umschmeichelt und beschwätzt. Mit dem glücklichen Resultat, daß Larry Klotzky (dessen *élévation* ausgezeichnet war, aber dessen Arme in einem *port de bras en haut* steif wie von einem Kandelaber abstanden und der den sexuellen Charme eines Kleiderständers besaß) Masuroffs Rolle nicht im letzten Augenblick und ohne Probe übernehmen mußte, dem Himmel sei Dank!

Bagoryan stückelte die beiden Versionen zusammen. „Woran ist es denn schiefgegangen, Milenka?" fragte er, legte den Arm um ihre Schulter und ging mit ihr an der dunklen Fußrampe auf und ab. „Zuviel *chi-chi*?"

„Wahrscheinlich. Was er wollte, war eine Verführung im großen alten Stil. Verführung, Eroberung, Hingabe. So ein Theater, Mirko! Richtiger Diaghileff. Ich konnte nur denken, wenn's bloß schon dazu käme, wenn ich's nur schon hinter mir hätte. Erinnerst du dich an das grausliche Buch von van der Velde, das wir alle verschlangen, als wir Fratzen waren? Erste Position, zweite Position, nach rechts, nach links – wie im ersten Jahr in der Ballettschule. Ich lag da, nackt wie einer jener haarlosen mexikanischen Hunde, und mir wurde kalt, während Masuroff mich präparierte und manipulierte und mit seiner großartigen Technik protzte." Katja lachte nervös. „‚Was wünschst du dir? Wie hast du's am liebsten?‘ fragte er mich. Nicht zu durchgebraten, mußte ich denken. Manchmal habe ich solche absurde Gedanken. Gott sei Dank habe ich es nicht laut gesagt, aber ich mußte lachen, ich konnte es einfach nicht unterdrücken. Ich dachte, so lachen sie in den Filmen, wenn der Held das Mädchen ohrfeigt, um ihr aus einem hysterischen Lachkrampf herauszuhelfen. Masuroff hat mich geohrfeigt, aber es hat nichts geholfen, ich konnte nicht aufhören zu lachen, es war zu komisch, besonders, wenn man bedenkt . . ."

„Was bedenkt?"

„Daß ich mit Masuroff zu Bett gehen mußte, um zu lernen, wie ausschließlich, wie völlig ich an Ted gebunden bin. Warum müssen mir solche Sachen passieren? Ich bin davongelaufen, in panischer Angst, ein sehr komischer Komödienabgang. Du weißt, wie ich mich vor Lifts fürchte, die man selbst bedienen muß, und ich hatte nicht aufgepaßt, in welchem Stockwerk Masuroffs Wohnung war. Im zwölften. Also bin ich die Treppen hinuntergegangen, zwölf Stockwerke, Millionen von Stufen. Ein böser Traum. Und jetzt habe ich eine Todesangst davor, was er mir antun wird . . ."

„Was kann er dir denn antun? Sei nicht so töricht, Schatz", sagte Bagoryan, obwohl er genau wußte, wie sehr ein feindseliger Partner seine Ballerina schikanieren und sogar körperlich verletzen konnte. Aber Bösewichte gibt es nur selten unter Tänzern, dachte er. Gewöhnlich reagieren sie ihre Wut im Tanz ab. Aber immerhin, es konnte passieren, daß ein *danseur noble* einen Augenblick lang vergaß, nobel zu sein, und seine Ballerina nach einem Aufschwung etwas heftig niedersetzte, ihren Knöchel verletzte, ihre Leistung verdarb.

„Ich fürchte mich vor Masuroff, und jetzt fürchte ich mich mehr denn je vor der Dekoration. Die Kombination von beiden lähmt mich", sagte sie so still, daß Bagoryan ein unbehagliches Gefühl überkam. „Wenn du jemals von einer solchen Höhe fallen gelassen worden wärest und alles das mitgemacht hättest, was ich mitgemacht habe . . . nachher, als ich das Tanzen aufgeben mußte; und dann später, was es mich gekostet hat, noch einmal von Anfang an das Tanzen wieder zu erlernen – dann würdest du es nicht so dumm finden, daß ich mich fürchte."

Die Bühne begann zu erwachen, ein gähnendes Ungeheuer, nicht ungefährlich. Von oben kamen Rufe: „Achtung! Stehenbleiben!" Schwere Sandsäcke sausten wie Schmiedehämmer nieder, Falltüren öffneten sich zur Versenkung, Scheinwerfer wurden zischend lebendig, Brücken und Plattformen stiegen auf, herumgeschoben von der altmodischen Maschinerie der Metropolitan, Kabel schlängelten sich wie Vipern um die Knöchel. Bagoryan leitete Katja mit sicherer Hand durch alle die Hindernisse hinter eine Hängewand, die eben herabgelassen wurde und sie beide beinahe getroffen hätte, bevor sie schwer auf dem Boden aufstieß.

Da war die Rampe, die Drohung, die Gefahr; sie schien noch höher in der halbdunklen Schattenwelt der Hinterbühne, gefahrenumwitterter denn je. Jetzt zitterte Katja nicht nur, es schüttelte sie. „Nimm dich zusammen, du Närrchen", befahl Bagoryan streng; sie tat ihm sehr leid, aber sie machte ihn auch nervös. „Ich lasse es nicht zu, daß du mir mein Ballett versaust. Du weißt, ich dulde keine hysterischen Faxen. Das gehört auf die Toilette wie Diarrhöe und eine kranke Blase und andere private Schwächen. Komm jetzt, wir wollen uns das Ding mal ansehen."

Er nahm sie die Rampe hinauf und auf der anderen Seite in die Kulissen hinunter, nicht über eine bedrohliche Leiter, wie jene, die Grischa hinabgestürzt war, sondern über ein recht vertrauenerweckendes Treppchen. Beim Probieren des *pas de deux* hatte sie diesen ganzen Weg so oft tanzend zurückgelegt, daß Bagoryan sicher war, sie hätte ihre Zwangsvorstellungen überwunden und vergessen. Jetzt aber, zwei Stunden bevor der Vorhang sich hob, war sie davon befallen, ärger denn je. Mirko nahm sie bei der Hand, um sie hinter die Rampe zu führen, und ließ sie das feste Gerüst prüfen, wie etwa ein Hindernisreiter sein Pferd vor dem Rennen auf der Bahn herumführt und ihm jedes Hindernis, jeden Sprung, jede Hecke zeigt.

„Es ist an der Zeit, daß du dich von deinen Gespenstern losmachst und lernst, daß es keine Geister gibt. Es gibt keine Geister, hörst du mich? Schluß damit. Dieses idiotische Phantom, dieser verdammte Grischa Kuprin hat dich lange genug geplagt."

„Verzeih, Mirko. Es sind die Nerven. Ich bin ein bißchen durcheinander ..."

„Geschieht dir recht. Was fällt dir ein, dich mit einem abgetakelten Gigolo wie diesem Masuroff einzulassen? Du, meine Katinka – unsere große Milenkaja!"

„Weil – siehst du – etwas ist geschehen, das ... Ich habe meinen Weg verloren. Ich bin wirklich sehr durcheinander. Weißt du, ich – ich lasse mich scheiden, und ich bin sehr unglücklich darüber. Dir kommt das wahrscheinlich sehr dumm vor, Mirko, aber ich bin eben eine Anfängerin in diesen Dingen, und ..."

„O nein. Es kommt mir gar nicht dumm vor. Eine Scheidung ist eine trübe schmerzliche Angelegenheit, ganz gleich, ob's die erste oder die sechste ist", sagte er, plötzlich ganz ernsthaft. „Aber vergiß nicht, daß du immer am besten tanzt, wenn du unglücklich bist. Wenn du wirklich unglücklich bist, wirst du heute nacht eine wunderbare Leistung hinlegen. Also – Servus, Süße." Er gab ihren zarten Mädchenschultern einen freundlichen Druck und verließ sie an der Tür ihrer Garderobe.

Katja war intensiv damit beschäftigt, ihr Gesicht zu schminken, als eine Stimme von draußen meldete, daß es eine halbe Stunde vor Vorstellungsbeginn war. „Sag, Louisa", fragte sie, „hast du mein Maskottchen in meinem Ausschnitt angesteckt?"

„Natürlich. Habe ich das jemals vergessen?"

„Schön. Nimm es heraus."

„Aber Kätzchen... Sie können doch nicht ohne Ihr Maskottchen tanzen? Und noch dazu in einer Premiere!"

„Nimm's heraus, tu, was ich dir sage, und schau mich nicht an, als ob eine Premiere ein Leichenbegängnis wäre", sagte Katja ungeduldig, sie hielt zwei Zentimeter lange, schwarze, falsche Wimpern zwischen den Fingern.

„Gut, gut. Wie Madame wünscht", brummte Louisa. Sie öffnete die Sicherheitsnadel im Ausschnitt von Alouettes Meisterwerk aus Goldlamé und braunem Samt und legte den kindischen Ring mit dem schadhaften kleinen Amethyst vor Katja auf den Toilettentisch. „Hab' noch nie gehört, daß jemand in einer neuen Rolle auf die Bühne geht, ohne irgendwas, das Glück bringt. Oder...", fügte sie verschmitzt hinzu, „vielleicht hat sich Madame ein neues Maskottchen verschafft? Ein besseres?"

Katja blickte auf den schmalen Ring, den Grischa ihr für ihre erste Rolle im „Rosenkavalier" gegeben und von dem sie sich seither niemals getrennt hatte. „Tue ihn in meine Handtasche – ja? Meine Finger sind klebrig", sagte sie.

Wimpern ankleben ist eine heikle Sache. Katja beugte sich vor, dicht zum Spiegel. Die Wimpern saßen sogleich tadellos, wie sie es wollte.

Ihre Hände hatten aufgehört zu zittern.

Der goldene Vorhang schließt sich. Es ist vorüber. Sie haben es wieder einmal geschafft. Der Applaus klingt wie ein Sturm großer Hagelkörner, Bravorufe, gedämpft für ein paar Sekunden, bis der Vorhang wieder aufgeht und ein Orkan aus dem Haus über die Fußrampe fegt. So klingt ein großer Erfolg. So muß es sein.

„Zu! Vorhang zu!" schreit der schwitzende Inspizient Lebaron dem lachenden Mann am Hebel zu. „Und 'raus! 'raus! Milenkaja und Masuroff... das ist für euch! Wassja – schnell – führ sie hinaus!"

Auf und zu geht der Vorhang, dämpft das Beifallsgetöse und läßt es wieder anschwellen, ein Rhythmus wie von riesigen Brandungswogen, die gegen Uferklippen schlagen.

Hinter der Bühne ein rasendes Chaos, in das Bagoryan etwas Ordnung zu bringen versucht. Es war nicht genug Zeit gewesen, um die Applauskiste richtig zu proben. (Und hätte Miß Beauchamp für solchen Firlefanz Überstunden bezahlt? Ganz bestimmt nicht!) Jetzt springt sie in den Kulissen herum wie ein vergifteter Affe, schickt den alten Lebaron weg, überrennt Bagoryan, nimmt das Kommando an sich, verteilt das Personal mit strategischer Berechnung, um den Applaus, der das gar nicht nötig hat, bis zum letzten Tropfen auszupressen.

„Jetzt, Milenkaja! Allein ... nimm sie 'raus, Masuroff ...“

„Milenkaja! Bravo Milenkaja!" brüllen sie in den vordersten Reihen. Masuroff führt sie heraus, tritt in den Hintergrund, wartet dort in der vorgeschriebenen anbetenden Pose, sie wirft dem Publikum Küsse, das Publikum wirft ihr Blumen zu. Schon säumen die offiziellen Blumenspenden die Fußrampe: von Tedesco, von Mrs. Henry Elkan *née* Beauchamp, von den Mitgliedern des Komitees, den Direktoren, dem Schatzmeister, Mr. Bramble. Von denselben Leuten, die wahrscheinlich gleichzeitig passende Blumenarrangements für das morgige Begräbnis von Xenia Gabrilowa bestellten. Ein Zweig zitternder insektenhafter Orchideen ist Dirksens übliche Huldigung. Katja holt ihn besonders hervor mit einem Lächeln, einem Blick, einer besonderen Zärtlichkeit ihrer Finger, als sie die exotische Rispe an ihre Schultern steckt. Jetzt kommen spontanere Blumengaben durch die Luft gewirbelt, Fünfzig-Cent-Büschelchen von den Begeisterten in den Galerien, teure Ansteckblumen, die impulsive Damen von ihren eigenen Busen lösen und ihr zuwerfen — eine nette Geste, allerdings weniger geschätzt von den Begleitern der Damen, die diese Blumen bezahlt haben. „Vorhang auf ... 'runter ... jetzt auf ... sie rufen auch nach Masuroff ...“ Diesmal zieht Katja ihren Partner Masuroff heraus, der so tut, als wehrte er sich. Zusammen verbeugen sie sich; ihre Hände sind naß zum Auswinden und zittern, und beide sind noch außer Atem. Masuroff, als folgte er einem unwiderstehlichen Drang, küßt Katjas Hand, sie hebt ein Veilchensträußchen vom Boden und reicht es ihm, mit einer tiefen *révérence.* Jubelndes Crescendo von Applaus, Vorhang.

Es hatte eine angsterfüllte Sekunde gegeben, gerade vor dem Höhepunkt des *pas de deux,* hoch oben auf der Rampe, als alles vor Katjas Augen zu einer weiten weißen Leere wurde und sie die Musik nicht länger hören konnte in dem Dröhnen ihrer Ohren, der zersprengenden, erstickenden Überanstrengung von Lunge, Herz und Adern. „Warte ... halte mich ... hilf mir ...“, hatte sie verzweifelt gekeucht, haltlos in dem weißen Nichts verloren. Aber unter Masuroffs festem Griff, seinem beruhigenden Flüstern „*Ca va, ça va très bien,* es geht gut, *chérie,* ich bin bei dir", hatte sie sich schnell wiedergefunden. Im selben Augenblick, als der Vorhang herunterkam, war sie zusammengefallen wie ein siegender Wettläufer, wenn seine Brust das Band berührt hat. Masuroff hob sie auf, und selbst keuchend wie ein Blasebalg, trug er sie zärtlich die Rampe hinab. „*Ah, comme je t'aime, comme tu es adorable",* wiederholte er flüsternd.

Wie ich euch liebe, fühlte auch Katja, euch alle und jeden von euch einzeln. Sie waren alle da, diese teuren, wunderbaren, getreuen Idioten — ihr Publikum. Da war die elegante Gesellschaft, aber auch die armen, abgetakelten alten Ballettlehrerinnen in ihrer phantastischen Aufmachung. Die neuen Nerzmäntel und die alten gelb gewordenen Hermelinkrägelchen. Die blondgefärbten Jünglinge in vielen gertenschlanken Paaren. Die lauten Ballettnarren und die leisen, schüchternen Schwärmer. Die Intellektuellen und die dummen kleinen Mädchen in ihren steif-lieblichen Tüllkleidchen zu seiten ihrer kriegerisch entschlossenen Mütter, den Schrecken jeder Schule und Truppe. Und da waren die vielen Leute mittleren Alters, mit ihren sentimentalen, nebelhaften Erinnerungen an die Pawlowa, die Karsawina, und die nun der Milenkaja applaudierten. Und selbstverständlich war der wichtige engere Kreis da, ein paar berühmte Tänzer von konkurrierenden Tanzgruppen, leidenschaftlich applaudierend (genau wie Katja bei ihren Premieren applaudierte), und die weniger berühmten und deshalb desto kritischeren. Die Berufskritiker waren davongestürzt, um ihre Berichte zu schreiben – „ein sensationeller und wohlverdienter Erfolg", sagten sie –, aber ein Kern von Agenten, Regisseuren, Produzenten, Theater- und Fernsehberühmtheiten war noch da, unbewußt lächelnd, da sie den aufregenden Sauerstoff eines Erfolgs einatmen, selbst wenn es nicht der ihre ist.

„Vorhang – auf, schnell ... 'raus, Milenkaja, wo ist Joyce ... Sie rufen Joyce ...", schrie Miß Beauchamp, völlig außer Rand und Band. Katja ergriff Joyce Lymans zitternde Hand und brachte sie auf die Bühne. Der Applaus schwoll aufs neue an. Joyce hatte brillant getanzt, sie hatte ihren Applaus gleich nach ihrem Solo geerntet und war mit dem Bienenschwarm abgezogen, aber sie war so dringend gerufen worden, daß sie den Schreien nach einem *Da Capo* nachgeben mußten. Lazar hatte das Orchester in eine Wiederholung kommandiert, die, nebenbei bemerkt, Daniels' großen Effekt in Grund und Boden verdarb, da wo der Bienenkorb sich in die blaue Himmelsweite öffnet, andererseits aber ausnahmsweise genügend Zeit für den schwierigen Szenenwechsel ließ.

„Da geht einem das Herz über", sagte Mr. Bramble, überwältigt von seinen Gefühlen, als Katja und Joyce sich gemeinsam verneigten. Tatsächlich sahen sie wie Schwestern aus, die eine nur ein wenig älter und von einer blendenden geistreichen Schönheit, die andere knusprig und frisch, überrascht wie ein Kind vor seinem Geburtstagstisch.

„Du hast's geschafft, du warst großartig", flüsterte Katja ihr zu.

„Glaubst du? Wirklich?" fragte Joyce.

„Ja. Wirklich", wiederholte Katja. Das Lächeln, die Verbeugungen und die Küsse gehörten zum Theater, sie waren ein Teil der Vorstellung, aber dies war spontan und ehrlich. Sie legte ihren Arm um Joyces Schulter, drückte sie an sich. Dann lief sie ab, überließ Joyce die ganze Bühne und den ganzen Applaus.

Rowly hatte aufgehört, die Vorhänge zu zählen ... sechzehn, siebzehn ... sensationelle achtzehn ... Und nach der herzerfreuenden kleinen Szene der beiden begannen ein paar Leute, das Theater zu verlassen. Nicht viele, durchaus nicht, aber Miß Beauchamp, die den Applaus bis aufs letzte ausnutzen wollte, geriet außer sich. Jetzt, nachdem die Solisten ihren Anteil eingeheimst hatten, hieß es, das Publikum aufhalten, bis alle anderen ihr Teil abbekamen. Katja nahm die drei Jungen vom *pas de quatre* auf die Bühne, Masuroff brachte die vier Solobienen heraus, dann kam Katja mit Lazar und Bagoryan – sieht großartig aus in seinem Arbeitsgewand, dem schwarzen Sweater, den gutgeschnittenen Hosen, dem versilberten Haar zum gebräunten Teint, nicht wahr? –, und Bagoryan lief in die Kulisse und rollte Daniels auf die Bühne wie ein mächtiges Versatzstück.

Der berühmte Maler sah unfreundlich drein in der Absicht, einen nüchternen Eindruck zu machen; er hatte grüne Tatzen wie ein Seeungeheuer und einen großen blauen Farbfleck auf seinem steifen weißen Hemd – er war im Frack, wie er es bei Diaghileff gelernt hatte; aber seine weiße Binde war aufgegangen, denn er hatte hart hinter der Bühne gearbeitet, und plötzlich fühlte er einen betrunkenen Drang, eine Rede zu halten. Worauf Katja mit großer Geistesgegenwart sich an den Riesen schmiegte – es ließ sie unvergleichlich lieblich und zart erscheinen, und das wußte sie auch. Sie transportierte ihn ab und zog Olivia vor den Vorhang, schick und überaus einfach in einem schwarzen Abendmantel von Dior.

Und so ging es bis zu der großen Apotheose, als der Vorhang völlig zurückgezogen wurde und die ganze Truppe auf der Bühne aufgereiht stand. Miß Beauchamp wandte sich ihren Tänzern zu und applaudierte, und sie dankten Miß Beauchamp in einer vollendet ausgeführten *révérence*, die Mädchen mit tiefem Rokokoknicks, die Burschen mit ausladender Kavaliersverbeugung. „Kinder, meine Kinder", flüsterte sie, „ihr seid so gut, so schön, ich liebe euch alle, Gott segne euch!"

In den Kulissen streckte Tedesco die Hand vor und zeigte auf seine Armbanduhr. Es hieß: Wenn das so weitergeht, müssen wir Überstunden bezahlen, und Olivia verstand diese Art Pantomime sehr gut. Auf ein Lächeln und kurzes Zunicken ließ der Inspizient Lebaron die Hauslichter abdrehen, und der Vorhang schloß sich zum letztenmal.

Die Truppe jedoch stand noch immer in Reih und Glied, auf das Zeichen zum Abgehen wartend. Olivias wohldiszipliniertes Manhattan Ballett, ihre Schöpfung, ihr Lebenswerk, ihre eigene kleine Demokratie, ihre Welt, ihr Mikrokosmos, beständig um sich selbst rotierend.

Ein Bühnenerfolg ist ein berauschender Zaubertrunk, und sie liebte sie alle, jedes einzelne Mitglied ihrer Truppe, von den fiebrigen Anfängern und Schülern, die nur dazu dienten, eine zu dünne Reihe aufzufüllen, und dem Corps bis hinauf zu den Solisten und den Stars ganz oben. Sie hätte sie auch geliebt, wenn es kein Erfolg gewesen wäre. Sie hatten so schwer gearbeitet, sie waren so ehrgeizig und geduldig, so gehorsam – und so schlecht bezahlt.

Sie sah auf ihre strahlenden Gesichter, die meisten jung und hoffnungsvoll, bis auf die paar erfahrenen, nützlichen und ein wenig müden, die unentbehrlichen Säulen, wie Iris McGuire. Da war die kleine lustige Koreanerin Onaka, die talentierteste unter ihnen, und Ling aus dem Chinesenviertel, der jetzt schon besser war als Cecil Blaine. Die kleine Anita aus dem übelsten Stadtteil Chikagos, mit ihrer Zähigkeit und ihrem Gossenwitz, die entwickelt werden mußte, im Fall Joyce von einer Konkurrenztruppe weggeschnappt würde. Und Jenny mit ihrem gescheiten jüdischen Gesicht und dem hellen Verstand und ihrer unfehlbaren Musikalität. Die zwei Negerinnen von Harlem, die eine wie eine Nubierin, dunkel und ernst, die andere beinahe weiß, der sinnlich blühende Gwendolyntyp. Da war Lucia, eine große dramatische Schönheit mit dem italienischen Talent für Pantomime, und dann die Hoffmanns, Mann und Frau, Import von Deutschland, überlegen und zurückhaltend und ausgezeichnete Akrobaten. Die niemals fehlenden Ungarn und dann das junge Kubanerpaar, ebenfalls miteinander verheiratet, und ein ungemein vielversprechender und ernsthafter Junge von Barbados und slawische Typen wie Larry Klotzky. (Wir müssen wirklich einen besseren Namen für ihn finden! dachte Olivia.) In dem Schwung, in der Kraft dieser Mischung, in ihrem technischen Können, in der Freude am Tanzen und an Experimenten aller Art waren sie eine ausgesprochen amerikanische Truppe. In allen anderen Künsten hatte Amerika seine Anregungen und Inspirationen von anderen Kulturen erhalten, aber im Tanz fand die Begabung der jungen Nation ihren eigenen Ausdruck.

Jedes dieser jungen Geschöpfe war zu Anfang gewarnt worden – vom Maestro, von Bagoryan und von Olivia selbst –, wie schwer und mühevoll es war, ein guter Tänzer zu werden, wie eisern die Disziplin, wie bescheiden die finanziellen Möglichkeiten. Seit Hunderten von Jahren hatten die großen Lehrer in Wort und Schrift diese Warnung wiederholt. Und trotzdem, in einer Generation nach der anderen, bestanden Kinder und junge Leute darauf, daß sie nichts anderes sein konnten als Tänzer. Geborene Tänzer sind Besessene.

Das wußte auch Oliva, denn sie selbst hatte damit gerungen, und sie lebte heute noch unter den Dädalusschwingen dieser nie zweifelnden Besessenheit, die alle diese jungen Leute, trotz ihren eigenen Individualitäten, ihrer verschiedenen Herkunft, Erziehung, ihren persönlichen Charakteren, Problemen, Vorlieben, ihrem rasenden Ehrgeiz und ihrer mörderischen Eifersucht, in einen einzigen Körper zusammenschweißte, einen Pulsschlag, ein Herz – das Manhattan Ballett.

„Kinder", sagte sie mit bewegter Stimme. „Wir haben's wieder einmal geschafft. Ihr habt es wieder einmal geschafft, und ich danke euch dafür. Vielleicht irre ich mich. Aber ich habe das Gefühl, daß dieses Ballett und dieser Abend in die Geschichte des Balletts eingehen werden. Es würde mich nicht wundern, wenn es in hundert Jahren noch getanzt werden wird. Also – hebt das heutige Programm gut auf, es wird vielleicht einmal einen Liebhaberwert haben."

Lachen und Applaus, beendet von Miß Beauchamps erhobener Hand: „Moment – ihr habt auf dem Schwarzen Brett gelesen, daß morgen um zehn Uhr die Begräbnisfeier für unsere große Xenia Gabrilowa stattfindet. Natürlich wird das Manhattan Ballett würdig vertreten sein, und ich sandte in eurem Namen ein Blumenarrangement, eine Decke, ganz aus Gardenien mit einem großen Strauß von weißem Flieder in einer Ecke." Trauriges Zustimmungsgemurmel. „Selbstverständlich sind diejenige, die dem Gottesdienst beiwohnen wollen, willkommen. Aber morgen ist Samstag, und ich möchte am Abend kein müdes Ensemble für die zweite Aufführung der ‚Bienen' sehen. Deshalb – alle, die sich vor der Gemütsbewegung eines Begräbnisses fürchten, sind entschuldigt. Ich möchte sogar sagen, alle, die in der Nachmittagsvorstellung tanzen, sollten besser zu Hause bleiben. Ich weiß nicht, wie lange so ein Gottesdienst in der griechisch-katholischen Kirche dauert und was für Anordnungen Mr. Braslink getroffen hat, und deshalb – nun, es ist sehr spät, und ich will euch nicht länger auf euren müden Beinen halten. Ihr wart großartig, und ich bin überzeugt, ihr werdet morgen ebensogut, wenn nicht noch besser sein als heute. Gute Nacht, meine lieben, lieben Kinder."

„Abbau?" rief eine rauhe Stimme von oben. „Ja, abbauen!" antwortete Lebaron, und unter den verlöschenden Lampen fiel die Dekoration auseinander wie das Zusammenlegspiel eines ungeduldigen Kindes, während die Mitglieder der Truppe sich singend, lachend, rufend, pfeifend in ihre jeweiligen Garderoben begaben.

„Warum dieser plötzliche Umschwung? Erst hat sie alle feierlich verpflichtet, zu Gabris Begräbnis zu kommen, und jetzt . . .?" fragte Katja Bagoryan, der an ihrer Seite von der Bühne wanderte. „Tut's dir leid?"

„Ich wäre doch keinesfalls gegangen. Ich tauge nichts auf Begräbnissen, und ich will Gabri so in Erinnerung behalten, wie ich sie zuletzt gesehen habe. Herrgott, ist das wirklich erst zwei Tage her?"

„Die Russen haben gesiegt. Genauer gesagt, das Russische Ballett, ganz genau Peter Petrowitsch Broslinick. Es ist *ihre* Gabrilowa, die starb, nicht unsere. Es ist *ihre* große Gelegenheit, so zu schluchzen und zu weinen, wie wir es nicht könnten. Sie werden ein ganz großes Theater damit hermachen, mit russischen Leichenreden und russischen Gesängen und russischen Bräuchen. Und nachdem Olivia ein Arrangement mit sechshundertvierzig weißen Gardenien schickte, hat Broslinick es irgendwo in den Hintergrund gehängt und *ihr* Arrangement auf den Sarg gelegt, zweimal so groß und fünfmal so teuer."

„Wie Gabri in ihrem Sarg gelacht haben muß!" sagte Katja mit abwesendem Lächeln. Ihr Bein schmerzte, und sie dachte, ob Mirko wohl bemerkte, daß sie – nun nicht geradezu hinkte, aber doch mehr Gewicht auf den einen Fuß legte als auf den anderen.

„Kann ich dich ins Bistro führen? Alle werden dort sein und auf die Morgenausgabe warten", sagte Bagoryan an der Tür zu ihrer Garderobe.

„Danke, nein, Mirko. In dieser ganzen Woche hatte ich, alles zusammengerechnet, nicht die acht Stunden Schlaf, die andere Leute jede Nacht kriegen. Ich möchte nur nach Hause gehen und schlafen und schlafen und schlafen, bis es Zeit für die morgige Vorstellung ist." Sie hob sich auf die Zehenspitzen und küßte ihn. Seine Lippen schmeckten nach starkem Kaffee und ägyptischen Zigaretten, angenehm und sehr vertraut. „Gute Nacht", sagte sie lächelnd, „du historische Figur in der Ballettgeschichte."

„Hör mal, Milenka – während ich dir heute abend zusah, hatte ich eine großartige neue Idee", sagte er.

„Ja? Das ist aber schön, Mirko. Willst du sie mir erzählen?"

Eine neue Idee. Eine großartige neue Idee. Immer waren sie damit zu ihr gekommen: Grischa, Daniels, Lazar, Bagoryan, Olivia, Dirksen, Elkan. In seltenen Fällen sogar Olycheff. Tänze, Ballette, Libretti für Ballette, Musik für Ballette, Essays, Fotografien und Skizzen und Bilder. Sie hatten die Ideen, die Männer, aber sie brauchten sie, Katja, als Hebamme.

Auch Ted. Im Anfang, als er noch in Aminosäuren und Proteinforschung steckte. Und selbst bei ihrem letzten Gespräch, diesem unglückseligen Gespräch in der frierenden Erschöpfung des Morgengrauens, über einen Abgrund hinweg, hatte er mit ihr von seinem Experiment gesprochen, über Gebiete, von denen sie so viel mehr wußte, als er jemals wissen würde.

„Willst du mir's morgen erzählen? Wenn ich wieder frisch bin?" fragte sie, obwohl sie fühlte, daß sie in ihrem ganzen Leben nie wieder frisch sein würde.

„Nein – ich kann dir's gleich sagen. Es ist eine große Inspiration. Eine der besten Ideen, die ich jemals hatte."

„Ja?"

„Wenn du geschieden bist – warum heiratest du nicht mich? Katinka, süße, liebe, meine Milenka..."

„Ich muß sehr gut getanzt haben, daß du mich mit einem solchen Antrag ehrst", sagte sie, um ihre Verlegenheit zu bemänteln.

„Du hast getanzt wie nie zuvor, Katinka. Eine ganz neue Frau. Ich habe nicht die Hälfte von dir gekannt – niemand hat dich gekannt. Du hast den Gipfel erreicht. Von hier an..."

„Gib acht, daß du dich nicht nochmals in mich verliebst", sagte Katja, in voller Flucht begriffen.

„Ich habe nie aufgehört", sagte er.

Nun, das war Mirko. So liebenswert, so schwerelos und so unmöglich in seiner ewigen Rolle als Liebhaber und Ehemann. Es hatte gar nichts zu bedeuten. „Du bist lieb, Mirko – und ich bin jetzt todmüde. Wir wollen's überschlafen, ja? Gute Nacht, Lieber."

„Abgeblitzt!" sagte er, mit einer kleinen Grimasse, als hätte er auf einen Kirschkern gebissen. „Giá! – Wir wollen es überschlafen – jeder in seinem eigenen, einsamen Bett. Servus."

Er ging den Korridor entlang, klopfte an Joyces Türe. „Wer ist da?" rief sie.

„Du warst gut. Gratuliere!" rief er und ging weiter. Seine Schultern sackten ein wenig vor, aber er holte tief Atem, streckte sich gleich wieder, und ein kleines gepfiffenes Motiv aus Mozarts A-Dur-Klavierkonzert verklang mit seinen Schritten die Treppe hinab.

„Höre, kommst du mit ins Bistro?" fragte Joyce, als sie Johansson in der Portiersloge wartend vorfand.

„Gern. Auf geteilte Rechnung?"

„Mehr als das. Ich führe dich aus, wenn die Höchstkommandierende es nicht tut. Herrgott, wenn ich heut nacht nicht feiere, tue ich es nie", sagte Joyce; sie schwebte in Wolken, seit sie ein kleines Briefchen gelesen hatte, das Stan Tedesco auf ihrem Ankleidetisch hinterließ.

„Hoffentlich war es nicht gar zu anstrengend", sagte Elkan. Er schaltete die Scheinwerfer aus und stellte die silbernen Papptafeln weg, deren Widerschein auf den Gesichtern der Tänzer er meist benutzte, um die Illusion von Rampenlicht zu erzeugen.

„Ist schon gut", sagte Katja lustlos. „Aber weshalb, um Himmels willen, hatte es nicht Zeit bis morgen?"

Es war lange nach Mitternacht, und sie waren seit dem Schluß der zweiten Vorstellung an der Arbeit gewesen. Aufnahmen aller Arten, Charakterstudien, repräsentative Bilder, künstlerische Bilder auf der Bühne, in den Kulissen, in ihrer Garderobe. Kostüme wechseln, Posen, Gesichtsausdruck immerfort wechseln. Sehr ermüdend. Sie blinzelte mit ihren schmerzenden Augen und rieb sich ein wenig Wärme in ihre Wangen.

„Tedesco kriegt schon Krämpfe, er braucht die Fotos morgen früh. Ich werde die ganze Nacht daran arbeiten müssen, entwickeln, vergrößern et cetera, sonst werden sie nicht rechtzeitig fertig. Die Reklame für die Tournee, weißt du . . ."

„Schade, daß er nicht früher daran dachte", sagte Katja. Sie erinnerte sich der bösen Stunden, die sie erst vor einer Woche damit verbracht hatte, sich wegen ihrer Fotografien zu kränken. („Miß Beauchamp will, daß wir die bezaubernden Bilder benutzen, die Elkan vor drei Jahren von Ihnen gemacht hat, Miß Katja – Sie werden niemals bessere bekommen." Mit anderen Worten: Miß Katja, Sie sind alt geworden.) Nun, heute singen sie ein ganz anderes Lied, und warum? Weil diese Idioten im Publikum Bravo schreien? Weil dieses herablassende Zeitungsgesindel die Güte hatte, mich zu loben? Ich bin heute nicht jünger als vor einer Woche. Vielleicht habe ich gestern besser getanzt als je zuvor – ja, das glaube ich selbst. Und was bleibt mir übrig, nachdem ich mein Bestes gegeben habe? Oh, rutscht mir alle den Buckel 'runter.

„Sag dem Tedesco, er soll sich nicht aufregen. Ich habe noch nicht für die Tournee unterzeichnet."

„Aber, das ist doch nur eine Formalität, Katja – oder?" fragte Elkan nach einem schnellen abwägenden Blick auf sie.

„Kannst du das Ding da hinten aufknöpfen? Ich hätte wirklich Louisa nicht heimschicken sollen", sagte sie, eine Antwort vermeidend. Er gehorchte, mit der Geschicklichkeit eines verheirateten Mannes, der außerdem daran gewöhnt war, Modemodellen und Tänzerinnen beim Wechseln von Kostümen zu helfen. Katja schlüpfte in ein altes dunkelblaues Kleid, das sie ihre Uniform nannte und das sie meist trug, wenn sie zur Arbeit ging.

„Jetzt siehst du aus wie ein Waisenkind. Ein trügerischer Eindruck."

„Ich *bin* ein Waisenkind. Gib mir eine Zigarette, Lieber, sei so gut."

„Was ist los? Der übliche Kater? Zweite Aufführungsmüdigkeit?"

Katja zuckte die Achseln; sie stand vor dem Hochzeitskostüm der Bienenkönigin, betrachtete es zerstreut, ließ ihre Finger über die hauchzarten Flügel gleiten. „... Sobald sie ihre Flügel zusammenfaltet, vergißt sie das Theater...", hatte jemand über die Taglioni geschrieben. Katja seufzte. Es war nicht so einfach, das Theater zu vergessen.

„Macht's dir was aus, wenn ich eine Aufnahme mache, so wie du wirklich bist?" sagte Elkan und legte die Rolleiflex hin. Er hatte ihr Gesicht bereits festgehalten, das halbe Lächeln, die verschleierte Melancholie, den Zigarettenrauch, das fragende Staunen für immer in ihren Augen.

Katja wandte sich rasch zu ihm. „Aber wie bin ich *wirklich?* Kannst du mir das sagen?"

„Du bist... vor allem bist du ein D. P. – heimatlos."

„Ich bin eine amerikanische Staatsbürgerin, bitte sehr", sagte sie, leicht persiflierend.

„Ich weiß, ich weiß. Wir alle sind ja amerikanische Staatsbürger geworden, du und ich und Mirko; sogar Daniels. Aber wir sagen niemals ‚Wir Amerikaner'; immer nur ‚Ihr Amerikaner'."

„In Frankreich sage ich ‚Ihr Franzosen'. Und in meiner Heimatstadt Wien sage ich ‚Ihr Wiener'!"

„Ja. Selbstverständlich. Du bist eine Fremde, wohin immer du gehst. Das versteht sich von selbst. Was ich meine, ist – heimatlos – auch in der Zeit."

„Wie bitte?"

„Du glaubst doch nicht wirklich, daß du in unserer Zeit zu Hause bist? Vor allem glaubst du absolut und durchaus an die unechte Barockwelt des Balletts. Und du hast eine Berufung, eine Aufgabe – was für altmodische Worte. Kein Körnchen von Zweifel oder Zynismus in dir, wenn's zum Tanzen kommt, was? Du bist außerstande, das kleinste Stäubchen deiner Überzeugung für Geld aufzugeben – und das in einer Zeit, in der jede Rotznase vor allem anderen Sicherheit verlangt, und der Mann, der sich aufs Verkaufen versteht, der Held des Tages ist. O meine arme Katja, was für eine verlorene Träumerin du bist, was für eine sonderbare Heilige und gläubige Erzeugerin von Schönheit, Grazie, Heiterkeit und all den kindischen Wundern des Balletts! Und noch etwas: Du bist treu. Du bist die personifizierte Beständigkeit in einer Zeit, in der nichts, aber auch gar nichts, beständig ist. Du bist durch und durch ein Anachronismus. Heimatlos, meine Liebe, vollkommen heimatlos!"

„Ich kann dir noch ein paar Dinge aufzählen, die wir Tänzer haben müssen und die nicht gerade zeitgemäß sind. Disziplin zum Beispiel, Selbstdisziplin vor allem. Respekt vor der Autorität unserer Lehrer. Höflichkeit, gute Manieren, Tradition. *Tiens* – warum nennst du uns fremd und falsch am Ort? Könnte es nicht sein, daß im Augenblick die Zeit selbst sich verirrt hat und daß dies die bleibenden Dinge sind?"

Elkan zuckte die Achseln. Zum drittenmal tauchte der Nachtwächter an der Tür auf und rasselte vorwurfsvoll mit den Schlüsseln. „Ja, Bill, wir gehen schon. Sie können jetzt absperren."

Die Nacht war warm unter einer Wolkendecke. Hinter dem Theater war es verhältnismäßig still, während vorne der Broadway laut und grell mit seinem Gedränge von blassen, ruhelosen, scharfgesichtigen Großstadtmenschen vorbeiströmte. Aus guten Gründen fürchtete sich Katja, in ihr abscheuliches Zimmer mit dem einsamen Bett zurückzukehren, allein mit ihren Gedanken zu bleiben.

„Wir wollen zu Fuß gehen, ja, Elkan? Ein bißchen frische Luft, oder bist du zu müde?"

„Wenn du nicht zu müde bist", sagte er, und trotz seiner kurzen Beine versuchte er, mit ihr Schritt zu halten.

„Manchmal", sagte Katja, „manchmal beneide ich die Mädels, die gerade gut genug tanzen, um sich über Wasser zu halten. Die Mittelmäßigen – die Iris McGuires, die Stepanownas. Sogar die Schlampen und Niemande in Nachtklubs und Varietés. Die sind sicherlich nicht ein bißchen verloren und heimatlos. Die müssen sich nicht damit abquälen, ihr Niveau zu halten, mit sich selbst zu wetteifern, ihren eigenen Rekord wieder und wieder zu brechen. Ich sag' dir was, Elkan: Wenn man erst einmal eine erstklassige Tänzerin ist, dann sitzt man in der Falle."

„Jedermanns Leben ist eine Falle."

„Deins auch? Sitzt du in einer Falle?"

„Aber gewiß. Wenn du dich erinnerst – ich habe ein Mädchen geheiratet, die war so arm, daß sie ihre Sachen verpfänden mußte, um sich Ballettschuhe zu kaufen; ich konnte das Leben für sie etwas leichter machen, ich konnte sie von meinem kleinen Gehalt erhalten; das ist nichts Großartiges, aber ich war stolz darauf. Dann kamen die Lathamschen Millionen über mich wie eine Lawine, und jetzt bin ich Miß Beauchamps Gatte. Ich spiele mit meinen Kameras herum und rede nur, wenn ich gefragt werde."

„Unsinn, Elkan. Olivia braucht dich. Ohne dich würde sie einschrumpfen und herunterfallen wie ein durchlöcherter Luftballon."

306

„*Stopp!*" sagte die Verkehrsampel an der Straßenecke. Elkan nahm Katjas Ellenbogen, während er ihre Worte überlegte. Und wartend dachte Katja: Das klingt wie ein Echo von irgendwo, Teds: „Erinnere dich, in welchem Zustand du warst, als wir heirateten. Schwach, verloren, hilflos . . ." – „*Walk*", sagte die Ampel, und sie kreuzten die Sechste Avenue.

„Ja, vielleicht braucht sie mich", sagte Elkan nachdenklich. „Ich glaube, gelegentlich braucht sie mich. Siehst du, Katja, das ist die alte Krankheit. Was wir am dringendsten brauchen, ist, gebraucht zu werden. Wir alle wollen uns verschenken, aber es ist keine Nachfrage da." Er deutete mit einer Geste auf die Straße, wie um die Wirklichkeit des Hintergrundes, gegen den sie lebten, anzudeuten: die schäbigen Pfandleiher, die protzigen Wolkenkratzer und Kinos; der schleimige Abfall eines Gemüseladens auf dem Pflaster, die kleinen dunklen Bars, ein Trödelladen, mit den Gespenstern alter Abendkleider in der Auslage, knapp neben einem luxuriösen Hotel. Und all dies gesprenkelt mit Betrunkenen, fröhlichen in fröhlichen Gruppen und melancholischen, mutterseelenallein und in vorgeschrittenem Stadium.

„Du gibst mir das Gefühl, furchtbar unnütz zu sein – und heute nacht bin ich grad in der Laune, dir recht zu geben", sagte Katja. Ein lässiger Wind hatte sich erhoben, und als sie am Ziegfeld-Theater vorbeikamen, fielen ein paar erste Regentropfen aufs Pflaster, wo sie nasse Flecken, so groß wie Untertassen, hinterließen.

„Komm schnell, Katja, laß uns irgendwo einen trockenen Unterstand finden und einen Bissen essen. Die russische Teestube? Nein? Könnte nicht sagen, daß ich selbst ein besonderes Bedürfnis hätte, die ganze Bande heute abend nochmals zu sehen. Linsensuppe bei Schwerdtfeger? Du mußt wirklich etwas essen, ich bestehe darauf. Louisa hat sich bitter beklagt, daß du in letzter Zeit kaum etwas ißt, und bei all der Arbeit, die du tust . . ."

„Louisa benimmt sich wie eine alte, dumme Amme, die nie gehört hat, daß man Babys nicht überfüttern soll. Ich esse, wenn ich Hunger habe."

„Hör mal, mein Kind, als Hausierer fotografischer Schönheiten erlaube mir zu sagen, daß du zu mager wirst. Und da ich nun einmal versprochen habe, nach dir zu sehen . . ."

„Nach mir zu sehen? Wem versprochen? Olivia? Was geht das sie an? Ich sage ihr nicht, wann ihr eine Diät gut täte, und ich lasse mir nicht von ihr vorschreiben, wann und was ich essen soll. Verzeih, Elkan."

Plötzlich war aus dem Wind ein Sturm geworden, aus dem Regen ein Wolkenbruch. Elkan stülpte seinen Kragen auf, ergriff Katjas Arm, rannte mit ihr um die Ecke und in das warme dampfende Asyl von Schwerdtfegers Gaststube. „Tut mir leid, wenn du nasse Füße bekommen hast", sagte er, nachdem er sie sicher an einem Tisch untergebracht hatte.

„Ich habe *gern* nasse Füße", erklärte Katja eigensinnig.

Elkan lachte leise. „Bloß der Ordnung halber: Es war nicht Olivia, sondern dein Mann, der mich beauftragt hat, nach dir zu sehen. Zigarette . . .?"

„Mein – mein Mann? Du meinst – Ted? Dr. Marshall? Wann . . .? Wieso . . .? Warum?"

„Gestern. Bei der Premiere. Ich bin während der Pause in ihn hineingerannt. Er schien einigermaßen besorgt, daß du dich überarbeitest. Er scheint zu denken, daß du geneigt bist zu vergessen, daß du einen Nagel in der Hüfte hast. Er fragte mich, ob ich bemerkte, daß du dein Gewicht nicht ganz gleichmäßig verteiltest."

Katja schnappte nach Atem, schob die heiße Suppe fort. „Du meinst – er war in meiner Premiere? Aber warum . . .? Wenn . . . Sag mir: war er allein? Aber warum ließ er mich das nicht wissen? Warum hat er nicht selber mit mir gesprochen? Was bedeutet das?"

„Das mußt du mir erklären, meine Liebe. Ich bin bloß der mehr oder weniger unfreiwillige Zeuge. Wie gewöhnlich."

Katja starrte Elkan an, aber sie sah ihn kaum. Ihr Herz klopfte so laut und stark, daß es sie erschreckte.

„Wir sind nicht auf Sprechfuß, das ist alles. Unsere Ehe ist in die Brüche gegangen. Dr. Marshall hat mich um eine Scheidung gebeten."

„Verdammt noch einmal! Wegen deines kleinen Flirts mit Masuroff? Er muß ja verrückt sein."

„O nein, die Sache liegt umgekehrt. Er will ein Mädchen heiraten, das halb so alt ist wie er. Oder eigentlich: halb so alt wie ich."

„O mein Gott! Und bist du dumm genug, ihm die Scheidung zu geben?"

„Was sonst bleibt mir übrig? Wir gehören nicht zu den Leuten, die aus der Ehe ein Gefängnis machen." Katja bemühte sich um ein überlegenes Lächeln, als nähme sie die Sache leicht. Dann beugte sie sich über ihren Teller, um ihr Gesicht zu verbergen, und begann, die Linsensuppe in sich hineinzulöffeln. Elkan seufzte. Er kannte sie seit fünfundzwanzig Jahren, er hatte sie sehr gern, und er war auch ein wenig erregt über die seltene Gelegenheit, die sie ihm heute nacht bot, mit ihr zu sprechen; vielleicht auch zu helfen?

„Katja – bist du jemals analysiert worden?"

„O nein, danke. Wenn man erst alles, was in mir ist, auseinandernehmen würde, ich glaube, ich könnte nie mehr tanzen. Es ist die undurchsichtige Dämmerung in unsereinem, die mich in Gang hält, wozu darüber reden?"

„Immer noch Grischa?"

„Nein. Dieses Gespenst bin ich endlich losgeworden. Mit Masuroffs freundlicher Hilfe."

„Gut. Sehr gut. Solltest du mich fragen, was du sonst tun könntest – nun, du könntest zum Beispiel kämpfen. Deinen dummen

Stolz hinunterschlucken – dir deinen Mann zurückholen. Und ihn festhalten – wenn du fühlst, daß er es wert ist, ihn zurückzuerobern und festzuhalten."

„Kämpfen? Wie? Um einen Mann kämpfen ist nicht dasselbe wie um eine Rolle kämpfen."

„Du könntest zum Beispiel ...", begann Elkan – und es war ihm klar, daß er im Begriff war, einen bodenlosen Verrat an Olivia zu begehen –, „du könntest das Tanzen aufgeben und dich auf deinen Mann konzentrieren. Zum mindesten für einige Zeit", fügte er hastig hinzu, weil die drei Runzeln zwischen ihren Brauen erschienen. „Du hast noch nicht für die Tournee unterzeichnet – wenn ich dich richtig verstanden habe?"

„Das Tanzen aufgeben? Aber Elkan, wie kann ich leben, ohne zu tanzen? Ich habe es ja schon zuvor versucht, und es ist nicht gegangen. Es scheint unmöglich. Und doch ..."

„Und doch wirst du eines Tages aufhören müssen. Dich vom Ballett zurückziehen – verzeih, daß ich es so plump heraussage ..."

„Ich weiß. Aber das ist eines von den Dingen, die man sich nicht vorstellen kann, an die man niemals wirklich denkt. So wie – so wie man nie ans Sterben denkt. Ich weiß, daß ich eines Tages sterben werde. Alles wird vorüber sein. Ich werde nicht mehr dasein, und alles wird weitergehen wie zuvor. Ohne mich. Trotzdem – ich liege nicht nachts schlaflos da und grüble darüber nach. Tust du das?"

„Wenn ich es täte, würde ich es bestimmt nicht zugeben."

Katja biß sich auf die Lippen; Elkan hatte einen schweren Herzfehler, aber er war ein so zurückhaltender Mensch, man vergaß immer wieder, daß auch er seine Sorgen hatte.

Nachdem sie mechanisch ihre Suppe ausgelöffelt hatte, stand Elkan auf, um sich nach einem Taxi umzusehen. Katja blieb allein am Tisch sitzen, kleine Fetische aus Frau Schwerdtfegers dunklem Brot knetend.

Sie fragte sich, warum zwischen gestern abend und heute in ihr selbst und in ihrer kleinen Welt ein so ungeheurer Wandel stattgefunden hatte. Dunkel erinnerte sie sich an eine Aufführung von „Parsifal" mit fürchterlich plumpen Kulissen – war es im *Théâtre de la Monnaie* in Brüssel gewesen? –, als in einem einzigen Augenblick, wenn auch unter großem Maschinengetöse, alle Blumen und der ganze Betörungszauber von Klingsors Garten in eine aschfarbene kahle Wüste verwandelt worden war.

Es hatte keinen Lärm, keine Hexerei gegeben, und trotzdem, ohne jedes Getöse, ohne einen klaren Grund, hatte ihre Welt über Nacht allen Glanz und Zauber verloren. Das Ballett stand plötzlich da, kahl und kalt, außerhalb unserer Zeit und eigentlich ganz unwichtig. Der Tanz, natürlich, das war etwas anderes. Der Tanz war etwas Ewiges, soweit die Ewigkeit unseres kleinen, abgekühlten, gefährdeten Planeten eben reicht. Flüchtig entsann sich Katja ihrer kindischen Tänze auf dem Rasenrondeau im Park, der kunstlosen

Sprünge, der endlosen Drehungen, bis sie in ekstatischem Schwindel umfiel. Keine Technik, keine schwere Arbeit, keine Schmerzen, keine Bühne, keine bittere Konkurrenz, kein Publikum. So hatten Platos Götter getanzt, die Grischa zitiert hatte; aber auch die Bauern auf ihren Kirchweihen, die letzten Eingeborenen in ihrem Dschungel, auch die jazz-verrückten Jungen, Körper heiß an Körper gepreßt, auf Tausenden von Tanzböden überall in der Welt.

Aber nochmals auf eine Tournee zu gehen, dazu hatte Katja gar keine Lust, und zwar nicht, weil sie jetzt müde und weil es spät war. Mit klaren Augen sah sie zurück auf die Langeweile ihrer vielen Reisen, mit Flugzeug, Eisenbahn, Autobus, Schiff, die Schwierigkeiten mit Zollbeamten und unverständlichen Sprachen, Japanisch, Türkisch, Schwedisch und was sonst noch alles. Die Komitees und provinziellen Berühmtheitskletten, die einem Blut und Energie aussaugen, die ewig gleichen langweiligen Reporterfragen, die vertauschten Gepäckstücke, das Wettrennen zum Hotel, zum Theater, zu der Halle oder in wie auch immer beschaffenen stallartigen Lokalitäten man seinen steifen Körper für die nächste unbefriedigende Aufführung anwärmen konnte. Die falsche Beleuchtung, die unausbleiblichen Unfälle in den kleinen Städten; die Aufführung, die schlampiger und schlampiger wird, während jeder in der Truppe – sie selbst inbegriffen – von Tag zu Tag müder wurde. Die Dekorationen und die Kostüme werden schäbiger und schäbiger und als Mitglieder nervöser und nervöser und dann die großen Streitigkeiten und die kleinen Tragödien und die *qui pro quos* und gezückte Dolche im Rücken und sechs Monate alte Ehen, die rechts und links auseinandergehen wegen neuer Liebesaffären, neuen Gruppierungen von Paaren – normalen und homosexuellen – ein Ballett für sich. Und nach der Tournee eine neue Saison. Nacht für Nacht auf der Bühne stehen in dem ewig gleichen Repertoire, krank oder gesund, müde oder ausgeruht, ganz gleich, ob man in der Laune ist, zu tanzen oder Selbstmord zu begehen; wölbe deinen Spann, stell dich auf die Fußspitze, dreh deine Pirouetten wie ein wohltrainiertes Tier und mit was für Partnern immer du zu tun bekommst. Jesus, Maria und Josef, ist das alles, was ich vom Leben weiß und will? Aber warum gerade jetzt, wenn ich die Schlacht gewonnen habe und auf dem Höhepunkt des Erfolges bin, wenn ich Stan Tedesco und Olivia meine eigenen Bedingungen diktieren kann – warum ist es mir gerade jetzt wertlos geworden? fragte sich Katja.

„Das Taxi wartet", sagte Elkan, er glitzerte von Regentropfen wie eine kleine Eule, die der Sturm bei der Jagd erwischt hat. Katja lächelte ihm mit aufleuchtenden Augen zu. „Du hast recht, Elkan, die heiße Suppe hat mir gutgetan. Jetzt geht's mir wieder gut. Leicht. Irgendwie befreit. Wie aus einem Gefängnis entlassen.

Weißt du", sagte sie, während er ihr in den Mantel half – es war nicht der alte Kamelhaarmantel, aber eine genaue Kopie –, „weißt du, wir sind alle Gefangene. Wir bauen unser eigenes Gefängnis und sperren uns darin ein. Jeder ist vor sich selbst auf der Flucht. Schön, einem Ballett zuzusehen ist für eine Anzahl von Leuten eine der hübscheren Arten, sich selbst zu entgehen. Grischa pflegte zu sagen: Wenn es nicht imstande ist, das Publikum seine Zahnschmerzen vergessen zu machen, dann ist es kein gutes Ballett. Aber, weißt du: Ballett selbst ist ein Gefängnis, ein ziemlich strenges sogar, und wohin können wir Tänzer entfliehen? Meine Flucht war: mein Heim. Ted. Mein Haus, mein Garten, mein Mann, mein Kind; sogar meine Küche, ob du's glaubst oder nicht. Ich glaubte das alles zu hassen, aber, du lieber Gott, wie habe ich mich geirrt! Wenn ich mich nicht in meine eigene kleine wirkliche Welt flüchten kann, dann kannst du das ganze Ballett haben und den Mond dazu!"

„Schon recht, schon recht", sagte Elkan, einigermaßen besorgt, obwohl er gern ein paar Bilder von ihrem erregten Gesicht gemacht hätte. In der Dunkelheit des Taxis, das nach Zigaretten roch, lächelte ihm Katja zu. „Hast du heute früh das Erdbeben bemerkt? Ungefähr um acht?" fragte sie.

„Das war kein Erdbeben. Vielleicht ein Düsenjäger, der die Schallgrenze durchbrochen hat."

„Natürlich war es kein Erdbeben, es fühlte sich bloß so an. Es war mein kleiner Enkel, Guy, du besinnst dich auf ihn? Meine Schwägerin hatte ihn auf meinem Bett deponiert, um acht in der Früh. Sie hat keine rechte Vorstellung vom Stundenplan einer Ballerina. Sie liebt das Kind, aber sie weiß nichts mit ihm anzufangen, also brachte sie es zu mir."

Katja lachte leise, als sie sich erinnerte, wie zornig sie gewesen war, um diese unmögliche Stunde geweckt zu werden, und an die überflutende Freude gleich darauf, als sie das Kind auf ihrem Bett entdeckte. Lachend, schreiend, federnd hatte es seine Ärmchen um ihren Hals geschlungen und sie beinahe erstickt mit seinen nassen Bubenküssen und männlichen Umarmungen. „Hier lebst du, Zuckerpfläumchen?" fragte er, sich im Latham-Schlafzimmer umsehend, das ihm vielleicht eine genügend phantastische Umgebung für eine Fee erschien.

Am Nachmittag hatte sie ihn mit Louisa in die Matinee geschickt, um vor der Vorstellung ein wenig ruhen zu können; man hatte das Nußknackerballett gegeben, das er schon zuvor einmal gesehen hatte. Und da war ihm etwas geschehen, etwas so Entscheidendes, daß sein Leben nie wieder ganz so sein würde wie zuvor.

Es war bloß, daß nicht Katja, sondern Iris McGuire die kleine Fee tanzte. Aber es war eine plötzliche Entzauberung, ein ernüchterndes Erlebnis, ein schmerzliches Sich-Zurechtfinden; eigentlich dasselbe, was Katja erlebte, nur im kleinen. Es hatte den Jungen seines Geheimnisses und sie alles Geheimnisvollen beraubt. Bloß, daß man mit sechs Jahren elastischer ist als mit sechsundvierzig. „Wie ich klein war, war ich so dumm", hatte Guy ihr berichtet,

„wie ich klein war, dachte ich, es gibt wirkliche Feen. Ich habe geglaubt, du bist eine Fee – denke dir, so dumm war ich!"

„Aber du weißt doch, daß ich deine Großmutter bin – ist das so schlimm?"

„Nein. Ich mag dich gern als Großmutter haben. Bloß – was sie im Theater tun, ist alles bloß ein Schwindel. Preston hat's ja immer gesagt!"

„Nun, Kasperl, ich würde es keinen Schwindel nennen. Man nennt das eine Illusion. Und es ist hübsch, nicht? Es hat dir Freude gemacht – nicht wahr?" erklärte Katja; noch einmal versuchte sie, Wirklichkeit und Wahrheit unter einen Hut zu bringen.

„Eine Illusion ...", hatte Guy gesagt, das große neue Wort für sein Vokabularium prüfend. „Also gut, ich will's Preston erzählen. Bloß – ich werde ihn nicht mehr sehen, wenn ich bei dir bleibe. Versprich mir, daß ich bei dir bleiben kann. Bitte ... oh, bitte, Minou ..."

„Wir wollen sehen. Aber du solltest zu Hause sein. Du mußt dich doch um meinen Garten kümmern. Und denk doch, wie bang es Topper nach dir sein wird. Und Ted auch ...", fügte sie unsicher hinzu.

„Ich kann mit Doktor Marshall gar nicht mehr auskommen. Er ist zu schwer zu behandeln, seit Madame fort ist ...", erklärte Guy. Katja konnte ein Echo von McKenna hören.

Während des ganzen Tages, durch den dünnen Schleier ihres Nachmittagsschlafes und später, während sie mechanisch ihre Übungen tat, ja, selbst während der Vorstellung, war sie mit der Frage beschäftigt, was nun mit Guy geschehen sollte. Jetzt, während der kurzen Fahrt die Fünfte Avenue hinauf, war das nagende Problem wieder da. „Wir sind beide auf den Hintern gefallen heute, mein kleiner Junge und ich", sagte sie. „Wir sind beide ziemlich hart auf einem Haufen unumstößlicher Realitäten gelandet."

„Zum Beispiel?"

„Zum Beispiel – wenn ich wirklich für eine Weile aufhören sollte zu tanzen – und ich gebe zu, ich könnte jetzt einen Urlaub brauchen –, wovon würden wir leben, der Bub und ich? Und wenn ich auf Tournee gehe, zwei Monate in Amerika, zehn Wochen in Europa? Schön, ich könnte ein bißchen Geld weglegen, aber wo soll ich das Kind in der Zwischenzeit unterbringen?"

Elkan murmelte etwas von Ferienheimen, Pensionaten, aber Katja schüttelte den Kopf. „Ich fürchte, Elkan, ich habe meine wirklichen Verantwortungen niemals ernst genug genommen. Aber ein Erfolg im Ballett zu sein ist keine Entschuldigung, zu versagen in – oh, in den meisten anderen Dingen."

„Unsinn, Katja, du ..."

„Es ist wahr. Ich habe so viel Hirn und Mark und Energie an so viel unwichtiges Zeug verschwendet, und ich habe total versagt in allem, worauf es ankommt: als Mutter, als Gattin, als Frau. Wenn ich jetzt noch meinem kleinen Enkel gegenüber versage, dann verdiene ich – ausgespuckt zu werden, wie die Bibel es nennt, ausgespien vom lieben Gott."

„Wahrhaftig, Katja, du *bist* müde. Solch ein überlebensgroßer Katzenjammer." Das Taxi fuhr langsamer, und Elkan sah durch die tränenden Fenster und dann seitwärts, halb mitleidig, halb ironisch auf Katja. „Tut es sehr weh?"

„Was? Wenn eine Ballerina eine Großmutter ist?"

„Nein, Liebste. Erwachsen sein. Ein bißchen spät mündig zu werden."

Das Taxi hielt vor dem Tor. Elkan stieg mit Katja aus, schob sie schnell unter die bedachte Zufahrt und sperrte für sie auf.

„Sorg dich nicht, Kleine. Morgen kannst du alles mit Olivia besprechen, die weiß immer Rat. Wir beide sind untüchtig. Und danke, daß du dich mit mir ausgesprochen hast", sagte er noch und huschte zurück zum Taxi, um drei Häuser weiterzufahren, zu dem unerwünschten Luxus, den die Millionen seiner Frau bezahlten.

Louisa hatte auf der Chaiselongue ein Bett für Guy improvisiert. Er war tief in Schlaf vergraben, wie in eine Höhle, wo nichts ihn erwecken konnte. Katja zog ihre Schuhe aus und stand eine Weile über das Kind gebeugt. Ein seltsames Tauen und Strömen von Liebe war in ihr; seit dem Tode ihres eigenen kleinen Sohnes hatte sie niemals irgendwas oder irgendwen so tief geliebt wie diesen schlafenden, die weiß atmenden Jungen. Er seufzte und runzelte die Stirn in seinem Traum. Sie lachte leise, aber sie wünschte, sie könnte in seinen Traum eindringen, wegräumen, was immer ihn störte. Wahrscheinlich die McGuire als Zuckerpfläumchen, dachte sie, mit einem letzten Aufflackern von Ballettbosheit, und dann begann sie, auf leisen Sohlen im Zimmer auf und ab zu gehen.

Eine Weile lang stand sie am Fenster, sah hinaus auf die Straßenlampen vom Central Park und dachte an Ted. Sie rauchte einige Zigaretten, dann öffnete sie das Fenster und ließ den Rauch in die Nacht hinausziehen. Der Regen hatte die Luft gereinigt. Zweimal nahm sie das Telefon und legte es wieder hin, ehe das Amt sich gemeldet hatte. Schließlich nahm sie eine rosafarbene Schlafpille und spülte sie mit der Milch, die Louisa auf den Nachttisch gestellt hatte, hinunter. Sie zog sich aus und legte sich aufs Bett, ihre Augen fixierten den Baldachin, ohne ihn zu sehen.

Sie war vielen Schwierigkeiten begegnet und hatte sie alle tapfer durchgefochten und bezwungen, aber keine war so hart zu überkommen gewesen wie diese: den eigenen Stolz, die eigene Wunde zu vergessen, sich selbst herauszufordern und zu bekämpfen. Weshalb aber war Ted zur Premiere gekommen? Bloß als ihr ehemaliger Arzt? Oder immer noch an sie gebunden, so wie sie an ihn gebunden war?

Langsam löste das Beruhigungsmittel ihre angespannten Nerven, lockerte ihre Muskeln, beschwichtigte etwas, das widerstreben wollte. Plötzlich, als ob ein Scheinwerfer darauf gerichtet wäre, sah sie die komische Seite der ganzen traurigen Affäre. Plötzlich hatte sie ihren Sinn für Humor wieder, den sie in den letzten Tagen verloren hatte, und sie dachte: Ted und dieses Mädchen? Mein Mann, mein lieber, ungeschickter, weltfremder, dummer Mann – wie komisch du doch bist!

„Es ist lächerlich, es ist einfach absurd", flüsterte sie, und damit ging sie zum Telefon, ein bißchen benommen, aber wunderbar leicht unter der Wirkung der rosafarbenen Pille, und verlangte ein Ferngespräch mit ihrem Haus in Rocky Hill Lane.

Erst als es dort läutete, klärten sich die Nebel des Schlafmittels, und sie begann zu zittern, während alle möglichen Ängste auf sie einstürmten. Die kleine Reiseuhr zeigte zwanzig nach drei. Wenn Ted nicht zu Hause war, sondern Gott weiß wo mit Gracie? Schlimmer – wenn er wütend über den unzeitgemäßen Anruf war und nicht mit ihr sprechen wollte? Und das schlimmste: wenn nicht Ted, sondern Gracie antworten sollte? Sehr deutlich sah Katja den Arm des Mädchens sich nach dem Hörer ausstrecken, sie sah sie an Teds Seite in ihrem eigenen Bett, in ihrem und Teds Ehebett. Die weichen hellroten Spiralen von Daniels' „Schlafenden Füchsen" sahen von der Wand auf das Paar. Katja konnte beinahe Gracies verschlafene Stimme vernehmen. Beinahe legte sie den Hörer wieder hin und ergriff die Flucht.

Dann: „Hier Doktor Marshall."

Katjas Mund war plötzlich ganz trocken. Sie versuchte zu schlucken, zu sprechen, es ging nicht.

„Hier Doktor Marshall. Wer dort? Bist du's, Kate?"

„Woher weißt du ... ich meine ... habe ich dich geweckt?"

„Wer sonst sollte mich um diese Zeit von New York anrufen? Ist was los? Bist du in Ordnung? Und der Junge?"

„Alles unter Kontrolle, danke. Bist du . . . habe ich dich gestört? Bist du – allein?"

„Gewiß. Ich habe an meinem Bericht gearbeitet, bemerkte gar nicht, wie spät es geworden ist. Kann ich etwas für dich tun?"

Katja suchte verzweifelt nach einem Grund für einen Anruf um drei Uhr zwanzig morgens.

„Es ist bloß ... ich wollte dich erinnern ... die Versicherung für den Wagen muß erneuert werden. Und es ist höchste Zeit, daß Preston die Rosenstöcke auspackt ..."

„Schön. Ich habe mir eine Notiz gemacht. Danke, daß du mich erinnerst. Sonst noch was?"

„Wie geht's Topper?"

„Ich mußte ihn zum Tierarzt schicken ... irgendwas mit seinem Ohr, hat eine Klette hineingekriegt; der Tierarzt sagt, in ein oder zwei Tagen wird es wieder gut sein."

Eine Pause. Das Telefon wartete, an beiden Enden wurde tief geatmet. „Bist du noch da?" fragte Ted. Katja musterte ihre äußerste Kraft gegen sich selbst und wagte den Sprung über den Abgrund. („Wie machen Sie diese fabelhaften Sprünge, die aussehen, als könnten Sie fliegen?" hatte jemand Nijinsky gefragt. „Ganz einfach. Ich springe und bleibe eine Weile oben in der Luft", hatte er geantwortet.) Und nun, zu springen, oben zu bleiben, nicht in den dunklen Abgrund zu stürzen: ganz einfach. „Ted...", sagte Katja, und ihre Stimme war mit einemmal klein und verloren, „Ted, ich brauche dich..."

„Was? Was hast du gesagt?"

„Ich brauche dich, Ted, ich brauche dich so sehr..."

„Sag's noch einmal, Kate. Du... was?"

„Ich brauche dich. Ich habe das nicht so gewußt. Ich kann nicht ohne dich sein. Ich brauche dich so unbeschreiblich..."

Plötzlich gab es dort draußen allerlei Geräusche; etwas fiel zu Boden, Papier wurde raschelnd zusammengeschoben, es klang wie Wind in dürren Blättern, ein Stuhl wurde mit Quieken und Scharren weggerückt, hastige, verworrene, ungeschickte, tastende Geräusche. Katja hielt den Atem an, verbiß ein Lachen, als sie sich Ted vorstellte in einem seiner Gefechte mit Dingen und seiner eigenen Konfusion.

„Wo bist du? Im Latham-Mausoleum? Schön – ich komme."

„Wann? Morgen bin ich frei. Und Guy ist bei mir."

„Nicht morgen. Jetzt gleich. Wird nicht länger dauern als eine Stunde. Oder bist du zu müde, um auf mich zu warten?"

„Ich war niemals in meinem Leben weniger müde", sagte Katja. Aber Doktor Marshall hatte bereits abgehängt und war auf dem Weg in die Garage.

VICKI BAUM

geboren am 24. Januar 1888 in Wien, besuchte zunächst die Hochschule für Musik und trat als Harfenspielerin auf, anfangs in ihrer Heimatstadt und dann ab 1912 in Darmstadt. Nachdem sie sich 1916 mit dem Generalmusikdirektor Richard Lert verheiratet hatte, gab sie allerdings ihre musikalische Laufbahn auf, um nun ganz als Erzählerin tätig zu sein. Zuvor schon hatte sie zu schreiben begonnen, und mit welch ungewöhnlichem Talent und welchem Ernst, das sollte am deutlichsten mehr als ein Jahrzehnt später ihr Roman „Menschen im Hotel" (1929) zeigen; Vicki Baum nahm sogar die Stelle eines Zimmermädchens in einem großen Berliner Hotel an, um eingehend Vorstudien treiben zu können. Dies tiefgehende Bemühen wurde glücklicherweise hoch belohnt: Der Roman wurde ihr erster Welterfolg. Nachdem Vicki Baum schon fünf Jahre lang Redakteurin im Ullstein-Haus gewesen war, ging sie anläßlich der ersten Verfilmung von „Menschen im Hotel" 1931 nach Amerika; bald wurde sie Hollywoods führende Drehbuchautorin. 1938 wurde sie sogar amerikanische Staatsbürgerin. Die ausgedehnten Reisen, die sie nach Mexiko, Indonesien, Ostasien und wiederholt nach Europa führten, und die weltweiten Erfahrungen, die sie dabei sammeln konnte, finden ebenso wie die Erinnerungen an die europäische Heimat in ihrem Gesamtwerk ausgeprägten Niederschlag. Zu Recht wurden beinahe alle Romane Vicki Baums sehr populär, denn ihre Form ist gekonnt, zuweilen meisterhaft, alle Vorgänge sind mit erstaunlicher Sachkenntnis wiedergegeben, und die Darstellung der Menschen zeigt ein solches Wissen um geheime Seelenregungen, um das, was zwischen Menschen sein kann und was nicht sein kann, daß man sich immer wieder fragt, warum Vicki Baum nicht auch bei den Verfassern zeitgenössischer Literaturgeschichten stärkere Beachtung findet.

„Die goldenen Schuhe", der Schriftstellerin neuester Roman, zeigt wieder ihre ganze literarische Meisterschaft. Wie fachgerecht und außerordentlich lebendig werden doch Leben und Arbeit der Ballettänzer beschrieben! Da stimmt jedes Detail, nichts ist beschönigt, nichts verklärt, da spürt man das, was Balzac die faszinierende „Magie der Tatsachen" nannte. Alle lebensphilosophischen Gedankengänge, alle reifen Äußerungen über Probleme der Erotik, die ausgezeichnete Gestaltung der Frauenseele Katjas, all das wird aus der Distanz und zuweilen mit ein wenig Ironie gegeben, aber nie mitleidlos, sondern manchmal mit beinahe weiser Gelassenheit, aus dem Gefühl: so ist das Leben.